2026年度版

科目別・テーマ別 過去問題集

東京都

I類B／行政・一般方式

TAC出版編集部 編著

JN002138

TAC出版
TAC PUBLISHING Group

はじめに

近年就職環境が大きく変化している中で、まだまだ多くの若者が「やりがい」や「安定」を求めて公務員試験に挑戦しています。出題科目が非常に広範な公務員試験で効率的に学習を進めるためには、志望試験種の出題形式を的確に捉え、近年の出題傾向をつかむ必要があります。

このシリーズは、受験先ごとに公務員試験の過去問演習を十分に行うために作られた問題集です。

公務員試験対策は「過去問演習」なしに語ることはできません。試験ごとの出題傾向が劇的に変化することは稀であり、その試験の過去の出題を参考にすることで、試験本番に向けた対策をほぼカバーすることができるためです。

また、過去問を眺めると、試験ごとに過去の出題分布がだいぶ異なっていることに気づきます。公務員試験対策を始めたばかりのころは、なるべく多くの受験先に対応できるよう幅広い範囲の知識をインプットしていくことが多いですが、ある程度念頭においた受験先が見えてきたら、その受験先の出題傾向を意識した対策が有効になります。

本シリーズは、択一試験の出題を科目ごと、出題テーマごとに分類して配列した過去問題集です。このため、インプット学習と並行しながら少しずつ取り組むことができます。また、1冊取り組むことによって、受験先ごとの出題傾向を大まかにつかむことができるでしょう。

公務員試験はいうまでもなく就職試験です。就職試験に臨む者は皆、人生における大きな岐路に立ち、その目的地であるゴールを目指しています。公務員として輝かしい一歩を踏み出すためには、合格というスタートラインが必要です。本シリーズを十分に活用された方々が、合格という人生のスタートラインに立ち、公務員として各方面で活躍されることを願ってやみません。

2024年10月　TAC出版編集部

本書の特長と活用法

本書の特長　～　試験別学習の決定版書籍です！

科目別・テーマ別に演習できる！

本書は東京都（Ⅰ類Ｂ／行政・一般方式）採用試験における択一試験の過去問（2015～2023年度）から精選し、学習しやすいよう科目別・テーマ別に収載しています。科目学習中の受験生が、試験ごとの出題傾向をつかむのに最適な構成となっています。

TAC生の正答率つき！　丁寧でわかりやすい解説！

TAC生が受験した際のデータをもとに正答率を掲載しました。また、解答に加えて、初学者の方でもわかりやすい、丁寧な解説を掲載しています。実際に問題を解き、間違ったときはもちろん、正解だったときでも、しっかりと解説を確認することで、知識を確固たるものにすることができます。

最新年度の問題も巻末に収録！　抜き取り式冊子なので使いやすい！

最新の2024年度の問題・解説は巻末にまとめて収録しており、抜き取って使用することができます。本試験の制限時間を参考にチャレンジすることで、本試験を意識した実戦形式でのトレーニングが可能です。

受験ガイド・合格者の体験記を掲載！

受験資格や受験手続の概要をまとめた「受験ガイド」を掲載しています。過去の採用予定数や受験者数、最終合格者数といった受験データもまとめています。また、合格者に取材して得た合格体験記も掲載していますので、直前期の学習の参考にしてください（合格者の氏名は仮名で掲載していることがあります）。

記述式試験の模範答案も閲覧可能！

2015～2024年度の記述式試験について、問題と答案例をWeb上でダウンロード利用できます。詳しくはご案内ページをご確認ください。

問題・解説ページの見方

問題

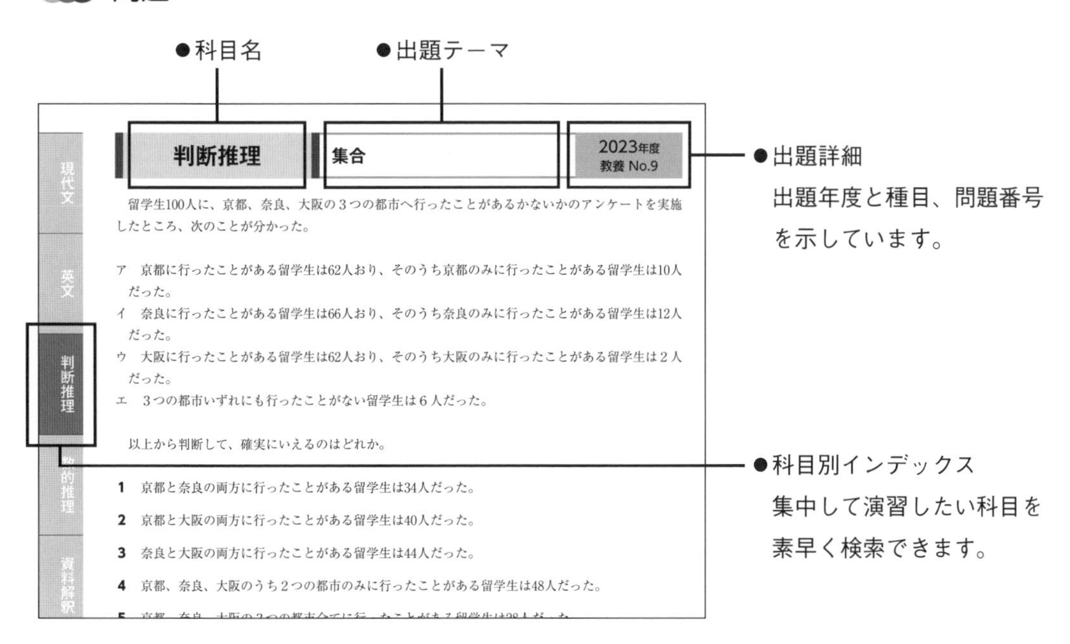

●科目名

●出題テーマ

判断推理　集合　2023年度 教養 No.9

　留学生100人に、京都、奈良、大阪の３つの都市へ行ったことがあるかないかのアンケートを実施したところ、次のことが分かった。

ア　京都に行ったことがある留学生は62人おり、そのうち京都のみに行ったことがある留学生は10人だった。
イ　奈良に行ったことがある留学生は66人おり、そのうち奈良のみに行ったことがある留学生は12人だった。
ウ　大阪に行ったことがある留学生は62人おり、そのうち大阪のみに行ったことがある留学生は２人だった。
エ　３つの都市いずれにも行ったことがない留学生は６人だった。

　以上から判断して、確実にいえるのはどれか。

1　京都と奈良の両方に行ったことがある留学生は34人だった。
2　京都と大阪の両方に行ったことがある留学生は40人だった。
3　奈良と大阪の両方に行ったことがある留学生は44人だった。
4　京都、奈良、大阪のうち２つの都市のみに行ったことがある留学生は48人だった。

●出題詳細
出題年度と種目、問題番号を示しています。

●科目別インデックス
集中して演習したい科目を素早く検索できます。

解説

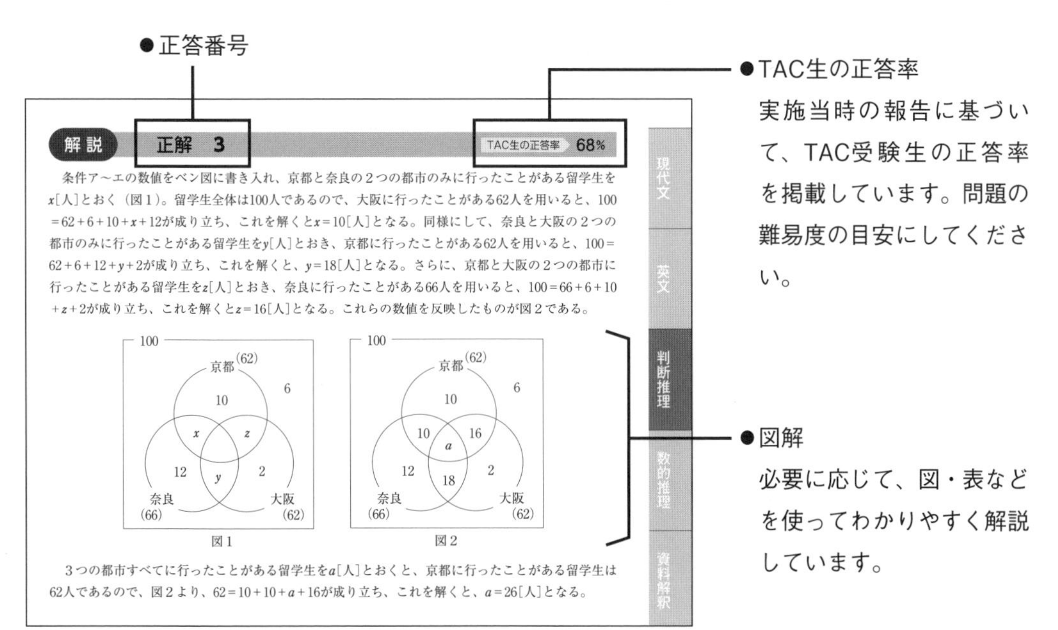

●正答番号

●TAC生の正答率
実施当時の報告に基づいて、TAC受験生の正答率を掲載しています。問題の難易度の目安にしてください。

解説　正解　3　TAC生の正答率 68%

　条件ア～エの数値をベン図に書き入れ、京都と奈良の２つの都市のみに行ったことがある留学生をx[人]とおく（図１）。留学生全体は100人であるので、大阪に行ったことがある62人を用いると、$100=62+6+10+x+12$が成り立ち、これを解くと$x=10$[人]となる。同様にして、奈良と大阪の２つの都市のみに行ったことがある留学生をy[人]とおき、京都に行ったことがある62人を用いると、$100=62+6+12+y+2$が成り立ち、これを解くと、$y=18$[人]となる。さらに、京都と大阪の２つの都市に行ったことがある留学生をz[人]とおき、奈良に行ったことがある66人を用いると、$100=66+6+10+z+2$が成り立ち、これを解くと$z=16$[人]となる。これらの数値を反映したものが図２である。

図１　図２

　３つの都市すべてに行ったことがある留学生をa[人]とおくと、京都に行ったことがある留学生は62人であるので、図２より、$62=10+10+a+16$が成り立ち、これを解くと、$a=26$[人]となる。

●図解
必要に応じて、図・表などを使ってわかりやすく解説しています。

東京都（Ｉ類Ｂ／行政・一般方式）受験ガイド

(1) 東京都（Ｉ類Ｂ／行政・一般方式）の試験とは

東京都（Ｉ類Ｂ／行政・一般方式）の試験は大卒程度の学力を要する試験として実施されています。行政の仕事は、東京都の行政全般にわたり運営管理に関する業務になります。福祉・医療、教育・文化、産業・労働、環境、都市づくり等に関する事業や、施策の総合的な企画・調整、人事・財務管理など、様々な業務があります。

(2) 受験資格＆申込み方法

2024年度の試験では、1995年４月２日から2003年４月１日までに生まれた方が受験可能でした。

試験案内と申込用紙は東京都人事委員会事務局などで受け取ることができます。郵送による請求もできます。2024年度試験の受付期間は２月下旬～３月上旬であり、原則としてインターネットのみで申し込みます。

(3) 試験日程＆採用になるまで

2024年度の東京都（Ｉ類Ｂ／行政・一般方式）の試験は、以下の日程で実施されました。

申込みから最終合格までの流れ

	日　程
申込期間	２月27日（火）～３月13日（水）
第１次試験日	４月21日（日）
第１次合格発表日	５月31日（金）
第２次試験日	６月14日（金）～６月27日（木）の間で指定される日（個別面接を１回実施）
最終合格発表日	７月10日（水）

(4) 試験内容

第1次試験は筆記試験で、①教養試験（択一式・130分）、②論文（記述式・90分）、③専門試験（記述式・120分）が行われます。第2次試験は、口述試験（個別面接）が行われます。

教養試験の出題内訳（2024年度）は以下のとおりです。

●教養試験（択一式）

一般知能分野						一般知識分野											
文章理解		数的処理				人文科学				社会科学			自然科学				社会事情
現代文	英文	判断推理	数的推理	資料解釈	空間把握	文芸	日本史	世界史	地理	法律	政治	経済	物理	化学	生物	地学	
4	4	2	7	4	3	1	1	1	1	1	1	1	1	1	1	1	5

なお、教養試験は全40題の必須解答です。論文試験は1題必須解答です。専門試験は記述式で、10題の中から3題を選択して解答します。

以上の受験についての情報は、受験年度によって変更がある場合がありますので、必ず試験案内または東京都人事委員会のホームページにより確認してください。

(5) 実施状況

年度	採用予定数	申込者数	受験者数	最終合格者数	受験倍率
2024年度	555	2,057	1,413	932	1.5
2023年度	455	2,122	1,525	626	2.4
2022年度	360	2,501	1,677	540	3.1
2021年度	85	2,313	1,507	110	13.7
2020年度	265	3,400	1,626	352	4.6
2019年度	290	3,198	2,276	403	5.6
2018年度	320	3,637	2,564	421	6.1
2017年度	340	3,929	2,751	439	6.3
2016年度	365	4,529	2,706	550	4.9
2015年度	484	5,383	3,465	640	5.4

合格体験記

清水　遼（しみず　はるか）さん

2024年度　東京都（Ⅰ類Ｂ／行政・一般方式）、国家一般職（大卒程度・行政）、国税専門官（国税専門Ａ）、裁判所一般職（大卒程度）、横浜市（事務）合格

幅広い業務に携わることのできる東京都を志望

家族に公務員が多かったこともあり、幼いころから「公務員」という職業には馴染みがありました。就職先の候補の一つとして東京都を考えるようになり、インターンシップや採用希望者向けのイベントに参加したのですが、そのとき接した職員の方が試験や入都に対する不安や疑問点に対し、嫌な顔一つせず真摯に答えてくださったのが印象的でした。

特にインターンシップでは職員の方々が実際に働く様子を間近で見ることができ、入都後、悩みを抱えた際にも先輩に相談しやすい環境だと感じることができました。

東京都においては定型的な業務だけでなく、他国の都市と連携するような国際的な業務から、税や水道に関するような都民に密接した業務まで、幅広い仕事があります。生まれ育ったまちでもあり、働きやすいイメージを持つこともできた東京都というフィールドで、公務員として都民に貢献したいと思い、入都したいという気持ちを持つようになりました。

苦手だった数的処理を克服し得点源に

試験対策を始めたのは大学３年生の６月ごろで、当初から数的処理を毎日欠かさずこなしていました。はじめは問題を１問も解けず、この調子で本番に解けるようになるのかと焦りを感じたことを覚えています。苦手である分、人よりできるだけ多くの問題を繰り返し解き、解法のパターンを定着させるよう努めました。直前期の３月になっても初見の過去問に正解することができず、不安を抱えながら受験に臨みました。

しかし本番では数的処理の問題を全問正解することができたので、諦めず努力し続けることで結果がついてくることを実感しました。東京都以外の試験においても、それほど過去問対策をしていないのにもかかわらず数的処理の問題を８割程度正答することができたため、基礎的な東京都の問題を徹底して理解することが大切であると感じます。

専門記述・論文対策

専門記述は憲法、政治学、行政学をメイン科目として各30論点程度、民法、行政法をサブ科目として各10論点程度準備し本番に臨みました。自分の得意科目や過去問を見て選択すべきであると思いますが、憲法、行政学は出題が予想される論点が限られており、覚えやすいため個人的におすすめです。メイン科目は直近５年に出題された論点を除き、問題集に掲載されている論点を全て暗記することで、本番には自信を持って臨むことができました。

覚え方として答案にキーワードをいくつか設定し、それをひたすら覚えて文にしていくという方法を行いました。問題を見たときに即座にキーワードが浮かぶ状態にするために、紙に書き出す、頭の中で呟きながら散歩をする等行いました。ずっと机に向かって覚えるのは辛く感じたので、歩きながら行うのが自分に合っている気がしました。

論文は、出そうなテーマごとに東京都の政策を書き出して覚え、それを練りこんだ文章を作成していくという方法を行いました。その際に課題や改善策、独自の提案を取り入れました。文章を作り人に添削をしてもらうことが億劫に感じてしまいあまり対策はしませんでしたが、ここで政策への理解を深めることができれば面接の際にも役立つと感じたので、しっかり準備すべきであったと反省しています。

情報収集の方法についてですが、私の家では新聞を購読していたので普段から新聞を読んで時事に関心を持つようにしていました。新聞でなくても、広報紙やHP、Web上のメディアなどで他自治体、他国の政策を調べることができます。他の自治体や国が行っている施策で東京都が取り入れられそうなものをメモするといったことを行っていました。

直前期の過ごし方

試験直前期には１日10時間程度は学習時間を確保していました。一度休憩を挟むと集中力が切れてしまうので、まとまった時間で勉強することを意識していました。自分の勉強のルーティンを固めることで自然と机に向かう習慣がつくのでお勧めです。

週に１、２回は勉強を休む日を設け、友人と出かけてリフレッシュをしていました。特に１～３月の直前期は気が滅入ってしまうことが多かったので、勉強場所を変える、散歩をしながら暗記をする等外に出るよう意識をしていました。

■直前期の１日のスケジュール例

8:00	起床、移動
9:00～14:00	外出先で学習
14:00～15:00	移動、昼食
15:00～20:00	自宅学習
20:00～21:30	入浴、自由時間
21:30～24:00	自宅学習
24:00	就寝

面接対策

面接対策のため予備校や大学のキャリアセンターでの模擬面接を10回程行いました。繰り返し行うことで自分の長所や課題が分かると同時に様々な質問への想定ができました。そのため本番でも練習と同じような内容の質問に対し焦ることなく答えることができました。模擬面接を通し場慣れをすることで、本番でも緊張することなく堂々と答えることができました。

本番では「他国と比べた東京都の弱みは？」、「都庁内の労働環境の課題は？」、「どの役職を目指したい？」といった東京都の知識や政策への理解が必要とされる質問があったため、事前にホームページやパンフレットを用いて対策をすべきだと感じました。

おわりに

公務員試験の勉強は長期戦なのでやる気が出なかったり、将来に対して不安を感じたりと気持ちが不安定になることがあると思います。そのような際には一度勉強から完全に離れ、気持ちを一転させることが大事だと思います。友人と家族の応援や支えのおかげで乗り越えることができたので、周りへの感謝を忘れず謙虚な姿勢で学び続けることで結果はついてくると思います。無理せず頑張ってください！

合格体験記

橋本 柊（はしもと しゅう） さん

2022年度　東京都Ⅰ類B（行政・一般方式）、埼玉県庁、八王子市、武蔵野市、財務専門官、裁判所一般職、国家一般職（国土交通省内定）合格

幅広い角度で“まちづくり”ができる東京都を志望

以前から“まちづくり”をしたいという漠然とした希望があったのですが、大学の授業や自治体でのインターンシップを通して行政の役割を認識し、公務員に関心が傾いていきました。建物をつくるだけではなく都市計画などのソフト面にも携われること、福祉や環境といった他の分野でも経験を積みながら広い意味での“まちづくり”ができることから、公務員を目指そうと決めました。

そしてその当初から東京都の受験を意識していました。①大都市である東京のまちづくりに携わりたいと考えたこと、②都市部・臨海部から林間部・島嶼部までの地域の多様さに加え、業務も非常に広範であるため様々な地域・分野で経験を積めること、③自分自身が都民であり、長らく都立学校にお世話になっており縁を感じていたこと、が主な理由です。大学３年次に参加した産業労働局でのインターンシップで観光振興やスタートアップ支援などの業務にも触れ、まちづくり以外の分野でも東京都の取組みに関心を持ったことで改めて志望が固まりました。

数的処理を得意科目にすることで教養科目全体を底上げ

公務員試験全般に言えることですが、教養試験においては数的処理の比重が大きいです。東京都の数的処理は過去問と類似した出題も多いため、その点を意識して問題集を解くことで数的処理を得意科目にすることができ、教養試験全体について余裕をもって臨めるようになりました。

一方で、高校時代は理系だったため、人文科学と文章理解に苦手意識がありました。人文科学は全範囲に手を付けることをせず、世界史と地理に絞って確実に得点を狙えるように準備しました。文章理解は短時間で文章を読み切って解答することが苦手だったため、１日数問ずつ「１問４分」を目標に時間を計って解答し、短時間で処理するのに慣れていきました。

専門記述の対策科目・対策テーマの選び方

専門記述は憲法・行政法・政治学・行政学・財政学の５科目について、各科目15～25テーマほど対応できるように事前準備をしていました。当日は憲法・行政法・政治学の３科目を選択しました。

準備した５科目は得意科目であることに加え、過去問を見て検討した上で選択しました。例えば経済学は比較的得意でしたが、グラフを描く問題も多くハードルが高いと感じて見送りました。逆に政治学や行政学で人名を覚えることは苦手でしたが、時代背景や現代の政治・行政との関連などの背景知識を記述に含めることで覚えやすくなることを発見し、対策する科目に加えました。

準備するテーマは、予備校や公務員試験情報サイトなども参考にしつつ、過去10～20年程度の出題傾向を踏まえた自分の予想も加味して選びました。繰り返し出題されている問題を中心に、時事的な話題との関連性も意識しました。「憲法は人権と統治が交互に出題される」といった予想を立てる人もいますが、私はあまり絞りすぎずにできるだけ広くテーマを用意することを心がけていました。

受験先の取組み・事業を把握したうえで論文に活かす

意識して論文対策を始めたのは年明けごろからで、答案を提出し添削を受けるということを繰り返していました。ただ、それまでにも大学の授業やインターンシップでの経験、都の広報紙などから行政のしくみや東京都の取組みを知る機会があり、そうした経験が論文に活きていたと思います。

東京都は“3つのシティ”、“シン・トセイ”のような特徴的な事業や印象的なキャッチフレーズが多く、論文においてはそれらと絡めて自分の考えを論じると高い評価に結びつくと思います。

直前期の過ごし方

午前中の自宅学習では、時間計測が必要な過去問や論文・専門記述の答案作成を中心に行っていました。

昼食後は自習室や喫茶店・ファミレスなど外出して学習します。ここでは択一対策で問題集を解いたり暗記をしたり、専門記述のメモづくりをしたりといった、細かい作業が中心です。日によっては受験仲間と一緒に学習や情報交換の機会を設けており、このことが気分転換になり心強くもありました。

就寝前の学習ではその日の復習や暗記モノを覚えたりなどしていました。

■直前期の1日のスケジュール例

8:00〜9:00	起床
9:00〜12:00	自宅学習
12:00〜13:00	昼食・移動
13:00〜19:00	外出先で学習
19:00〜22:00	帰宅・夕食・入浴など
22:00〜2400	自宅学習
24:00	就寝

模擬面接・東京都の政策の理解をきちんと済ませたうえで、面接当日は臨機応変に対応

面接対策は予備校や大学のキャリア支援課での模擬面接をとにかく繰り返しました。回数を重ねることで慣れることはもちろん、自分では見えなかった性格や人間性がわかり自己分析が進むこと、予想される質問に対して自分の答えを定型化できるなどのメリットがあります。おかげで、本番の緊張を緩和したり、面接官の質問に用意した回答を組み合わせつつ落ち着いて答えられたと思います。

また、長所・短所・趣味などについてはいくつかの答えを用意していたことで、面接官の「他にありますか？」という質問にも慌てずに答えられました。

一方、本番では多くの模擬面接と違い複数の面接官がいますし、個室ではなく大部屋で他の受験生と同時に行われることがあるので（2022年度は大部屋）、そういった環境への対応が必要です。

また質問内容に関して、本番では想像していた以上に東京都の政策・取組みに関する知識が求められた気がします。「都の取組みで興味のあるものは」という直接的なものに加えて、「行政がデジタル化を進めることをどう捉えているか」という都の考え方を念頭に答えなければならない質問もありました。これらは論文対策と合わせて調べていくことが大切だと思います。

東京都に特有な部分を意識して対策を

専門記述があったり、東京都の取組みについての知識を要求されたりと、他の試験種と比較して特徴的な部分が多く難しく感じられるかもしれません。しかし、根幹となる部分は他の試験種と変わらないのでまずはしっかりと基礎を固めていくべきです。

そして、直前期に入ったら東京都で求められる部分に狙いを定めて対策をすることで、きちんと結果が伴う試験だと思います。国や他の道府県では取り組めない先進的な都市政策に携わることができるのが東京都の魅力だと思うので、興味を持ったのなら初志貫徹して合格を掴んでください。

合格体験記

白壁（しらかべ） 紀乃（きの） さん

2021年度　東京都Ⅰ類Ｂ（行政・一般方式）、裁判所一般職（大卒程度）、
国家一般職（大卒程度・行政）、横浜市（事務）合格

コロナ禍の不安のなか確かになった東京都志望

よくある話かもしれないのですが、最初は両親に公務員としての就職を勧められたのがきっかけです。大学２年生の夏ごろ、知人の紹介で外務省に勤めている方と話をする機会があり、そのときに漠然と公務員という職業に好印象を持ちました。

国家公務員の方の話がきっかけだったものの、最初から私は何となく東京都で働きたいな、とイメージしていました。それは単純に自分が暮らしていたまちだから、というのもあるし、自分の身近な先輩の中にも東京都に就職した方がいて、職員像を思い描きやすかったからかもしれません。

公務員試験対策を始めたのは大学２年生のとき（2019年）ですが、３年生になると（2020年）コロナ禍が生じます。この年の公務員試験が軒並み延期になるのを横目に学習を続けていて、「１年後、自分のときはどうなんだろう…」と不安に感じるようになりました。民間企業を併願することも考えましたが途中で断念するなど、試行錯誤しながら自分の「仕事」に対する意識を問い直した結果、総合職や一般職などの区別なくワークライフバランスを大事にしながら働くことができ、愛着のある東京都で仕事をしたい、という気持ちが大きくなりました。

教養科目の学習法

上にもあるとおり、私は大学２年生の夏から学習を始めたのですが、教養科目ではまず数的処理を１年目にこなしていました。TACの校舎に通って講義を受けたら、その日のうちにテキストを見直し、学習した箇所と対応する過去問を解く、ということを続けます。

このころはとにかく１問１問きちんと理解する、ということにこだわっていたので、時間は気にせずじっくり解いていました。いま思えば効率は悪かったかもしれませんが、結果的に数的処理が得意科目になったのは、１年目の地道な学習の成果かなとも感じます。後述しますが、講義が一通り終わった後、直前の４か月ほどは過去問演習をひたすら繰り返すことがメインになりました。

専門記述・論文の学習法

専門記述は憲法、行政法、政治学、行政学、社会学の５科目を準備していましたが、当日は憲法、民法、行政法で答案を書きました。５科目で合計100論点以上は書けるように準備していたのですが、行政法以外は用意していた論点が全く当たらず、書く予定のなかった民法まで動員して３科目仕上げることになりました。

東京都の専門科目は記述式ですが、多くの受験生は併願先のためにまず択一対策として各科目を学習するはずです。このとき、きちんと講義を聴いたりテキストを読んだりして理解し、しっかり過去問をこなしておくことで、このような不測の事態にもある程度対応できるようになると思います。

テキストなどに載っている「模範答案」はきちんとした文章ですが、必ずしも自分のものとして使いこなすのには向かないなと感じ、答案構成は自分にとって自然に出てくる言葉で、またキーワードを中心に準備するようにしました。こうして作った答案構成を論点ごとにノートにまとめておき、それを隠しながら文章を再構成してみる、というやり方が頭に入りやすかったです。

また、個人的にいちばん有効だったと思うのは、その答案構成ノートを全く見ずに、頭の中だけで一から答案を構成できるか、説明できるか確かめる、という作業でした。直前期は特にこれをひたすら繰り返していました。

論文対策としては、❶書くための情報収集、❷答案を書く技術を高める、の2面があります。

❶についてはテレビやSNSなどで接するニュースから、関係しそうな事柄をメモしたり、試験直前には東京都が掲げている行政基本計画などを見ながら、出題されそうな論点についての東京都の施策や自分の考えをまとめる作業をしたりしました。

❷についてはとにかく自分の書いた答案を評価してもらうことが大事です。私は2週間に1回、と頻度を決め、必ず答案を提出し添削を受ける、ということを続けていました。

直前期の過ごし方

右のスケジュールのとおりですが、だいたい午前中に時事以外の教養科目、午後に専門記述、論文、時事対策といったルーチンで、正味1日10時間程度を学習に割いていたと思います。

■直前期の1日のスケジュール例

5:30	起床
5:40〜6:40	数的処理
6:40〜8:00	朝食・身支度
8:00〜8:30	文章理解
8:30〜10:00	数的処理過去問1年分
10:00〜11:00	人文科学 or 自然科学
11:00〜12:00	社会科学
12:00〜13:30	昼食・昼寝
13:30〜15:00	学系・専門記述
15:00〜16:30	法律系・専門記述
16:30〜18:00	論文対策
18:00〜20:00	夕食・お風呂
20:00〜21:50	時事対策
22:00	就寝

数的処理は3年生の春から続けていた「過去問を毎日10問解く」というのを直前期にもそのまま実践しました。併願先のことも考え、東京都の形式に特化しすぎないようバランスよくこなしました。また、この時期は問題演習が中心ではあるけれど、知識系の科目についてはインプットも最後のほうまでしつこく続けました。実際直前期に新たに入れた知識で解けた問題もあったので、それでよかったと思っています。

専門記述については、直前期は1日に4論点、などと決めて前述の方法で答案構成を自分のものにしていく作業を繰り返しました。

時事問題、特に東京都の出題は重箱の隅をつつくようなものが多いです。出題は5問もあるためそれなりに大事ですが、他の科目に比べると学習に費やした時間がそのまま成果に反映しにくい、いわばギャンブル的な要素があると思います。私は朝型で、20:00くらいには眠くなってしまうもので、集中力が途切れやすい夜の時間帯を時事対策に充てていました。

おわりに

公務員試験の勉強は本当に長く、やる気が出なかったりやめたくなったりすることがあると思います。でもやった分だけ本当に結果はついてくるので、諦めないこと！　辛くなったら友達や家族に相談し、気持ちを吐き出してみましょう。きっと楽になると思います。勉強は一人でやるものだけれど周りの人の支えは本当に力になります。みなさんが夢を叶えられるよう、応援しています！

CONTENTS

教養科目

現代文　内容合致　2023年度 教養 No.1

次の文章で述べられていることとして、最も妥当なのはどれか。

もし日本座敷を一つの墨絵に喩えるなら、障子は墨色の最も淡い部分であり、床の間は最も濃い部分である。私は、数寄を凝らした日本座敷の床の間を見る毎に、いかに日本人が陰翳の秘密を理解し、光りと蔭との使い分けに巧妙であるかに感嘆する。なぜなら、そこにはこれと云う特別なしつらえがあるのではない。要するにただ清楚な木材と清楚な壁とを以て一つの凹んだ空間を仕切り、そこへ引き入れられた光線が凹みの此処彼処へ朦朧たる隈を生むようにする。にも拘らず、われらは落懸のうしろや、花活の周囲や、違い棚の下などを塡めている闇を眺めて、それが何でもない蔭であることを知りながらも、そこの空気だけがシーンと沈み切っているような、永劫不変の閑寂がその暗がりを領しているような感銘を受ける。思うに西洋人の云う「東洋の神秘」とは、かくの如き暗がりが持つ無気味な静かさを指すのであろう。われらといえども少年の頃は、日の目の届かぬ茶の間や書院の床の間の奥を視つめると、云い知れぬ怖れと寒けを覚えたものである。しかもその神秘の鍵は何処にあるのか。種明かしをすれば、畢竟それは陰翳の魔法であって、もし隅々に作られている蔭を追い除けてしまったら、忽焉としてその床の間はただの空白に帰するのである。われらの祖先の天才は、虚無の空間を任意に遮蔽して自ら生ずる陰翳の世界に、いかなる壁画や装飾にも優る幽玄味を持たせたのである。これは簡単な技巧のようであって、実は中々容易でない。たとえば床脇の窓の刳り方、落懸の深さ、床框の高さなど、一つ一つに眼に見えぬ苦心が払われていることは推察するに難くないが、分けても私は、書院の障子のしろじろとしたほの明るさには、ついその前に立ち止まって時の移るのを忘れるのである。元来書院と云うものは、昔はその名の示す如く彼処で書見をするためにああ云う窓を設けたのが、いつしか床の間の明り取りとなったのであろうが、多くの場合、それは明り取りと云うよりも、むしろ側面から射して来る外光を一旦障子の紙で濾過して、適当に弱める働きをしている。まことにあの障子の裏に照り映えている逆光線の明りは、何と云う寒々とした、わびしい色をしていることか。庇をくぐり、廊下を通って、ようようそこまで辿り着いた庭の陽光は、もはや物を照らし出す力もなくなり、血の気も失せてしまったかのように、ただ障子の紙の色を白々と際立たせているに過ぎない。

（谷崎潤一郎「陰翳礼讃」による）

1　日本座敷の床の間は、障子から引き入れられる光線が、落懸のうしろ、花活の周囲、違い棚の下にある闇を照らすよう工夫されている。

2　日本座敷における東洋の神秘とは、清楚な木材等で仕切られる凹んだ空間が、無気味な静かさが持つ怖れや寒気を解消することを意味する。

3　日本人は、光りと蔭を巧妙に使い分け、虚無の空間を任意に遮蔽した時に生ずる陰翳の世界に幽玄味を持たせることに長けている。

4　書院の障子と異なり、床脇の窓、落懸、床框などは陰翳を生み出さず、結果としてそれらで構成される床の間は、忽焉としてただの空白に帰する。

5　書院の窓は、床の間の明り取りであり、障子によって外光は適当に弱められるものの、書見に必要な、物を照らし出す十分な明るさを得ることができる。

解説　正解　3

TAC生の正答率　92%

1　×「闇を照らすよう工夫されている」という箇所が誤り。本文前半には、引き入れられた光線が「朦朧たる隈を生む」とあり、「落懸のうしろや、花活の周囲や、違い棚の下」を闇が埋めていると述べられている。

2　×「無気味な静かさが持つ怖れや寒気を解消すること」という箇所が誤り。本文中ほどでは、暗がりが持つ無気味な静かさそのものが、西洋人の言う「東洋の神秘」だと述べられている。

3　○　本文前半と本文中ほどの内容と合致する。

4　×「床脇の窓、落懸、床框などは陰翳を生み出さず」という箇所が誤り。本文後半では、陰翳の世界に幽玄味を持たせた例として、「床脇の窓」、「落懸」、「床框」が挙げられており、それらは「陰翳」を生み出すものとして説明されている。

5　×「書見に必要な、物を照らし出す十分な明るさを得ることができる」という説明は、本文に述べられていない。

現代文　内容合致

2023年度
教養 No.2

次の文中で述べられていることとして、最も妥当なのはどれか。

このように、同じ環境に対する適応においてさえ、もし伝播の道がかたく閉ざされていたとするならば、可能性の範囲内において、お互いにかなりちがった生活様式を、あるいは文化を、もった二つの社会の形成されることが、ないとはいえないのである。すなわち、進化にはつねに分化の契機が、はらまれているのであって、同じ環境に対してさえ、分化がおこるものとしたら、ちがった環境に対する適応の結果として、ちがった文化の形成されることは、いうまでもない、といわねばならなくなるだろう。しかし、注意しなければならないことは、このように分化をおこす進化というものは、たとえ文化が対象になっていようとも、まだ生物レベルの進化である、ということである。

そこでここのところを、もう一度生物の進化と比較しておく必要があるだろう。生物の適応にだって、やはり可能性の限界を認めねばならないのであるが、それにしても、身体のつくりかえを待たねばならない生物の適応ないしは進化は、時間のかかることおびただしく、そのうえようやく適応をとげたときには、もはや一種のスペシャリストの社会として、他の生物すなわち他のスペシャリストたちの社会から完全に独立し、それ自身でその持ち場を守るだけのものになってしまう。いいかえるならば、生物の進化は結果において、つねに種（スペシース）の分化ということにならざるをえない。

人間も生物でゆこうとするかぎりは、もちろんこの道からはずれるわけにゆかなかったであろう。しかるに人間は、身体のつくりかえをやらずに、文化を用いて適応する道を開いたから、生物とは比較にならぬ短時間のあいだに、よく適応をとげることができたばかりでなく、つくりかえをしないですんだ身体のほうは、さいわい人間として、いまなおどこの人間も人間性を共通にしており、人間性ばかりでなく、人間としての潜在能力をもまた、共通にしているかのようである。そして、この人間性にしたがうかぎり、たとえある環境に適応して、特殊な文化をつくりあげたものであろうとも、なおその特殊性を乗りこえたところにおいて、人類全体に共通した進化と、結びついているのでなければならない。またここにこそ、生物とはちがった人間レベルの進化が、認められるのでなければならない。

（今西錦司「私の自然観」による）

1　同一の環境下であれば、そこで形成される社会は、それぞれが必ず同一の生活様式や文化を持つこととなる。

2　伝播の道がかたく閉ざされていても、ちがった環境に対する適応の結果、同一の文化が形成されることは、可能性の範囲内において、ないとはいえない。

3　人間以外の生物であっても、おびただしい時間をかけさえすれば、最終的には人間と同じように独自の文化をつくりあげることができるに違いない。

4　人間は、身体のつくりが極めて高度に進化した結果、様々な環境に適応できるようになったので、身体のつくりかえをする必要がなくなった。

5　生物が、特定の環境に適応して特殊な文化をつくりあげたとしても、それだけでは、人間レベルの進化が達成されたことにはならない。

解説　正解　5

TAC生の正答率　74%

1　×　「必ず同一の生活様式や文化を持つ」という箇所が誤り。本文第1段落では、同じ環境に対する適応であっても、伝播の道が閉ざされていれば異なる生活様式や文化が形成されると述べられており、本文と反対の内容である。

2　×　「ちがった環境に対する適応の結果、同一の文化が形成されること」については、本文で述べられていない。

3　×　本文第2段落に、人間以外の生物が身体のつくりかえをして適応または進化をすることについて、「時間のかかることおびただしく」とは述べられているが、時間をかけさえすれば、人間と同様の文化を作りあげることができるとは、述べられていない。

4　×　「身体のつくりが極めて高度に進化」という箇所が誤り。本文第3段落で、人間が身体のつくりかえをする必要がなくなったのは、「文化を用いて適応する道を開いたから」だと述べられている。

5　○　本文第3段落の内容と合致する。

現代文 内容合致

2022年度
教養 No.1

次の文中で述べられていることとして、最も妥当なのはどれか。

ある年の五月、アルプという川の岸の岡に、用もない読書の日を送っていたことがあった。氷河の氷の下を出て来てからまだ二時間とかにしかならぬという急流で、赤く濁ったつめたい水であったが、両岸は川楊の古木の林になっていて、ちょうどその梢が旅館の庭の、緑の芝生と平らであった。なごやかな風の吹く日には、その楊の花が川の方から、際限もなく飛んで来て、雪のように空にただようている。以前も一度上海郊外の工場を見に行った折に、いわゆる柳絮の漂々たる行くえを見送ったことがあったが、総体に旅客でない者は、土地のこういう毎年の風物には、深く心を留めようとはせぬらしい。

しかしそれはただ人間だけの話で、小鳥はこういう風の吹く日になると、妙にその挙動が常のようでなかった。たて横にこの楊の花の飛び散る中に入って行って、口を開けてその綿を啄ばもうとする。それをどうするのかと思ってなお気を付けていると、いずれも庭の樹木の茂った蔭に入って、今ちょうど落成しかかっている彼等の新家庭の、新らしい敷物にするらしいのであった。ホテルの庭の南に向いた岡の端は、石を欄干にした見晴し台になっていて、そこにはささやかなる泉があった。それとは直角に七葉樹の並木が三列に植えられ、既に盛り上がるように沢山の花の芽を持っている。どれもこれも六七十年の逞ましい喬木であった。鳥どもは多く巣をその梢に托していると見えて、そちこちに嬉しそうな家普請の歌の声が聞えるが、物にまぎれてその在処がよくはわからなかった。

ところがどうしたものかその中でたった一つがい、しかも羽の色の白い小鳥が、並木の一番端の地に附くような低い枝の中ほどに巣を掛けている。僅かばかりその枝を引き撓めると、地上に立っていても巣の中を見ることが出来た。巣の底には例の楊の綿を厚く敷いて、薄鼠色の小さな卵が二つ生んである、それがほどなく四つになって、親鳥がその上に坐り、人が近よっても遁げぬようになってしまった。折々更代に入っていて、一方が戻って来るのを待兼ねるようにして、飛んで行くのが雄であった。気を付けて見ると、この方が少しばかり尾が太い。庭掃き老人がそこを通るから、試みに名を尋ねて見た。多分Verdierという鳥だと思うが確かなことは知らないと答える。英語ではGoldfinchという鳥だと、また一人の青年が教えてくれたが、これも怪しいものであった。後に鳥譜を出して比べて見ると、似ているのは大きさだけで、羽の色などは双方ともこの巣の鳥とは同じでなかった。がとにかくに幾らもこの辺にはいる鳥ではあったらしい。

（柳田国男「野草雑記・野鳥雑記」による）

1　アルプという川を、源流から川に沿って２時間ほど歩いて下ると、川の水は赤く濁り、両岸は若々しい川楊が生い茂る林になっていた。

2　アルプという川の両岸では、例年五月頃になると、楊の花が川の方から際限もなく飛んで来て雪のように空にただよい、旅館の周辺は毎年の風物を愛でる住民で賑わった。

3　なごやかな風の吹く日になると、旅館周辺の小鳥はその挙動が常のようではなくなり、楊の花の飛び散る中に入って行って、その花をおいしそうに啄ばんだ。

4　楊の綿を啄ばんでいた羽の色の白い小鳥が、七葉樹の喬木の中に入っていくのを見かけたので覗いてみたところ、母鳥が四つの薄鼠色のたまごを温めていた。

5　羽の色が白い小鳥は、鳥譜を出して調べてみると、それほど珍しい鳥ではないことや、老人や青年の言っていた鳥とは羽の色が異なるものの、大きさが似ていることが分かった。

解説　　正解　5

TAC生の正答率　72%

1　×　「両岸は若々しい川楊が生い茂る林」という箇所が誤りである。本文第１段落には、「両岸は川楊の古木の林になっていて」とあり、本文と反対の説明である。

2　×　「旅館の周辺は毎年の風物を愛でる住民で賑わった」という箇所が誤りである。本文第１段落末尾には、「総体に旅客でない者は、土地のこういう毎年の風物には、深く心を留めようとはせぬらしい」とあり、本文と反対の説明である。

3　×　「その花をおいしそうに啄ばんだ」という箇所が誤りである。本文第２段落では、川の方から飛んでくる楊の花を小鳥たちが「新らしい敷物」にするらしいと述べられている。楊の花を食べるわけではないので、「おいしそうに啄ばんだ」という説明はおかしい。

4　×　「七葉樹の喬木の中に入っていく」という説明が誤りである。本文第３段落では、筆者が卵のある巣を見つける場面が語られているが、羽の色の白い小鳥は喬木の並木の「一番端の地に附くような低い枝の中ほどに巣を掛けている」と述べられている。

5　○　本文第３段落の最終部分の説明と合致する。

現代文　内容合致　2022年度 教養 No.2

次の文中で述べられていることとして、最も妥当なのはどれか。

たとえば長方形の水槽の底を一様に熱するといわゆる熱対流を生ずる。その際器内の水の運動を水中に浮遊するアルミニウム粉によって観察して見ると、底面から熱せられた水は決して一様には直上しないで、まず底面に沿うて器底の中央に集中され、そこから幅の狭い板状の流線をなして直上する。その結果として、底面に直接触れていた水はほとんど全部この幅の狭い上昇部に集注され、ほとんど拡散することなくして上昇する。もし器底に一粒の色素を置けば、それから発する色づいた水の線は器底に沿うて走った後にこの上昇流束の中に判然たる一本の線を引いて上昇するのである。

もしも同様なことがたぶん空気の場合にもあるとして、器底の色素粒の代わりに地上のねずみの死骸を置きかえて考えると、その臭気を含んだ一条の流線束はそうたいしては拡散希釈されないで、そのままかなりの高さに達しうるものと考えられる。

こういう気流が実際にあるかと言うと、それはある。そうしてそういう気流がまさしくとんびの滑翔を許す必要条件なのである。インドの禿鷹について研究した人の結果によると、この鳥が上空を滑翔するのは、晴天の日地面がようやく熱せられて上昇渦流の始まる時刻から、午後その気流がやむころまでの間だということである。こうした上昇流は決して一様に起こることは不可能で、類似の場合の実験の結果から推すと、蜂窩状あるいはむしろ腸詰め状対流渦の境界線に沿うて起こると考えられる。それで鳥はこの線上に沿うて滑翔していればきわめて楽に浮遊していられる。そうしてはなはだ好都合なことには、この上昇気流の速度の最大なところがちょうど地面にあるものの香気臭気を最も濃厚に含んでいる所に相当するのである。それで、飛んでいるうちに突然強い腐肉臭に遭遇したとすれば、そこから直ちにダイヴィングを始めて、その臭気の流れを取りはずさないようにその同じ流線束をどこまでも追究することさえできれば、いつかは必ず臭気の発源地に到達することが確実であって、もしそれができるならば視覚などはなくてもいいわけである。

とんびの場合にもおそらく同じようなことが言われはしないかと思う。それで、もし一度とんびの嗅覚あるいはその代用となる感官の存在を仮定しさえすれば、すべての問題はかなり明白に解決するが、もしどうしてもこの仮定が許されないとすると、すべてが神秘の霧に包まれてしまうような気がする。

これに関する鳥類学者の教えをこいたいと思っている次第である。

（小宮豊隆編「寺田寅彦随筆集 第四巻」による）

1　水槽の底を一様に熱すると、底面から熱せられた水は決して一様には直上しないで、まず底面に沿って器底の中央に集中されることから、筆者は水槽の底は外側から中央部に向かって徐々に温まっていくと考えた。

2　筆者の観察によると、とんびが上空を滑翔するのは、晴天の日地面がようやく熱せられて上昇渦流の始まる時刻から、午後その気流がやむころまでであり、上空を滑翔している間、とんびは極めて楽に浮遊していられることが判明した。

3　筆者が実施した水槽の実験により、上昇気流は一様には起こらず、対流渦の境界線に沿って起こることが確認できた。

4　地上のねずみの死骸から発生する臭気はかなりの高さに達しうると考えられることから、筆者は、とんびは上空で滑翔しつつ、地面からの臭気の流れを追究することでねずみの死骸に到達しているものと推測している。

5　禿鷹に関する研究で鳥の嗅覚が鈍いことが明らかになったため、筆者はすべてが神秘の霧に包まれてしまったと失望し、鳥類学者に教えをこおうと考えた。

解説　正解　4

TAC生の正答率　70%

1　×　選択肢前半は本文第１段落の内容と合致するが、選択肢後半の「筆者は水槽の底は外側から中央部に向かって徐々に温まっていくと考えた」という説明は本文に述べられていない。

2　×「筆者の観察によると、とんびが上空を滑翔するのは」という箇所が誤りである。選択肢で述べられていることは、本文第３段落にある「禿鷹」の説明であり、筆者の観察ではなく、「インドの禿鷹について研究した人」の研究結果の紹介である。

3　×「筆者が実施した水槽の実験により」という箇所が誤りである。選択肢後半で述べられていることは、「水槽の実験」で起きる現象を空気の場合で実験した「類似の場合の実験」の結果から推察されている内容である。

4　○　本文第２段落、第３段落の冒頭、第４段落の冒頭に示されている内容をまとめた説明になっている。

5　×「鳥の嗅覚が鈍いことが明らかになったため、筆者はすべてが神秘の霧に包まれてしまったと失望し」という箇所が、本文に述べられていない内容である。

次の文章で述べられていることとして、最も妥当なのはどれか。

歩くことについて、特に何か感じたり、考えたりするようになったのは、いつ頃からだったろう。
覚えている最初の記憶として、中学生になって少し経った息子と久しぶりに二人で外出した折のことがある。息子の歩みが速いので、急がずにゆっくり歩けと文句を言うと、自分は普通に歩いているだけで少しも急いではいない、と反論された。そうだとしたら、気がつかぬうちにこちらの足の運びが遅くなったのか、と疑わざるを得なかった。同じようなことが重なると、こちらの足の動きが明らかに緩慢になったのだ、との自覚が生れた。つまり、自分の歩き方が気にかかるようになった。家を出て少し歩くと、同じ方向に足を運ぶ人々に次々と追い抜かれることが多くなった。若い男性に追い抜かれるのはまだ仕方がないとしても、やがて女性にも次々と抜かれるようになる。似た年輩の友人知人との間にも、この種の体験を苦笑まじりに語り合う機会が著しく増えた。
最初は面白がっていたその話題にも熱がはいらなくなるのは、若い人達に追い抜かれるのは仕方がない、とこちらが諦めてしまったからかもしれない。それでも、理屈だけはなんとかこねまわそうとする。――カレラはどこかに行こうとして歩いているのであり、歩行はただ移動の手段であるに過ぎない。
それに対してこちらは、主として散歩の折など、移動はさほど重視しておらず、歩行そのものの楽しさを味わっているのであり、周囲の風景や幼児を乗せた母親の自転車の走る影、学校帰りの小学生達の遊びながらの歩く姿などを眺めて楽しんでいる。つまり、こちらにとって歩行は、歩くこと自体を味わおうとする営みであるのだ、と。
そんなふうに開きなおると後ろから来た人に追い抜かれてもさほど気にかからなくなる。そこにあるのは二つの別種の世界なのだから。
ある夕暮れ、そんなことを考えながら家の近くを歩いていると、いつものようにしきりに人に追い抜かれる。顔見知りの人であれば、コンニチワとか、オサンポデスカ、などと声をかけられる。
そんな時、ふと思う。忙しげなあの人達は、オリンピックの聖火ランナーみたいなものなのだ、と。一日の暮しの中の崇高な目的を果すためにしっかりした足取りで道を蹴って進んでいくのだ、と。
それに対してこちらは、歩くこと自体を目的として足を動かしているに過ぎない。だから、ランナーに掲げられた走る火ではなく、いわば動かずにじっと燃えている灯明に似た火なのではないか。それぞれの火にはそれぞれの目的があるのだから、他を気にしないでひたすら燃焼すればいいのだ、と――。
自分に言いきかせるようにしながら足を運んでいる時、ひとりの中年女性をこちらが追い抜きかけているのに気がついて驚いた。
灰色のコートの肩に大きなショルダーバッグ、片手には重そうな紙の提げ袋、そしてもう一方の手にはふくらんだビニール袋――。大変な荷物を抱えて懸命に歩いている姿を見ると、身のほどもわきまえずに、持ちましょうか、と思わず声をかけたくなるほどだった。
追い抜くほどの速度の差はないまま、いつまでも道の反対側を併進するその人に、なぜか感謝の念のようなものが湧くのを覚えた。あの感情が何であったのかは自分でも未だによくわからない。

（黒井千次「老いのゆくえ」による）

1 筆者が中学生になった息子と外出したとき、息子から、急がずにゆっくり歩いてくれと文句を言われた。

2 同じ方向に歩く人々に追い抜かれる体験の話題に熱が入らなくなるのは、追い抜かれるのは仕方がないとこちらが諦めてしまったからかもしれない。

3 若い人たちは、散歩の折など、移動はさほど重視しておらず、歩行そのものの楽しさを味わっている。

4 家の近くを歩いているとき、筆者を追い抜いていく人たちは、かつてオリンピックの聖火ランナーだった人たちである。

5 筆者が、道の反対側を併進する灰色のコートを着た女性の荷物を持ってあげると、女性は筆者に感謝の念を抱いた。

解説　正解　2

TAC生の正答率 97%

1 × 選択肢後半が誤りである。本文第２段落の記述によると、ゆっくり歩くように文句を言ったのは、息子ではなく筆者自身である。

2 ○ 本文第３段落の内容と合致する。

3 × 「若い人たちは」という主語が誤りである。移動を重視しておらず、歩行そのものを楽しんでいるのは、若い人たちに追い抜かれる立場である筆者やその友人知人である。

4 × 選択肢後半が誤りである。本文第７段落では、「聖火ランナーみたいなもの」だと比喩的に言っているだけであり、実際に聖火ランナーだったわけではない。

5 × 本文第10段落では、「持ちましょうか、と思わず声をかけたくなるほどだった」とあるだけで、実際に持ってあげたわけではない。また、「感謝の念」を抱いたのは、「女性」ではなく筆者の方である。

現代文　内容合致　2020年度 教養 No.1

次の文章で述べられていることとして、最も妥当なのはどれか。

すでに音色の項でふれたように、日本人の民族的美感は、音楽の上でしばしば鋭くヨーロッパ人のそれと対立する。日本の民族楽器は、笛の類でも太鼓の類でも、琴や三味線のような絃楽器でも、楽器の構造は一見きわめて単純である。一方もっとも一般的なヨーロッパの楽器であるピアノは、構造的には比較にならない複雑さをもっている。ところがその楽器から出される音色は、日本の楽器とは比較にならぬほど単純なものだ。音楽に限らず、日本人は古来、単純なものから複雑なものを引きだすことに熱中し、ヨーロッパの人たちは、複雑さのなかから単純なものを引きだすことに情熱を傾けたのである。

音楽の形成に根源的な役割を果すリズムにも、同様なことがいえる。ヨーロッパ音楽を支配する拍子が、機械的な周期的反復であるのに対して、日本の民族音楽にはそのようなリズムはほとんど存在しない。第一、邦楽でのリズムの概念に相当する「間」というものは、ヨーロッパ音楽にあってはまったく存在しない、いわば裏側の概念であり、東西の時間や空間に対する考え方の対立を、これほど象徴的に物語っているものはないといえよう。

ヨーロッパ音楽では、音の鳴りはじめた瞬間をリズムの基準とするのに対して、邦楽にあっては音と音との間、つまり休止をもって基準とし、そこに第一義的な時間的秩序を求めようとする。これは日本の民族楽器の多くが、琴、三味線、太鼓類のように、ただちに減衰する音をもっているところから生まれたものであるともいわれるが、美術、建築、そのほかの民族的様式と考えあわせると、より本質的、体質的な民族の美感に根ざしたものというべきであろう。

邦楽では「間」と、「拍子」の概念とが混りあった「間拍子」という用語も使われ、能では「平ノリ」「大ノリ」「中ノリ」という三種の基本リズム型がきびしく統制されており、声楽部と器楽部とが、まったく別のリズムをもっている場合がほとんどで、日本の民族音楽におけるリズムの複雑さは、とうていヨーロッパ音楽の及ぶところではない。

（芥川也寸志「音楽の基礎」による）

1　日本人とヨーロッパ人の民族的美感はしばしば対立するが、それは、ヨーロッパの人たちが単純なものを好まないからである。

2　日本の民族楽器は、一般的なヨーロッパの楽器と比較して、構造的には単純だが、音色は複雑である。

3　ヨーロッパ音楽ではリズムは機械的な周期的反復であり、邦楽ではこのようなリズムのことを「間」と呼んでいる。

4　ヨーロッパと日本では民族的美感は異なるが、第一義的な時間的秩序を音と音との間に求めている点は、同じである。

5　日本とヨーロッパでは、空間や時間に対する考え方は異なっているものの、音楽におけるリズムの複雑さはほぼ同じである。

解説　正解 2

TAC生の正答率 94%

1 × 本文第1段落では、ヨーロッパの人たちが「複雑さのなかから単純なものを引きだすことに情熱を傾けた」と説明しているが、「単純なものを好まない」ということについては、述べられていない。

2 ○ 本文第1段落の内容と合致する。

3 × 本文第2段落では、「邦楽でのリズムの概念に相当する『間』というものは、ヨーロッパ音楽にあってはまったく存在しない、いわば裏側の概念」だと説明されており、リズムと「間」は別のものとして説明されている。

4 × 「第一義的な時間的秩序を音と音との間に」求めるのは日本の音楽である。それと異なり、本文第3段落では、「ヨーロッパ音楽では、音の鳴りはじめた瞬間をリズムの基準とする」と述べられている。

5 × 本文と反対の内容である。本文第4段落では、「日本の民族音楽におけるリズムの複雑さは、とうていヨーロッパ音楽の及ぶところではない」と述べられている。

次の文章で述べられていることとして、最も妥当なのはどれか。

ある特権的瞬間に過去の経験が再構造化されるということは、それほど珍しいことではない。動物にさえも、こうしたことは認められる。以下の話は、動物は現在だけを生きていると言った先ほどの話と齟齬（そご）するように聞こえるであろうが、動物にとっても現在は瞬間的なものではなくある厚み、ある幅をもっている。神経系の分化が進めば、その幅も増してくるであろうが、以下の話は現在のその幅のなかでのことと思っていただきたい。

心理学の中心テーマの一つに、動物がいかにして新しい行動様式を学習するかを実験的に解明しようとする〈学習理論〉がある。アメリカ心理学の先駆者の一人ソーンダイクの提唱した有名な〈試行錯誤（トライアル・アンド・エラー）〉説は、たとえばカンヌキをかけられた檻のなかにネコを入れ、そのネコがカンヌキをはずしてエサをとるという新しい行動様式をどのように学習するかを観察し、次のような結論に達した。つまり、ネコがランダムに反応を繰りかえしているうちに、解決にいたる反応では報酬（エサ）が与えられ、解決にいたらない反応では報酬が与えられないので、しだいに報酬の与えられる反応だけが高い頻度で繰りかえされるようになり、それが定着するというのである。

だが、この考え方には欠陥がある。というのも、この実験はネコが正しい解決にいたれば終結するのが普通である。頻度から言えば、失敗の方がはるかに多く、正しい解決にいたる反応は、ばあいによれば一度だけでも定着するのである。

そこで、ゲシュタルト心理学の創唱者の一人であるヴォルフガング・ケーラーは、チンパンジーを使って同じような実験をおこない、こうした課題解決行動の学習は、けっして反応の頻度によってではなく、状況へのある種の〈洞察（アインジヒト）〉によっておこなわれるものであることを明らかにした。

このばあい、成功した反応が学習され、定着するというのは、その反応がおこなわれたとき、つまりある志向が充たされた特権的瞬間に、数々の失敗をふくむこれまでの経験が再構造化され、それらがこの成功にいたるための試行にすぎなかったという意味を与えられたということであろう。そのとき、いわゆる〈「ああ、そうか」という体験〉（Aha-Erlebnis（アッハ・エアレブニス）—ドイツの心理学者カール・ビューラーの用語）がおこなわれるのである。

（木田元「偶然性と運命」による）

1　動物にとって、現在は瞬間的なものではなくある厚み、ある幅をもっているものなので、過去の経験が再構造化することはない。

2　心理学の中心テーマの一つである学習理論とは、動物がいかにして新しい行動様式を学習するかを実験的に解明しようとするものである。

3　ソーンダイクの提唱した試行錯誤説では、ネコが新しい行動様式をどのように学習するかを観察し、ある反応が高い頻度で繰りかえされるとともに、それが定着することはないとしている。

4　ヴォルフガング・ケーラーは、チンパンジーを使った実験をおこない、課題解決行動の学習は、反応の頻度を問わず、偶然によるものであることを明らかにした。

5　成功した反応が学習され、定着するというのは、これまでの経験が再構造化されることなく、成功にいたるという意味である。

解説　正解　2

TAC生の正答率 98%

1 × 本文第１段落には、「過去の経験が再構造化されるということは、それほど珍しいことではない」と述べられており、その内容と反対である。

2 ○ 本文第２段落冒頭の説明と合致する。

3 × 選択肢後半の「それが定着することはないとしている」という説明が、本文第２段落最終部の説明と反対である。

4 × 選択肢後半の「偶然によるもの」という説明が本文と反対である。本文第４段落後半では、「反応の頻度によってではなく、状況へのある種の〈洞察(アインジヒト)〉によっておこなわれるもの」と説明されている。

5 × 選択肢の「これまでの経験が再構造化されることなく」という説明が本文と反対である。本文第５段落では、「数々の失敗をふくむこれまでの経験が再構造化され」と述べられている。

現代文　内容合致　2019年度 教養 No.1

次の文章で述べられていることとして、最も妥当なのはどれか。

私たちは、この社会の中で様々なレベルで生きている。まずひとりひとりの個人として生き、家族の一員として生きている。それは私たちにとって最も「近い」世界であり、近い風景という意味で「近景」とも言うべきものだ。他方で私たちは日本という国家の一員として生きている。これは「遠景」と言ってもいい。その「近景」と「遠景」の中間に、いわば「中景」としてコミュニティーは存在してきた。それは村や町のような地域社会であり、子どもたちが集まる学校であり、仕事の場としての会社などだ。しかし、そうやって挙げてみると、現在の日本で力を失ってきているのがこの「中間社会」だということは明白だろう。かつて地域社会や村が私たちを支えてきた時代があった。しかし、いま地域社会に支えられて生きていると思っている人がどのくらいいるだろう。かつては学校もコミュニティーの中心だった。しかし、学校という場は既にその求心力を失ってしまっている。そして会社だ。かつての会社は私たちの面倒を何から何までみてくれるものだった。仕事、お金、福祉、そして希望。しかし、現在の会社はもはやそうではない。会社と私たちのあの揺るぎない信頼関係はもはやそこにはないのだ。

こうした「中間社会」の凋落は、新自由主義的なグローバリズムによってますます激しいものとなっていく。会社で隣に坐っている同僚と私は生き残りをかけて争うライバル同士だ。社長も会社の業績が一番いいときに会社を売って、億万長者となって逃走してしまう。その会社にいる間にできるだけ効率的に利益を引き出し、それができなくなれば報酬の高い会社に移ればいい。それが「構造改革」の勧める生き方である。学校という場も、生徒ひとりひとりの効率性を高める場として考えなければいけない。そして地域社会もその中で崩壊していく。もはや昔のムラのような、ひとりひとりの自由を許さないような地域社会は私たちにとって抑圧にしか思えない。しかしそこから解放された都会の地域社会も既に地域社会とは呼べないような、隣に誰が住んでいるかも分からないような社会となってしまった。

（上田紀行「生きる意味」による）

1　私たちは、ひとりひとりの個人として生き、家族の一員として生きている「近景」と言うべき部分か、日本という国家の一員として生きている「遠景」と言うべき部分のどちらか一方の部分のみを持っている。

2　コミュニティーとは、村や町のような地域社会をいうが、子どもたちが集まる学校や、仕事の場としての会社などは該当しない。

3　かつて、「中間社会」に当たる地域社会や村が私たちを支えてきた時代があったが、現在の日本では、新自由主義的なグローバリズムにより、力を失ってしまった。

4　会社の同僚は生き残りをかけて争うライバルであるが、お互いに効率的に仕事をすることで会社と私たちの揺るぎない信頼関係は維持することができる。

5　昔のムラのような、ひとりひとりの自由を許さないような地域社会から解放された都会の地域社会は、現代の理想的な地域社会となっている。

解説　正解　3　　TAC生の正答率 97%

1　×　本文では、「近景」も「遠景」も、私たちが生きている様々なレベルの一つであり、同時にそれぞれのレベルを生きていると述べられている。その内容と、選択肢の「どちらか一方の部分のみを持っている」という説明が合致しない。

2　×　本文では、「学校」や「会社」も、「中景」としてのコミュニティーの一つとして位置づけられている。その内容と反対の説明の選択肢である。

3　○　本文第２段落冒頭の内容と合致する。

4　×　選択肢前半の内容は、本文第２段落の冒頭と合致するが、「お互いに効率的に仕事をすること」によって「信頼関係は維持することができる」という内容は本文に述べられていない。

5　×　本文最終部では、「都会の地域社会も既に地域社会とは呼べない」と述べられている。都会の地域社会について「現代の理想的な地域社会となっている」という説明は本文と反対である。

現代文 空欄補充

次の文章の空欄に当てはまる語句の組合せとして、最も妥当なのはどれか。

今日、『源氏物語』は世界の文学的遺産となり、紫式部は世界的文豪として有名になっている。それは勿論、この作品が「小説」として極めて[A]な美しさを持ち、そして[B]文学独特の明るさを持っているからである。

『源氏物語』を「世界最古の文学」などと途方もないことをいう日本の学者が、後を断たないのは[C]であるが、『源氏物語』は世界最古でなく、歴史的発展のおくれていた日本が遅くまでとどまっていた「[B]」世界の終り頃に生れたので、ギリシア・ローマや中国の[B]の盛りに十世紀も遅れて、それらの国々が早く生んだ文学的傑作の系列の、いわば[D]を飾るものとして花咲いた作品である。

(中村真一郎「源氏物語の世界」による)

	A	B	C	D
1	普遍的	王朝	意外	最後尾
2	普遍的	古代	意外	最先端
3	普遍的	古代	滑稽	最後尾
4	雅	王朝	滑稽	最先端
5	雅	古代	意外	最後尾

解説　正解　3　TAC生の正答率　59%

空欄Aには「普遍的」が入る。「この作品が『小説』として極めて[A]な美しさを持ち」という一節は、本文第１段落の「『源氏物語』は世界の文学的遺産となり」ということの根拠となっている文である。「世界の文学的遺産」とは、世界に通用する普遍的な価値を持つものということなので、「[A]な美しさ」は「普遍的な美しさ」とするのが妥当である。

空欄Bには「古代」が入る。本文第３段落では、「歴史的発展のおくれていた日本が遅くまでとどまっていた『[B]』世界の終り頃に」とある。歴史的発展の一時代が空欄Bの語句で表されていると考えられるので、空欄Bには「古代」を入れるのが妥当である。

空欄Cには「滑稽」が入る。空欄Cに「意外」という語を入れた場合、『源氏物語』を「世界最古の文学」だという日本の学者が出てくるはずはないと予想していたことが前提となる文脈になる。しかし、そのような前提は特に説明されていないので、空欄Cには「滑稽」を入れるのが妥当である。

空欄Dには「最後尾」が入る。本文第３段落では、「十世紀も遅れて、それらの国々が早く生んだ文学的傑作の系列の」とある。歴史の流れの中で一番遅く生まれたというのが本文の説明なので、「最後尾」とするのが妥当である。

以上より、**3**が最も妥当である。

現代文　空欄補充　2021年度 教養 No.2

次の文章の空欄に当てはまる語句の組合せとして、最も妥当なのはどれか。

人間のコミュニケーションが、動物やコンピュータのそれと較べて特徴的なのは、人間の場合それが同時に［ A ］の意味の水準で行われることである。動物においてもそういうことが原初的に生じないわけではない。ベイトソンはある時、動物園で数匹のカワウソが遊んでいるのに着目する。カワウソがたがいに示す噛みつく身振りは、攻撃行動におけるそれとほとんど区別がつかない。にもかかわらず、本当の攻撃と［ B ］して、相手を傷つけてしまうほど噛むようなことは起こらない。そうだとすれば、ここで交換されている身振りには二つの水準のメッセージが同時に含まれていなければならない。一つは遊びの内容そのものを構成しているメッセージだが、もう一つはこの身振りが本来の攻撃ではなく（つまり、このメッセージが文字通りの意味ではなく）、「これは遊びだよ」というメッセージである。後者のメッセージは前者のメッセージに関するメッセージ――より高次の意味の水準に属するメタ・メッセージである。このメッセージの全体は、単に多義的であるのではなく、［ A ］的に自己自身に言及しているのである。人間のコミュニケーションにおいて、このような自己言及的表現がより［ C ］的な現象であることは容易に察しがつくだろう。われわれは、しばしば、なにかを言いながら、同時に語調やしぐさでその言明が字義通りの意味でないことを伝える。そのようにして、たとえば、「おまえはバカだなあ」という言明は、その言い方によって［ D ］され、親しみの表現となる。一般的にメタフォリカルな表現やユーモアはすべて潜在的にこのようなメッセージの構造をもっている。

（作田啓一・井上俊 編「命題コレクション社会学」による）

	A	B	C	D
1	隠喩	混同	特徴	展開
2	隠喩	錯覚	普遍	転調
3	多重	混同	普遍	転調
4	多重	錯覚	特徴	転調
5	多重	錯覚	普遍	展開

解説　正解　**3**　TAC生の正答率 41%

空欄Aには「多重」が入る。本文では、人間のコミュニケーションが「同時に[A]の意味の水準で行われる」のと同じような状況の例として、カワウソの話が紹介されている。その説明として、「二つの水準のメッセージが同時に含まれて」という表現がある。また、本文中ほどの説明では、「より高次の意味の水準に属するメタ・メッセージ」という表現がある。二つの意味が層をなすように同時に存在しているという内容になるように、空欄Aを考えると、「多重」を当てはめるのが妥当である。

空欄Bには「混同」が入る。空欄Bの直前にある「攻撃行動におけるそれとほとんど区別がつかない」という表現に注目するとよい。空欄B前後の内容を、見た目は区別がつかないにもかかわらず、攻撃と区別がつかないまま、「相手を傷つけてしまうほど噛むようなことは起こらない」という説明になるようにすればよい。「区別がつかない」という意味に近い語句としては「混同」が妥当である。

空欄Cには「普遍」が入る。本文冒頭に、「人間のコミュニケーションが、動物やコンピュータのそれと較べて特徴的なのは」とあるので紛らわしいが、空欄Cの直前で「人間のコミュニケーションにおいて」とあるところに注目するとよい。人間以外も含めたコミュニケーションにおいて、動物やコンピュータと比較して特徴的であり、「人間のコミュニケーション」に限定してみた場合、どの人間にも広く当てはまる現象なのが「自己言及的表現」だと解釈すれば、「広く多くのものに当てはまる」という意味の「普遍」を空欄Cに当てはめるのが妥当だと考えられる。また、空欄Cでどちらの語句を入れるべきか迷っても、他の空欄を適切に判断することができれば、消去法で**3**に絞り込むことができるだろう。

空欄Dには「転調」が入る。空欄Dの直前に示された「おまえはバカだなあ」という言明は、字義通りの意味で解釈すれば相手を否定・批判する言葉ということになる。しかし、「言い方」によっては否定・批判とはむしろ反対の「親しみの表現」となり、語調が変わるということなので、空欄Dには「転調」を当てはめるのが妥当である。

以上より、**3**が最も妥当である。

現代文 空欄補充

次の文章の空欄に当てはまる語句の組合せとして、最も妥当なのはどれか。

私は「戦争」についてよく考えますが、別に戦争が好きでもなければ、戦争の作り出す[A]や、犠牲による共同体の鋳直しとかいったことに幻想を持っているわけではありません。むしろ現代の世界について考えるとき、それから、その中で人間がどうやって生きているのか、あるいはどういう条件の中で生きているのかということを考えるときに、われわれが「世界戦争」によって引き起こされたものの帰結の中にいる、ということを強く感じさせられたのですね。とりわけ、人間が生きる・死ぬということを考えようとするときに、もう戦争を抜きにして考えられないと。というのは、戦争が[B]することによって、二〇世紀の世界は、あらゆる人間が戦争にのみ込まれるという事態を経験したし、それ以後、世界は[C]にそういう戦争状態におかれている、ということを意識せざるをえなくなったのです。

「戦争」に対比される言い方が「平和」ですね。平和の中では、生活のあらゆる部分が[D]されて、様々な局面がそれぞれに展開されます。人にはいろんな人生があり、学校にも行けるし、大学にも通える。それからいろんな職業に就いて、それぞれの日常生活を生きることができるというふうに、人々の社会生活が織り成されています。

（石田英敬「現代思想の教科書」による）

	A	B	C	D
1	英雄神話	世界化	潜在的	分節
2	英雄神話	地域化	潜在的	解放
3	悲劇	世界化	恒常的	分節
4	悲劇	世界化	潜在的	分節
5	悲劇	地域化	恒常的	解放

解説　正解　1

TAC生の正答率　44%

空欄Aには「英雄神話」が入る。「戦争の作り出す[A]」は、「犠牲による共同体の鋳直し」と並んで「幻想」を持つものとして挙げられている。幻想の対象となるように空欄Aに語句を入れるとすれば「英雄神話」が妥当である。

空欄Bには「世界化」が入る。空欄Bの直後には「二〇世紀の世界は、あらゆる人間が戦争にのみ込まれるという事態を経験した」とある。戦争が一部の地域に限定されるのではなく、世界全体で起きるようになったことを述べているので、空欄Bには「世界化」を入れるのが妥当である。

空欄Cには「潜在的」が入る。ただし、空欄Cについては本文中に語句を選ぶ手がかりが少ないため、判断は難しい。「恒常的」とは「その状態が変化なくずっと続く」という意味である。「潜在的」とは「外からは見えない状況で存在する」という意味である。どちらを入れても論理的にはおかしくないので、他の空欄に適切な語句を入れられるようにして、消去法で選択肢を絞り込むのがよいだろう。

空欄Dには「分節」が入る。空欄Dの直後には、「様々な局面がそれぞれに展開されます」とあり、それぞれに分かれていくことを表す「分節」を入れるのが妥当である。

以上より、**1**が最も妥当である。

現代文　文章整序

2023年度
教養 No.3

次の文を並べ替えて一つのまとまった文章にする場合、最も妥当なのはどれか。

A　クルー・メンバー*は、社会的相互作用をつうじて、上記のような外部の利害関係者（ステイク・ホルダー）の持つ暗黙知をも動員しなければならない。
B「あなたは何が必要ですか？あるいは欲しいですか？」と聞かれれば、たいていの消費者は、前に利用したことのある製品やサービスについての彼らの限られた形式知から答えようとする。
C　顧客の心象地図（メンタル・マップ）から知識をくみ取ることが、その種の典型的な活動である。
D　知識創造とは、単に顧客、部品原料納入業者（サプライヤー）、競争相手、流通業者、地域コミュニティ、政府などに関する客観的な情報を処理することだけではない。
E　しかし、大方の消費者のニーズは暗黙的であり、彼らは何が必要かあるいは欲しいのかを正確にはっきりと言えないのである。
F　この傾向は、従来の市場調査に用いられる一方的なアンケートの重大な欠点を示している。

（野中郁次郎、竹内弘高「知識創造企業」による）

＊クルー・メンバー……社内において知識創造に従事している者

1　B－E－F－D－C－A

2　B－F－A－E－C－D

3　B－F－E－C－D－A

4　D－A－C－E－B－F

5　D－A－F－C－B－E

解説　**正解　4**　TAC生の正答率　36%

Ａに「上記のような外部の利害関係者」とあるので、Ａの前には具体的な利害関係者が示されている文が来ることが推察できる。Ｄの文には「顧客、部品原料納入業者、競争相手、流通業者、地域コミュニティ、政府」と利害関係者を列挙する一節があるため、Ｄ→Ａの流れを見つけることができる。

また、Ｆの文では「この傾向は、従来の市場調査に用いられる一方的なアンケートの重大な欠点」とあり、直前にはアンケートに関連する説明が来ると推察できる。Ｂの文では聞かれることと答えることの話をしており、具体的なアンケートに関する説明だと考えられるので、Ｂ→Ｆのペアを見つけることができる。

さらに、ＢとＥはいずれも、「何が必要」か、「欲しい」かということを話題に挙げており、内容的なつながりがあると考えられる。Ｅで説明されていることについて、具体的なアンケートの場での話を例に挙げながら説明しているのがＢの文なので、Ｅ→Ｂという流れを見つけることができる。

以上より、Ｄ→ＡおよびＥ→Ｂ→Ｆの流れを含む**4**が最も妥当である。

現代文　文章整序　2022年度 教養 No.3

次の文を並べ替えて一つのまとまった文章にする場合、最も妥当なのはどれか。

A　久しぶりに帰省して親兄弟の中で一夜を過ごしたが、今朝別れて汽車の中にいるとなんとなく哀愁に胸を閉ざされ、窓外のしめやかな五月雨がしみじみと心にしみ込んで来た。大慈大悲という言葉の妙味が思わず胸に浮かんでくる。

B　父は道を守ることに強い情熱を持った人である。医は仁術なりという標語を片時も忘れず、その実行のために自己の福利と安逸とを捨てて顧みない人である。その不肖の子は絶えず生活をフラフラさせて、わき道ばかりにそれている。このごろは自分ながらその動揺に愛想がつきかかっている時であるだけに、父の言葉はひどくこたえた。

C　しかしそれは自分の中心の要求を満足させる仕事ではないのである。自分の興味は確かに燃えているが、しかしそれを自分の唯一の仕事とするほどに、――もしくは第一の仕事とするほどに、腹がすわっているわけではない。

D　昨夜父は言った。お前の今やっていることは道のためにどれだけ役にたつのか、頽廃（たいはい）した世道人心を救うのにどれだけ貢献することができるのか。この問いには返事ができなかった。五六年前ならイキナリ反撥（ぱつ）したかも知れない。しかし今は、父がこの問いを発する心持ちに対して、頭を下げないではいられなかった。

E　雨は終日しとしとと降っていた。煙ったように雲に半ば隠された比叡山の姿は、京都へ近づいてくる自分に、古い京のしっとりとした雰囲気をいきなり感じさせた。

F　実をいうと古美術の研究は自分にはわき道だと思われる。今度の旅行も、古美術の力を享受することによって、自分の心を洗い、そうして富まそう、というに過ぎない。もとより鑑賞のためにはいくらかの研究も必要である。また古美術の優れた美しさを同胞に伝えるために印象記を書くということも意味のないことではない。

（和辻哲郎「古寺巡礼」による）

1　A－B－C－F－D－E

2　A－D－B－F－C－E

3　A－F－C－E－B－D

4　F－A－D－B－C－E

5　F－C－D－B－E－A

解説　正解　2

TAC生の正答率 81%

文と文のつながりを見つけるためには、共通語句に注目するとよい。ＢとＤの文には、「父」と「道」の話が出てくる。Ｄの前半に出てくる「お前の今やっていることは道のためにどれだけ役にたつのか」という父の言葉の内容を受けて、Ｂの「父は道を守ることに強い情熱を持った人である」という説明につなげるとスムーズな流れが作れる。

また、Ｂの文の途中では、「わき道」の話が出てくる。Ｆの文にも「わき道」という語が出てくるので、Ｂの文の説明を受けて、筆者が「古美術の研究」を「わき道」だと考えていることの説明につなげると話題がきれいにつながる展開になる。

Ｆの文は、筆者が取り組んでいる「古美術の研究」やそのための「今度の旅行」について、意味のあることだという説明が中心になっている。それに対して、「しかし」で始まるＣの文では、筆者が取り組んでいることについて「自分の中心の要求を満足させる仕事ではない」と述べられており、自身が取り組んでいることについて否定的な論調の説明となっている。この二つの内容を、Ｃの文の冒頭にある「しかし」でつなぐと論理的なつながりを作ることができる。

以上により、正解は「Ｄ→Ｂ→Ｆ→Ｃ」の流れを含む**2**である。

現代文　文章整序　2021年度 教養 No.3

次の文を並べ替えて一つのまとまった文章にする場合、最も妥当なのはどれか。

A　大きさも重さも形も異なるさまざまな物体が空気中を落下するさまが、現実の事象である。ここから出発して、大きさも形もない「質点」が真空中を落下するさまを想像するのが、「抽象化」だ。抽象化というのは、物事の本質にかかわらないすべてを切り捨て、本質だけを残すことなのである。

B　具体的な物体の落下現象を、いかに広範な対象について、いかに詳しく観察したところで、ガリレオの法則に辿(たど)り着くことはできない。具体例は抽象的な概念の理解には役立つが、そのレベルにいつまでもとどまれば、理解を前進させることはできない。

C　抽象的思考は、対象となる問題について正しい理解を得るために、どうしても必要なことである。これは、物理学の歴史を考えると明らかだ。物体の落下について、「重い物体ほど速く落ちる」というアリストテレスの法則が、長い年月にわたって信じられていた。しかし、そうなるのは、空気の抵抗があるからだ。空気抵抗を切り捨て、落下運動を抽象化すると、「すべての物体は同じ速さで落ちる」というガリレオの法則が得られる。

D　ガリレオ法則の発見こそ、物理学の出発点であった。その認識を基礎にして、近代科学の体系構築が可能となった。アリストテレス的認識にとどまるかぎり、人類は自然現象の正しい把握にいたることはなく、ましてや、それを利用した工学技術を作り上げることはできなかったろう。

E　しかし、適切な抽象化を行なうのは、決して容易ではない。経済現象や社会現象については、とくにそうである。何を「本質にかかわりのない枝葉末節」と考え、何を本質と考えればよいかが、必ずしも明確ではない。

（野口悠紀雄「『超』文章法」による）

1　C－A－B－D－E

2　C－B－A－D－E

3　D－C－E－A－B

4　D－C－E－B－A

5　D－E－C－A－B

解説　**正解　1**　TAC生の正答率 37%

並べ替える文章の一つ一つが長いので、それぞれの文章がおおまかにどのような話をしているのかに注目するとよいだろう。A・B・C・Dはいずれも「抽象化」の定義や、重要性・必要性について述べている。一方、Eは「抽象化」は「容易ではない」という話なので、他の文章と論点が異なる。そのため、Eが最後に並んでいる**1**・**2**のどちらかがよいと考えられる。

1と**2**は流れがとても似ており、異なるのはAとBの順番である。ここで、AとC、BとDのそれぞれの内容の類似性に注目できるとよい。Aには「物事の本質にかかわらないすべてを切り捨て、本質だけを残す」、Cには「空気抵抗を切り捨て、落下運動を抽象化する」という表現がそれぞれある。また、Bには「そのレベル（アリストテレス的な認識のレベル）にいつまでもとどまれば、理解を前進させることはできない」、Dには「アリストテレス的認識にとどまるかぎり、人類は自然現象の正しい把握にいたることはなく」という表現がそれぞれある。似たような説明をしている文と文はつながりやすいので、「C－A」、「B－D」の繋がりがそれぞれある**1**が最も妥当である。

現代文　文章整序

2020年度
教養 No.3

次の文を並べ替えて一つのまとまった文章にする場合、最も妥当なのはどれか。

A　それはGPSによる位置情報と時刻で決まるような地点である。現にわたしたちが使っているモバイル携帯は、そのような「地点」どうしを結んでいる。だがはたして人間はそのような土地にどこまで耐えることができるのだろうか。

B　これとは正反対なのがフランチャイズ化によって増える建築だろう。固有の価値をもたないから、いくらでも模様替えがきく。ネガティヴ・ハンドと動産芸術が人類の長期間にわたる拡散の最初の徴であり署名だとしたら、フランチャイズ的画一化は人間ではなく、資本自身の徴として、地球の風景そのものを変えようとしている。

C　かけがえのない建物と、とりかえがきく建物が混在する現代の風景には、ふたつの問題が横たわっている。ひとつは空間の問題である。地球上のすべての土地がとりかえのきく空間になると、究極的には住所も地名も必要はない。

D　日本の庭園は巨石を運び込み、これを蓬萊（ほうらい）の山や島に見立てて風景を作り上げてきた。その気になれば移動できないものはない。ダムの工事で水没するエジプトの神殿が、上流に移動された実例もある。神殿も茶室も、かけがえがないから移動させたのである。

E　もうひとつは時間の問題である。かけがえのない建物には、かけがえのない色があり、時間がある。それは時間が変化させた色であり、時間とともに残った記憶である。いくらでもとりかえのきく建物にも、とりかえ可能な色と記憶はある。

（港千尋「芸術回帰論　イメージは世界をつなぐ」による）

1　C－A－D－E－B

2　C－A－E－B－D

3　D－A－B－C－E

4　D－B－A－E－C

5　D－B－C－A－E

解説　**正解　5**　TAC生の正答率 72%

並べ替える一つ一つの文章が長い場合は、それぞれの文章の内容の整理をしながら考えていくとよい。それぞれの文の中心的な話題やキーワードに注目すると、Bは「フランチャイズ化によって増える建築」、「いくらでも模様替えがきく」建築の話、Dは「かけがえがない」建築である「神殿」や「茶室」の話だということがわかる。

この二つの話題に両方触れているのがCの文である。Cの文では、「かけがえのない建物と、とりかえがきく建物」と並べて説明しているので、BとDの説明をふまえてCの文へ流れると考えられる。Bの冒頭に「これとは正反対なのが」とあるので、D→B→Cという流れが見えてくる。

D→B→Cという流れがあるのは**5**である。Cの後の流れをたどると、Cの最後に示されている「住所も地名も必要はない」という空間の説明を受けて、Aの文の「位置情報と時刻で決まるような地点」の話へつながり、Cの文にあった「ひとつは空間の問題」という表現に対応する論点として、Eの文で「もうひとつは時間の問題」が挙げられるという流れになり、スムーズにつながる。

以上より、**5**が最も妥当である。

英文 内容合致

次の英文の中で述べられていることと一致するものとして、最も妥当なのはどれか。

Personal friendship means everything to a dog; but remember, it entails no small responsibility, for a dog is not a servant to whom you can easily give notice. And remember, too, if you are an over-sensitive person, that the life of your friend is much shorter than your own and a sad parting, after ten or fifteen years, is inevitable.

If you are worried by such considerations, you can find many other creatures of lower mental development which are less "expensive" from an emotional point of view, and yet are "something to love": for instance, that most easily kept of our indigenous* birds, the starling*. An extraordinarily understanding friend used to describe him as "the poor man's dog". That is entirely appropriate. He has a point of character in common with the dog, namely, that he cannot be bought "ready-made". It is seldom that a dog, bought as an adult, becomes really your dog, just as seldom as your child is really your child if you, a rich man or woman, leave its upbringing to a nurse, governess* or house-tutor. It is the intimate personal contact that counts. So you must feed and clean your nestling yourself, if you want a really affectionate bird of this species. The necessary trouble only lasts a short time. A young starling needs for its development, from its hatching till it is independent, only about twenty-four days. If you take it at the age of about two weeks from the nest, it is early enough and the whole rearing process takes a bare fortnight*. It is not too troublesome and demands no more than that you should, with the aid of a forceps*, cram* food, five or six times daily, into the greedily* gaping* yellow throat of the nestling*, and, with the same instrument, remove the droppings from the other end. These are neatly encapsulated* by a thick skin which prevents them from smearing*. In this way, the artificial nest always remains clean and no new "nappies*" are required.

(Konrad Lorenz「King Solomon's Ring」による)

＊indigenous……土着の　＊starling……ホシムクドリ　＊governess……女性家庭教師
＊fortnight……２週間　＊forceps……ピンセット　＊cram……詰め込む
＊greedily……貪欲に　＊gape……大口を開ける　＊nestling……雛（ひな）
＊encapsulate……包む　＊smear……汚す　＊nappy……おむつ

1　犬は飼い主より寿命が短いことから、飼い主には、短い期間であっても一緒に暮らしてよかったと思ってもらえるくらい、面倒をみる責任がある。

2　ホシムクドリが「庶民のための犬」と呼ばれるのは、犬より値段が安く、生まれつき人懐っこい性格で、人によく懐くからである。

3　立派な大人になるためには教育が重要であるように、成犬を素晴らしいペットに育て上げるためには、調教師によるしっかりした訓練が不可欠である。

4　ホシムクドリの雛を育てる場合、いつでも給餌できるように準備する手間さえ我慢すれば、２週間くらいで飼い主に愛情を示す鳥としてひとり立ちできる。

5　ホシムクドリを生まれて間もない雛の時から自分自身で手塩にかけて育てれば、ペットとして、犬と変わらぬ親密な関係を飼い主との間で築くことができる。

解説　正解　5

TAC生の正答率 33%

1 × 「犬は飼い主より寿命が短い」という箇所は、本文第1段落の内容と合致するが、選択肢後半の内容は本文に述べられていない。

2 × ホシムクドリが「庶民のための犬」と呼ばれる理由について、本文第2段落で、「既製品」として買うことができない点が犬と共通しているからだと述べられており、その内容と合致しない。

3 × 本文に述べられていない内容である。

4 × 「いつでも給餌できるように準備する手間さえ我慢すれば」という箇所が誤り。本文第2段落後半では、餌をやる回数は一日に5回から6回と述べられており、「いつでも給餌できるように」とは述べられていない。また、「給餌」に加えて、膜に包まれた糞を取り除くことも必要だと述べられており、その点も合致しない。

5 ○ 本文第2段落前半の内容と合致する。

[訳　文]

気の置けない友情が犬にとってのすべてである。しかし、それは少なからず責任を伴うものだと覚えておかなければならない。というのも、犬はあなたが簡単に首を切れる使用人ではないからである。そして、もしもあなたがとても繊細な人ならば、あなたの友人である犬の命は、あなたの命よりもずっと短く、10年から15年の後の悲しい別れを避けることができないことも忘れてはならない。

そのような悲しみを考えることが心配なら、それほど心理的に発達しておらず、精神的な面で（失ったときの）代償の少ない、しかも「愛着のもてるもの」となる他の多くの生き物を考えることもできる。例えば、私たちの住む地域の土着の鳥であるホシムクドリを買うのはとても簡単である。並外れて理解力のある友人が、ホシムクドリを「庶民のための犬」だと言っていたものだ。まったくそのとおりである。ホシムクドリには、犬と共通する特徴がある。つまり、ホシムクドリを「既製品」として買うことはできないということだ。成犬を買ってきて、それが本当のあなたの犬になることはめったにない。それは、あなたが裕福で、保育士や女性家庭教師や住み込みの家庭教師に子どもの養育をまかせきりにしておいては、その子どもがあなたの本当の子どもになることがほとんどないのと同様である。重要なのは、親密で心のかよう触れ合いである。そのため、もしもあなたがこの種類の鳥を本当に愛着のある鳥にしたいのであれば、あなたは自ら雛鳥に餌を与え、清潔に保たなければならない。避けられないような苦労は、ほんの短い間続くだけである。幼いホシムクドリは孵化してからひとり立ちするまで、24日くらいしかかからない。生後2週間ほどのホシムクドリの雛を巣からとってきたのであれば、十分に間に合い、飼育の工程はほんの2週間くらいしかない。その飼育もそれほど大変ではなく、ピンセットを使って一日に5回から6回、貪欲に大口を開ける雛の黄色いくちばしに餌を詰め込み、同じ道具を使って、反対の端から糞を取り除いてあげるだけでよい。糞は薄い膜できちんと包まれていて、汚れるのを防いでくれている。このようにすれば、人工の巣はいつも清潔で、新しい「おむつ」を必要とすることはない。

[語　句]

entail：伴う　intimate：親密な　hatching：孵化する　dropping：糞

MEMO

英文　内容合致

次の英文の中で述べられていることと一致するものとして，最も妥当なのはどれか。

Every author, I suppose, has in mind a setting in which readers of his or her work could benefit from having read it. Mine is the proverbial* office watercooler*, where opinions are shared and gossip is exchanged. I hope to enrich the vocabulary that people use when they talk about the judgments and choices of others, the company's new policies, or a colleague's investment decisions. Why be concerned with gossip? Because it is much easier, as well as far more enjoyable, to identify and label the mistakes of others than to recognize our own. Questioning what we believe and want is difficult at the best of times, and especially difficult when we most need to do it, but we can benefit from the informed opinions of others. Many of us spontaneously* anticipate how friends and colleagues will evaluate our choices; the quality and content of these anticipated judgments therefore matters. The expectation of intelligent gossip is a powerful motive for serious self-criticism, more powerful than New Year resolutions to improve one's decision making at work and at home.

To be a good diagnostician*, a physician needs to acquire a large set of labels for diseases, each of which binds an idea of the illness and its symptoms, possible antecedents* and causes, possible developments and consequences, and possible interventions to cure or mitigate* the illness. Learning medicine consists in part of learning the language of medicine. A deeper understanding of judgments and choices also requires a richer vocabulary than is available in everyday language. The hope for informed gossip is that there are distinctive patterns in the errors people make.

(Daniel Kahneman「Thinking, Fast and Slow」による)

*proverbial……よく知られた　*watercooler……立ち話　*spontaneously……自然に
*diagnostician……診断医　*antecedent……前例　*mitigate……やわらげる

1　読者が本から得た知識をどこで使うのか，作家はその場面を思い描いているものだが，私の場合は世俗的ないわゆる井戸端会議の場ではない。

2　井戸端会議は，互いの欠点を見つけ出して批判しあうような場になるので，忙しい時に時間をつくってまで，積極的に参加するものではない。

3　自分の信念や願望を疑うことは，上手くいっている時には難しいものだが，事情に通じた第三者の意見からは得るものが多いことだろう。

4　同僚が自分の判断をどう評価するかについては，あえて知りたいと思ったことはなかったが，これからは同僚からの評価を新年の抱負の参考とすることにした。

5　医者などの専門的な職業以外では，日常用語の語彙さえあれば，十分正確な判断と選択が可能である。

解説　**正解　3**　TAC生の正答率 88%

1　×　「私の場合は世俗的ないわゆる井戸端会議の場ではない」という箇所が本文と反対である。

2　×　本文では井戸端会議について、意見を交換したり、噂話が飛び交ったりする場だとは説明されているが、「互いの欠点を見つけ出して批判しあうような場」とは述べていない。また、選択肢後半は本文に述べられていない内容である。

3　○　本文第1段落中ほどの内容と合致する。

4　×　「同僚が自分の判断をどう評価するか」について、自然に予想できるものだという説明は本文第1段落にあるが、選択肢後半の内容は本文に述べられていない内容である。

5　×　本文に述べられていない内容である。

[訳　文]

ものを書く人なら誰でも、自分の本の読者である彼や彼女が、自分の本を読んで役立てている場面を心に描くだろう。私の場合、それはよく知られた職場での立ち話だ。そこでは意見が交わされ、噂話が飛び交う。私は、誰かの判断や選択、会社の新しい方針、あるいは同僚の投資の決断などについて話すときの人々の言葉を、豊かにしたいと望む。なぜ私が井戸端会議に関心を寄せるのか。それは、自分の失敗より他人の失敗を特定してあれこれ言うほうが、ずっと楽しいのはもちろん、ずっと簡単だからである。自分の信念や願望を疑うことは、状況の最も良いときには難しく、それを問うことが最も必要なときにこそ特に難しいものである。しかし、私たちは事情に通じた第三者の意見からは得るものが多いことだろう。私たちの多くは、友人や同僚が自分の選択をどのように評価するかについて自然に予想するものである。したがって、それらの予想された判断の質や内容は重要である。知的な噂話の予想は、真剣な自己批判の強力なきっかけとなる。職場や家の中での決断をより良いものにしようという新年の誓いよりも、もっと強力な動機づけである。

良い診断医になるためには、大量の病気を示すラベルを頭の中に入れておかなければならない。どのラベルも、病気と症状、考えられる前例と原因、起こりうる経過と予後、病気の治療と症状緩和のための可能な介入などについての知識を束ねている。医学について学ぶということは、医学の言葉を学ぶということでもある。判断と選択についての理解が深まれば深まるほど、日常の言語で使い得る語彙より豊かな語彙が必要になる。事情に通じた人々の噂話に期待できることは、人々が犯す間違いに顕著なパターンが見つかることだ。

[語　句]

anticipate：予想する　　medicine：医学・薬　　distinctive：特徴的な

英文 内容合致

次の英文の中で述べられていることと一致するものとして、最も妥当なのはどれか。

I was reared in a gardening family. My parents, who emigrated to the United States from Canada, were also reared in families where tending to plants, vegetables, and flowers was considered serious business. In Canada, where summers are hot and winters are fierce, the hobby of gardening was carried over from England. In both countries, the dark, rich soil is perfect for growing all sorts of wonderful things.

By contrast, I remember well my mother's frustration in trying to plant a vegetable garden in our California backyard. Time after time she dug through the soil's clay and rocks in an effort to establish good growing conditions. Over the years we slowly saw the appearance of strawberries, potatoes, even a pear tree. One particularly abundant summer my brother and I watched with joy as small sprouts* of carrots, spring onions, cucumbers*, lettuce* heads, and zucchini* vines began to appear. We even came as far as picking the carrots and enjoying the lettuce and tomatoes in a salad at dinner time. Then, one night, the entire garden vanished – the work of two hungry rabbits!

After this "disaster," my mother turned to container gardening – growing flowers, plants and herbs in pots, barrels, and boxes. Twenty years later, a walk through my parents' backyard is like taking a tour of a mini-botanical* garden: abundant lemon and orange bushes housed in aged wine barrels; delectable* herbs standing tall in painted wood boxes; rose bushes preening* from their plastic terra cotta* pots; perennials peeking* out from real terra cotta; and annuals or bulbs protruding* from a brick pit formerly used for barbecuing!

(Lisa Mednick「American Mind, Japanese Mind」による)

＊sprout……新芽　＊cucumber……キュウリ　＊lettuce…レタス
＊zucchini……ズッキーニ　＊botanical……植物の　＊delectable……おいしそうな
＊preen……得意になる　＊terra cotta……テラコッタ（赤土の素焼き）
＊peek……垣間見る　＊protrude……突き出る

1　カナダは、気候がイギリスと似ているものの、イギリスとは異なり、黒々とした土が植物栽培に最適なので、園芸が盛んになった。

2　カリフォルニアの土も、カナダの土と同様に植物栽培に最適だったので、母は裏庭に菜園をつくり、イチゴやジャガイモなどの植物を栽培し始めた。

3　裏庭で育てていた植物のうち、果物や野菜は、２匹のウサギによって食べ尽くされてしまったが、ハーブや草花は、幸運にも被害を免れた。

4　ウサギによる被害の後、母は、さらなる動物の被害を防ぐため、果物と野菜を栽培している部分を柵で厳重に囲った。

5　ウサギの被害から20年経ち、両親の裏庭では、バラの花やハーブ、多年生植物などが育っており、そこを歩くと、ミニ植物園を見学しているように感じられる。

解説　正解　5

TAC生の正答率 79%

1 × 「イギリスとは異なり」という箇所が誤り。本文第1段落では、カナダもイギリスも園芸に最適な土だったと述べられている。

2 × 選択肢前半が本文の内容と反対である。本文第2段落では、カリフォルニアの裏庭を、園芸に適した土にするために苦労した話が述べられている。

3 × 「ハーブや草花は、幸運にも被害を免れた」という箇所が誤り。本文第2段落の最後では、庭全体が消えてしまったと述べられており、被害を免れたものはなかったと読み取れる。

4 × 「柵で厳重に囲った」という内容は本文に述べられていない。本文第3段落では、ウサギの被害のあと、鉢植え園芸を始めたと述べられているだけであり、柵で囲ったわけではない。

5 ○ 本文第3段落の内容と合致する。

[訳　文]

私は園芸一家で育った。私の両親は、カナダからアメリカへ移民してきたのだが、彼らもまた植物や野菜や花の世話をすることが大事な仕事だとされるような家庭に育った。カナダでは、夏は暑く、冬は厳しい寒さで、園芸の趣味はイギリスから伝わった。どちらの国も、黒々として豊かな土が栽培植物を育てるのに最適だった。

それに対して、カリフォルニアの裏庭で野菜を植えようとしてうまくいかず母がイライラしていたのをよく覚えている。何度も、状態の良い土にしようと懸命に泥や石を掘り起こしていた。年を重ねるにつれて少しずつ、イチゴやジャガイモや、梨の木まで見るようになった。特に豊作だった夏には、兄と私でニンジンやネギやキュウリの小さな新芽、丸々のレタス、ズッキーニのつるなどが現れ始めるのを見て楽しんだ。私たちはニンジンの収穫も行い、夕食のときにはサラダでレタスやトマトをいただいた。そして、ある夜、庭全体が無くなってしまった――おなかをすかせた2匹のウサギの仕業だ！

この「災難」のあと、母は鉢植え園芸を始めた――花や植物やハーブを鉢や樽、箱の中で育てるのである。20年後、両親の裏庭を歩くと、それはまるでミニ植物園を見学しているように感じられる。豊かに実ったレモンやオレンジの木は古いワインの樽に植えられている。おいしそうなハーブは色の塗られた木の箱の中で高くまで伸びている。薔薇の木はプラスチック製でテラコッタ色の鉢から得意げな様子を見せている。本物の赤土の素焼きの鉢からは多年草も垣間見られる。以前はバーベキューをするのに使っていたレンガで作ったくぼみのところからは、一年草や球根が伸びてきている！

[語　句]

rear：育てる　fierce：激しい　abundant：豊富な　barrel：樽

英文 内容合致 2022年度 教養 No.6

次の英文の中で述べられていることと一致するものとして、最も妥当なのはどれか。

We are living in a technical age. Many are convinced that science and technology hold the answers to all our problems. We should just let the scientists and technicians go on with their work, and they will create heaven here on earth. But science is not an enterprise that takes place on some superior moral or spiritual plane above the rest of human activity. Like all other parts of our culture, it is shaped by economic, political and religious interests.

Science is a very expensive affair. A biologist seeking to understand the human immune system requires laboratories, test tubes, chemicals and electron microscopes, not to mention lab assistants, electricians, plumbers and cleaners. An economist seeking to model credit markets must buy computers, set up giant databanks and develop complicated data-processing programs. An archaeologist who wishes to understand the behaviour of archaic* hunter-gathers must travel to distant lands, excavate* ancient ruins and date fossilised* bones and artefacts*. All of this costs money.

During the past 500 years modern science has achieved wonders thanks largely to the willingness of governments, businesses, foundations and private donors to channel billions of dollars into scientific research. These billions have done much more to chart the universe, map the planet and catalogue the animal kingdom than did Galileo Galilei, Christopher Columbus and Charles Darwin. If these particular geniuses had never been born, their insights would probably have occurred to others. But if the proper funding were unavailable, no intellectual brilliance could have compensated for that. If Darwin had never been born, for example, we'd today attribute the theory of evolution to Alfred Russel Wallace, who came up with the idea of evolution via natural selection independently of Darwin and just a few years later. But if the European powers had not financed geographical, zoological and botanical* research around the world, neither Darwin nor Wallace would have had the necessary empirical* data to develop the theory of evolution. It is likely that they would not even have tried.

(Yuval Noah Harari「Sapiens」による)

*archaic……古代の　*excavate……発掘する　*fossilise……化石化する
*artefact……人工遺物　*botanical……植物学上の
*empirical……経験上の

1 我々は技術の時代を生きてきたが、今日では科学者と技術者に任せておけば地上の楽園が実現できるという考えに対し懐疑的な人々が多くなってきた。

2 人間の免疫に関する研究をしている生物学者は、研究機材に多額なコストがかかるため、人件費を圧縮しなければならなくなっている。

3 過去500年間、近代科学は、政府、企業、個人等からの莫大な資金援助を受けたおかげで、ガリレオ、コロンブス、ダーウィンに匹敵する成果を挙げた。

4 ガリレオ、コロンブス、ダーウィンといった天才が生まれていなかったとしても、きっと誰か別の人が同じ偉業を達成していただろう。

5 西欧列強がその影響力を世界に拡大していかなければ、ダーウィンやウォーレスの地理学的、動物学的、植物学的業績が世界に伝播することはなかった。

解説　**正解　4**　TAC生の正答率　68%

1　×　本文と反対の内容である。本文第1段落には、「We should just let the scientists ... they will create heaven here on earth」とあり、科学者や技術者が地上の楽園を実現してくれると考えていると述べられている。

2　×　「人件費を圧縮しなければならなくなっている」という説明は本文に述べられていない。本文第2段落では、「A biologist seeking to ... plumbers and cleaners」と述べられており、助手や電気技術者などの人件費もかかると説明されている。

3　×　「匹敵する成果を挙げた」という説明が誤りである。本文第3段落では、「These billions have done much more ... Charles Darwin」とあり、莫大な資金の方が、ガリレオたちの成果よりも大きな成果を挙げたと述べられている。

4　○　本文第3段落「If these particular geniuses had never been born, ... occurred to others」という箇所の内容と合致する。

5　×　選択肢前半の「西欧列強がその影響力を世界に拡大していかなければ」や、選択肢後半の「業績が世界に伝播することはなかった」という内容は本文に述べられていない。

[訳　文]

私たちは技術の時代に生きている。私たちのあらゆる問題の答えは科学とテクノロジーが握っていると確信している人も多い。科学者と技術者に任せておきさえすれば、彼らがこの地上に天国を生み出してくれるというのだ。だが、科学は他の人間の活動を超えた優れた倫理的あるいは精神的次元で行なわれる営みではない。私たちの文化の他のあらゆる部分と同様、科学も経済的、政治的、宗教的関心によって形作られている。

科学には非常にお金がかかる。人間の免疫系を理解しようとしている生物学者は、研究室、試験管、薬品、電子顕微鏡はもとより、研究室の助手や電気技術者、配管工、清掃係まで必要とする。金融市場をモデル化しようとしている経済学者は、コンピューターを買い、巨大なデータベースを構築し、複雑なデータ処理プログラムを開発しなければならない。太古の狩猟採集民の行動を理解したい考古学者は、遠い土地へ出かけ、古代の遺跡を発掘し、化石化した骨や人工遺物の年代を推定しなくてはいけない。そのどれにもお金がかかる。

過去500年間、近代科学は政府や企業、財団、個人献金者が科学研究に莫大な金額を注ぎ込んでくれたおかげで、驚異的な成果を挙げてきた。その莫大なお金のほうが、天体の配置を描き出し、地球の地図を作り、動物界の目録を作る上で、ガリレオ・ガリレイやクリストファー・コロンブス、チャールズ・ダーウィンよりも大きな貢献をした。もしこれらの天才が生まれていなかったとしても、きっと誰か別の人が同じ偉業を達成していただろう。だが、適切な資金提供がなければ、どれだけ優れた知性を持っている人でも、それを埋め合わせることはできなかったはずだ。たとえば、もしダーウィンが生まれていなかったら、今日私たちはアルフレッド・ラッセル・ウォーレスを進化論の考案者としていただろう。彼はダーウィンのわずか数年後、独自に自然選択による進化の概念を思いついた人物だ。だが、ヨーロッパの列強が世界各地での地理学的、動物学的、植物学的研究に出資していなかったら、ダーウィンもウォーレスも進化論を打ち立てるのに必要な経験的データを入手できなかっただろう。彼らはやってみようとさえ思わなかった可能性が高い。

[語　句]

convince：確信させる　　enterprise：事業・企て・営み　　religious：宗教的な

英文 内容合致

2021年度
教養 No.7

次の英文の中で述べられていることと一致するものとして、最も妥当なのはどれか。

By 'nationalism' I mean first of all the habit of assuming that human beings can be classified like insects and that whole blocks of millions or tens of millions of people can be confidently labelled 'good' or 'bad'. But secondly − and this is much more important − I mean the habit of identifying oneself with a single nation or other unit, placing it beyond good and evil and recognizing no other duty than that of advancing its interests. Nationalism is not to be confused with patriotism*. Both words are normally used in so vague a way that any definition is liable to be challenged, but one must draw a distinction between them, since two different and even opposing ideas are involved. By 'patriotism' I mean devotion to a particular place and a particular way of life, which one believes to be the best in the world but has no wish to force upon other people. Patriotism is of its nature defensive, both militarily and culturally. Nationalism, on the other hand, is inseparable from the desire for power. The abiding* purpose of every nationalist is to secure more power and more prestige, *not* for himself but for the nation or other unit in which he has chosen to sink his own individuality.

(George Orwell「Notes on Nationalism」による)

＊patriotism‥‥愛国心　＊abide‥‥とどまる

1 ナショナリズムとは、自分を一つの国家若しくはある組織と同一視した上で、善悪の範囲内であれば、その国家や組織の利益以外の義務も認める考え方であるとしている。

2 ナショナリズムと愛国心とは、どちらの言葉もあいまいに使われるように、両者にはっきりとした違いはない。

3 愛国心は特定の場所と特定の生活様式に対する献身的な愛情であり、その場所や生活様式は世界一と信じているが、それを他人にまで押し付けようとはしないことである。

4 愛国心は権力志向と結びついているが、一方で、ナショナリズムは、軍事的にも文化的にも防衛的なものである。

5 ナショナリストは、国家や組織のために働くことで、自らの強大な権力、強大な威信を獲得することを目指す。

解説　正解　3　　TAC生の正答率 89%

1 × 選択肢後半が本文と合致しない。本文前半では、ナショナリズムとは、自分と同一視した国家または組織を善悪の範囲の外に位置づけるものだと述べられている。また、国家や組織の利益拡大以外に義務を認めないものだと説明されている。

2 × 選択肢後半が本文と反対である。本文の中ほどの記述では、ナショナリズムと愛国心は区別をすべきだと述べられている。

3 ○ 本文後半の内容と合致する。

4 × 主述の対応が反対である。「権力志向と結びついている」のはナショナリズムであり、「軍事的にも文化的にも防衛的なもの」は愛国心である。

5 × 「国家や組織のために働くことで」という箇所が誤りである。本文最終部では、「自身の個性を没却することを決めた国やその他の組織」のために、権力や威信を獲得することを目指すと述べられている。

[訳　文]

「ナショナリズム」とは第一に、人間は虫けらのように分類できるもので、何百万あるいは何千万という人々のまとまりに確信をもって「善」と「悪」のラベルを貼ることが出来ると考える習慣のことである。しかし第二に、こちらの方がよりずっと重要なのだが、自身を一つの国やその他の組織と同一視し、それを善悪の範囲の外に位置付け、その利益を拡大すること以外に義務を認めない習慣のことである。ナショナリズムは、愛国心と混同されるべきものではない。どちらの言葉も通常はどんな定義が試みられても曖昧な使われ方をするが、しかし両者の間を区別しなければならない。なぜなら、二つの異なる、対立さえする概念を意味するからである。「愛国心」とは、特定の場所や生活様式に対する献身的愛情であり、それが世界で一番だと信じながら、しかし他の人々にそれを強要しようとは望まないものである。愛国心は軍事的にも文化的にも自然に起こる自己防衛である。一方でナショナリズムは、権力への欲望と切り離すことができない。すべてのナショナリズムが遵守する目的は、彼自身ではなく、自身の個性を没却することを決めた国やその他の組織のために、より大きな権力とより強大な威信を獲得することである。

[語　句]

vague：曖昧な　involve：意味する　devotion：献身的愛情　secure：確保する
prestige：威信

英文　内容合致　2021年度 教養 No.8

次の英文の中で述べられていることと一致するものとして、最も妥当なのはどれか。

And then came this astonishing girl-wife whom nobody had expected – least of all Chips himself. She made him, to all appearances, a new man; though most of the newness was really a warming to life of things that were old, imprisoned, and unguessed. His eyes gained sparkle; his mind, which was adequately if not brilliantly equipped, began to move more adventurously. The one thing he had always had, a sense of humour, blossomed into a sudden richness to which his years lent maturity. He began to feel a greater strength; his discipline improved to a point at which it could become, in a sense, less rigid; he became more popular. When he had first come to Brookfield he had aimed to be loved, honoured, and obeyed – but obeyed, at any rate. Obedience he had secured, and honour had been granted him; but only now came love, the sudden love of boys for a man who was kind without being soft, who understood them well enough, but not too much, and whose private happiness linked him with their own. He began to make little jokes, the sort that schoolboys like – mnemonics* and puns* that raised laughs and at the same time imprinted* something in the mind. There was one that never failed to please, though it was only a sample of many others. Whenever his Roman History forms came to deal with the Lex Canuleia, the law that permitted patricians* to marry plebeians*, Chips used to add: 'So that, you see, if Miss Plebs wanted Mr. Patrician to marry her, and he said he couldn't, she probably replied: "Oh, yes, you can, you liar!"' Roars of laughter.

（James Hilton「Goodbye, Mr Chips」による）

＊mnemonic……記憶を助ける工夫　＊pun……語呂合わせ
＊imprint……強く印象づける
＊patrician……貴族　＊plebeian……平民

1　思いがけず若い女性と結婚することになったチップスは、新居にふさわしい環境を整えるため、古くなった身の回りの品々を新しいものに交換した。

2　結婚をきっかけに大きな自信を感じはじめたチップスは、これまでの厳格な教育方針をさらに推し進めたため、生徒からの人気が増した。

3　生徒たちを充分に理解する一方で、過度に踏み込むことのないチップスに対し、生徒たちは愛情をむけはじめた。

4　チップスは、語呂合わせを使った記憶術を取り入れながら授業を展開したが、教室に笑いが巻き起こる一方で、生徒に知識は定着しなかった。

5　チップスはローマ史の授業で、平民と貴族の間の結婚を許した法律にちなんで、プロポーズの時のエピソードを語った。

解説　正解　3　　TAC生の正答率 58%

1　×　「思いがけず若い女性と結婚することになったチップスは」という箇所は、本文冒頭の内容と合致するが、あとの説明は本文に述べられていない。

2　×　「これまでの厳格な教育方針をさらに推し進めたため」という箇所が本文と反対の説明である。本文中ほどでは「less rigid」とあり、厳しくなくなったと述べられている。

3　○　本文中ほどの説明と合致する。

4　×　「生徒に知識は定着しなかった」という箇所が本文と反対の内容である。

5　×　「プロポーズの時のエピソードを語った」という内容は本文に述べられていない内容である。

[訳　文]

そして、誰も予想していなかった思いがけないこの若い妻がやって来た。一番予想外に感じていたのは、チップス本人だ。彼女は彼をどう見てもまったく新しい男に変えてしまった。その新しさの最たるものは、古くからの、閉じ込められていて、想像できないような生活を実に温かなものにしたことだ。彼の目は輝きを得た。彼の知性は才気あふれているとまではいかなくとも十分な能力のあるものだったが、より大胆に動き始めたのだ。一つ目に、彼はユーモアのセンスをもっていたのだが、それが十分に熟して突然豊かに開花したのだ。彼はより力強くなったように感じ始め、彼の指導はある意味厳格さが和らいだ程度まで改善された。彼の人気は増した。彼が初めてブルックフィールドに来たとき、彼は愛され、名誉があり、生徒を従わせるようになることを目標としていた。――とにかく、生徒を従わせてはいた。生徒の従順さは確保され、名誉も与えられた。しかし、やっと今、彼は愛されるようになった。彼は甘やかしたりはしないながらも親切で、生徒たちに十分な理解を示し、それでいて出すぎることはなく、そして彼の個人的な幸福は生徒たちを幸福にした。生徒たちは突然そのような彼に愛着を示すようになったのだ。彼はちょっとした冗談も言うようになった。それは生徒たちが好むようなもの――笑いが起こり、同時に心に強く印象づけるような、記憶を助ける工夫や語呂合わせなどである。必ず生徒を喜ばせる冗談があった。たくさんの冗談の中の一つにすぎないが、ローマ史で、貴族と平民の結婚を許可するカヌレイウス法の話をするときはいつでも、チップスは次のように加えた。「だから、もし平民さんが貴族君に結婚してほしいと言って、彼ができないと答えたら、彼女はおそらくこう答えるだろう。いいえ、あなた結婚はできるのよ。嘘つきね！」そして爆笑が起こる。

[語　句]

lent maturity：貸付満期　　in a sense：ある意味で　　rigid：堅い・厳しい
roar：轟音

現代文
英文
判断推理
数的推理
資料解釈
空間把握
文芸
日本史
世界史

英文　内容合致　2020年度 教養 No.6

次の英文の中で述べられていることと一致するものとして、最も妥当なのはどれか。

I lighted my fire, which burnt with a raw pale flare* at that time of the morning, and fell into a doze* before it. I seemed to have been dozing a whole night when the clocks struck six. As there was full an hour and a half between me and daylight, I dozed again; now, waking up uneasily, with prolix* conversations about nothing, in my ears; now, making thunder of the wind in the chimney*; at length, falling off into a profound* sleep from which the daylight woke me with a start.

All this time I had never been able to consider my own situation, nor could I do so yet. I had not the power to attend to it. I was greatly dejected* and distressed*, but in an incoherent* wholesale sort of way. As to forming any plan for the future, I could as soon have formed an elephant. When I opened the shutters and looked out at the wet wild morning, all of a leaden* hue*; when I walked from room to room; when I sat down again shivering, before the fire, waiting for my laundress* to appear; I thought how miserable I was, but hardly knew why, or how long I had been so, or on what day of the week I made the reflection, or even who I was that made it.

(Charles Dickens「Great Expectations」による)

*flare……揺らめく炎　*doze……居眠り　*prolix……くどい
*chimney……煙突　*profound……深い　*dejected……意気消沈した
*distressed……悲しませる　*incoherent……不明瞭な
*leaden……鉛色の　*hue……色調　*laundress……洗濯係の女

1　私は、暖炉の火を点けると、火の前ですぐに熟睡してしまい、時計が午前六時を打つ音で目が醒めた。

2　私は、空が白むまでにはまるまる一時間半はあったので、その間ずっと、つまらない長話に聞き耳を立てていた。

3　私は、将来に渡って象を作り上げるといった、色々な計画を練り上げることができた。

4　私は、部屋から部屋へと歩き回っては、もう一度暖炉の前に座るのを何度も繰り返しながら、洗濯係の女が現れるのを待ち構えた。

5　私は、自分が惨めであることは分からなかったが、今日が何曜日で自分が何者であるのかということは分かっていた。

解説　正解 4

TAC生の正答率 63%

1 × 「時計が午前六時を打つ音で目が醒めた」という箇所が誤りである。本文第１段落の「I seemed to have been ... when the clocks struck six」のところは、一晩中眠ったような気がしたとき、気づくと時計が六時を指していたということで、「音で目が醒めた」という説明にはなっていない。

2 × 「つまらない長話に聞き耳を立てていた」という箇所が誤りである。本文第１段落後半では、つまらない会話が耳に入ってきたという描写はあるものの、それに聞き耳を立てていたわけではなく、そのあと深い眠りに落ちたと述べられている。

3 × 「色々な計画を練り上げることができた」という箇所が誤りである。本文第２段落冒頭では、何も考えられないし、何にもとりかかれない状況が説明されている。

4 ○ 本文第２段落中ほどの説明と合致する。

5 × 選択肢後半の説明が本文と反対である。本文第２段落最終部では、「but hardly knew」とあり、知ることが困難だった、ほとんどできなかったと述べられている。

［訳　文］

私が暖炉に火をつけると、朝の時間の冷え冷えとした青白く揺らめく炎が燃え、私はその前で居眠りをし始めた。一晩中居眠りをしたかと思う頃、時計は六時を指していた。夜明けまでには一時間半もあったので、私は再び居眠りをした。くどくどと意味のない会話が耳に入ってきて不機嫌に目を覚まし、煙突の中の風が雷のような音を立てた。ついに、深い眠りに落ちてしまい、夜明けで私ははっと目覚めた。

その間中ずっと、私は自分の置かれた状況を考えることができなかったし、その後もまだ考えることができないでいた。私にはとりかかる力がなかった。私はとても意気消沈して、悲しかった。とてもぼんやりしていた。未来の計画を立てることに関して言えば、すぐにでも一頭の象を創りあげることができてしまいそうなほどだ（注：象を創りあげることが簡単に思えるほど、それに比べて、より困難な状況に見舞われている）。私は鎧戸を開けて雨降りの荒れた朝を見た。一面鉛色の色調だった。私は部屋から部屋へ歩いては、再び暖炉の前に震えながら座り、洗濯係の女が現れるのを待っていた。私はなんて惨めなのだろうと思った。しかし、なぜ、あるいはどれほど長い間そのように惨めであったのか、私には分からなかった。そうやって振り返っている今は何曜日なのか、あるいはそうやって振り返っている私は誰なのかさえ、私には分からなかった。

［語　句］

raw：冷え冷えとした　　at length：ついに　　as to ...：…に関して

英文 内容合致

2020年度
教養 No.8

次の英文の中で述べられていることと一致するものとして、最も妥当なのはどれか。

Assemble any small group of strangers – say a dozen or so – and almost the very first thing that happens is that one or two of them rapidly assume the role of group leader. It does not happen by a rational process of conscious election; it just happens naturally – spontaneously* and unconsciously. Why does it happen so quickly and easily? One reason, of course, is that some individuals are either more fit to lead than others or else desire to lead more than the rest. But the more basic reason is the converse*: most people would rather be followers. More than anything else, it is probably a matter of laziness*. It is simply easy to follow, and much easier to be a follower than a leader. There is no need to agonize* over complex decisions, plan ahead, exercise initiative, risk unpopularity, or exert much courage.

The problem is that the role of follower is the role of child. The individual adult as individual is master of his own ship, director of his destiny. But when he assumes the role of follower he hands over to the leader his power: his authority over himself and his maturity as decision-maker. He becomes psychologically dependent on the leader as a child is dependent on its parents. In this way there is a profound tendency for the average individual to emotionally regress* as soon as he becomes a group member.

（M.Scott Peck, M.D.「People of the Lie」による）

＊spontaneously……自発的に　＊converse……逆　＊laziness……怠惰
＊agonize……苦しむ　＊regress……退行

1　リーダーは合理的過程を経て選出するものであるから、互いに知らない十数人程度の小集団から１人か２人のリーダーを速やかに決めることは非常に難しい。

2　他の人たちに比べてリーダー役に適している人、あるいは、リーダーになりたいという欲求の強い人がいる。

3　追随者になるのではなく、リーダーになって怠惰な追随者に指示を出したいと思う人が多くいる。

4　追随者は、リーダーの無謀な決定に従うにあたって、苦しみや危険が伴うものだが、勇気を奮って実行しなければならない。

5　追随者はリーダーに対して心理的に依存するが、追随者自身の支配力、権威、成熟性をリーダーに譲り渡すことはない。

解説　正解　2　TAC生の正答率 88%

1 × 選択肢前半が本文と反対である。本文第１段落前半では、リーダーの選出は合理的プロセスによってではないと説明されている。また、選択肢後半の説明は本文に述べられていない。

2 ○ 本文第１段落中ほどの説明と合致する。

3 × リーダーになりたい欲求が強い人がいるということについては本文第１段落に述べられているが、「怠惰な追随者に指示を出したい」という話は本文に述べられていない内容である。

4 × 「リーダーの無謀な決定」という話は本文に出てこない。また、追随者になれば、苦しみやリスク、勇気を出す必要がないと述べられており、選択肢後半は本文と反対の内容である。

5 × 本文第２段落に「But when he assumes ... decision-maker」とあり、その説明と選択肢後半の内容が反対である。

［訳　文］

互いに知らない人たちの小集団――たとえば十数人程度のグループ――が集まったとき最初に起こることは、その中の一人か二人の人間がすばやくリーダー役を買って出ることである。それは意識的に選定するという合理的なプロセスによって起こるのではない。それはただ自然に起こり、自発的に無意識的に起こるのである。なぜ、そのようなことがそんなにすぐに簡単に起きてしまうのか。一つの理由は、もちろん、ある者は他の者よりリーダーになることに適しており、あるいは残りの者よりリーダーをやりたいと思う気持ちが強いからである。しかし、もっと基本的な原因は逆である。大方の人々はどちらかと言えば、追随者となりたいのだ。それは何よりも、おそらく怠惰の問題である。追随することは単純に容易であり、リーダーになるより追随者になる方がずっと楽である。追随者でいれば、複雑な選択に苦しむ必要がない。事前に計画も必要なく、率先して取り組む必要もなく、不評を買うリスクを背負う必要もなく、多くの勇気を出す必要もないのだ。

問題となるのは、追随者の役割は子どもの役割と同じだということである。個人としての大人は、彼の船の船長であり、彼の運命の指揮者である。しかし、彼が追随者の役割を演じようと考えるとき、彼の能力、すなわち彼自身への権限、決定者としての成熟性を、リーダーに譲り渡してしまうことになる。彼は、子どもが親に依存するかのように、リーダーに対して精神的に依存するようになる。このようにして、グループの一員になるとすぐに、普通の人は情動的退行をする傾向が大いにあるのだ。

［語　句］

stranger：知らない人　　profound：深い

英文　内容合致　2018年度 教養 No.7

次の英文の中で述べられていることと一致するものとして、最も妥当なのはどれか。

Sometimes, while in Japan, I feel exhausted* by the constant attention I must give to such signals in the attempt to discover what another person *really* means. I think how relaxing it would be if I were among people with whom I could talk without worrying about what lies behind casual remarks.

Of course, not all Japanese are so complicated, but there is undoubtedly a kind of indirect communication that has been cultivated over the centuries, especially during the period when the country was closed to the outside world. The use of special words for such common things as tea, rice, or soy sauce is one form of expression that restricts comprehension* of the words to people belonging to a particular milieu*. More subtle are the phrases said when one wishes a guest to leave or when one prefers not to reveal where one is going or when one wants the other person to drop a subject. Such "signals" are generally intelligible* only to persons born within a culture or to those, like myself, who have spent most of their lives studying it.

It used to be true that the two halves of my life – in New York and in Tokyo – were totally different, but gradually both have come to seem indispensable*. I enjoy the differences and hope I can continue to divide my life in this way. If a time comes when I must choose one or the other, I think it will be Tokyo. The unattainable* goal I set for myself of learning everything about Japan seems likely to occupy my life through the years to come.

(Donald Keene「Living in Two Countries」による)

＊exhausted……疲れ切った　＊comprehension……理解　＊milieu……環境
＊intelligible……理解できる　＊indispensable……絶対必要な
＊unattainable……到達できない

1　私は、相手が本当は何を言おうとしているのかを理解するために、相手に対して絶えず信号を送り続けなければならないことに疲れ切ってしまうことがある。

2　日本の間接的コミュニケーションなるものが、過去何百年にもわたって存在していたかどうかは疑わしい。

3　お茶やご飯、醤油のようなごく普通のものに特殊な用語を使用することは、特定の環境に置かれた人々にしか通じない表現の一形態である。

4　微妙な表現を理解できる者は、日本の文化の中で生まれ育った人たちや、私のように多大な時間を費やしてその文化を研究した者だけとは限らない。

5　私が自らに課した日本についてあらゆることを学ぶという目標に到達できなかった事実は、これからも私の人生において悔やまれるだろう。

解説　正解　3　TAC生の正答率 64%

1 × 本文第１段落では、信号に絶えず注意を払っていなければいけないことに疲れ切っていると述べられている。信号を送ることではなく、受け取ることに疲れているというのである。

2 × 本文第２段落では、日本の間接的なコミュニケーションというものが何百年にわたって培われてきたと説明されている。第２段落の「undoubtedly」とは、「疑う余地のないほど、確かに」という意味である。

3 O 本文第２段落中ほどの内容と合致する。

4 × 本文第２段落の最後では、微妙な表現を理解できるのは、日本の文化で生まれ育った人と、その文化の研究に時間を費やした人だけであると述べられている。その内容と反対である。

5 ×「これからも私の人生において悔やまれるだろう」という内容は本文に述べられていない。本文第３段落の最後では、日本のあらゆることを学ぶという目標が、これから来る人生の数年間を占めているだろうと述べられているだけである。

[訳　文]

ときどき日本にいると、私は相手が本当に意味していることを知ろうとして、その信号に注意を絶えず向け続けることに疲れ切ってしまう。何気ない意見に何が隠れているのか心配することなしに話せる人々に囲まれていたら、どんなにリラックスしていられるだろうかと思う。

もちろん、すべての日本人がそれほど理解しにくいというわけではないが、しかし、確かに何世紀にもわたって、特に、日本が外の世界に対して閉鎖的だった時代に、培われてきたある種の間接的なコミュニケーションというものがある。お茶やご飯、醤油などのような普通のものについて、特殊な用語を使用することは、特定の環境に置かれた人々にしか通じない表現の一形態である。もっと捉えにくいのは、人が客に早く帰ってほしいとき、あるいは、どこへ行こうとしているのか明らかにしないでほしいとき、あるいは、ある人が相手に話を打ち切ってほしいときの言い回しである。そのような「信号」は、一般的にその文化の中で生まれた人か、私のように、それを学びながら多くの人生を費やした人にしかわからない。

ニューヨークと東京と、私の人生の半分のそれぞれは、全体的に異なったものだったことは真実であった。しかし次第に、それらの二つは絶対に必要なものになってきた。私はその違いを楽しみ、そして私は、このように私の人生を二つに分かれたままにしておきたいと望んでいる。もしも、私が二つのうちどちらかを選ばなければならないとしたら、私は東京を選ぶでしょう。日本についてのあらゆることを学ぶという私自身に課した到達できない目標は、これから来る数年間を通じて私の人生を占めていくことだろう。

[語　句]

attempt to ...：…しようとして　casual：何気ない　complicated：理解しにくい
subtle：とらえにくい　drop a subject：話題を打ち切る

留学生100人に、京都、奈良、大阪の３つの都市へ行ったことがあるかないかのアンケートを実施したところ、次のことが分かった。

ア　京都に行ったことがある留学生は62人おり、そのうち京都のみに行ったことがある留学生は10人だった。
イ　奈良に行ったことがある留学生は66人おり、そのうち奈良のみに行ったことがある留学生は12人だった。
ウ　大阪に行ったことがある留学生は62人おり、そのうち大阪のみに行ったことがある留学生は２人だった。
エ　３つの都市いずれにも行ったことがない留学生は６人だった。

以上から判断して、確実にいえるのはどれか。

1　京都と奈良の両方に行ったことがある留学生は34人だった。

2　京都と大阪の両方に行ったことがある留学生は40人だった。

3　奈良と大阪の両方に行ったことがある留学生は44人だった。

4　京都、奈良、大阪のうち２つの都市のみに行ったことがある留学生は48人だった。

5　京都、奈良、大阪の３つの都市全てに行ったことがある留学生は28人だった。

解説　正解　3

TAC生の正答率　68%

条件ア～エの数値をベン図に書き入れ、京都と奈良の２つの都市のみに行ったことがある留学生をx[人]とおく（図１）。留学生全体は100人であるので、大阪に行ったことがある62人を用いると、$100=62+6+10+x+12$が成り立ち、これを解くと$x=10$[人]となる。同様にして、奈良と大阪の２つの都市のみに行ったことがある留学生をy[人]とおき、京都に行ったことがある62人を用いると、$100=62+6+12+y+2$が成り立ち、これを解くと、$y=18$[人]となる。さらに、京都と大阪の２つの都市に行ったことがある留学生をz[人]とおき、奈良に行ったことがある66人を用いると、$100=66+6+10+z+2$が成り立ち、これを解くと$z=16$[人]となる。これらの数値を反映したものが図２である。

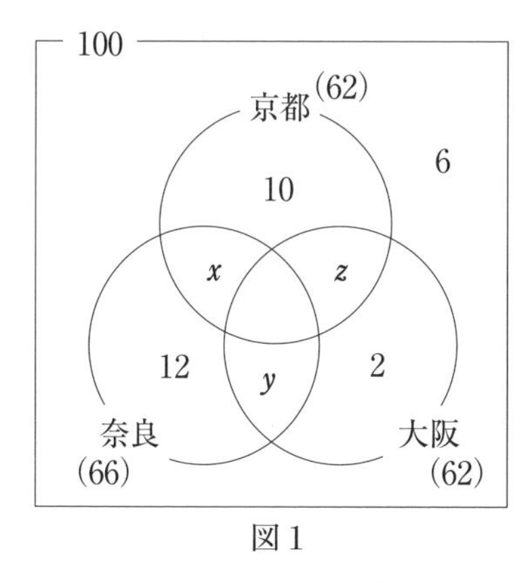

図１

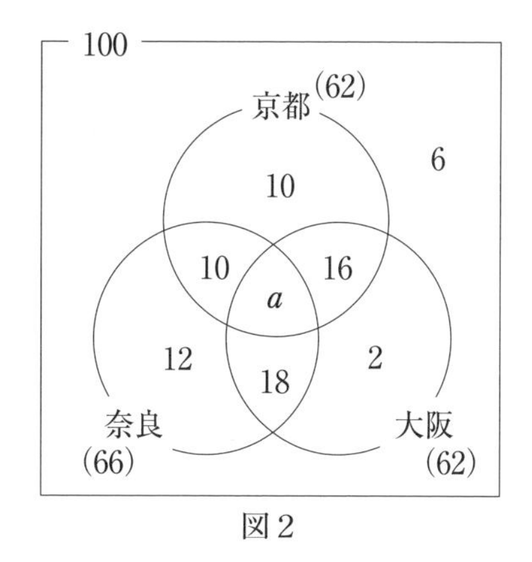

図２

３つの都市すべてに行ったことがある留学生をa[人]とおくと、京都に行ったことがある留学生は62人であるので、図２より、$62=10+10+a+16$が成り立ち、これを解くと、$a=26$[人]となる。

1　×　京都と奈良の両方に行ったことがある留学生は$10+26=36$[人]である。

2　×　京都と大阪の両方に行ったことがある留学生は$16+26=42$[人]である。

3　○　奈良と大阪の両方に行ったことがある留学生は$18+26=44$[人]である。

4　×　京都、奈良、大阪のうち２つの都市のみに行ったことがある留学生は$10+18+16=44$[人]である。

5　×　京都、奈良、大阪の３つの都市全てに行ったことがある留学生は26人である。

判断推理　集合

2022年度
教養 No.9

あるリゾートホテルの宿泊客400人について、早朝ヨガ、ハイキング、ナイトサファリの３つのオプショナルツアーへの参加状況について調べたところ、次のことが分かった。

A　早朝ヨガに参加していない宿泊客の人数は262人であった。
B　２つ以上のオプショナルツアーに参加した宿泊客のうち、少なくとも早朝ヨガとハイキングの両方に参加した宿泊客の人数は30人であり、少なくとも早朝ヨガとナイトサファリの両方に参加した宿泊客の人数は34人であった。
C　ナイトサファリだけに参加した宿泊客の人数は36人であった。
D　ハイキングだけに参加した宿泊客の人数は、ハイキングとナイトサファリの２つだけに参加した宿泊客の人数の５倍であった。
E　３つのオプショナルツアー全てに参加した宿泊客の人数は16人であり、３つのオプショナルツアーのいずれにも参加していない宿泊客の人数は166人であった。

以上から判断して、早朝ヨガだけに参加した宿泊客の人数として、正しいのはどれか。

1　70人

2　75人

3　80人

4　85人

5　90人

解説　正解　5

TAC生の正答率　80%

ベン図で整理する。条件Aより、早朝ヨガに参加した宿泊客の人数は$400-262=138$［人］である。このことおよび条件B～Eより、図1のようになる。

図1より、早朝ヨガとハイキングの2つだけに参加した宿泊客は$30-16=14$［人］、早朝ヨガとナイトサファリの2つだけに参加した宿泊客は$34-16=18$［人］である。このことより、早朝ヨガだけに参加した宿泊客は$138-(14+18+16)=90$［人］となる。さらに、宿泊客全体の人数が400人であることより、$138+5x+x+36+166=400$が成り立ち、これを解くと$x=10$となる（図2）。

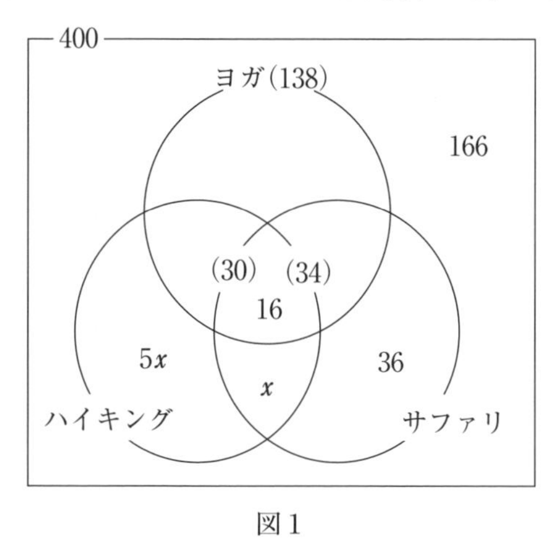

図1

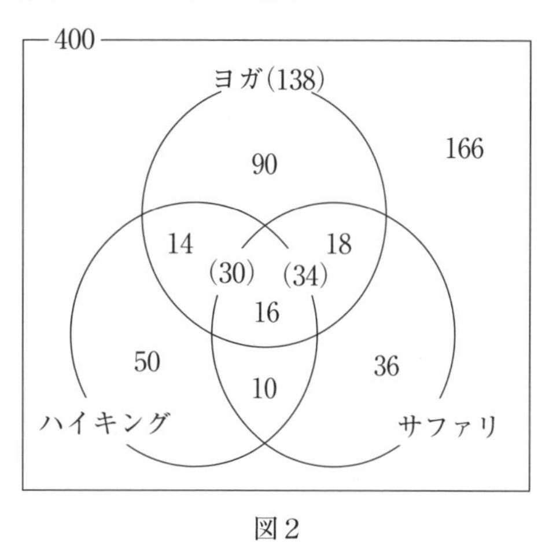

図2

図2より、早朝ヨガだけに参加した宿泊客は90人であるので、正解は**5**である。

判断推理　集合

ある精肉店の客120人について、牛肉、鶏肉及び豚肉の購入状況を調べたところ、次のことが分かった。

A　牛肉を購入した客は84人であり、そのうち鶏肉も購入した客は34人であった。
B　鶏肉を購入した客は44人であり、そのうち豚肉も購入した客は19人であった。
C　豚肉を購入した客は76人であり、そのうち牛肉も購入した客は52人であった。
D　牛肉、鶏肉及び豚肉のいずれも購入しなかった客は８人であった。

以上から判断して、牛肉、鶏肉及び豚肉の３品を全て購入した客の人数として、正しいのはどれか。

1　13人

2　14人

3　15人

4　16人

5　17人

解説　正解　1　　TAC生の正答率　83%

3品全てを購入した客の人数をx［人］とおき、ベン図で整理すると図1のようになる。図1より、牛肉と鶏肉の2品のみ購入した客は$34-x$［人］、鶏肉と豚肉の2品のみ購入した客は$19-x$［人］、牛肉と豚肉の2品のみ購入した客は$52-x$［人］であり、さらに、牛肉のみ購入した客は$84-34-(52-x)=x-2$［人］、鶏肉のみ購入した客は$44-19-(34-x)=x-9$［人］、豚肉のみ購入した客は$76-52-(19-x)=x+5$［人］となる（図2）。

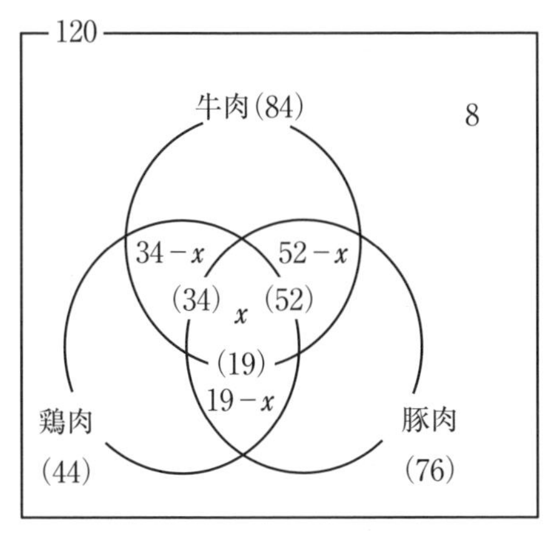

図1

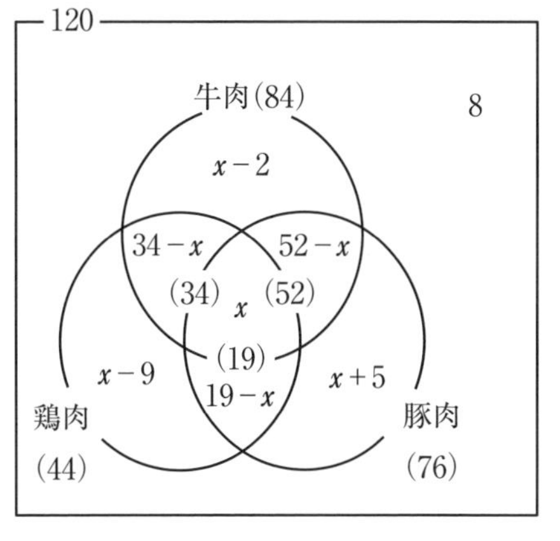

図2

全体の人数より、$x+(34-x)+(19-x)+(52-x)+(x-2)+(x-9)+(x+5)+8=120$が成り立ち、これを解くと$x=13$［人］となる。

したがって、正解は**1**である。

判断推理　集合

2020年度
教養 No.9

東京都、神奈川県、埼玉県、千葉県に住む会社員500人について、勤務地を聞き集計したところ下の表のようになり、また、ア～エのことが分かった。

（単位：人）

住所＼勤務地	東京都	神奈川県	埼玉県	千葉県	合　計
東 京 都					230
神奈川県					119
埼 玉 県					73
千 葉 県					78
合　計	172	145	74	109	500

ア　住所と勤務地が同じ会社員は、合計235人であり、このうち、東京都の人は96人であり、神奈川県の人は千葉県の人より２人多く、埼玉県の人より12人多い。

イ　勤務地が東京都の会社員のうち、住所が千葉県の人は埼玉県の人より２人多く、住所が神奈川県の人は千葉県の人の３倍より３人多い。

ウ　勤務地が埼玉県の会社員のうち、住所が神奈川県の人は千葉県の人より５人多く、住所が神奈川県の人は東京都の人より16人少ない。

エ　勤務地が千葉県の会社員のうち、住所が埼玉県の人は神奈川県の人と同数である。

以上から判断して、勤務地が神奈川県で住所が東京都である会社員の人数として、正しいのはどれか。

1　74人

2　75人

3　76人

4　77人

5　78人

解説　正解 1　TAC生の正答率 76%

条件アについて、住所と勤務地が同じ会社員のうち、神奈川県の人の数をxとおくと、千葉県の人の数は$x-2$、埼玉県の人の数は$x-12$とおける。東京都の96人を含めた合計が235人であることから、$96+x+(x-2)+(x-12)=235$が成り立ち、これを解くと$x=51$[人]となる。

住所＼勤務地	東京都	神奈川県	埼玉県	千葉県	合計
東京都	96				230
神奈川県		51			119
埼玉県			39		73
千葉県				49	78
合計	172	145	74	109	500

条件イについて、勤務地が東京都の会社員のうち住所が千葉県の人の数をyとおくと、住所が埼玉県の人の数は$y-2$、住所が神奈川県の人の数は$3y+3$とおける。住所が東京都の96人を含めた合計が172人であることから$96+y+(y-2)+(3y+3)=172$が成り立ち、これを解くと$y=15$[人]となる。

条件ウについて、勤務地が埼玉県の会社員のうち住所が神奈川県の人の数をzとおくと、住所が千葉県の人の数は$z-5$、住所が東京都の人の数は$z+16$とおける。住所が埼玉県の39人を含めた合計が74人であることから$39+z+(z-5)+(z+16)=74$が成り立ち、これを解くと$z=8$[人]となる。

住所＼勤務地	東京都	神奈川県	埼玉県	千葉県	合計
東京都	96		24		230
神奈川県	48	51	8		119
埼玉県	13		39		73
千葉県	15		3	49	78
合計	172	145	74	109	500

表より、住所が神奈川県で勤務地が千葉県の人の数は$119-(48+51+8)=12$[人]、住所が千葉県で勤務地が神奈川県の人の数は$78-(15+3+49)=11$[人]となり、条件エより、住所が埼玉県で勤務地が千葉県の人の数は12人となる。

勤務地が千葉県の人の合計は109人であるから、住所が東京都で勤務地が千葉県の人の数は$109-(12+12+49)=36$[人]、住所が埼玉県の人の合計は73人であるから、住所が埼玉県で勤務地が神奈川県の人の数は$73-(13+39+12)=9$[人]、住所が東京都の人の合計は230人であるから、住所が東京都で勤務地が神奈川県の人の数は$230-(96+24+36)=74$[人]となる。

住所＼勤務地	東京都	神奈川県	埼玉県	千葉県	合計
東京都	96	74	24	36	230
神奈川県	48	51	8	12	119
埼玉県	13	9	39	12	73
千葉県	15	11	3	49	78
合計	172	145	74	109	500

したがって、正解は**1**である。

判断推理　集合

2018年度
教養 No.9

ある会社の社員200人について、札幌市、長野市及び福岡市の３市に出張した経験を調べたところ、次のことが分かった。

A　長野市に出張した経験のない社員の人数は131人であった。
B　２市以上に出張した経験のある社員のうち、少なくとも札幌市と長野市の両方に出張した経験のある社員の人数は15人であり、少なくとも長野市と福岡市の両方に出張した経験のある社員の人数は17人であった。
C　福岡市だけに出張した経験のある社員の人数は18人であった。
D　札幌市だけに出張した経験のある社員の人数は、２市以上に出張した経験のある社員のうち、札幌市と福岡市の２市だけに出張した経験のある社員の人数の５倍であった。
E　３市全てに出張した経験のある社員の人数は８人であり、３市のいずれにも出張した経験のない社員の人数は83人であった。

以上から判断して、長野市だけに出張した経験のある社員の人数として、正しいのはどれか。

1　45人

2　46人

3　47人

4　48人

5　49人

解説　正解　1　TAC生の正答率 79%

キャロル表にまとめて整理する。条件Dについて、札幌市と福岡市の２市だけに出張した経験のある社員の人数をx人とすると、札幌市だけに出張した経験のある社員の人数は$5x$[人]とおける。これと、条件A、B、C、Eを表に書き入れると、表１のようになる。

表 1

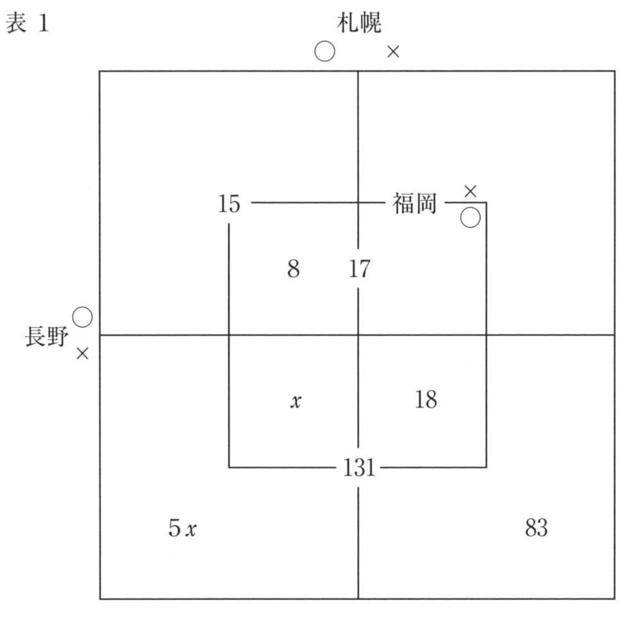

条件Aより、長野市に出張した経験がある社員の人数は200－131＝69[人]となる。また、キャロル表より、札幌市に出張した経験がなく長野市に出張した経験がある社員の人数は69－15＝54[人]、札幌市に出張した経験がなく長野市にも福岡市にも出張した経験がある社員の人数は17－8＝9[人]となる。以上をまとめると表２のようになる。

表 2

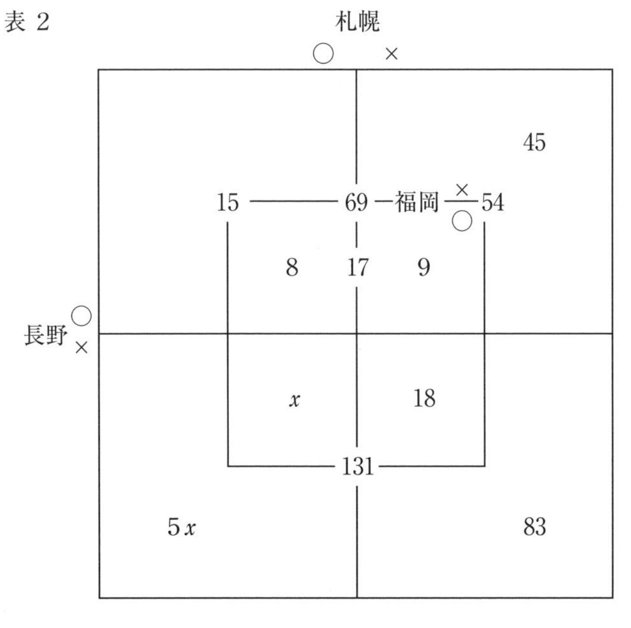

よって、長野市だけに出張した経験のある社員の人数は54－9＝45[人]となるので、正解は**1**となる。

[別　解]

ベン図を作ると、以下のようなベン図が描ける。ここから条件をもとに式を立てる。

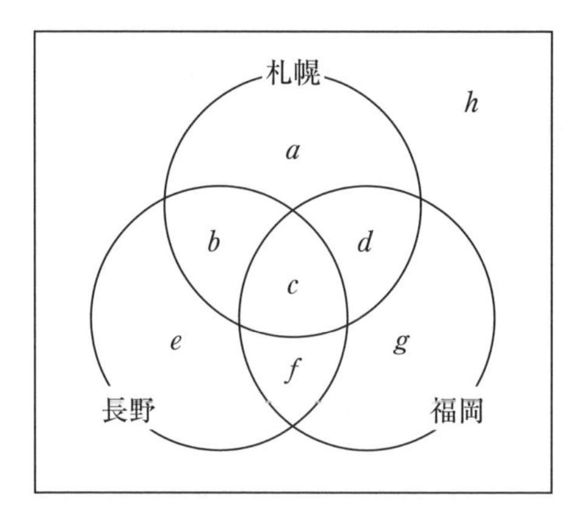

$a+b+c+d+e+f+g+h=200$　……①

$a+d+g+h=131$　……②

$b+c=15$　……③

$c+f=17$　……④

$g=18$　……⑤

$a=5d$　……⑥

$c=8$　……⑦

$h=83$　……⑧

求めたいのは長野市だけに出張した経験のある社員、つまりeの人数である。eは①にしか含まれていないので、e以外の残りの文字の数値を求めていけばよい。②より$a+d+g+h$、⑦よりcがわかるので、残るbとfの値を③、④から求める。⑦を③に代入すると、$b=7$、⑦を④に代入すると$f=9$となるので、これらを①に代入すると、$131+7+8+9+e=200$となり、$e=45$[人]となる。

よって、正解は**1**となる。

MEMO

判断推理 | 集合

2017年度
教養 No.9

ある地域で行われたボランティア活動に参加したA町会及びB町会の町会員の計1,053人について調べたところ、次のア～オのことが分かった。

ア　ボランティア活動に初めて参加した町会員は、401人であった。
イ　B町会の町会員は389人であった。
ウ　A町会の未成年の町会員は111人であった。
エ　ボランティア活動に初めて参加したA町会の成年の町会員は180人であり、ボランティア活動に2回以上参加したことがあるA町会の未成年の町会員より95人多かった。
オ　ボランティア活動に2回以上参加したことがあるB町会の成年の町会員は、ボランティア活動に2回以上参加したことがあるB町会の未成年の町会員より94人多かった。

以上から判断して、ボランティア活動に2回以上参加したことがあるB町会の成年の町会員の人数として、正しいのはどれか。

1　144人

2　146人

3　148人

4　150人

5　152人

解説　**正解　1**　TAC生の正答率 82%

条件ア、イ、ウ、エの人数をキャロル表にまとめると、以下の図1のようになる。

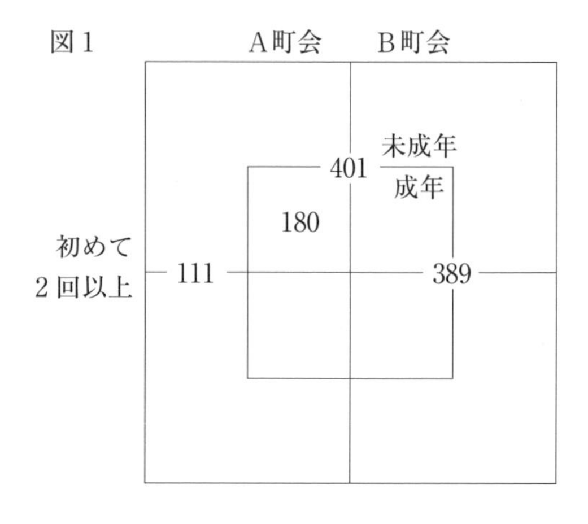

条件アより、ボランティア活動に2回以上参加したことがある町会員は、1053－401＝652［人］となる。条件イより、A町会の町会員は1053－389＝664［人］となる。条件ウより、A町会の町会員664人のうち、未成年が111人なので、成年は664－111＝553［人］となる。また、ボランティア活動に2回以上参加したことがあるA町会の成年の町会員は553－180＝373［人］となる。条件エより、ボランティア活動に2回以上参加したことがあるA町会の未成年の町会員は180－95＝85［人］となる。条件オより、ボランティア活動に2回以上参加したことがあるB町会の未成年の町会員をx［人］とおくと、成年の町会員は$x+94$［人］とおける。以上をまとめると図2のようになる。

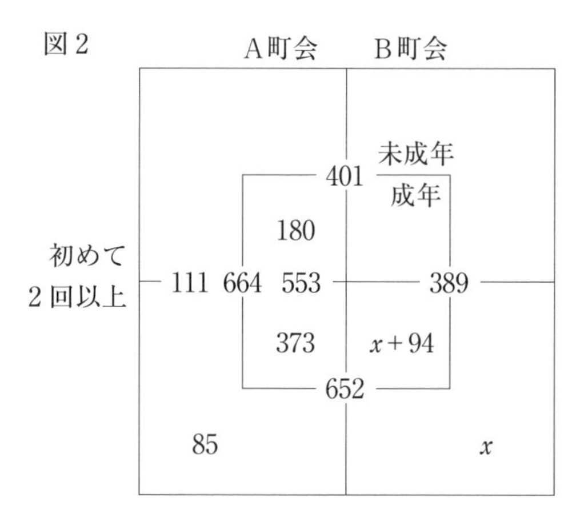

ここで、ボランティア活動に2回以上参加したことがある町会員に着目すると、$652=373+85+x+(x+94)$という式が成り立つ。これを解くと$x=50$［人］となる。

よって、ボランティア活動に2回以上参加したことがあるB町会の成年の町会員の人数は$x+94=50+94=144$［人］となるので、正解は**1**となる。

判断推理　命題

ある中学校の生徒に好きな教科を聞いたところ、次のことが分かった。

ア　数学が好きな生徒は、国語も好きである。
イ　数学が好きでない生徒は、理科も好きでない。
ウ　社会が好きな生徒は、国語も理科も好きである。

以上から判断して、この中学校の生徒に関して、確実にいえるのはどれか。

1　国語が好きな生徒は、理科も好きである。

2　数学が好きな生徒は、社会が好きでない。

3　理科が好きな生徒は、国語も好きである。

4　理科が好きでない生徒は、数学も好きでない。

5　社会が好きでない生徒は、国語も理科も好きでない。

解説　正解　3

TAC生の正答率 92%

各命題を記号化し、対偶をとると以下のようになる。

	原命題	対偶
ア	数学→国語…①	$\overline{\text{国語}}$→$\overline{\text{数学}}$…⑤
イ	$\overline{\text{数学}}$→$\overline{\text{理科}}$…②	理科→数学…⑥
ウ	社会→国語∧理科 （並列化） 社会→国語…③ 社会→理科…④	 （並列化） $\overline{\text{国語}}$→$\overline{\text{社会}}$…⑦ $\overline{\text{理科}}$→$\overline{\text{社会}}$…⑧

以上をふまえて、三段論法を使って各選択肢が確実にいえるかどうかを検討する。

1　×　「国語」から始まる命題および対偶がないので、確実にはいえない。

2　×　「数学」から始まる命題は①だが、「数学→国語」の後が続かないので、確実にはいえない。

3　○　⑥、①より、三段論法を使って「理科→数学→国語」となるので、理科が好きな生徒は、国語も好きである。

4　×　「$\overline{\text{理科}}$」から始まる命題は⑧だが、「$\overline{\text{理科}}$→$\overline{\text{社会}}$」の後が続かないので、確実にはいえない。

5　×　「$\overline{\text{社会}}$」から始まる命題および対偶がないので、確実にはいえない。

判断推理　対応関係　2023年度 教養 No.12

あるボランティアサークルのA～Fの6人のメンバーについて、次のことが分かっているとき、確実にいえるのはどれか。

ア　このボランティアサークルへの加入年数は、2人が1年目、1人が2年目、3人が3年目である。
イ　年齢層は、20歳代と30歳代が2人ずつ、40歳代と50歳代が1人ずつであり、3人が運転免許を持っている。
ウ　加入年数が3年目のメンバーは、3人とも年齢層が異なる。
エ　Aは運転免許を持ち、Bよりも高い年齢層に属し、加入年数も長い。
オ　C、Dは加入年数が3年目で、DはBよりも高い年齢層に属している。
カ　Eは40歳代で運転免許を持たず、Dよりも高い年齢層に属している。
キ　Fは加入年数が1年目で運転免許を持たず、Dよりも高い年齢層に属している。

1　加入年数が2年目のメンバーは、運転免許を持っている。

2　加入年数が3年目のメンバーのうちの1人は、50歳代である。

3　運転免許を持つメンバーのうちの2人は、20歳代である。

4　Cは、運転免許を持っていない。

5　Eは、加入年数が1年目である。

解説　正解　1　TAC生の正答率 62%

横に人物、縦に加入年数、年齢層、運転免許をとった表に条件を整理する。まず、条件エ～キの前半を整理すると表1のようになる。

表1	A	B	C	D	E	F
加入年数			3年目	3年目		1年目
年齢層					40歳代	
運転免許	○				×	×

年齢層に関する条件が多いので、年齢層に着目する。条件エより、（Aの年齢層）＞（Bの年齢層）…①、条件オより、（Dの年齢層）＞（Bの年齢層）…②、条件カより、（Eの年齢層）＞（Dの年齢層）…③、条件キより、（Fの年齢層）＞（Dの年齢層）…④である。②と③をまとめると、（Eの年齢層）＞（Dの年齢層）＞（Bの年齢層）となり、既にEは40歳代であることがわかっているので、Dは30歳代、Bは20歳代とわかる。このことから、40歳代は1人であるので、④より、Fは50歳代とわかる。さらに、加入年数が3年目のDは30歳代であるので、条件ウより、加入年数が3年目のCは20歳代となり、残りのAは30歳代となる（表2）。

表2	A	B	C	D	E	F
加入年数			3年目	3年目		1年目
年齢層	30歳代	20歳代	20歳代	30歳代	40歳代	50歳代
運転免許	○				×	×

条件ウより、もう1人の加入年数が3年目のメンバーの年齢層は20歳代、30歳代ではないので、40歳代のEとなる。さらに、条件エより、AはBよりも加入年数が長いので、Aが2年目、Bが1年目となる。そして、B、C、Dについての運転免許の所有はわからない（表3）。

表3	A	B	C	D	E	F
加入年数	2年目	1年目	3年目	3年目	3年目	1年目
年齢層	30歳代	20歳代	20歳代	30歳代	40歳代	50歳代
運転免許	○				×	×

よって、正解は**1**である。

判断推理　対応関係

ある小学校の児童Aが夏休みに15日間かけて終えた宿題について調べたところ、次のことが分かった。

ア　児童Aは、国語、算数、理科、社会、図画工作の五つの異なる科目の宿題をした。
イ　宿題を終えるのに要した日数は、科目によって、1日のみ、連続した2日間、連続した3日間、連続した4日間、連続した5日間とそれぞれ異なっていた。
ウ　科目ごとに順次、宿題を終えたが、同じ日に二つ以上の科目の宿題はしなかった。
エ　4日目と5日目には理科、10日目には算数、13日目には国語の宿題をした。
オ　3番目にした宿題の科目は、1日のみで終えた。
カ　2番目にした宿題の科目は、社会であった。
キ　連続した4日間で終えた宿題の科目は、国語でも社会でもなかった。

以上から判断して、児童Aが連続した3日間で終えた宿題の科目として、妥当なのはどれか。

1　国語

2　算数

3　理科

4　社会

5　図画工作

解説　**正解　1**　TAC生の正答率 66%

表に整理して、条件エを書き入れると表1のようになる。

表1	1	2	3	4	5	6	7	8	9	10	11	12	13	14	15
				理	理					算			国		

理科の順番について、理科より後に算数、国語を行っているから1、2、3番目のいずれかだが、条件オと表1より1日のみ行った3番目でなく、条件カより2番目でもないから、理科は1番目に行ったことになり、1～5日目までが理科であり、条件カより6日目は2番目の社会である（表2）。

表2	1	2	3	4	5	6	7	8	9	10	11	12	13	14	15
	理	理	理	理	理	社				算			国		

4日間行った科目について、表2より図画工作ではなく、条件キより国語、社会ではないから、4日間行ったのは算数である。これにより、3番目に1日のみで終えた科目は、順番がそれぞれ1番目、2番目、4番目以降の理科、社会、国語ではなく、日数が4日間の算数でもないから、図画工作となる。順番は理科→社会→図画工作→算数→国語であり、日数は図画工作が1日のみ、15日目まで行った国語が3日間で、残る社会が2日間となる（表3）。

表3	1	2	3	4	5	6	7	8	9	10	11	12	13	14	15
	理	理	理	理	理	社	社	図	算	算	算	算	国	国	国

したがって、表3より正解は**1**である。

判断推理　対応関係　2019年度 教養 No.12

Ａ～Ｅ市の５都市には、都市間をつなぐ高速バスの直行便が結ばれており、各都市の位置と直行便ルートの概略は、下の図のとおりである。また、都市間をつなぐ高速バスの直行便について、次のことが分かっている。

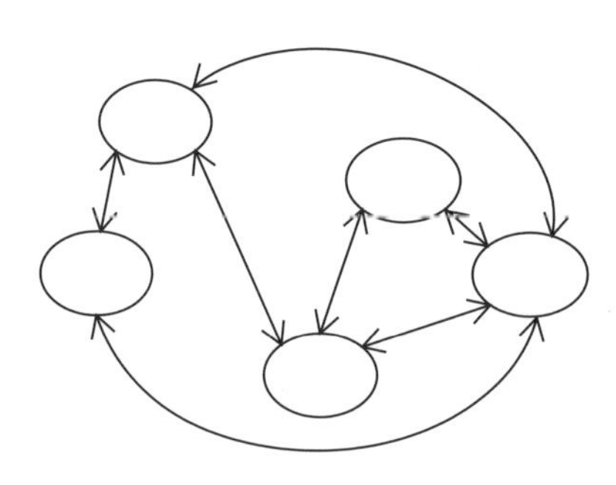

ア　Ａ市とＣ市は、高速バスの直行便で結ばれている。
イ　Ａ市からＤ市への高速バスの直行便はない。
ウ　Ｃ市からＤ市への高速バスの直行便はない。
エ　Ｃ市からＥ市への高速バスの直行便はない。

以上から判断して、確実にいえるのはどれか。

1　Ａ市からＢ市への高速バスの直行便はない。

2　Ｂ市からＣ市への高速バスの直行便はない。

3　Ｃ市と三つの市は、高速バスの直行便で結ばれている。

4　Ｄ市からＥ市への高速バスの直行便はない。

5　Ｅ市と三つの市は、高速バスの直行便で結ばれている。

解説　正解　5

TAC生の正答率　91％

A～E市が他の市と結ばれているかどうかの対応関係を検討するので、リーグ戦の対戦表を流用して条件をまとめていくとよい。条件ア～エを表にまとめると、表1のようになる。

表1	A	B	C	D	E	結ばれている市
A	＼		○	×		
B		＼				
C	○		＼	×	×	
D	×		×	＼		
E			×		＼	

各市が他のいくつの市と結ばれているかを問題の図から確認すると、2つの市と結ばれている市が2つ、3つの市と結ばれている市が2つ、4つの市と結ばれている市が1つあることがわかる。すべての市は、最低でも他の2つの市と結ばれており、C市とD市はすでに2つの市と結ばれていないことが確定しているので、残る2つの市と直行便で結ばれていることがわかる（表2）。

表2	A	B	C	D	E	結ばれている市
A	＼		○	×		
B		＼	○	○		
C	○	○	＼	×	×	2市
D	×	○	×	＼	○	2市
E			×	○	＼	

また、4つの市と結ばれている市が1つあるが、表2より可能性としてあり得るのはB市だけであるので、B市が4つの市、残るA市とE市が3つの市と結ばれていることがわかる。あとは結ばれている市の数にあわせて表を埋めると、以下の表3のようになる。

表3	A	B	C	D	E	結ばれている市
A	＼	○	○	×	○	3市
B	○	＼	○	○	○	4市
C	○	○	＼	×	×	2市
D	×	○	×	＼	○	2市
E	○	○	×	○	＼	3市

よって、E市と3つの市が直行便で結ばれているので、正解は**5**となる。

判断推理　対応関係

2014年度
教養 No.9

６つの商業施設Ａ～Ｆについて、所在地と業態分類を調べたところ、以下のことが分かった。

ア　Ａ、Ｂ、Ｃ、Ｄのうち、東京にあるものは２つであり、百貨店は２つである。
イ　Ｂ、Ｃ、Ｄ、Ｅのうち、東京にあるものは１つであり、百貨店は２つである。
ウ　Ｃ、Ｄ、Ｅ、Ｆのうち、東京にあるものは２つであり、百貨店は１つである。

以上から判断して、確実にいえるのはどれか。

1　Ａは、東京にあるが、百貨店ではない。

2　Ｃは、東京にはないが、百貨店である。

3　Ｄは、東京にあるが、百貨店ではない。

4　Ｅは、東京にはないが、百貨店である。

5　Ｆは、東京にあるが、百貨店ではない。

解説　　正解　5　　TAC生の正答率 52%

所在地について考える。アとイを合わせてみると、イでは、東京が１つあり、これを満たすためには、Aが東京にあるものとならなければならない。同様にイとウを合わせてみると、イでは、東京が１つあり、これを満たすためには、Fが東京にあるものとならなければならない。残ったア、イ、ウで東京１つを満たすのはCまたはDのどちらかとなる（表１）。

表1	A	B	C	D	E	F	
ア	○	○	○	○			東2
イ		○	○	○	○		東1
ウ			○	○	○	○	東2
	東		(東)	(東)		東	

百貨店について考える。アより２つの百貨店について、場合分けをする。AとBが百貨店である場合、イでの百貨店１つとウでの百貨店１つを満たすのはEである（表２）。AとCが百貨店である場合、残りのイでの百貨店１つのみを満たす百貨店はない。

表2	A	B	C	D	E	F	
ア	○	○	○	○			百2
イ		○	○	○	○		百2
ウ			○	○	○	○	百1
	百	百			百		

BとC（またはD）が百貨店である場合、ア、イ、ウをすべて満たす（表３）。

表3	A	B	C	D	E	F	
ア	○	○	○	○			百2
イ		○	○	○	○		百2
ウ			○	○	○	○	百1
		百	(百)	(百)			

よって、正解は**5**となる。

判断推理　リーグ戦

A～Fの６チームが、総当たり戦で野球の試合を行い、勝数の多い順に順位をつけたところ、次のことが分かった。

ア　Aチームは、Bチームに勝ったがCチームに負け、３勝２敗であった。
イ　Bチームは、EチームとFチームに負けた。
ウ　Cチームは、最下位のチームに負け、３勝２敗であった。
エ　Dチームは、Aチームに負けたがBチームとFチームに勝った。
オ　Eチームは、Cチームに勝ち、４勝１敗であった。
カ　Fチームは、最下位のチームよりも勝数が１勝だけ多かった。
キ　引き分けの試合はなかった。

以上から判断して、確実にいえるのはどれか。

1　Aチームは、Eチームに勝った。

2　Bチームは、Cチームに負けた。

3　Cチームは、Dチームに負けた。

4　Dチームは、Eチームに負けた。

5　Eチームは、Fチームに勝った。

解説　正解　4　　TAC生の正答率 78%

リーグ表を作り、整理する。条件ア～オを表に入れると、表1のようになる。6チームの総当たり戦で引き分けがないので、表の○と×の数はそれぞれ15ずつとなる。

表1	A	B	C	D	E	F	勝敗
A	＼	○	×	○			3－2
B	×	＼		×	×	×	
C	○		＼		×		3－2
D	×	○		＼		○	
E		○	○		＼		4－1
F		○		×		＼	
							15－15

最下位のチームについて、表1よりBは最大でも1勝なので、2勝以上しているA、C、D、Eは最下位ではない。また、条件カよりFも最下位ではない。よって、最下位はBである。また、条件ウより最下位のBはCに勝っているので、Bは1勝しており、条件カよりFは2勝したことになる（表2）。Cは、表2の時点で2敗しているので、残るDとFに勝っている。また、全チームの勝敗数より、Dは2勝3敗であることがわかり、すでに2勝しているので、残るEには負けている（表3）。A、E、Fの相互の対戦は、全チーム1勝1敗ずつであるが、それぞれどちらに勝ってどちらに負けたのかは不明である。

表2	A	B	C	D	E	F	勝敗
A	＼	○	×	○			3－2
B	×	＼	○	×	×	×	1－4
C	○	×	＼		×		3－2
D	×	○		＼		○	
E		○	○		＼		4－1
F		○		×		＼	2－3
							15－15

表3	A	B	C	D	E	F	勝敗
A	＼	○	×	○			3－2
B	×	＼	○	×	×	×	1－4
C	○	×	＼	○	×	○	3－2
D	×	○	×	＼	×	○	2－3
E		○	○	○	＼		4－1
F		○	×	×		＼	2－3
							15－15

したがって、表3より正解は**4**である。

　A～Eの５種類のカードを用いて２人で行うカードゲームがある。ゲームは、５種類のカードをそれぞれ持ち、同時にカードを１枚ずつ出し合って、各カード間の強弱の関係により勝負を決めるものである。これらのカードの関係について、次のことが分かっている。

ア　ＢはＤに強く、ＤはＥに強い。
イ　Ｃは３種類のカードに強く、そのうちの２種類はＥが強いカードの種類と同じである。
ウ　ＢとＤとＥはいずれも２種類のカードに強い。
エ　ＡはＣに弱い。

　以上から判断して、５種類のカードの関係として、正しくいえるのはどれか。ただし、引き分けとなるのは、同じ種類のカードを出し合った場合のみである。

1　ＡはＤに弱い。

2　ＢはＥに強い。

3　ＣはＢに弱い。

4　ＤはＣに弱い。

5　ＥはＡに強い。

解説　正解　5

TAC生の正答率　81％

２枚のカードの強弱により勝負が決まるという、リーグ戦と同様の設定であることから、「強い＝勝ち」、「弱い＝負け」と考え、リーグ戦の対戦表を使ってカードの強弱の関係をまとめる。なお、同じ種類のカードを出し合った場合のみ引き分けとなるので、同じカードどうしでは勝負しないと考えて引き分けは無視して、リーグ戦と同様に斜線で表す。条件ア～エからわかることをまとめると、以下の表１のようになる。

表1	A	B	C	D	E	勝敗
A	＼		×			
B		＼		○		2勝2敗
C	○		＼			3勝1敗
D		×		＼	○	2勝2敗
E				×	＼	2勝2敗

全ての勝負（試合）数は${}_5C_2$＝10［試合］であることから、A～Eの勝敗数の合計は10勝10敗となる。このうちB～Eの勝ち数は2＋3＋2＋2＝9［勝］であるので、Aの勝ち数は10－9＝1［勝］となる。同じくB～Eの負け数は2＋1＋2＋2＝7［敗］であるので、Aの負け数は10－7＝3［敗］となる。

また、条件イよりCが３勝するうち２枚のカードはEの勝つカードと同じであり、Eは２勝しかしていないことから、Eが勝つ２枚のカードはCも勝っていることになる。その２枚の可能性があるのはA、B、Dだが、EはDに負けるので、CとEがともに勝つのはAとBの２枚のカードとなる（表２）。

表2	A	B	C	D	E	勝敗
A	＼		×		×	1勝3敗
B		＼	×	○	×	2勝2敗
C	○	○	＼			3勝1敗
D		×		＼	○	2勝2敗
E	○	○		×	＼	2勝2敗

表２より、BはAに勝ち、EはCに負けることになる。さらに、勝敗数を合わせると、AはDに勝ち、CはDに負けることになる（表３）。

表3	A	B	C	D	E	勝敗
A	＼	×	×	○	×	1勝3敗
B	○	＼	×	○	×	2勝2敗
C	○	○	＼	×	○	3勝1敗
D	×	×	○	＼	○	2勝2敗
E	○	○	×	×	＼	2勝2敗

したがって、表３より正解は**5**である。

　ある剣道大会で、A～Gの７チームが、下図のようなトーナメント戦を行った結果について、次のア～エのことが分かった。

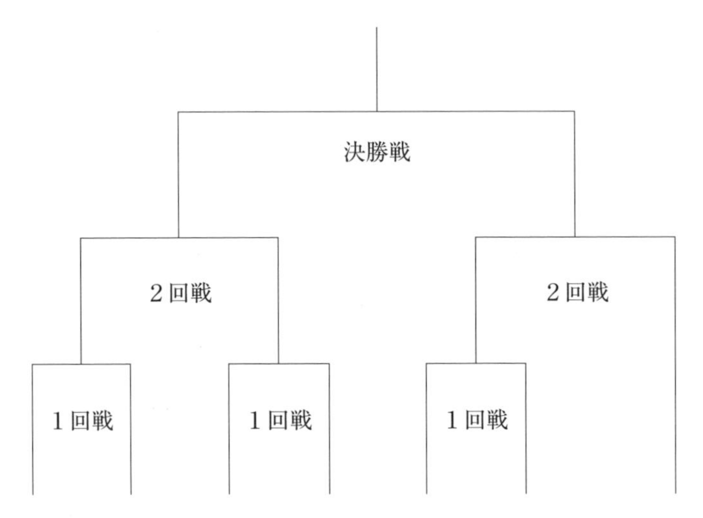

ア　AはCに負けた。
イ　BはEに負けた。
ウ　FはEと対戦した。
エ　FはGに勝った。

　以上から判断して、確実にいえるのはどれか。

1　Aは決勝戦に進んだ。

2　Bが決勝戦に進んだとすると、FはGと２回戦で対戦した。

3　Dが優勝したとすると、DはCと対戦した。

4　FはEと１回戦で対戦した。

5　Gが決勝戦に進んだとすると、BはDと対戦した。

解説　正解　3　TAC生の正答率 81％

条件イ、エより、ＥとＦはそれぞれ１勝しているので、条件ウより、ＥとＦの試合は２回戦か決勝戦となる。このことを踏まえて選択肢を検討する。

1　×　Ａが決勝戦に進んだなら、Ｅ対Ｆは決勝戦ではなく、２回戦で行われ、ＥまたはＦの一方が決勝に進んだことになる。よって、これだと条件アを満たさなくなるのでＡは決勝戦に進んではいない。

2　×　Ｂが決勝戦に進んだなら、Ｅ対Ｆは決勝戦ではなく、２回戦で行われたことになる。よって、ＦとＧが２回戦で対戦することはない。

3　○　確実にいえる。Ｄが優勝したなら、Ｅ対Ｆは決勝戦ではなく、２回戦で行われたことになる。また、条件アよりＣは２回戦に進んでいる。よって、２回戦のもう一方はＣ対Ｄとなるので、ＤはＣと対戦したことになる。

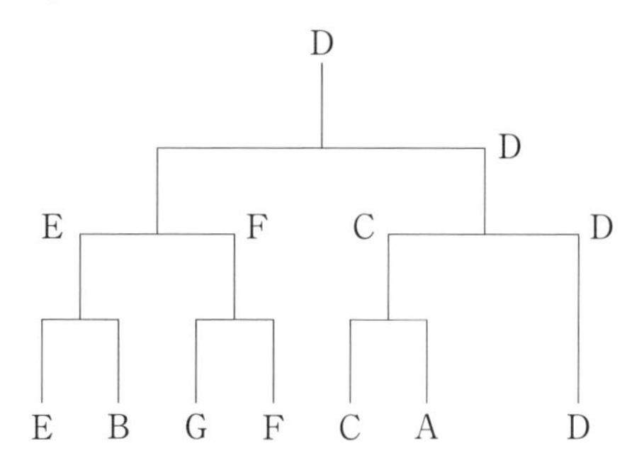

4　×　前述より、Ｅ対Ｆは２回戦か決勝戦で行われている。

5　×　Ｇが決勝戦に進んだなら、Ｅ対Ｆは決勝戦ではなく、２回戦で行われたことになる。よって、Ｂは１回戦でＥに負けたことになるので、ＢとＤは対戦していない。

判断推理　順序関係

2018年度
教養 No.10

A～Eの五つの部からなる営業所で、7～9月の各部の売上高について調べ、売上高の多い順に1位から5位まで順位をつけたところ、次のことが分かった。

ア　A部とB部の順位は、8月と9月のいずれも前月に比べて一つずつ上がった。
イ　B部の9月の順位は、C部の7月の順位と同じであった。
ウ　D部の8月の順位は、D部の7月の順位より二つ下がった。
エ　D部の順位は、E部の順位より常に上であった。
オ　E部の順位は、5位が2回あった。

以上から判断して、C部の9月の順位として、確実にいえるのはどれか。ただし、各月とも同じ順位の部はなかった。

1　1位

2　2位

3　3位

4　4位

5　5位

解説　正解 5

TAC生の正答率 58%

条件ウによれば、D部の順位は（7月，8月）=（1位，3位）、（2位，4位）、（3位，5位）の3通りのいずれかとなることがわかる。また、条件エによれば、どの月も順位はD部＞E部となるので、D部が8月に5位で最下位となるパターンはありえないことがわかる。したがって、D部の順位は（7月，8月）=（1位，3位）、（2位，4位）のいずれかとなるので、場合分けをして検討する。

(i)　D部が（7月，8月）=（1位，3位）の場合

以下の表1のようになる。

表1	1位	2位	3位	4位	5位
7月	D		○		△
8月		○	D	△	
9月	○		△		

ここで条件アとイに着目する。条件アによれば、A部とB部の順位は7月、8月、9月で一つずつ上がることから、（7月，8月，9月）=（3位，2位，1位）、（4位，3位，2位）、（5位，4位，3位）の3通りのいずれかである。8月の3位はDであることから、A部とB部の順位は（7月，8月，9月）=（3位，2位，1位）、（5位，4位，3位）のいずれかとなる。しかし、条件イによれば、B部の9月とC部の7月は順位が同じでなければいけないが、B部の順位が（3位，2位，1位）だとすると、9月のB部の順位である1位は7月だとD部と同じになってしまう。また、B部の

順位が（5位，4位，3位）だとすると、9月のB部の順位である3位は7月だとA部と同じになってしまう。したがって、条件イを満たさないので、このパターンはありえないことがわかる。

(ii) D部が（7月，8月）=（2位，4位）の場合

以下の表2のようになる。

表2	1位	2位	3位	4位	5位
7月		D	○	△	
8月		○	△	D	
9月	○	△			

(i)と同様に考えると、8月の4位はD部であることから、A部とB部の順位は（7月，8月，9月）=（3位，2位，1位）、（4位，3位，2位）のいずれかとなる。条件イより、B部の9月とC部の7月は順位が同じでなければいけないが、B部の順位が（4位，3位，2位）だとすると、9月のB部の順位である2位は7月だとD部と同じになってしまう。よって、B部の順位は（7月，8月，9月）=（3位，2位，1位）であることが確定する。同様に、A部の順位は（7月，8月，9月）=（4位，3位，2位）であることが確定する。したがって、7月の1位はC部となり、5位はE部となる。条件エよりどの月も順位はD部＞E部となるので、8月はE部が5位、C部が1位となる。また、9月についてみると、条件オよりE部は5位が2回なので、9月の5位はE部とはならない。また、D部＞E部を満たす必要があるので、9月の3位がD部、4位がE部となり、残る5位がC部となる。ここまでまとめると表3のようになる。

表3	1位	2位	3位	4位	5位
7月	C	D	B	A	E
8月	C	B	A	D	E
9月	B	A	D	E	C

よって、C部の9月の順位は5位となるので、正解は**5**となる。

判断推理　順序関係

2017年度
教養 No.10

Ａ～Ｇの７人は、東西方向に１列に並ぶ７区画の市民農園のうち、それぞれ異なる１区画を利用しており、次のア～エのことが分かっている。

ア　Ａより東側で、かつ、Ｆより西側の区画を利用しているのは２人である。
イ　Ｄが利用している区画は、Ｃより東側にあり、Ｂより西側である。
ウ　Ｅより東側の区画を利用しているのは４人以下である。
エ　Ｇより西側の区画を利用しているのは２人である。

以上から判断して、確実にいえるのはどれか。

1　Ａの区画が西から１番目であれば、Ｆの区画は東から３番目である。

2　Ｂの区画が東から３番目であれば、Ｄの区画は西から３番目である。

3　Ｃの区画が西から２番目であれば、Ｄの区画は東から４番目である。

4　Ｄの区画が東から３番目であれば、Ｆの区画は西から４番目である。

5　Ｆの区画が東から１番目であれば、Ｃの区画は西から２番目である。

解説　正解　4

TAC生の正答率　83%

各条件を記号化すると、以下のようになる（西↔東）。

ア　A○○F

イ　C＞D＞B

ウ　（2人以上）＞E＞（4人以下）

エ　○○G○○○○

これらをふまえて、選択肢ごとに確実にいえるかどうかを検討する。

1　×　「Aの区画が西から1番目」という前提があるので、条件アとエを組み合わせて「A○GF○○○」という並び方になることがわかる。しかし、これだとFの区画は東から4番目となるので、選択肢の記述に反する。

2　×　「Bの区画が東から3番目」という前提があるので、条件エと組み合わせて「○○G○B○○」という並び方になることがわかる。しかし、これだと西から3番目はすでにGの区画で確定しているので、Dの区画は西から3番目になることができず、選択肢の記述に反する。

3　×　「Cの区画が西から2番目」という前提があるので、条件エと組み合わせて「○CG○○○○」という並び方になることがわかる。条件ア、イ、ウより、B、D、E、Fは西から1番目ではありえず、Aが西から1番目に並ぶことになるが、「ACGF○○○」となり、Fが東から4番目に並ぶことになるので、Dの区画は東から4番目になることができず、選択肢の記述に反する。

4　○　「Dの区画が東から3番目」という前提があるので、条件エと組み合わせて「○○G○D○○」という並び方になることがわかる。ここに条件アを加えると、①「A○GFD○○」という並び方、および②「○○GAD○F」という並び方の2通りが考えられる。②のパターンだと、条件イより「○○GADBF」という並び方になり、Eは西から1番目か2番目の区画にしなければならない。これは条件ウに反するので、②のパターンはありえない。①のパターンだと、条件イより「ACGFD○○」という並び方になる。BとEがどちらに並ぶかは不明だが、いずれにしてもFの区画は西から4番目であるので、確実にいえる。

5　×　「Fの区画が東から1番目」という前提があるので、条件アとエを組み合わせて「○○GA○○F」という並び方になることがわかる。しかし、条件イ、ウより、B、D、Eは西から1番目ではありえず、Cが西から1番目に並ぶことになり、「CDGA○○F」となって、Cの区画は西から2番目になることができないので、選択肢の記述に反する。

判断推理　位置関係

Ａ～Ｆの６人がレストランで座った席及び出身地について、次のア～クのことが分かっている。

ア　Ａ～Ｆの６人は、下図のように、長方形のテーブルを挟み向かい合って座った。
イ　Ａの正面の人の隣には岐阜県出身の人が座った。
ウ　Ｂの正面の人の隣には静岡県出身の人が座った。
エ　Ｃの正面にはＥが座った。
オ　ＤとＥはテーブルの同じ側の両端に座り、その間にＢが座った。
カ　北海道出身の人は１人であった。
キ　東京都出身の人はＥとＦの２人であった。
ク　静岡県出身の人の正面に座った人は、愛知県出身であった。

以上から判断して、北海道出身の人の正面に座った人として、正しいのはどれか。

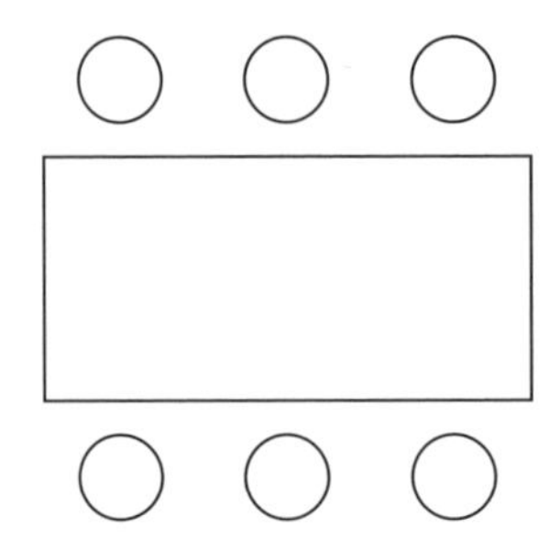

1　Ａ

2　Ｂ

3　Ｃ

4　Ｄ

5　Ｅ

解説　**正解　5**　TAC生の正答率 80%

条件エ、オに着目する。ＢとＤとＥを向かってテーブルの上側に固定する。このとき、Ｄが左側の場合と右側の場合の２通りが考えられるが、本問は（左側、右側）や（左隣り、右隣り）のような左右の条件がないので、どちらか一方で成立すれば他方でも成立する。

よって、Ｄが左側の場合で考えると、Ｂ、Ｃ、Ｄ、Ｅの席は図１のように決まる。ここで、図１の①の席をＡ、②の席をＦとすると、条件キより、ＥとＦは東京出身であるので、条件イより岐阜県出身はＤと決まり、条件ウより、静岡県出身はＣと決まる。しかし、静岡県出身の向かいには東京都出身が座っており、条件クに矛盾する（図２）。したがって、①の席はＦ、②の席はＡとなる。ＥとＦは東京都出身であり、条件イより、Ｂは岐阜県出身となる。さらに、条件ウより、静岡県出身はＡまたはＣとなるが、条件クより静岡県出身と愛知県出身は向かい合わせになるので、静岡県出身はＡと決まり、これによりＤが愛知県出身、Ｃが北海道出身となる。ここまでを図に示したものが図３となる。

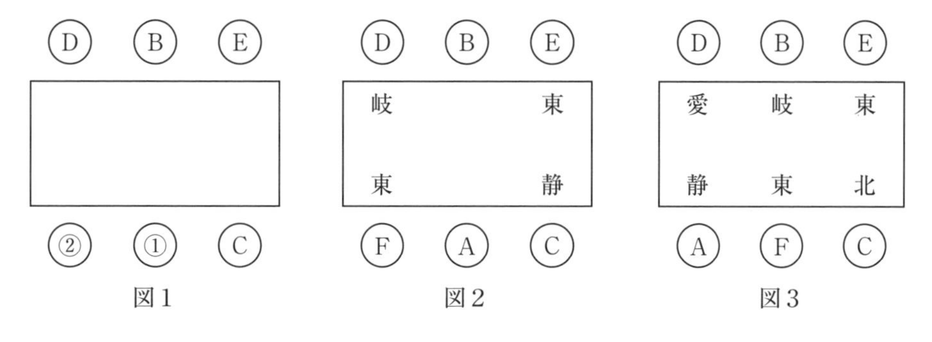

図１　図２　図３

よって、正解は**5**となる。

判断推理　位置関係

2015年度
教養 No.12

東京のある地域の地点A～Fの位置関係について調べたところ、次のア～オのことが分かった。

ア　地点Aは、地点Fの真北にあり、かつ、地点Eから真北に向かって45°の右前方にある。
イ　地点Bと地点Cの間の直線距離と、地点Eと地点Fの間の直線距離の比は、３：１である。
ウ　地点Cは、地点Eの真南にあり、かつ、地点Bから真南に向かって45°の左前方にある。
エ　地点Dは、地点Cから真北に向かって45°の右前方にあり、かつ、地点Bの真東にある。
オ　地点Fは、地点Bの真東にあり、かつ、地点Eから真南に向かって45°の左前方にある。

以上から判断して、確実にいえるのはどれか。ただし、地点A～Fは平たんな地形上にある。

1　地点Aは、地点Bの真東にある。

2　地点Aは、地点Cの真南にある。

3　地点Aは、地点Dから真北に向かって45°の左前方にある。

4　地点Fは、地点Cから真北に向かって45°の右前方にある。

5　地点Fは、地点Dから真東に向かって45°の右前方にある。

解説　正解　3

TAC生の正答率　71%

条件ア、オの順番で図示すると、地点A、E、Fの位置が確定する（図１：地点Bの位置は確定していないので○で表記する）。次に、条件イ、ウより地点B、Cの位置が確定する（図２）。最後に、条件エより、地点Dの位置が確定する（図３）。

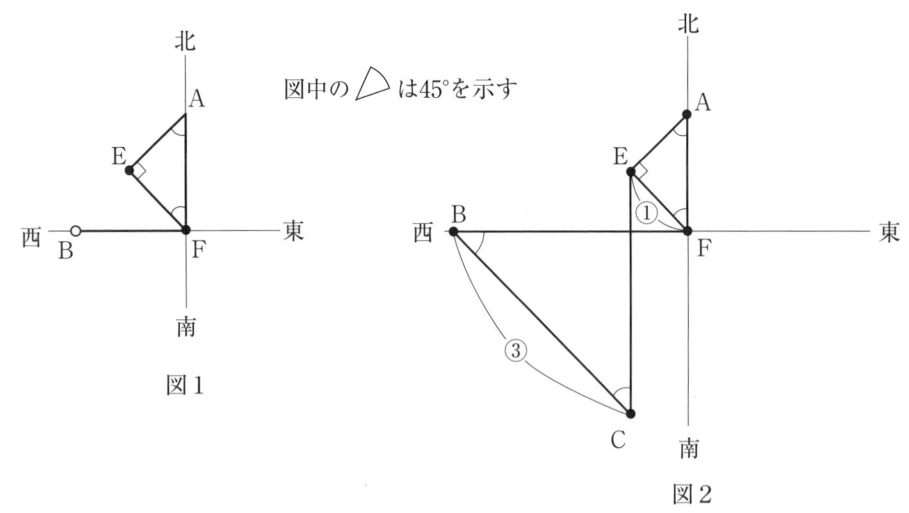

図１

図２

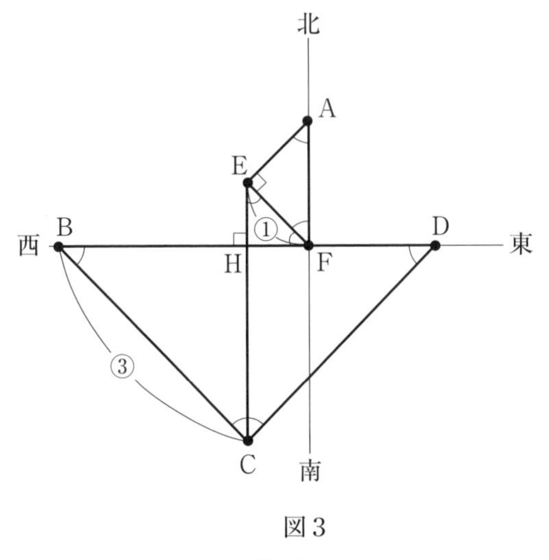

図3

図3をもとに、選択肢を検討する。

1 **×** 確実にいえない。図3より、地点Aは地点Bの真東ではない。

2 **×** 確実にいえない。図3より、地点Aは地点Cの真南ではない。

3 **○** 確実にいえる。△ADFが直角二等辺三角形となれば、地点Aは地点Dから真北に向かって45°の左前方となる。まず、$\angle AFD = 90°$である。△AEFは直角二等辺三角形より、$EF = 1$とすると、$AF = \sqrt{2}$となる。また、ECとBDは直交しており、交点をHとすると、△HEFは直角二等辺三角形より、$HF = \frac{\sqrt{2}}{2}$、△HBCと△HCDは合同な直角二等辺三角形より、$BC = CD = 3$より、$HD = \frac{3\sqrt{2}}{2}$となる。よって、$DF = HD - HF = \frac{3\sqrt{2}}{2} - \frac{\sqrt{2}}{2} = \sqrt{2}$となるので、△ADFは直角二等辺三角形となる。

4 **×** 確実にいえない。△HCFが直角二等辺三角形となれば、地点Fは地点Cから真北に向かって45°の右前方となる。$HF = \frac{\sqrt{2}}{2}$であり、$CH = HD = \frac{3\sqrt{2}}{2}$より、△HCFは直角二等辺三角形ではない。

5 **×** 確実にいえない。図3より、地点Fは地点Dの真西にある。

現代文
英文
判断推理
数的推理
資料解釈
空間把握
文芸
日本史
世界史

Ａ～Ｅの５人が、登山をしたときに山頂へ到着した順番について、それぞれ次のように発言している。

Ａ　「私はＤの次に到着した。」「ＣはＥの次に到着した。」
Ｂ　「私はＥの次に到着した。」「Ａは最後に到着した。」
Ｃ　「私はＢの次に到着した。」「ＥはＤの次に到着した。」
Ｄ　「私は最後に到着した。」「ＢはＥの次に到着した。」
Ｅ　「私はＡの次に到着した。」「ＡはＣの次に到着した。」

５人の発言の一方は事実であり、他方は事実ではないとすると、最初に到着した人として、正しいのはどれか。ただし、同着はないものとする。

1　Ａ

2　Ｂ

3　Ｃ

4　Ｄ

5　Ｅ

解説　正解　**4**　TAC生の正答率 70%

Ａの発言で場合分けをする。

(i)　Ａの発言の前半が事実で、後半が事実でない場合

Ａの前半が事実であるので、Ｅの後半は事実ではなく、Ｅの前半は事実となる。Ｅの前半が事実であるので、Ｃの後半は事実ではなく、Ｃの前半は事実となる。また、Ａの前半が事実ということは、Ｄは４位以上であるので、Ｄの前半は事実ではなく、Ｄの後半は事実となる。したがって、Ｂの前半は事実となり、Ｂの後半は事実ではない（表１）。

（事実である：○、事実でない：×）

表1	前半		後半	
A	DA	○	EC	×
B	EB	○	A5	×
C	BC	○	DE	×
D	D5	×	EB	○
E	AE	○	CA	×

表１より、５人の到着した順番は、早い者からＤＡＥＢＣとなり、正解は**4**となる。

なお、Ａの発言の前半が事実でなく、後半が事実である場合は、次のように矛盾する。

(ii)　Ａの発言の前半が事実でなく、後半が事実である場合

Ａの後半が事実であるので、Ｃの前半は事実ではなく、Ｃの後半は事実となる。Ｃの後半が事実であるということは、Ｄは４位以上であるので、Ｄの前半は事実ではなく、Ｄの後半は事実となる。しかし、Ａの後半も事実であるので、明らかに矛盾する（表２）。

（事実である：○、事実でない：×）

表2	前半		後半	
A	DA	×	EC	○
B	EB		A5	
C	BC	×	DE	○
D	D5	×	EB	○
E	AE		CA	

判断推理 | 操作手順 | 2022年度 教養 No.12

水が満たされている容量18リットルの容器と、容量11リットル及び容量７リットルの空の容器がそれぞれ一つずつある。三つの容器の間で水を順次移し替え、容量18リットルの容器と容量11リットルの容器とへ、水をちょうど９リットルずつ分けた。各容器は容量分の水しか許れず、一つの容器から別の容器に水を移し替えることを１回と数えるとき、水をちょうど９リットルずつに分けるのに必要な移し替えの最少の回数として、正しいのはどれか。

1　15回

2　16回

3　17回

4　18回

5　19回

解説　正解　3　　TAC生の正答率 43%

油分け算は、水を「大容器→中容器」、「中容器→小容器」、「小容器→大容器」の順に繰り返して移していくことで最少の回数が求められる。ただし、水を移した結果、容器内の水の量が前と同じ組合せになる場合は、その移動を行わずに次の順番の移動を行うものとする。

実際に移動をさせると表のようになる。なお、表の色塗り部分は、容器内の水の量が前と同じ組合せになり、その移動を飛ばしたものである。

	18(大)	11(中)	7(小)	
	18	0	0	初め
大→中	7	11	0	1回
中→小	7	4	7	2回
小→大	14	4	0	3回
大→中	7	11	0	
中→小	14	0	4	4回
小→大	18	0	0	
大→中	3	11	4	5回
中→小	3	8	7	6回
小→大	10	8	0	7回
大→中	7	11	0	
中→小	10	1	7	8回
小→大	17	1	0	9回

	18(大)	11(中)	7(小)	
大→中	7	11	0	
中→小	17	0	1	10回
小→大	18	0	0	
大→中	6	11	1	11回
中→小	6	5	7	12回
小→大	13	5	0	13回
大→中	7	11	0	
中→小	13	0	5	14回
小→大	18	0	0	
大→中	2	11	5	15回
中→小	2	9	7	16回
小→大	9	9	0	17回

表より、最少回数は17回となるから、正解は**3**である。

なお、グラフで求めることも可能であり、横に11リットル容器の水の量、縦に7リットル容器の水の量を取り、原点（0，0）から右移動（大容器→中容器）、左上移動（中容器→小容器）、下移動（小容器→大容器）を繰り返せばよい。9リットルずつに分けるということは、（大容器が9リットル、）中容器が9リットル、小容器が0リットルになるということで、座標は（9，0）の地点が目標地点となる。次のように17回で（9，0）にたどり着く。

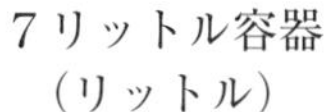

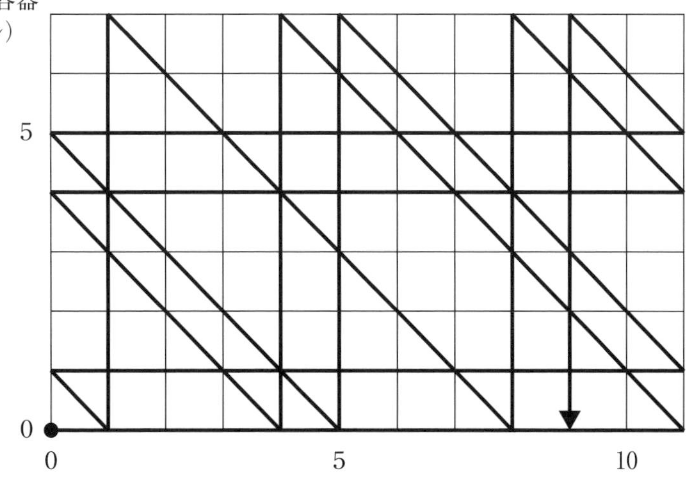

判断推理　操作手順　2020年度 教養 No.12

片側の端に火をつけると４分で燃えつきるロープが３本ある。これらのロープを使って時間を計るとき、**計ることができない**時間の長さとして、妥当なのはどれか。ただし、火をつけるのはロープの端に限り、ロープの両端や複数のロープの端に同時に火をつけることもできるが、途中で火を消したり、ロープを切ったり、折ったり、印をつけたりすることはできない。

1　３分

2　５分

3　７分

4　９分

5　10分

解説　正解　4　TAC生の正答率 44%

片側の端に火をつけると４分で燃えつきるが、両側の端に火をつけると半分の２分で燃えつきる。よって、**5**は、１本目に片側（４分）、燃えつきた後２本目に片側（４分＋４分）、燃えつきた後３本目に両側（４分＋４分＋２分）で10分を計ることができる。

残る奇数分の選択肢について、両側に火をつけると時間が半分になることを利用し、２分の半分の１分を計れないかを考える。１本目は両側、２本目は片側に同時に火をつけると、２分で１本目が燃えつき、このとき２本目はちょうど半分だけ残っている。ここで２本目のもう片側に火をつけると、残りは半分の１分で燃えつきるから、合計で2＋1＝3[分]を計れたことになる。よって、**1**の３分は計ることができ、この３分後から、３本目の両側に火をつけると3＋2＝5[分]で**2**の５分が、３本目の片側に火をつけると3＋4＝7[分]で**3**の７分が、それぞれ計れる。

よって、消去法より正解は**4**である。

物質ｘと物質ｙがあり、物質ｘの体積は物質ｙの体積の５倍で、物質ｘの密度は物質ｙの密度の1.2倍であり、物質ｘと物質ｙの質量の合計が140kgであるとき、物質ｙの質量として、正しいのはどれか。

1　15kg

2　20kg

3　25kg

4　30kg

5　35kg

解説　**正解　2**　TAC生の正答率　63%

物質ｘの質量をx_1[kg]、体積をx_2[m^3]、物質ｙの質量をy_1[kg]、体積をy_2[m^3]とおく。条件より、物質ｘの体積は物質ｙの体積の５倍であるので、$x_2=5y_2$…①が成り立つ。また、物質ｘの密度は物質ｙの密度の1.2倍であるので、密度$=\frac{質量}{体積}$より、$\frac{x_1}{x_2}=\frac{y_1}{y_2}\times 1.2$…②が成り立つ。さらに、物質ｘと物質ｙの質量の合計が140kgであるので、$x_1+y_1=140$…③が成り立つ。

①を②に代入すると、$\frac{x_1}{5y_2}=\frac{y_1}{y_2}\times 1.2$となり、$y_2\neq 0$より、$\frac{x_1}{5}=1.2y_1 \Leftrightarrow x_1=6y_1$…④となる。④を③に代入すると、$6y_1+y_1=140$となり、$y_1=20$[kg]となる。

よって、正解は**2**である。

数的推理　連立方程式

2022年度
教養 No.13

観客席がS席、A席、B席からなるバドミントン競技大会決勝のチケットの販売状況は、次のとおりであった。

ア　チケットの料金は、S席が最も高く、次に高い席はA席であり、S席とA席の料金の差は、A席とB席の料金の差の4倍であった。
イ　チケットは、S席が60枚、A席が300枚、B席が900枚売れ、売上額の合計は750万円であった。
ウ　B席のチケットの売上額は、S席のチケットの売上額の5倍であった。
エ　S席、A席、B席のチケットの料金は、それぞれの席ごとに同額であった。

以上から判断して、S席のチケットの料金として、正しいのはどれか。

1　14,000円

2　15,000円

3　16,000円

4　17,000円

5　18,000円

解説　正解　2

TAC生の正答率　75%

S席のチケットの料金をx[万円]、A席のチケットの料金をy[万円]、B席のチケットの料金をz[万円]とおく。

条件アより、$x-y=(y-z)\times 4 \Leftrightarrow x-5y+4z=0$…①

条件イより、$60x+300y+900z=750 \Leftrightarrow 2x+10y+30z=25$…②

条件ウより、$900z=60x\times 5 \Leftrightarrow x=3z$…③

③を①、②に代入すると、$-5y+7z=0$…①'および$10y+36z=25$…②'となり、①'×2+②'より、$50z=25$となる。これを解くと$z=0.5$[万円]で、③より$x=1.5$[万円]、①'より$y=0.7$[万円]となる。

したがって、正解は**2**である。

年齢算

2017年度 教養 No.13

ある４人家族の父、母、姉、弟の年齢について、今年の元日に調べたところ、次のＡ～Ｄのことが分かった。

Ａ　姉は弟より４歳年上であった。
Ｂ　父の年齢は姉の年齢の３倍であった。
Ｃ　５年前の元日には、母の年齢は弟の年齢の５倍であった。
Ｄ　２年後の元日には、父と母の年齢の和は、姉と弟の年齢の和の３倍になる。

以上から判断して、今年の元日における４人の年齢の合計として、正しいのはどれか。

1　116歳

2　121歳

3　126歳

4　131歳

5　136歳

解説　正解　5

TAC生の正答率　69%

今年の元日の姉の年齢を x［歳］とすると、条件Ａより弟の年齢は $(x-4)$［歳］、条件Ｂより父の年齢は $3x$［歳］とおける。また、今年の元日の母の年齢を y［歳］とする。

条件Ｃより、$y-5=(x-4-5)\times5$ となり、これを整理すると $y=5x-40$（①）となる。

さらに条件Ｄより、$(3x+2)+(y+2)=\{(x+2)+(x-4+2)\}\times3$ となり、これを整理すると $y=3x-4$（②）となる。①、②を連立させて解くと、$x=18$、$y=50$ となり、今年の元日の年齢は、父は54歳、母は50歳、姉は18歳、弟は14歳となる。よって、４人の年齢の合計は136歳となるので、正解は**5**となる。

現代文
英文
判断推理
数的推理
資料解釈
空間把握
文芸
日本史
世界史

数的推理　過不足算

2023年度
教養 No.13

T大学のテニス部の練習が終わり、ボール全てをボール収納用のバッグに入れようとしたところ、次のことが分かった。

ア　全てのバッグにボールを40個ずつ入れるには、ボールが100個足りない。
イ　全てのバッグにボールを20個ずつ入れると、ボールは280個より多く残る。
ウ　半数のバッグにボールを40個ずつ入れ、残りのバッグにボールを20個ずつ入れてもボールは残り、その数は110個未満である。

以上から判断して、ボールの個数として、正しいのはどれか。

1　700個

2　740個

3　780個

4　820個

5　860個

解説　正解　1

TAC生の正答率　75%

全てのバッグの個数をx[個]とおく。条件アについて、仮に全てのバッグにボールが40個ずつ入っているとすると、入っているボールは$40x$[個]であるが、実際はボールが100個足りないので、全てのボールの個数は$(40x-100)$[個]…①となる。条件イについて、バッグに入っているボールは$20x$[個]であるが、バッグに入っていないボールが280個より多くあるので、全てのボールは、$(20x+280)$[個]より多い。したがって、①より、$40x-100>20x+280$が成り立つ。この不等式を整理すると、$x>19$…②となる。

条件ウについて、半数のバッグは$\frac{1}{2}x$[個]なので、バッグに入っているボールは$\frac{1}{2}x\times40+\frac{1}{2}x\times20=30x$[個]であるが、バッグに入っていないボールが110個未満であるので、全てのボールは、$(30x+110)$[個]より少ない。したがって、①より、$40x-100<30x+110$が成り立つ。この不等式を整理すると$x<21$…③となる。

②、③より、$19<x<21$となり、これを満たす自然数xの値は$x=20$となる。

よって、①より、ボールの個数は$40\times20-100=700$[個]となるので、正解は**1**である。

ある催し物の出席者用に６人掛けの長椅子と４人掛けの長椅子とを合わせて21脚用意した。６人掛けの長椅子だけを使って６人ずつ着席させると、36人以上の出席者が着席できなかった。６人掛けの長椅子に５人ずつ着席させ、４人掛けの長椅子に４人ずつ着席させると、12人以上の出席者が着席できなかった。また、６人掛けの長椅子に６人ずつ着席させ、４人掛けの長椅子に４人ずつ着席させると、出席者全員が着席でき、席の余りもなかった。このとき、出席者の人数として、正しいのはどれか。

1　106人

2　108人

3　110人

4　112人

5　114人

解説　正解　2

TAC生の正答率　73%

６人掛けの長椅子の数をx[脚]、４人掛けの長椅子の数を$21-x$[脚]、出席者の人数をy[人]として、式で表してみる。まず「６人掛けの長椅子だけを使って６人ずつ着席させると、36人以上の出席者が着席できなかった」という点から、$y \geqq 6x+36$（①）という式が立てられる。続いて「６人掛けの長椅子に５人ずつ着席させ、４人掛けの長椅子に４人ずつ着席させると、12人以上の出席者が着席できなかった」という点から、$y \geqq 5x+4(21-x)+12$（②）という式が立てられる。最後に「６人掛けの長椅子に６人ずつ着席させ、４人掛けの長椅子に４人ずつ着席させると、出席者全員が着席でき、席の余りもなかった」という点から、$y=6x+4(21-x)$（③）という式が立てられる。

③の式を整理すると$y=2x+84$となり、これを①、②それぞれの左辺に代入する。①に代入すると、$2x+84 \geqq 6x+36$となり、これを解くと$x \leqq 12$（④）となる。②に代入すると、$2x+84 \geqq 5x+4(21-x)+12$となり、これを解くと$x \geqq 12$（⑤）となる。④、⑤をいずれも満たすのは$x=12$のときだけなので、$x=12$となる。

よって、$x=12$を③に代入すると出席者の人数は$2 \times 12+84=108$[人]となるので、正解は**2**となる。

数的推理　不定方程式

2017年度
教養 No.15

1桁の正の整数a、b及びcについて、$a+\cfrac{1}{b-\cfrac{4}{c}}=3.18$であるとき、a＋b＋cの値として、正しいのはどれか。

1　14

2　15

3　16

4　17

5　18

解説　正解　5

TAC生の正答率　30%

$3.18=3+\frac{18}{100}=3+\frac{9}{50}$と変形できる。

ここで、$\frac{4}{c}$の分子が4であることより、50を（54－4）と分解し、$3+\frac{9}{54-4}$と変形する。

分数部分の分子と分母を9で割って整理すると、$3+\cfrac{1}{\frac{54}{9}-\frac{4}{9}}=3+\cfrac{1}{6-\frac{4}{9}}$となる。

よって、$3.18=3+\cfrac{1}{6-\frac{4}{9}}$と表せる。a＝3、b＝6、c＝9とすると、すべて1桁の正の整数となり、条件を満たす。

以上より、a＋b＋c＝18となるので、正解は**5**となる。

数的推理 | 不定方程式 | 2016年度 教養 No.13

ある食堂のメニューは、A定食600円、B定食500円の２つの定食とサラダ150円の３種類である。ある日、この食堂を利用した人数は300人で、全員がどちらかの定食を一食選び、A定食の売れた数は、B定食の売れた数の$\frac{3}{7}$より少なく、$\frac{2}{5}$より多かった。この日のこの食堂の売上金額の合計が165,000円であるとき、サラダの売れた数として、正しいのはどれか。

1 41

2 42

3 43

4 44

5 45

解説　正解　2　TAC生の正答率 56%

A定食の売れた数をx、B定食の売れた数を（$300-x$)、サラダの売れた数をyとして合計の金額に着目すると、$600x+500(300-x)+150y=165000$という式が成り立つ。この式を整理すると$2x+3y=300$（①）となる。

①をxについて整理すると、$x=150-\frac{3}{2}y$（②）となる。xもyも定食の売れた数なので整数であり、yは２の倍数となる。この時点で**2**の42か**4**の44の２つに絞ることができる。

ここから、実際に選択肢にあてはめて「A定食の売れた数は、B定食の売れた数の$\frac{3}{7}$より少なく、$\frac{2}{5}$より多かった」という問題文の条件を満たすかどうかを検討する。

2の場合、$y=42$であり、②に代入すると$x=87$となる。したがって、B定食の売れた数は$300-87=213$となる。$213\times\frac{3}{7}=\frac{639}{7}=91\frac{2}{7}$であり、$213\times\frac{2}{5}=\frac{426}{5}=85\frac{1}{5}$であるので、A定食の売れた数（$=x$）が86以上91以下であればよい。前述のとおり$x=87$となるので、この条件を満たす。

4の場合、$y=44$であり、②に代入すると$x=84$となる。したがって、B定食の売れた数は$300-84=216$となる。$216\times\frac{3}{7}=\frac{648}{7}=92\frac{4}{7}$であり、$216\times\frac{2}{5}=\frac{432}{5}=86\frac{2}{5}$であるので、A定食の売れた数（$=x$）が87以上92以下であればよい。前述のとおり、$x=84$となるので、この条件に反する。

よって、正解は**2**となる。

数的推理　濃度

2022年度
教養 No.14

果汁20％のグレープジュースに水を加えて果汁12％のグレープジュースにした後、果汁４％のグレープジュースを500ｇ加えて果汁８％のグレープジュースになったとき、水を加える前のグレープジュースの重さとして、正しいのはどれか。

1　200ｇ

2　225ｇ

3　250ｇ

4　275ｇ

5　300ｇ

解説　正解　5　TAC生の正答率 67%

果汁20%のグレープジュースの重さをx[g]、水を加えてできた果汁12%のグレープジュースの重さをy[g]とすると、混ぜた結果は次のようになる。

	果汁20%	水	混ぜた後（果汁12%）
果汁濃度[%]	20	0	12
グレープジュース[g]	x	500	y
果汁量[g]	$\frac{20}{100}\times x$	0	$\frac{12}{100}y$

果汁量で式を立てると$\frac{20}{100}x=\frac{12}{100}y$となり、整理すると$5x=3y$…①となる。

次に、できた果汁12%のグレープジュースに果汁４%のグレープジュースを500g加えたら、果汁８%のグレープジュースになったことから、混ぜた結果は次のようになる。

	果汁12%	果汁４%	混ぜた後（果汁８%）
果汁濃度[%]	12	4	8
グレープジュース[g]	y	500	$y+500$
果汁量[g]	$\frac{12}{100}\times y$	4×500	$\frac{8}{100}(y+500)$

果汁量で式を立てると$\frac{12}{100}y+\frac{4}{100}\times500=\frac{8}{100}(y+500)$となる。これを解くと$y=500$[g]となり、①に代入すると$x=300$[g]となる。

したがって、正解は**5**である。

現代文
英文
判断推理
数的推理
資料解釈
空間把握
文芸
日本史
世界史

数的推理　最適化

2019年度
教養 No.13

下の表は、２種類の製品Ａ及びＢを製造する工場において、Ａ、Ｂをそれぞれ１個製造するときの電気使用量、ガス使用量及び利益を示している。この工場の１日の電気使用量の上限が210kWh、１日のガス使用量の上限が120m³のとき、製品Ａ及びＢの製造個数をそれぞれ調整することによって、１日に得られる最大の利益として、正しいのはどれか。

製品	電気使用量 (kWh/個)	ガス使用量 (m^3/個)	利益 (千円/個)
A	14	6	14
B	6	4	8

1　252千円

2　254千円

3　256千円

4　258千円

5　260千円

解説　正解　1　　TAC生の正答率　59%

製品Aをy［個］、製品Bをx［個］製造したとする（$y≧0$（①）、$x≧0$（②））。表より、このときの電気使用量は$14y+6x$［kWh］、ガス使用量は$6y+4x$［m^3］と表せる。

1日の電気使用量の上限が210kWhなので、$14y+6x≦210$となり、これを変形すると$y≦-\frac{3}{7}x+15$（③）となる。また、1日のガス使用量の上限が120m^3なので、$6y+4x≦120$となり、これを変形すると$y≦-\frac{2}{3}x+20$（④）となる。さらに、この工場が1日に得られる利益をk［千円］とすると、$k=14y+8x$…⑤となり、これを変形すると、$y=-\frac{4}{7}x+\frac{k}{14}$（⑥）となる。

$14y+6x=210$と$6y+4x=120$の交点は$(x,\ y)=(21,\ 6)$なので、①～④をグラフで表すと下図の色つき部分（境界線を含む）となる。

⑥のグラフの傾きは③と④のグラフの傾きの間であり、⑥が色つき部分を通るようにグラフを書き入れる。このとき、⑥のy切片である$\frac{k}{14}$が最大値を取るのは、下図より交点（21, 6）を通ったときとなる。

$\frac{k}{14}$が最大のときkも最大となるので、⑤に$x=21$、$y=6$を代入して、$k=14\times6+8\times21=252$［千円］のとき、利益が最大となる。

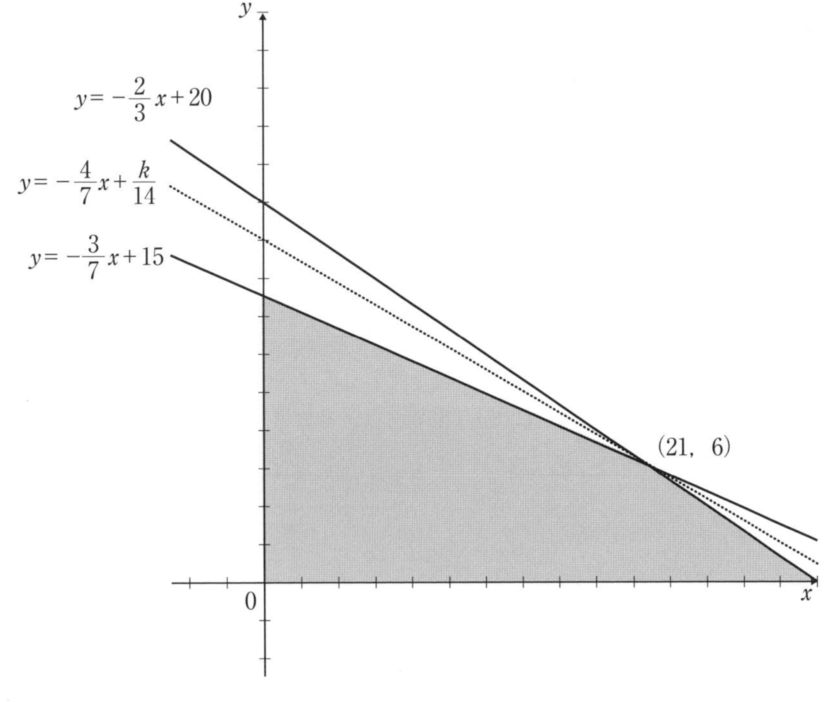

よって、正解は**1**となる。

数的推理　数量問題

2018年度
教養 No.13

ある自動車販売会社がトラックの販売価格を400万円としたところ、このトラックの月間販売台数は4,000台であった。次の月から、このトラックの販売価格を毎月５万円ずつ値下げするごとに月間販売台数が100台ずつ増えるものとするとき、月間売上額が最大となる販売価格として、正しいのはどれか。ただし、税及び経費は考慮しない。

1　290万円

2　295万円

3　300万円

4　305万円

5　310万円

解説　正解　3

TAC生の正答率　75%

xか月後の月間売上額をy[万円]とする。毎月５万円ずつ販売価格が値下がりするので、xか月後の販売価格は$(400-5x)$[万円]となり、毎月100台ずつ月間販売台数が増えるので、xか月後の月間販売台数は$(4000+100x)$[台]となる。(xか月後の月間売上額)＝(xか月後の販売価格)×(xか月後の月間販売台数)となるので、$y=(400-5x)(4000+100x)$となる。

$$
\begin{aligned}
y &= (400-5x)(4000+100x)\\
&= -500x^2+20000x+1600000\\
&= -500(x^2-40x)+1600000\\
&= -500\{(x-20)^2-400\}+1600000\\
&= -500(x-20)^2+1800000
\end{aligned}
$$

となるので、$x=20$のとき、yは最大値1800000万円をとる。

よって、月間売上額が最大となるのは20か月後であり、そのときの販売価格は$(400-5\times20)=300$[万円]となるので、正解は**3**となる。

数的推理	通過算	2020年度 教養 No.13

直線の道路を走行中の長さ18mのトラックを、トラックと同一方向に走行中の長さ２mのオートバイと長さ５mの自動車が、追い付いてから完全に追い抜くまでに、それぞれ$\frac{8}{3}$秒と$\frac{46}{5}$秒かかった。オートバイの速さが自動車の速さの1.4倍であるとき、オートバイの時速として、正しいのはどれか。ただし、トラック、オートバイ、自動車のそれぞれの速さは、走行中に変化しないものとする。

1　45km/時

2　54km/時

3　63km/時

4　72km/時

5　81km/時

解説　正解　3

TAC生の正答率　59%

移動している物体の一方が他方に追い付いてから完全に追い抜くまでに移動した距離は、追い抜く方が追い抜かれる方よりも、２つの物体の長さの合計分だけ多い。このことを利用して立式する。

自動車の速さをx[m/秒]、トラックの速さをy[m/秒]とおくと、オートバイの速さは$1.4x$[m/秒]とおける。

長さ18mのトラックを長さ２mのオートバイが完全に追い抜くまでに$\frac{8}{3}$秒かかったことについて、オートバイの移動距離は$1.4x \times \frac{8}{3}$[m]、トラックの移動距離は$y \times \frac{8}{3}$[m]で、この移動距離の差が、オートバイとトラックの長さの合計となるから、$(1.4x - y) \times \frac{8}{3} = 20$（①）が成り立つ。同様に、長さ18mのトラックを長さ５mの自動車が完全に追い抜くまでに$\frac{46}{5}$秒かかったことについて、自動車の移動距離は$x \times \frac{46}{5}$[m]、トラックの移動距離は$y \times \frac{46}{5}$[m]で、この移動距離の差が、自動車とトラックの長さの合計となるから、$(x - y) \times \frac{46}{5} = 23$（②）が成り立つ。①を変形すると$1.4x - y = \frac{60}{8}$（①'）、②を変形すると$x - y = \frac{5}{2}\left(= \frac{20}{8}\right)$（②'）で、①'と②'を連立させて解くと$x = \frac{25}{2}$[m/秒]で、オートバイの速さは$\frac{25}{2} \times 1.4 = 17.5$[m/秒]となる。１秒に17.5m進むオートバイは、60秒＝1分では$17.5 \times 60 = 1050$[m]進み、60分＝1時間では$1050 \times 60 = 63000$[m]進む。

63000m＝63kmで、１時間に63km進むことになるから、正解は**3**である。

現代文　英文　判断推理　数的推理　資料解釈　空間把握　文芸　日本史　世界史

数的推理　仕事算　2017年度 教養 No.16

ある作業を、AとBとの２人で共同して行うと、Aだけで行うより４日早く終了し、Bだけで行うより９日早く終了する。この作業をAだけで行う場合の作業日数として、正しいのはどれか。ただし、A、Bの１日当たりの作業量はそれぞれ一定とする。

1　10

2　11

3　12

4　13

5　14

解説　正解　1　TAC生の正答率　60%

ある作業をAとBの２人で共同して行う場合の作業日数をx［日］とおくと、同じ作業をAだけで行う場合の作業日数は（$x+4$）［日］、Bだけで行う場合の作業日数は（$x+9$）［日］となる。

ある作業の量を１とおくと、このときのそれぞれの１日に行う作業量は、AとBの２人で共同して行う場合は$\frac{1}{x}$、Aだけで行う場合は$\frac{1}{x+4}$、Bだけで行う場合は$\frac{1}{x+9}$となる。

よって、（AとBの２人で共同して行う場合の１日の作業量）＝（Aだけで行う場合の１日の作業量）＋（Bだけで行う場合の１日の作業量）であるので、次の式が成り立つ。

$$\frac{1}{x}=\frac{1}{x+4}+\frac{1}{x+9}$$

上の式を整理すると、$(x+4)(x+9)=x(x+9)+x(x+4)$より、$x^2=36$となる。この式を解くと、$x>0$より、$x=6$となる。したがって、この作業をAだけで行う場合の作業日数は、$6+4=10$［日］となる。

よって、正解は**1**となる。

ある二つの自然数XとYがあり、XとYの積は1,000以上10,000以下で、二乗の差は441であるとき、XとYのうち大きい方の数として、正しいのはどれか。

1　35

2　45

3　55

4　65

5　75

解説　**正解　5**　TAC生の正答率 62%

X＞Yとして考える。問題文より$X^2-Y^2=441$であり、因数分解をすると$(X+Y)(X-Y)=441$である。$441=3^2\times7^2$であるから、２数の積の形に直すと441×1、147×3、63×7、49×9、21×21の５通りがある。X、Yは自然数でX＋Y＞X－Yとなることを考慮すると、21×21の可能性はなく、残る４通りについて、それぞれX、Yを求めて1000≦XY≦10000を満たすか確認する。

X＋Y＝441、X－Y＝1のとき、解くとX＝221、Y＝220となり、XY＞10000であるから、不適である。

X＋Y＝147、X－Y＝3のとき、解くとX＝75、Y＝72となり、XY＝5400であるから適する。

X＋Y＝63、X－Y＝7のとき、解くとX＝35、Y＝28となり、XY＝35×28＝(7×5)×(7×4)＝49×20＝980であるから、不適である。

X＋Y＝49、X－Y＝9のとき、解くとX＝29、Y＝20となり、XY＝580であるから、不適である。

よって、X＝75、Y＝72となるから、正解は**5**である。

現代文
英文
判断推理
数的推理
資料解釈
空間把握
文芸
日本史
世界史

数的推理　整数

2019年度
教養 No.16

正の整数x、yがあり、$x<y$であるとき、下の式におけるx、yの組合せの数として、正しいのはどれか。

$$\frac{1}{x}+\frac{1}{y}=\frac{1}{6}$$

1　3組

2　4組

3　5組

4　6組

5　7組

解説　正解　2

TAC生の正答率　57%

$\frac{1}{x}+\frac{1}{y}=\frac{1}{6}$の両辺に$6xy$をかけると、$6x+6y=xy$となる。これを整理すると、$xy-6x-6y=0$となり、両辺に36を加えて$xy-6x-6y+36=36$とし、左辺を因数分解すると、$(x-6)(y-6)=36$となる。

積が36となる２整数の組合せは、$(\pm1,\ \pm36)$、$(\pm2,\ \pm18)$、$(\pm3,\ \pm12)$、$(\pm4,\ \pm9)$、$(\pm6,\ \pm6)$（複合同順）が考えられるが、xとyは正の整数で、かつ、$y>x$より、$y>x>0$であるから、$(y-6)>(x-6)>-6$となる。よって、$(x-6,\ y-6)=(1,\ 36)$、$(2,\ 18)$、$(3,\ 12)$、$(4,\ 9)$の４通りしか組合せはなく、それぞれxとyの値は、$(x,\ y)=(7,\ 42)$、$(8,\ 24)$、$(9,\ 18)$、$(10,\ 15)$となる。

以上より、x、yの組合せは４組なので、正解は**2**となる。

4で割ったときの商をA、余りをBとし、7で割ったときの商をC、余りをDとするとき、AとCの差が48となる3桁の自然数の個数として、正しいのはどれか。ただし、A、B、C、Dはいずれも整数で、B<4、D<7とする。

1　7個

2　8個

3　9個

4　10個

5　11個

解説　正解　4

TAC生の正答率　22%

求める3桁の自然数をXとすると、7で割ったときの商がC、余りがDなので、X＝7C＋D（①）となる。また、4で割ったときの商のAは、Cと48の差があるが、同じ数を4と7で割ったとき、7よりも小さい4で割った方が商が大きくなるので、4で割ったときの商のAは、A＝C＋48となる。4で割ったときの商が（C＋48）、余りがBなので、X＝4(C＋48)＋B（②）となる。

①と②を連立させると、7C＋D＝4(C＋48)＋Bとなり、これを整理して3C＝192＋B－Dとなる。さらに両辺を3で割ると、$C=64+\frac{B-D}{3}$（③）となる。

Cは正の整数であり、また、BおよびDは0または正の整数となる。Cは正の整数なので、③より、B－Dは0もしくは3の倍数となる。B<4、D<7より、B＝{0, 1, 2, 3}、D＝{0, 1, 2, 3, 4, 5, 6}なので、B－Dが0及び3の倍数となる組合せは、(B, D)＝(3, 0)、(0, 0)、(1, 1)、(2, 2)、(3, 3)、(0, 3)、(1, 4)、(2, 5)、(3, 6)、(0, 6)の10通りに限られる。このとき、$\frac{B-D}{3}$の値は－2、－1、0、1のいずれかとなるので、Cはそれぞれ62、63、64、65となる。X＝7C＋Dにおいて、7Cは434、441、448、455のいずれかとなるので、0≦D<7よりXは3桁の整数となり、条件を満たす。

よって、求める自然数Xの個数は10個となるので、正解は**4**である。

数的推理　整数

2016年度
教養 No.16

連続した５つの自然数の積が30240になるとき、この５つの自然数の和として、正しいのはどれか。

1　30

2　35

3　40

4　45

5　50

解説　正解　3

TAC生の正答率　78%

30240がどのような自然数のかけ算でできあがっているのかを調べるために、30240を素因数分解する。$30240=2^5\times3^3\times5\times7$となるので、５個の２、３個の３、１個の５、１個の７をかけ算で組み合わせて、連続した５つの自然数ができあがるパターンを考えてみる。

６、７、８、９、10の場合は$6=2\times3$、$7=7$、$8=2^3$、$9=3^2$、$10=2\times5$となり、すべての素数を過不足なく割り振ることができる。

よって、５つの自然数の和は$6+7+8+9+10=40$となるので正解は**3**となる。

数的推理　剰余　2015年度 教養 No.15

1,000より小さい正の整数のうち、4で割ると3余り、かつ5で割ると4余る数の個数として、正しいのはどれか。

1　50個

2　51個

3　52個

4　53個

5　54個

解説　正解　1

TAC生の正答率　83%

求める正の整数をxとおくと、4で割ると3余るので、x=（4の倍数）+3と表され、5で割ると4余るので、x=（5の倍数）+4と表される。割り切れるための不足を考えると、共通して1であるので、2つの式の両辺に1を加えると、$x+1$=（4の倍数）=（5の倍数）となり、$x+1$は（4と5の公倍数）つまり（20の倍数）であることがわかる。したがって、x=（20の倍数）−1と表すことができる。ここで、（20の倍数）を$20n$（$n=1, 2, 3,$ …）とおくと、$x=20n-1$となり、$20n-1$が1,000より小さい正の整数を満たす自然数nの個数を求めればよい。

$$1 \leqq 20n-1 < 1000$$

上の式の各辺に1を加え、20で割ると、$\frac{1}{10} \leqq n < 50\frac{1}{20}$となり、これを満たす自然数$n$は1〜50となる。したがって、$x$は50個あるので、正解は**1**となる。

数的推理　剰余

2014年度
教養 No.16

正の整数A及びBがあり、Aは、Aを18、27、45で割るといずれも８余る数のうち最も小さい数であり、またBは、31、63、79をBで割るといずれも７余る数である。AとBの差として、正しいのはどれか。

1　180

2　210

3　240

4　270

5　300

解説　正解　4

TAC生の正答率　55%

18、27、45で割るといずれも８余るような正の整数は、18、27、45の公倍数に８を加えた数であるので、(270の倍数)＋8と表される。これを満たす最も小さい正の整数がAであるので、A＝270＋8＝278となる。

31、63、79をBで割るといずれも７余るので、商であるBは８以上の数である。また、Bは24、56、72の公約数である。したがって、$24=2^3\times3$、$56=2^3\times7$、$72=2^3\times3^2$の最大公約数は$2^3=8$であり、これ以外の公約数は８より小さいので、求めるBは最大公約数である８と決まる。

よって、AとBの差は278－8＝270となるので、正解は**4**となる。

数的推理 N進法

2023年度 教養 No.17

A、B、Cは、1、2、3のいずれかの異なる数字であり、ある数を4進法で表すとABCAとなり、12進法で表すとCBAとなる。この数を5進法で表したものとして、正しいのはどれか。

1 AABC

2 ABBA

3 BBCA

4 CABC

5 CACA

解説 正解 5

TAC生の正答率 47%

4進法表記のABCA、12進法表記のCBAをそれぞれ10進法表記にすると、次のようになる。

$ABCA_{(4)} \Rightarrow 4^3 \times A + 4^2 \times B + 4^1 \times C + 4^0 \times A = 65A + 16B + 4C$…①

$CBA_{(12)} \Rightarrow 12^2 \times C + 12^1 \times B + 12^0 \times A = 144C + 12B + A$…②

①＝②より、$65A + 16B + 4C = 144C + 12B + A$となり、整理すると、$16A + B = 35C$…③となる。ここで、A、B、Cは、1、2、3のいずれかの異なる数字であるので、③を満たすのは、$A = 2$、$B = 3$、$C = 1$である。

したがって、この数は10進法表記では、②より、$144 \times 1 + 12 \times 3 + 2 = 182$となり、さらに、5進法表記では、次のように割り算をすると、1212となる。

			余り
5	) 182		
5	) 36	…	2
5	) 7	…	1
	1	…	2

よって、1212はCACAとなるので、正解は**5**である。

数的推理　N進法

2018年度
教養 No.16

2進法で1010110と表す数と、3進法で2110と表す数がある。これらの和を5進法で表した数として、正しいのはどれか。

1　102

2　152

3　201

4　1021

5　1102

解説　正解　5

TAC生の正答率　80%

2進法の1010110を10進法に直すと、$1\times2^6+0\times2^5+1\times2^4+0\times2^3+1\times2^2+1\times2^1+0\times2^0=86$となる。また、3進法の2110を10進法に直すと、$2\times3^3+1\times3^2+1\times3^1+0\times3^0=66$となる。これらの和は10進法で$86+66=152$となり、10進法の152を5進法に直すと、下図より1102となるので、正解は**5**である。

			余り
5	) 152		
5	) 30	…	2 ↑
5	) 6	…	0
	1	…	1

次の数列の和として、正しいのはどれか。

$$\frac{1}{1\times2}、\frac{1}{2\times3}、\frac{1}{3\times4}、\frac{1}{4\times5}、\frac{1}{5\times6}、\cdots\cdots、\frac{1}{15\times16}$$

1 $\frac{13}{16}$

2 $\frac{13}{15}$

3 $\frac{223}{240}$

4 $\frac{15}{16}$

5 $\frac{253}{240}$

解説　正解　4

TAC生の正答率　55%

各分数を部分分数に分解する。$\frac{1}{1\times2}=\frac{1}{1}-\frac{1}{2}$、$\frac{1}{2\times3}=\frac{1}{2}-\frac{1}{3}$、$\frac{1}{3\times4}=\frac{1}{3}-\frac{1}{4}$、…、のように分解することができるので、問題文の数列の和は以下のように計算することができる。

$$\frac{1}{1\times2}+\frac{1}{2\times3}+\frac{1}{3\times4}+\frac{1}{4\times5}+\frac{1}{5\times6}+\cdots+\frac{1}{15\times16}$$

$$=\left(\frac{1}{1}-\frac{1}{2}\right)+\left(\frac{1}{2}-\frac{1}{3}\right)+\left(\frac{1}{3}-\frac{1}{4}\right)+\left(\frac{1}{4}-\frac{1}{5}\right)+\left(\frac{1}{5}-\frac{1}{6}\right)+\cdots+\left(\frac{1}{15}-\frac{1}{16}\right)$$

$$=\frac{1}{1}-\frac{1}{16}=\frac{15}{16}$$

よって、正解は**4**となる。

数的推理　規則性

次のパスカルの三角形において、上から10段目の左から５番目の数と、上から13段目の右から７番目の数との和として、正しいのはどれか。

1段目	1
2段目	1　1
3段目	1　2　1
4段目	1　3　3　1
5段目	1　4　6　4　1
6段目	1　5　10　10　5　1
7段目	1　6　15　20　15　6　1
8段目	1　7　21　35　35　21　7　1
9段目	1　8　28　56　70　56　・　・　・
・	・　・　・　・　・　・　・　・　・
・	・　・　・　・　・　・　・　・　・　・

1　621

2　918

3　1050

4　1134

5　1419

解説　　正解　3　　TAC生の正答率 77%

それぞれ、左斜め上の数と右斜め上の数を足せばよい。例えば10段目の左から4番目の数は28＋56＝84、10段目の左から5番目の数は56＋70＝126となる。

よって、順次必要な部分だけ数を計算していくと下図のようになり、求める値は126＋924＝1050となるので、正解は**3**となる。

1段目	1
2段目	1　1
3段目	1　2　1
4段目	1　3　3　1
5段目	1　4　6　4　1
6段目	1　5　10　10　5　1
7段目	1　6　15　20　15　6　1
8段目	1　7　21　35　35　21　7　1
9段目	1　8　28　56　70　56　28　8　1
10段目	○　○　○　84　126　126　84　○　○　○
11段目	○　○　○　○　210　252　210　○　○　○　○
12段目	○　○　○　○　○　462　462　○　○　○　○　○
13段目	○　○　○　○　○　○　924　○　○　○　○　○　○

[別　解]

パスカルの三角形において、n段目の左からm番目の数は、${}_{n-1}C_{m-1}$で求めることができる。

よって、10段目の左から5番目の数と、13段目の右から7番目（＝左から7番目）の数の和は、${}_{9}C_{4}+{}_{12}C_{6}=126+924=1050$となる。

数的推理　規則性

2015年度 教養 No.16

下図のように、白と黒の碁石を交互に追加して正方形の形に並べていき、最初に白の碁石の総数が120になったときの正方形の一辺の碁石の数として、正しいのはどれか。

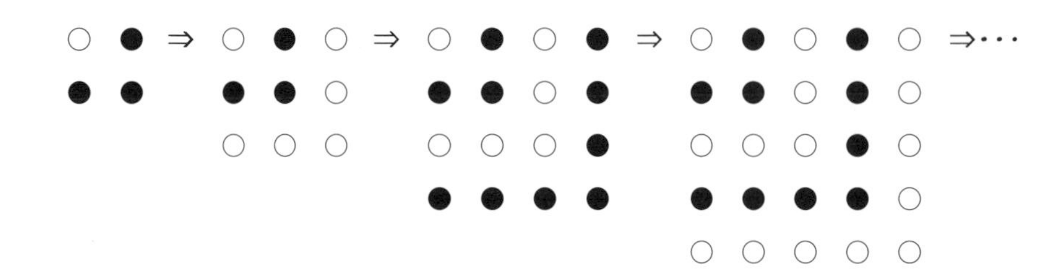

1　11

2　13

3　15

4　17

5　19

解説　正解　3　TAC生の正答率 78%

L字型の列ごとに碁石の個数を確認する。碁石の数は、前の列に並んでいる個数に2個足して次の列に並んでいる個数となる。

1列目：白で1個
2列目：黒で1+2=3[個]
3列目：白で3+2=5[個]
4列目：黒で5+2=7[個]
5列目：白で7+2=9[個]

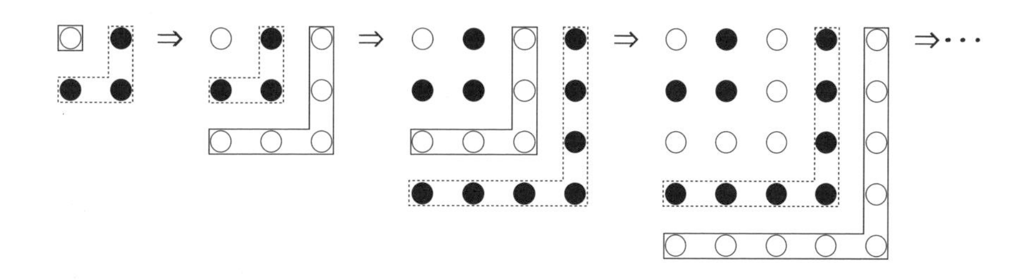

この規則で6列目以降を考えると、6列目は黒で9+2=11[個]、7列目は白で11+2=13[個]となるので、1列目から白だけ着目すると、1、5、9、13、…と4個ずつ増えていくことがわかる。白は奇数列より、15列目まで足すと、(1列目：1個)+(3列目：5個)+(5列目：9個)+(7列目：13個)+(9列目：17個)+(11列目：21個)+(13列目：25個)+(15列目：29個)=120個となる。

このように15列目まで足すと、白の碁石の総数が120個になるので、正方形の一辺の碁石の個数は15個となる。

よって、正解は**3**となる。

数的推理　規則性

下の図のように、整数を１から順に反時計回りに並べたとき、400の右隣となる数として、正しいのはどれか。

31	30	29	28	27	26
32	13	12	11	10	25
33	14	3	2	9	24
⋮	15	4	1	8	23
	16	5	6	7	22
	17	18	19	20	21

1　324

2　325

3　399

4　401

5　402

解説　正解　2

TAC生の正答率　48%

整数を縦と横に同じ数ずつ並べたとき、すなわち平方数だけ並べたときについて考える。
$1^2=1$から$2^2=4$までは、１の上から左にかけて並び、４は2×2の数字の並びの左下にある。
$2^2=4$から$3^2=9$までは、４の下から右にかけて並び、９は3×3の数字の並びの右上にある。
$3^2=9$から$4^2=16$までは、９の上から左にかけて並び、16は4×4の数字の並びの左下にある。
$4^2=16$から$5^2=25$までは、16の下から右にかけて並び、25は5×5の数字の並びの右上にある。

3	2
4	1

3	2	9
4	1	8
5	6	7

13	12	11	10
14	3	2	9
15	4	1	8
16	5	6	7

13	12	11	10	25
14	3	2	9	24
15	4	1	8	23
16	5	6	7	22
17	18	19	20	21

31	30	29	28	27	26
32	13	12	11	10	25
33	14	3	2	9	24
34	15	4	1	8	23
35	16	5	6	7	22
36	17	18	19	20	21

よって、偶数の２乗である$2^2=4$、$4^2=16$、$6^2=36$、…は、整数を縦と横に同じ数ずつ並べたときに左下に現れることになる。このとき、$4^2=16$の右隣は、ひとつ前の偶数の２乗である$2^2=4$の次の数である５が並んでおり、$6^2=36$の右隣は、ひとつ前の偶数の２乗である$4^2=16$の次の数である17が並んでいる。

以上より、$20^2=400$の右隣となる数は、$18^2+1=325$であるので、正解は**2**である。

数的推理　覆面算

2021年度
教養 No.14

それぞれ異なる一桁(けた)の四つの自然数a～dについて、壊れている二つの電卓Xと電卓Yを使って、「a ⊠ b ⊟ c ⊞ d ⊟」の計算を行ったところ、次のことが分かった。

ア　電卓Xでは、「4」又は「6」を押すと「3」と入力される。
イ　電卓Xでは、「5」又は「8」を押すと「2」と入力される。
ウ　電卓Xでは、「7」又は「9」を押すと「1」と入力される。
エ　電卓Xでの計算結果は、5.5であった。
オ　電卓Yでは、「⊞」、「⊟」、「⊟」のどれを押しても「⊠」と入力される。
カ　電卓Yでの計算結果は、840であった。

以上から判断して「a × b ÷ c + d」の計算結果として、正しいのはどれか。

1　11.8

2　12.2

3　12.4

4　14.2

5　23.2

解説　正解　1

TAC生の正答率　58%

a、b、c、dは1桁の自然数であり、電卓Yでの計算結果が4つの数の積である$840=2^3\times3\times5\times7$となったことから、4数の組合せは（3, 5, 7, 8）または（4, 5, 6, 7）となる。

（3, 5, 7, 8）の場合、電卓Xではそれぞれ（3, 2, 1, 2）と入力される。この4数で「○×○÷○＋○＝5.5」となるが、0.5ができるためには÷の直後は2である必要があり、また、÷の前までの○×○の計算結果が奇数となる必要がある。これを満たすのは「3×1÷2+2（または1×3÷2+2）」だけであるが、計算結果は3.5となるので不適である。

（4, 5, 6, 7）の場合、電卓Xではそれぞれ（3, 2, 3, 1）と入力される。同様に考えると、これを満たすのは「3×3÷2+1」だけであり、この場合は計算結果が5.5となる。

よって、実際の計算は「4×6÷5+7（または6×4÷5+7）」で、計算結果は11.8となるから、正解は**1**である。

下の図のＡ～Ｉに、１～９の異なった整数を一つずつ入れ、Ａ～Ｉを頂点とする六つの正方形において、頂点に入る数の和がいずれも20となるようにする。Ａに３が入るとき、２が入る場所を全て挙げているものとして、妥当なのはどれか。

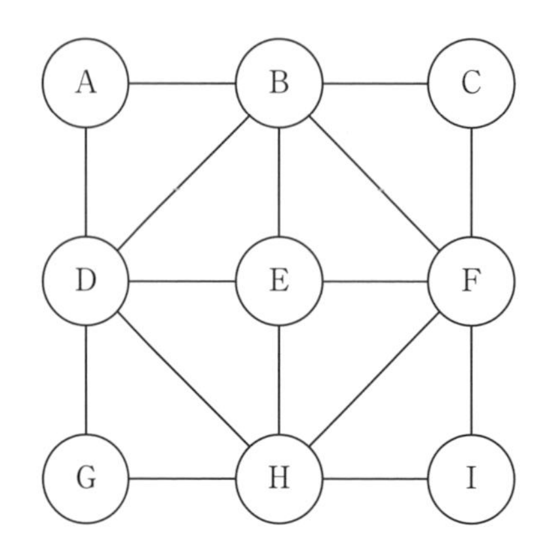

1　Ｂ、Ｆ、Ｈ

2　Ｃ、Ｇ

3　Ｃ、Ｇ、Ｉ

4　Ｆ、Ｈ

5　Ｇ、Ｉ

解説　正解　4　TAC生の正答率　40%

1～9の整数の総和は45である。問題文よりAは3で、また、最大の正方形の4つの頂点A、C、G、Iの和が20で、次に大きい正方形の4つの頂点B、D、F、Hの和が20だから、Eの値は45－20－20＝5である（図1）。

E＝5を頂点とする正方形が4つあるので、この4つの正方形に使われている数を考える。1、2、3、4、6、7、8、9のうち異なる3つを用いて20－5＝15となるような組合せは、①（9, 4, 2)、②（8, 6, 1)、③（8, 4, 3)、④（7, 6, 2）の4通りだけである。このうち、3が使われているのは③だけだから、B、Dには4、8のいずれかが入ることになる。このとき、ここまででAとEのみ数字が判明しており、A、E、Iを通る直線を軸として対称な図形になっている。よって、対称な位置の数値を入れ替えたものも必ずできることになるから、B＝4、D＝8として残りを考え、完成図と対称なものもできると考える（図2）。

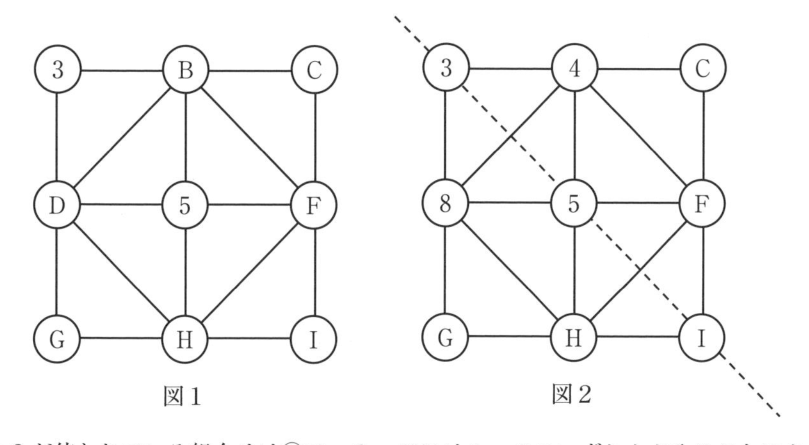

図1　図2

③以外に8が使われている組合せは②で、G、Hには1、6のいずれかが入ることになる。Hは他の組合せにも使われている数だから6、Gが1となる。同様に、②以外に6が使われている組合せは④で、F、Iには2、7のいずれかが入ることになるが、Fは他の組合せにも使われている数だから2、Iが7となり、残るCが9となる（図3)。また、図3と点線を軸として対称なものもできる（図4）。

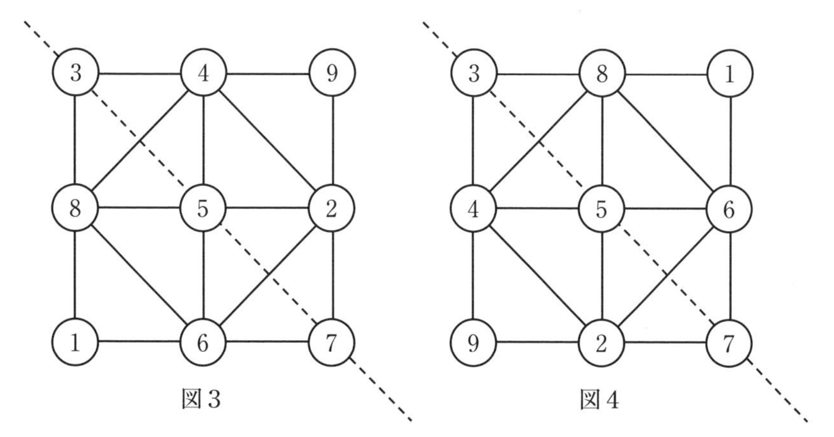

図3　図4

よって、2が入るのはFまたはHであるから、正解は**4**である。

数的推理　場合の数

2021年度
教養 No.12

下の図のように、五本の平行な線ａ～ｅが、他の六本の平行な線ｐ～ｕと交差しており、ａ、ｅ、ｑ、ｓ、ｔは細線、ｂ、ｃ、ｄ、ｐ、ｒ、ｕは太線である。これらの平行な線を組み合わせてできる平行四辺形のうち、少なくとも一辺が細線である平行四辺形の総数として、正しいのはどれか。

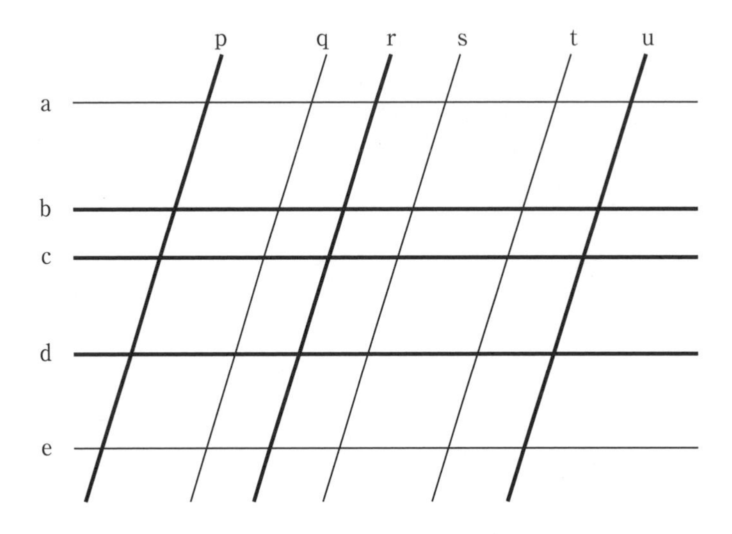

1　141

2　142

3　143

4　144

5　145

解説　**正解　1**　TAC生の正答率 72%

「少なくとも一辺が細線である平行四辺形の総数」は、「できる平行四辺形の総数」－「いずれの辺も細線でない（＝太線である）平行四辺形の総数」で求められる。

「できる平行四辺形の総数」について、ａ～ｅのうち２辺、ｐ～ｕのうち２辺を選んで４辺とすれば平行四辺形ができるから、その総数は$_5C_2 \times {_6C_2} = 150$である。

「いずれの辺も細線でない（＝太線である）平行四辺形の総数」について、ｂ、ｃ、ｄのうち２辺、ｐ、ｒ、ｕのうち２辺を選んで４辺とすればすべて太線の平行四辺形となるから、その総数は$_3C_2 \times {_3C_2} = 9$である。

よって、「少なくとも一辺が細線である平行四辺形の総数」は$150 - 9 = 141$となるから、正解は**1**である。

数的推理　確率　2023年度 教養 No.10

1から6の目が一つずつ書かれたサイコロを3回投げたとき、出た目の数の和が素数になる確率として、正しいのはどれか。ただし、サイコロの1から6の目が出る確率はそれぞれ等しいものとする。

1 $\frac{7}{24}$

2 $\frac{11}{36}$

3 $\frac{35}{108}$

4 $\frac{73}{216}$

5 $\frac{19}{54}$

解説　正解　4　TAC生の正答率 54%

1～6の目が一つずつ書かれたサイコロを3回投げたときのすべての目の出方は$6^3=216$[通り]である。

次に、出た目の数の和が素数となる3つの数字の組合せを考える。3つの数字の和は3以上18以下であるので、この範囲内の素数は、3、5、7、11、13、17である。

(1)　和が3の場合
(1, 1, 1)

(2)　和が5の場合
(1, 1, 3)、(1, 2, 2)

(3)　和が7の場合
(1, 1, 5)、(1, 2, 4)、(1, 3, 3)、(2, 2, 3)

(4)　和が11の場合
(1, 5, 5)、(1, 6, 4)、(2, 3, 6)、(2, 4, 5)、(3, 3, 5)、(3, 4, 4)

(5)　和が13の場合
(1, 6, 6)、(2, 5, 6)、(3, 4, 6)、(3, 5, 5)、(4, 4, 5)

(6)　和が17の場合
(5, 6, 6)

これらの組合せの中の3つの数字の並べ方を考える。一般に(a, a, a)の並べ方は1通り、(a, a, b)の並べ方は3通り、(a, b, c)の並べ方は6通りである。よって、(1)は1通り、(2)は$3+3=6$[通り]、(3)は$3+6+3+3=15$[通り]、(4)は$3+6+6+6+3+3=27$[通り]、(5)は$3+6+6+3+3=21$[通り]、(6)は3通りであるので、合計すると$1+6+15+27+21+3=73$[通り]である。

よって、求める確率は$\frac{73}{216}$であるので、正解は**4**である。

現代文　英文　判断推理　数的推理　資料解釈　空間把握　文芸　日本史　世界史

数的推理　確率

2023年度 教養 No.11

袋の中に、赤玉７個、青玉５個、白玉３個、黄玉２個、黒玉１個の18個の玉が入っており、この袋の中から無作為に４個の玉を同時に取り出すとき、白玉が２個以上含まれる確率として、正しいのはどれか。

1 $\frac{5}{51}$

2 $\frac{7}{68}$

3 $\frac{11}{102}$

4 $\frac{23}{204}$

5 $\frac{2}{17}$

解説　正解　3

TAC生の正答率 61％

18個の玉が入っている袋から４個の玉を同時に取り出すときのすべての取り出し方は${}_{18}C_4=\frac{18\times17\times16\times15}{4\times3\times2\times1}=3\times17\times4\times15$[通り]である。この取り出した４個の玉のうち、白玉が２個以上含まれる取り出し方を考えるが、取り出し方が多いので、「白玉が２個以上含まれない取り出し方」、つまり、余事象である(1)白玉が１個のみ含まれる場合、(2)白玉が含まれない場合の確率を求めることにする。

(1)　白玉が１個のみ含まれる場合

白玉１個の取り出し方は、３個の白玉から取り出せばよいので${}_3C_1=3$[通り]、残り３個の取り出し方は、白玉以外の15個から取り出せばよいので${}_{15}C_3=\frac{15\times14\times13}{3\times2\times1}=5\times7\times13$[通り]である。

よって、白玉が１個のみ含まれる取り出し方は$3\times5\times7\times13$[通り]となり、この確率は$\frac{{}_3C_1\times{}_{15}C_3}{{}_{18}C_4}=\frac{3\times5\times7\times13}{3\times17\times4\times15}=\frac{91}{204}$である。

(2)　白玉が含まれない場合

４個の取り出し方は、白玉以外の15個から取り出せばよいので${}_{15}C_4=\frac{15\times14\times13\times12}{4\times3\times2\times1}=15\times7\times13$[通り]となり、この確率は$\frac{{}_{15}C_4}{{}_{18}C_4}=\frac{15\times7\times13}{3\times17\times4\times15}=\frac{91}{204}$である。

よって、求める確率は$1-\frac{91}{204}-\frac{91}{204}=1-\frac{91}{102}=\frac{11}{102}$であるので、正解は**3**である。

数的推理	確率	2022年度 教養 No.11

白組の生徒10人、赤組の生徒９人及び青組の生徒８人の中から、くじ引きで３人の生徒を選ぶとき、白組、赤組及び青組の生徒が一人ずつ選ばれる確率として、正しいのはどれか。

1 $\frac{1}{720}$

2 $\frac{80}{2187}$

3 $\frac{8}{195}$

4 $\frac{16}{65}$

5 $\frac{121}{360}$

解説　正解　4

TAC生の正答率　75%

合計27人から３人の生徒を選ぶ方法は${}_{27}C_3=\frac{27\times26\times25}{3\times2\times1}=9\times13\times25$［通り］、白組、赤組、青組からそれぞれ一人ずつ選ぶ方法は${}_{10}C_1\times{}_{9}C_1\times{}_{8}C_1=10\times9\times8$［通り］である。

よって、求める確率は$\frac{10\times9\times8}{9\times13\times25}=\frac{16}{65}$となるので、正解は**4**である。

数的推理　確率

2021年度
教養 No.11

サービスエリアがA、B、C、Dの順にある高速道路を利用するとき、「AB間で渋滞に巻き込まれる確率」は0.2、「BC間で渋滞に巻き込まれる確率」は0.1、「CD間で渋滞に巻き込まれる確率」は0.3である。この高速道路をAからDまで走るとき、少なくともAB間、BC間、CD間のいずれかで渋滞に巻き込まれる確率として、正しいのはどれか。

1　0.418

2　0.442

3　0.496

4　0.504

5　0.507

解説　正解　3

TAC生の正答率　89%

「少なくともAB間、BC間、CD間のいずれかで渋滞に巻き込まれる確率」は、1－「AB間、BC間、CD間のいずれにおいても渋滞に巻き込まれない確率」で求められる。

「AB間で渋滞に巻き込まれない確率」は1－0.2＝0.8、「BC間で渋滞に巻き込まれない確率」は1－0.1＝0.9、「CD間で渋滞に巻き込まれない確率」は1－0.3＝0.7であるから、「AB間、BC間、CD間のいずれにおいても渋滞に巻き込まれない確率」は0.8×0.9×0.7＝0.504である。

よって、「少なくともAB間、BC間、CD間のいずれかで渋滞に巻き込まれる確率」は1－0.504＝0.496となるから、正解は**3**である。

20本のくじの中に、当たりくじが3本入っている。ここから同時に2本のくじを引いたとき、当たりくじが1本のみ含まれている確率として、正しいのはどれか。

1 $\frac{24}{95}$

2 $\frac{49}{190}$

3 $\frac{5}{19}$

4 $\frac{51}{190}$

5 $\frac{26}{95}$

解説　正解 4

TAC生の正答率 93%

20本のくじから2本のくじを引く組合せは、${}_{20}C_2=\frac{20\times19}{2\times1}=190$［通り］ある。そのうち当たりくじを1本、はずれくじを1本引く組合せは、${}_3C_1\times{}_{17}C_1=51$［通り］ある。

したがって、求める確率は$\frac{51}{190}$となるので、正解は**4**である。

数的推理　確率　2019年度 教養 No.11

袋Aには白玉３個と赤玉５個、袋Bには白玉４個と赤玉２個が入っている。袋Aから１個、袋Bから１個の玉をそれぞれ無作為に取り出すとき、取り出した２個が異なる色の玉である確率として、正しいのはどれか。

1　$\frac{1}{2}$

2　$\frac{13}{24}$

3　$\frac{7}{12}$

4　$\frac{5}{8}$

5　$\frac{2}{3}$

解説　正解　2

TAC生の正答率　93%

余事象の発想を使って、全体の確率から取り出した２個が同じ色の玉である確率を引くことで、取り出した２個が異なる色の玉である確率を求める。

取り出した２個が同じ色の玉である確率は、(i)赤玉が２個になる場合と、(ii)白玉が２個になる場合の２通りがあるので、それぞれ計算する。

(i)　袋A、袋Bのどちらからも赤玉を取り出す確率

袋Aの玉は８個中５個が赤玉であるので、Aから赤玉を取り出す確率は$\frac{5}{8}$、袋Bの玉は６個中２個が赤玉であるので、Bから赤玉を取り出す確率は$\frac{2}{6}$である。したがって、(i)の確率は$\frac{5}{8}\times\frac{2}{6}=\frac{5}{24}$となる。

(ii)　袋A、袋Bのどちらからも白玉を取り出す確率

袋Aの玉は８個中３個が白玉であるので、Aから白玉を取り出す確率は$\frac{3}{8}$、袋Bの玉は６個中４個が白玉であるので、Bから白玉を取り出す確率は$\frac{4}{6}$である。したがって、(ii)の確率は$\frac{3}{8}\times\frac{4}{6}=\frac{1}{4}$となる。

(i)、(ii)より、取り出した２個が同じ色の玉である確率は$\frac{5}{24}+\frac{1}{4}=\frac{11}{24}$となる。

よって、取り出した２個が異なる色の玉である確率は全体の確率１から余事象の確率$\frac{11}{24}$を引いて$1-\frac{11}{24}=\frac{13}{24}$となるので、正解は**2**となる。

数的推理	確率	2018年度 教養 No.11

1～6の目が一つずつ書かれた立方体のサイコロを3回振ったとき、出た目の和が素数になる確率として、正しいのはどれか。

1 $\frac{23}{108}$

2 $\frac{13}{54}$

3 $\frac{29}{108}$

4 $\frac{67}{216}$

5 $\frac{73}{216}$

解説 **正解 5** TAC生の正答率 54%

1～6の目が一つずつ書かれた立方体のサイコロを3回振ったとき、目の出方の全ての場合の数は$6^3=216$[通り]となる。

このうち、該当する場合の数、つまり3つの出た目の和が素数になる場合の数を調べる。以下、3つのサイコロを（A，B，C）と区別して考える。3つの目の和は最小で3（1，1，1）、最大で18（6，6，6）であり、3～18に含まれる素数は3、5、7、11、13、17である。足してこれらの数になる3つの数の和を数え上げていけばよい。パターンがかなり多いので、3つの数字のうち1つを小さい数から固定して、残り2つで数え上げる。

目の和が3になる3つの数は（1，1，1）の1通りとなる。

目の和が5になる3つの数は（1，1，3)、(1，2，2)、(1，3，1)、(2，1，2)、(2，2，1)、(3，1，1）の6通りとなる。

目の和が7になる3つの数は（1，1，5)、(1，2，4)、(1，3，3)、(1，4，2)、(1，5，1)、(2，1，4)、(2，2，3)、(2，3，2)、(2，4，1)、(3，1，3)、(3，2，2)、(3，3，1)、(4，1，2)、(4，2，1)、(5，1，1）の15通りとなる。

目の和が11になる3つの数は（1，4，6)、(1，5，5)、(1，6，4)、(2，3，6)、(2，4，5)、(2，5，4)、(2，6，3)、(3，2，6)、(3，3，5)、(3，4，4)、(3，5，3)、(3，6，2)、(4，1，6)、(4，2，5)、(4，3，4)、(4，4，3)、(4，5，2)、(4，6，1)、(5，1，5)、(5，2，4)、(5，3，3)、(5，4，2)、(5，5，1)、(6，1，4)、(6，2，3)、(6，3，2)、(6，4，1）の27通りとなる。

目の和が13になる3つの数は（1，6，6)、(2，5，6)、(2，6，5)、(3，4，6)、(3，5，5)、(3，6，4)、(4，3，6)、(4，4，5)、(4，5，4)、(4，6，3)、(5，2，6)、(5，3，5)、(5，4，4)、(5，5，3)、(5，6，2)、(6，1，6)、(6，2，5)、(6，3，4)、(6，4，3)、(6，5，2)、(6，6，1）の21通りとなる。

目の和が17になる3つの数は（5，6，6)、(6，5，6)、(6，6，5）の3通りとなる。

したがって、3つの出た目の和が素数になる場合の数は$1+6+15+27+21+3=73$[通り]となる。

よって、出た目の和が素数になる確率は$\frac{73}{216}$となるので、正解は**5**となる。

数的推理　確率

2017年度
教養 No.11

白組の生徒10人、赤組の生徒７人及び青組の生徒６人の中から、くじ引きで３人の生徒を選ぶとき、白組、赤組及び青組の生徒が１人ずつ選ばれる確率として、正しいのはどれか。

1 $\frac{420}{12167}$

2 $\frac{10}{253}$

3 $\frac{60}{253}$

4 $\frac{1}{3}$

5 $\frac{43}{105}$

解説　正解　3

TAC生の正答率　76%

生徒の名前が書かれたくじを１本ずつ３回引くと考え、まず、１本目に白組、２本目に赤組、３本目に青組の生徒が選ばれる確率を求める。全体で$10+7+6=23$[人]いるうち、１本目に白組の生徒が選ばれる確率は$\frac{10}{23}$となる。続いて２本目に赤組の生徒が選ばれる確率は$\frac{7}{22}$となる。最後に３本目に青組の生徒が選ばれる確率は$\frac{6}{21}$となる。よって、この確率は$\frac{10}{23}\times\frac{7}{22}\times\frac{6}{21}$となる。

さらに、同様に白組、赤組、青組の生徒が１人ずつ選ばれるくじの引き方の順番が何通りあるかを考えると、３組の順番を入れ替えるパターンとなるので、${}_3P_3=3\times2\times1=6$[通り]だけあることがわかる。

したがって、白組、赤組、青組の生徒が１人ずつ選ばれる確率は$\frac{10}{23}\times\frac{7}{22}\times\frac{6}{21}\times6=\frac{60}{253}$となるので、正解は**3**となる。

1000から9999までの４桁の整数の中から、１つの整数を無作為に選んだとき、選んだ整数の各位の数字の中に同じ数字が２つ以上含まれる確率として、正しいのはどれか。

1 $\frac{9}{25}$

2 $\frac{62}{125}$

3 $\frac{692}{1375}$

4 $\frac{683}{1250}$

5 $\frac{83}{125}$

解説　正解　2

TAC生の正答率 64%

1000から9999までの４桁の整数は、全部で9999－999＝9000［個］ある。この中から１つの整数を選んだとき、「選んだ整数の各位の数字の中に同じ数字が２つ以上含まれている」の余事象は「選んだ整数の各位の数字の中に同じ数字がまったく含まれていない」である。

余事象の場合の数を求めると、０～９の数字から異なる４つの数字を選んで４桁の整数をつくればよいので、千の位は９通り、百の位は９通り、十の位は８通り、一の位は７通りあるので、$9\times9\times8\times7$［通り］となる。

よって、求める確率は$1-\frac{9\times9\times8\times7}{9000}=1-\frac{63}{125}=\frac{62}{125}$となるので、正解は**2**となる。

数的推理　平面図形

2023年度
教養 No.15

下の図のように、∠ABC＝90°の直角三角形ABCと辺ABを直径とする円があり、辺ACと円の交点をDとし、点Bを通り辺ACと平行な直線と円の交点をEとする。点Aと点Eを結んだ線分AEと辺CBをそれぞれ延長した交点をF、点Dと点Eを結んだ線分DEと辺ABとの交点をGとするとき、△BEFと△BEGの面積の比として、正しいのはどれか。ただし、線分CD＝3cm、点Bと点Dを結んだ線分DB＝$3\sqrt{3}$cmとする。

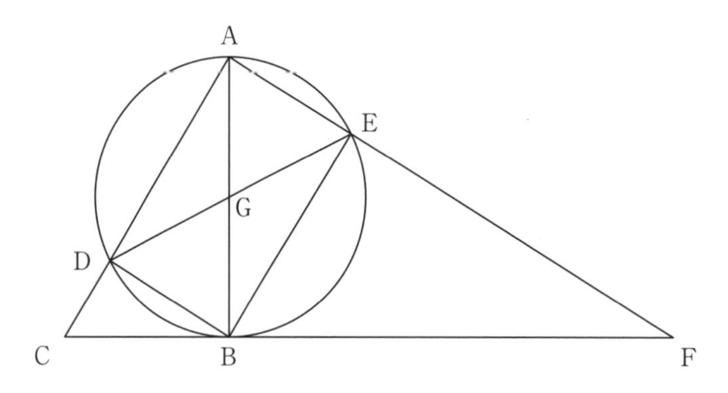

△BEF：△BEG

1　7　：　1

2　6　：　1

3　5　：　1

4　4　：　1

5　3　：　1

解説　　正解　2　　TAC生の正答率 62%

ABは直径であり、∠ADBは半円の弧ABの円周角であるので、∠ADB＝90°である。∠ADB＝90°より、△BCDは∠BDC＝90°の直角三角形であり、90°を挟んだ２辺の長さの比が3[cm]：$3\sqrt{3}$[cm]＝1：$\sqrt{3}$であるので、△BCDは、∠CBD＝30°、∠BCD＝60°、∠BDC＝90°の直角三角形である。よって、BCの長さはCDの２倍であるので、BC＝6[cm]となる。

次に、△BCDと△ABDに着目すると、この２つの三角形は直角三角形であり、かつ、接弦定理より、∠BAD＝∠CBD＝30°であるので、相似な三角形となる。よって、BD：AB：AD＝1：2：$\sqrt{3}$であるので、BD＝$3\sqrt{3}$[cm]より、AB＝$6\sqrt{3}$[cm]、AD＝9[cm]となる（図１）。

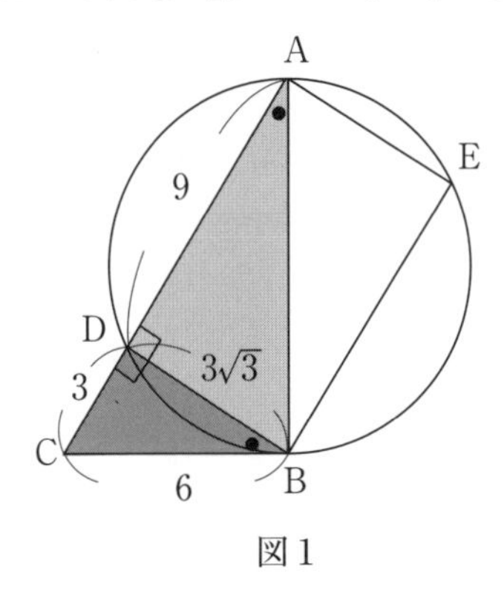

図１

四角形AEBDは円に内接しているので、∠ADB＝90°より、∠AEB＝90°となり、ADとBEは平行であるので、四角形AEBDは長方形であることがわかり、BE＝9[cm]、AE＝$3\sqrt{3}$[cm]である。

長方形は２本の対角線の長さは等しいので、DEも直径となり、ABとDEの交点であるGは円の中心であり、AG：BG＝1：1となる。

したがって、△AGEと△BGEは高さが等しい三角形であるので、底辺比がAG：BG＝1：1より、△BGEの面積は△ABEの面積の半分である（図２）。

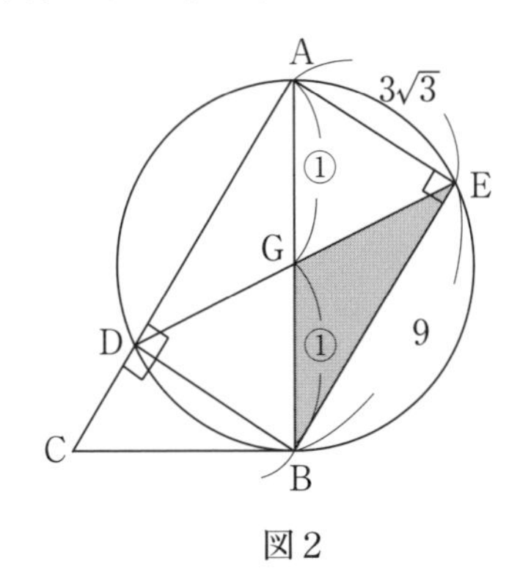

図２

△BCDと△FBEに着目すると、CDとBEは平行、BDとEFは平行であるので、この２つの三角形は相似な三角形である。よって、CD：BE＝3[cm]：9[cm]＝1：3より、$3\sqrt{3}$：EF＝1：3が成り立ち、EF＝$9\sqrt{3}$[cm]となる（図３）。

現代文
英文
判断推理
数的推理
資料解釈
空間把握
文芸
日本史
世界史

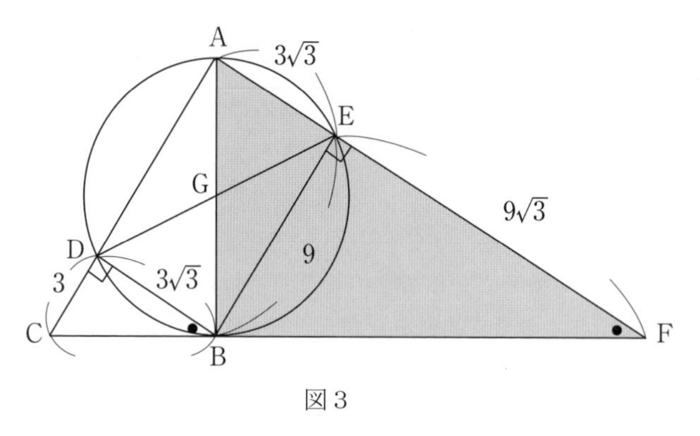

図３

よって、△ABEと△FBEに着目すると、この２つの三角形は高さが等しいので、底辺比がAE：EF＝$3\sqrt{3}$［cm］：$9\sqrt{3}$［cm］＝1：3より、面積比は1：3となる。△BGEの面積は△ABEの面積の半分より、△BEF：△BGE＝3：$1\times\frac{1}{2}$＝6：1となるので、正解は**2**である。

下の図のように、AB＝12cm、BC＝16cmの長方形ABCDを、対角線BDで折り、点Cの移った点を点C'とし、辺ADと辺BC'の交点を点Pとしたとき、線分APの長さとして、正しいのはどれか。

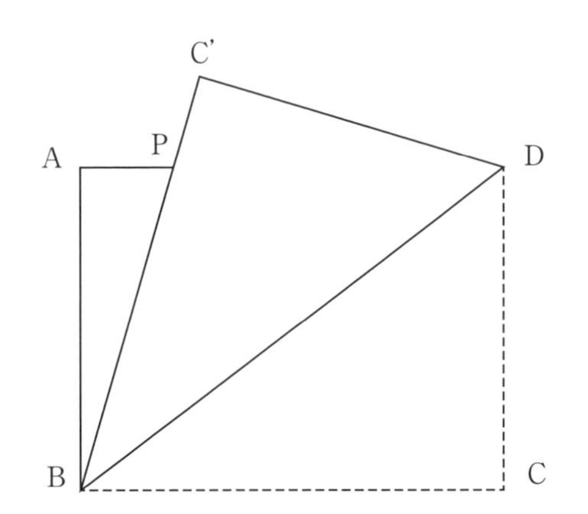

1 3cm

2 3.5cm

3 4cm

4 $3\sqrt{3}$cm

5 5cm

解説　正解　2

TAC生の正答率　70%

PとDを直線で結び、△ABPと△C'DPに着目すると、∠BAP＝∠DC'P＝90°、∠BPA＝∠DPC'で、AB＝C'Dであるので、△ABPと△C'DPは合同な直角三角形である。よって、AP＝x[cm]とおくと、C'P＝x[cm]であり、PD＝(16－x)[cm]となる。

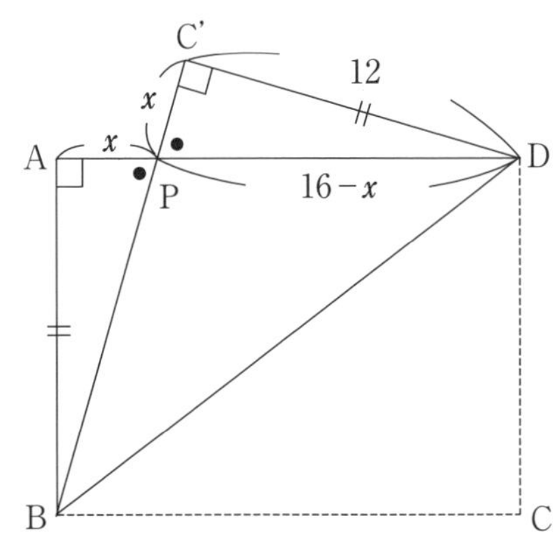

上図より、直角三角形C'DPに着目し、三平方の定理を用いると、$(16-x)^2=x^2+12^2$が成り立つ。この式を解くと、$32x=112$より、$x=3.5$[cm]となる。

よって、正解は**2**である。

下の図のように、直径の等しい円A及び円Bがあり、直径の等しい４個の円ｐがそれぞれ他の２個の円ｐに接しながら円Aに内接し、円Bには直径の等しい２個の円ｑが円Bの中心で互いに接しながら円Bに内接している。このとき、１個の円ｐの面積に対する１個の円ｑの面積の比率として、正しいのはどれか。

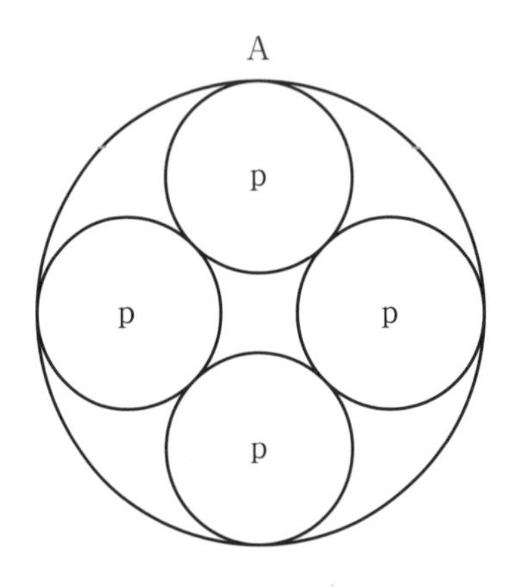

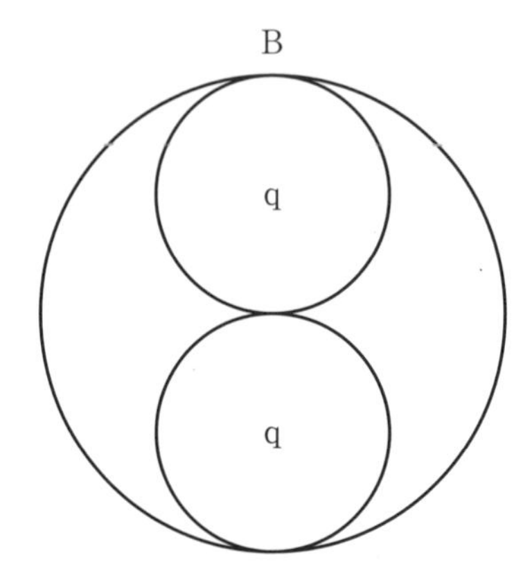

1 $\frac{1+4\sqrt{2}}{4}$

2 $\frac{2+3\sqrt{2}}{4}$

3 $\frac{3+2\sqrt{2}}{4}$

4 $\frac{4+\sqrt{2}}{4}$

5 $\frac{5}{4}$

解説　正解　3　TAC生の正答率　69%

円pと円qは相似であるから、円pと円qの面積比は相似比を2乗したものとなる。

円Aについて、円pの半径をxとすると、円Aの直径の長さは（$2+2\sqrt{2}$）xと表せる（図1）。

円Bについて、円qの半径をyとすると、円Bの直径の長さは$4y$と表せる（図2）。

円Aと円Bの直径は等しいから（$2+2\sqrt{2}$）$x=4y$が成り立ち、yについて解くと$y=\frac{1+\sqrt{2}}{2}x$となる。

よって、円pと円qの相似比は$1:\frac{1+\sqrt{2}}{2}$となるから、面積比は$1^2:\left(\frac{1+\sqrt{2}}{2}\right)^2$となる。

$\left(\frac{1+\sqrt{2}}{2}\right)^2=\frac{1^2+2\times1\times\sqrt{2}+\sqrt{2}^2}{2^2}=\frac{3+2\sqrt{2}}{4}$であるから、1個の円pの面積に対する1個の円qの面積の比率は$\frac{3+2\sqrt{2}}{4}$となる。

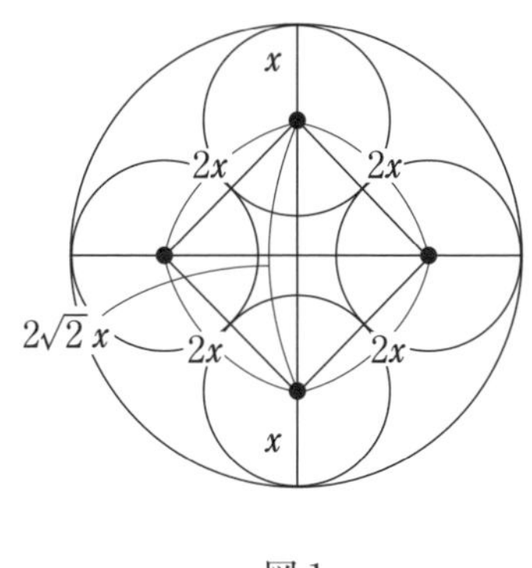

図1

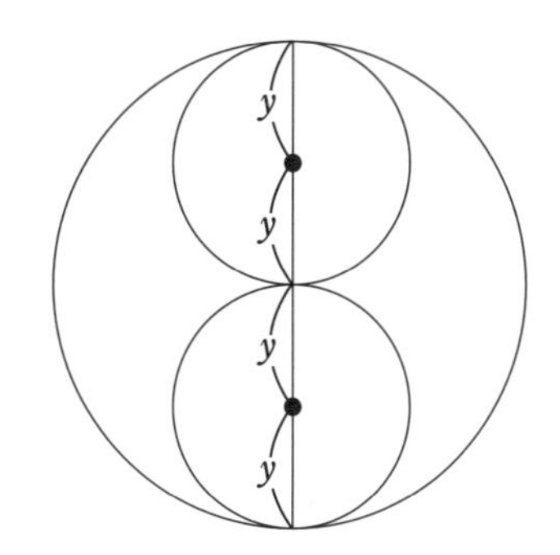

図2

したがって、正解は**3**である。

下の図のように、一辺の長さ$4a$の正方形ABCDの頂点Aに、一辺の長さ$3a$の正方形EFGHの対角線の交点を合わせて二つの正方形を重ねたとき、太線で囲まれた部分の面積として、正しいのはどれか。

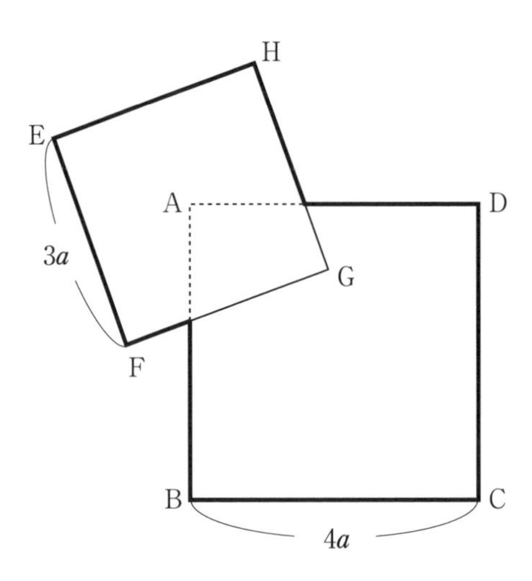

1 $\frac{89}{4}a^2$

2 $\frac{91}{4}a^2$

3 $\frac{93}{4}a^2$

4 $\frac{95}{4}a^2$

5 $\frac{97}{4}a^2$

解説　正解 2　TAC生の正答率 80%

頂点Aは正方形EFGHの重心であり、正方形の重心を通る直線は正方形の面積を二等分するから、次の図のように補助線を引くと、正方形EFGHの面積は4等分されていることになる。よって、正方形ABCDと正方形EFGHが重なった部分の面積は、正方形EFGHの面積の$\frac{1}{4}$であるから、太線で囲まれた部分の面積は、$(4a)^2+(3a)^2-(3a)^2\times\frac{1}{4}=\frac{91}{4}a^2$となる。

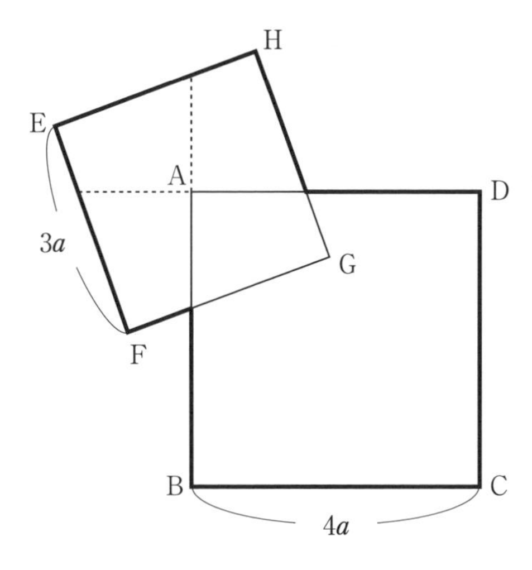

したがって、正解は**2**である。

数的推理　平面図形

下の図のように、同じ大きさの15個の正方形のマス目を描いて点A～Eを置き、点Aから点B及び点Eをそれぞれ直線で結んだとき、∠ABCと∠DAEの角度の和として、正しいのはどれか。

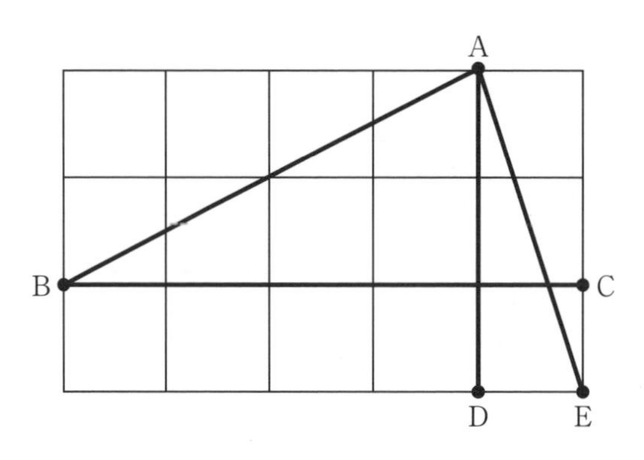

1　35°

2　40°

3　45°

4　50°

5　55°

解説　正解　3　TAC生の正答率 58%

マス目の１目盛の長さを１とおくと、$AE=\sqrt{3^2+1^2}=\sqrt{10}$、$AB=\sqrt{2^2+4^2}=\sqrt{20}$であり、$\sqrt{10}^2+\sqrt{10}^2=\sqrt{20}^2$であることを利用する。

点Dの１目盛左の点をＦとすると、$AF=\sqrt{3^2+1^2}=\sqrt{10}$であり、また、$BF=\sqrt{3^2+1^2}=\sqrt{10}$であるから、△ABFはAF＝BFの二等辺三角形である。また、$\sqrt{10}^2+\sqrt{10}^2=\sqrt{20}^2$より、△ABFは直角三角形でもあるから、∠AFB＝90°、∠FAB＝∠FBA＝45°である。∠ABF＝∠ABC＋∠CBFであり、Fの１目盛上の点をＧとすると、３辺の長さがそれぞれ等しいから、△ADEと△BGFは合同であり、∠DAE＝∠GBFとなる。

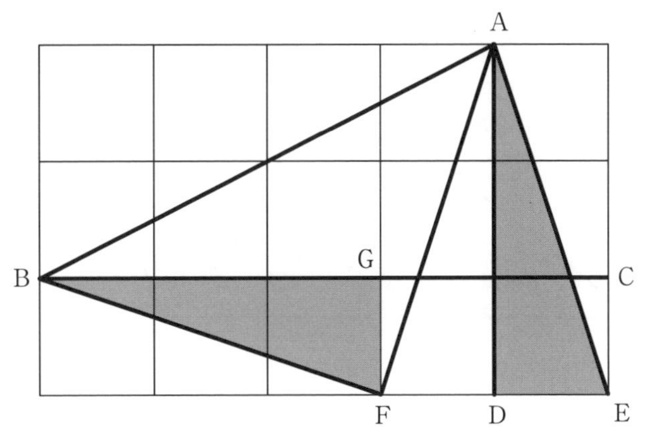

したがって、∠ABC＋∠DAE＝∠ABC＋∠GBF＝∠ABF＝45°となるので、正解は**3**である。

数的推理　平面図形

下の図のように、四角形ABCDは、線分AE、BE、CE、DEによって四つの三角形に分割されており、AE＝CE＝2、AD＝4、BE＝5、∠AEB＝∠DAE＝∠CED＝90°であるとき、三角形BCEの面積として、正しいのはどれか。

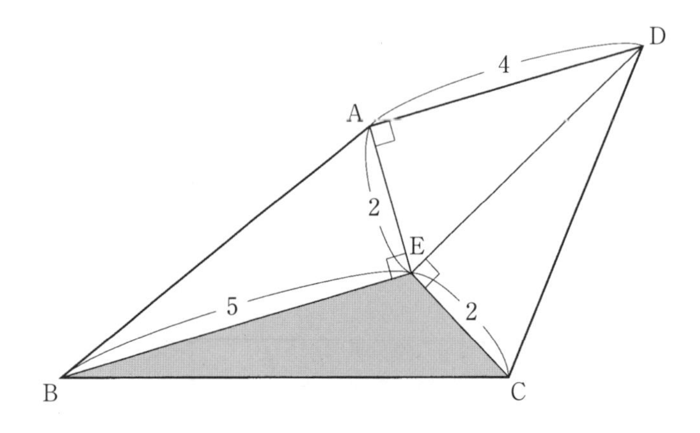

1　$2\sqrt{3}$

2　$2\sqrt{5}$

3　$3\sqrt{3}$

4　$3\sqrt{5}$

5　$4\sqrt{5}$

解説　正解　2　TAC生の正答率 33%

$\angle AEB = \angle DEC = 90°$より、$\angle AED + \angle BEC = 180°$となる。和が180°となる２角をそれぞれ持つ三角形の面積比は、それぞれの角をはさんでいる２辺の長さの積の比と等しくなる。よって、$\triangle BEC : \triangle AED = (5 \times 2) : (2 \times DE)$となる。

$\triangle AED$について、面積は$\frac{1}{2} \times 2 \times 4 = 4$であり、また、三平方の定理より$2^2 + 4^2 = DE^2$だから、$DE = 2\sqrt{5}$である。よって、$\triangle BEC : 4 = (5 \times 2) : (2 \times 2\sqrt{5})$となり、$\triangle BEC \times 4\sqrt{5} = 40$が成り立つ。

これを解くと$\triangle BEC = 2\sqrt{5}$となるので、正解は**2**である。

［別　解］

$\angle AEB = \angle DEC = 90°$より、$\angle AED + \angle BEC = 180°$となる。また、$AE = EC$であることを利用し、BEおよびEDが底辺になるように△BCEと△EADを並べて描くと次の図のようになる。２つの三角形において底辺から点A（＝C）までの高さは等しいから、面積の比は底辺の比と等しくなる。△AEDについて、面積は$\frac{1}{2} \times 2 \times 4 = 4$であり、また、三平方の定理より$2^2 + 4^2 = DE^2$だから、$DE = 2\sqrt{5}$である。よって、$\triangle BEC : 4 = 5 : 2\sqrt{5}$となり、これを解くと$\triangle BEC = 2\sqrt{5}$となる。

よって、正解は**2**である。

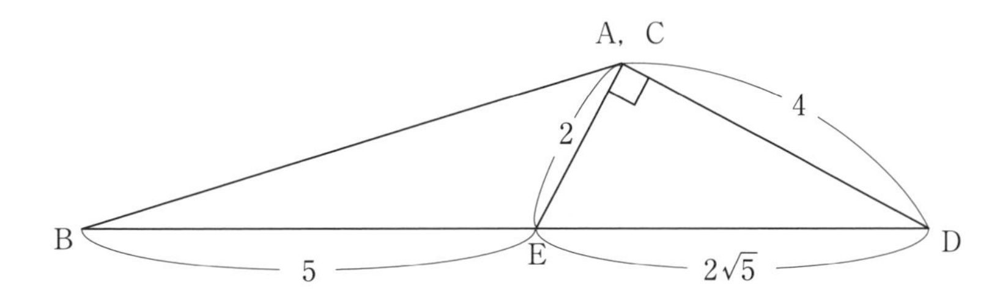

数的推理　平面図形

2020年度
教養 No.15

一辺4cmの正方形9個を隙間なく並べて、一辺12cmの正方形を作る。この作った正方形の対角線が交わる点を中心とし、半径4cmの円を描く。このとき、下の図のように着色した部分の面積として、正しいのはどれか。ただし、円周率はπとする。

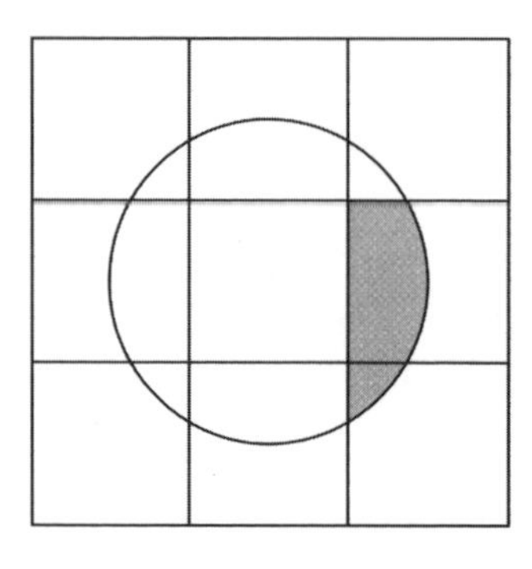

1　$4\pi - 4\text{cm}^2$

2　$4\pi - 5\text{cm}^2$

3　$4\pi - 6\text{cm}^2$

4　$4\pi - 7\text{cm}^2$

5　$4\pi - 8\text{cm}^2$

解説　**正解　1**　TAC生の正答率　69%

円に以下のように補助線を引くと、①〜⑤の５つの部分に分けられる。①〜④の面積はいずれも等しいから、求める着色した部分の面積（＝①）は、円の面積から⑤の面積を引いたものを４等分したものとなる。

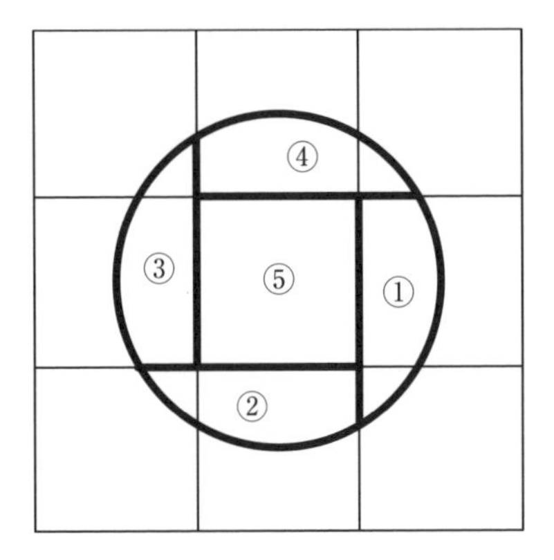

円の面積は$\pi \times 4^2 = 16\pi$[cm^2]で、⑤の面積は$4^2 = 16$[cm^2]だから、着色した部分の面積（＝①）は$(16\pi - 16) \div 4 = 4\pi - 4$[$cm^2$]となる。

したがって、正解は**1**である。

現代文　英文　判断推理　数的推理　資料解釈　空間把握　文芸　日本史　世界史

下の図のように、直線a上の点Xを始点として、動点Pが直線aと45度の角度をなして直線bに向けて出発した。動点Pは直線bに到達したところで直角に曲り、直線cに到達すると再び直角に曲り、直線bに向かって進んだ。これを点Pが点Yに限りなく近づくまで繰り返したとすると、動点Pが進む距離として、最も近い数値はどれか。ただし、XY間の距離は8cmとする。

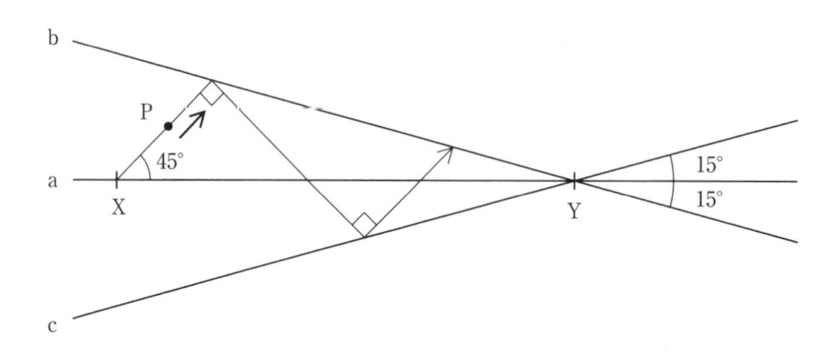

1 $4\sqrt{3}$ cm

2 $8\sqrt{2}$ cm

3 $8\sqrt{3}$ cm

4 $16\sqrt{2}$ cm

5 $16\sqrt{3}$ cm

解説　正解　**2**　TAC生の正答率 49%

XYを対角線とした正方形を描くと以下のようになる。Xを出発した動点Pは、直線aと45度の角度をなして直線bに向けて移動するから、正方形の辺上を上方向に移動し、直線bに到達したところで直角に曲がるから右方向に移動し、直線cに達したところで直角に曲がるから上方向に移動し、…、と進んでいく。このような移動でYまで進んだとすると、上方向に移動した距離の総和は正方形の縦の長さと等しく、右方向に移動した距離の総和は正方形の横の長さと等しい。正方形の対角線の長さはXY＝8[cm]であるから、１辺の長さは$8\div\sqrt{2}=4\sqrt{2}$[cm]であり、動点Pの移動距離は$4\sqrt{2}\times 2=8\sqrt{2}$[cm]となる。実際はYまで到達しないが、Yに限りなく近づいていくということは、動点Pの移動距離も$8\sqrt{2}$cmに限りなく近づいていくことになる。

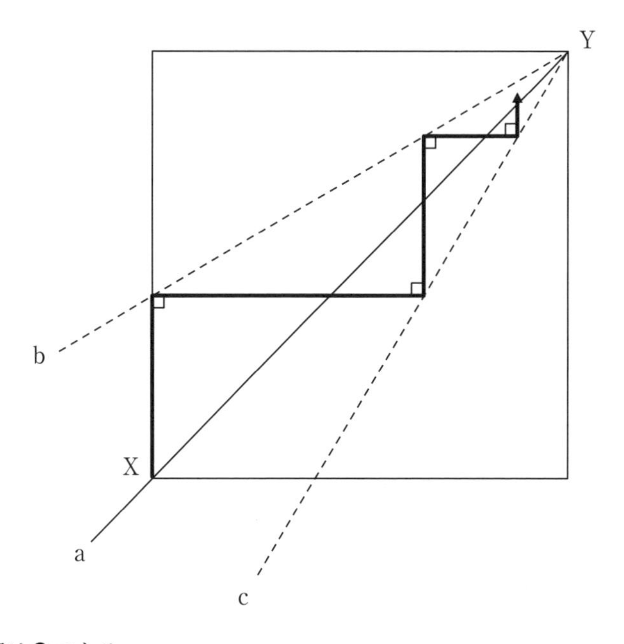

したがって、正解は**2**である。

次の図から正しくいえるのはどれか。

日本の魚種別漁獲量の推移

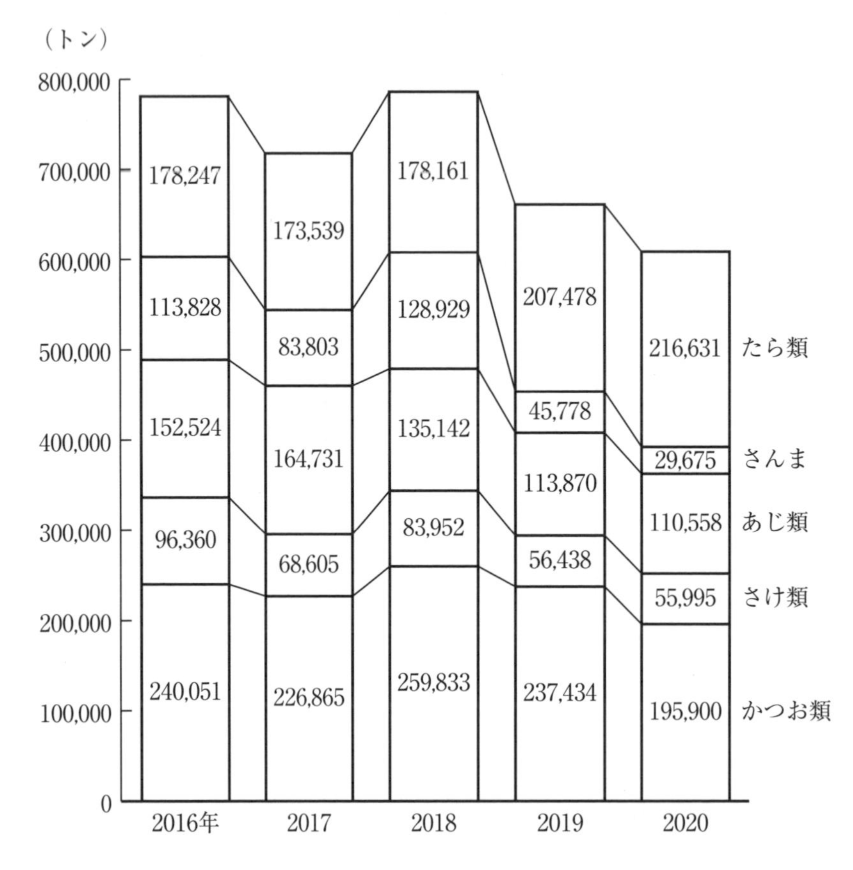

1 2016年におけるかつお類の漁獲量を100としたとき、2016年から2020年までのたら類の漁獲量の指数は、いずれの年も80を下回っている。

2 2016年から2020年までの各年についてみると、５種類の漁獲量の合計に占めるさけ類の漁獲量の割合は、いずれの年も10%を上回っている。

3 2016年から2020年までの各年についてみると、かつお類の漁獲量は、いずれの年もさけ類の漁獲量を３倍以上、上回っている。

4 2016年から2020年までのあじ類とさんまを合わせた５か年の漁獲量の合計は、2016年から2020年までのかつお類の５か年の漁獲量の合計を下回っている。

5 2018年における漁獲量の対前年増加率を魚種別にみると、最も大きいのはさんまであり、最も小さいのはたら類である。

現代文 英文 判断推理 数的推理 資料解釈 空間把握 文芸 日本史 世界史

解説　正解　4

TAC生の正答率 81%

1 ×　基準を100としたときの指数が80を下回っているということは、基準の80%を下回っているということと同じである。2016年のかつお類の漁獲量は240,051トンで、240,051トンの80%の値は、約24,005×8＝192,040[トン]である。一方、2019年、2020年のたら類の漁獲量はいずれも192,040トンより大きい。よって、2019年、2020年のたら類の漁獲量は、2016年のかつお類の漁獲量の80%を下回ってはいない。

2 ×　2017年に着目する。この年の5種類の漁獲量の合計は、グラフより700,000トンを上回っているので、この10%の値は70,000トンを上回っている。一方、さけ類の漁獲量は68,605トンであるので、70,000トンを上回っていない。よって、2017年のさけ類の漁獲量の割合は10%を上回ってはいない。

3 ×　2016年に着目する。この年のさけ類の漁獲量の3倍は96,360×3＝289,080[トン]である。この年のかつお類の漁獲量は240,051トンであるので、289,080トンを上回っていない。よって、2017年のかつお類の漁獲量は、さけ類の漁獲量の3倍以上、上回ってはいない。

4 ○　あじ類とさんまを合わせた5か年の漁獲量の合計は、(113,828＋152,524)＋(83,803＋164,731)＋(128,929＋135,142)＋(45,778＋113,870)＋(29,675＋110,558)＝1,078,838[トン]である。また、かつお類の5か年の漁獲量は、240,051＋226,865＋259,833＋237,434＋195,900＝1,160,083[トン]である。よって、あじ類とさんまを合わせた漁獲量の合計は、かつお類の漁獲量の合計を下回っている。

5 ×　たらの漁獲量は2017年が173,539トン、2018年が178,161トンであり、2018年の対前年増加率はプラスであるが、あじの漁獲量は2017年が164,731トン、2018年が135,142トンであり、2018年の対前年増加率はマイナスである。よって、対前年増加率が最も小さいのはたら類ではない。

資料解釈　実数のグラフ

2023年度
教養 No.19

次の図から正しくいえるのはどれか。

日本における５か国（地域）への商標出願件数の推移

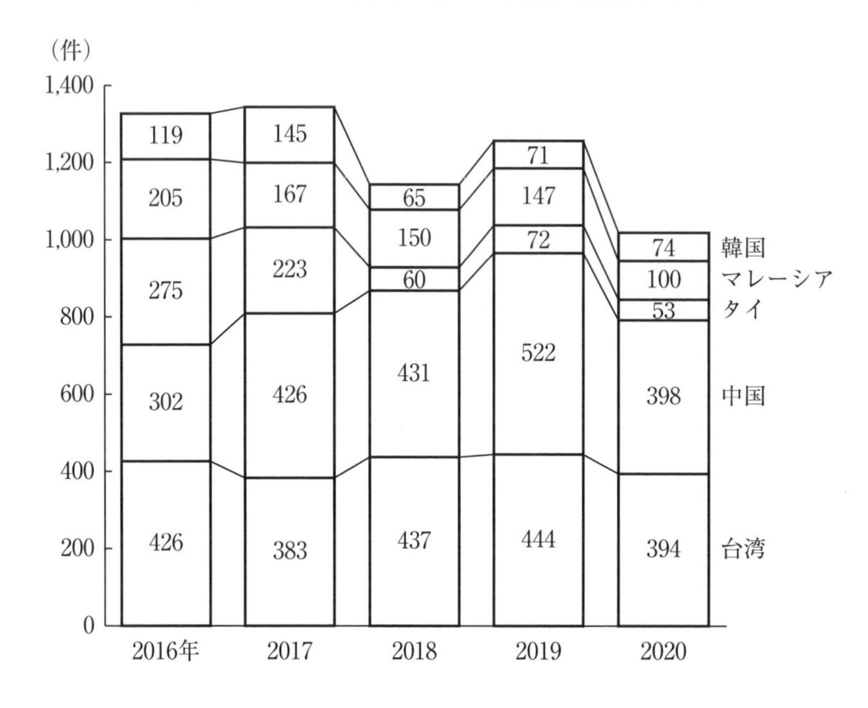

1　2016年におけるタイへの商標出願件数を100としたとき、2018年から2020年までの各年における指数は、いずれの年も20を上回っている。

2　2016年から2020年までの各年についてみると、５か国（地域）への商標出願件数の合計に占める台湾への商標出願件数の割合の５か年平均は、33％を下回っている。

3　2017年から2019年までの各年についてみると、５か国（地域）への商標出願件数の合計に占めるマレーシアへの商標出願件数の割合は、いずれの年も15％を下回っている。

4　2018年から2020年までの５か国（地域）への商標出願件数の合計の３か年平均を国（地域）別にみると、最も多いのは中国であり、最も少ないのは韓国である。

5　2019年における中国、タイ、韓国への商標出願件数の対前年増加率は、いずれも0.15を上回っている。

解説　**正解　3**　TAC生の正答率 65%

1 × 基準を100としたときの指数が20を上回っているということは、基準の20%を上回っているということと同じである。2016年のタイへの商標出願件数は275件で、275件の20%の値は、27.5×2＝55.0[件]である。一方、2020年は53件であり、55件を下回っている。よって、2020年のタイへの商標出願件数は、2016年のそれの20%を上回ってはいない。

2 × 割合の5か年平均が33%を下回っているということは、割合の5か年の合計が33×5＝165%＝1.65を下回っているということと同じである。各年の5か国（地域）への商標出願件数の合計は、2016年が1,327件、2017年が1,344件、2018年が1,143件、2019年が1,256件、2020年が1,019件で、各年の5か国（地域）への商標出願件数の合計に占める台湾への商標出願件数の割合は、2016年が$\frac{426}{1,327}\fallingdotseq 0.32$、2017年が$\frac{383}{1,344}\fallingdotseq 0.28$、2018年が$\frac{437}{1,143}\fallingdotseq 0.38$、2019年が$\frac{444}{1,256}\fallingdotseq 0.35$、2020年が$\frac{394}{1,019}\fallingdotseq 0.39$である。割合の5か年の合計は0.32＋0.28＋0.38＋0.35＋0.39＝1.72となるので、1.65を下回っていない。

3 ○ 2017年の5か国（地域）への商標出願件数は1,344件で、1,344件の15%は約134＋67＝201[件]である。一方、マレーシアへの商標出願件数は167件であり、15%を下回っている。2018年の5か国（地域）への商標出願件数は1,143件で、1,143件の15%は約114＋57＝171[件]である。一方、マレーシアへの商標出願件数は150件であり、15%を下回っている。2019年の5か国（地域）への商標出願件数は1,256件であり、1,256件の15%は約126＋63＝189[件]である。一方、マレーシアへの商標出願件数は147件であり、15%を下回っている。よって、いずれの年もマレーシアへの商標出願件数の割合は、15%を下回っている。

4 × 商標出願件数の3か年平均の順位は、商標出願件数の3か年の合計の順位に等しい。3か年の合計は、韓国が65＋71＋74＝210[件]であり、タイが60＋72＋53＝185[件]であるので、合計が最も少ないのは韓国ではない。

5 × 韓国への商標出願件数は2018年が65件、2019年が71件であるので、6件の増加である。65件の10%は6.5件であるので、6件は10%未満の増加率となる。よって、韓国の2019年の対前年増加率は0.15＝15%を上回ってはいない。

資料解釈　実数のグラフ

2022年度
教養 No.17

次の図から正しくいえるのはどれか。

日本における二輪車生産台数の推移

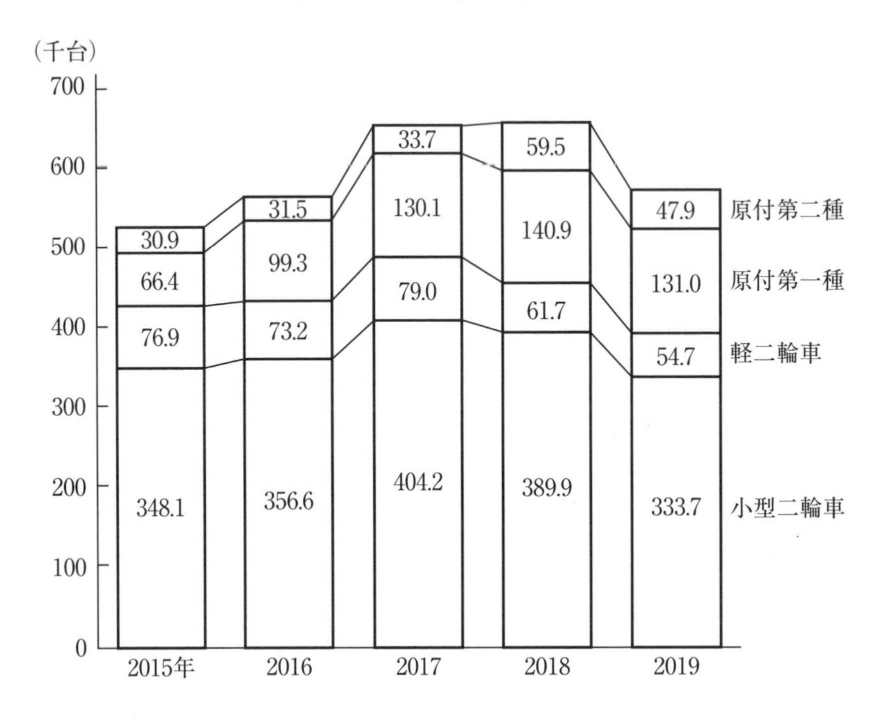

1　2015年における原付第一種と原付第二種の生産台数の計を100としたとき、2018年における原付第一種と原付第二種の生産台数の計の指数は200を下回っている。

2　2015年から2019年までの各年についてみると、二輪車生産台数の合計に占める小型二輪車の生産台数の割合は、いずれの年も60％を上回っている。

3　2016年から2019年までの各年における軽二輪車の生産台数の対前年増加率が、最も大きいのは2017年であり、最も小さいのは2018年である。

4　2017年から2019年までの３か年における原付第二種の生産台数の平均に対する2019年における原付第二種の生産台数の比率は、1.0を下回っている。

5　2019年についてみると、小型二輪車の生産台数の対前年増加率は、原付第一種の生産台数の対前年増加率を上回っている。

解説　正解 3　TAC生の正答率 61%

1 × 基準を100としたときに指数が200を下回っているということは、基準の２倍を下回っているということと同じである。2015年における原付第一種と原付第二種の生産台数の計は66.4＋30.9＝97.3［千台］で、その２倍は97.3×2＜100×2＝200より、200［千台］より小さい。一方、2018年における原付第一種と原付第二種の生産台数の計は59.5＋140.9＝200.4［千台］であるから、２倍を下回ってはいない。

2 × 二輪車生産台数の合計に占める小型二輪車の生産台数の割合は$\frac{\text{小型二輪車の生産台数}}{\text{二輪車生産台数の合計}}$で求められる。分子となる小型二輪車の生産台数が少ない2019年を見ると、二輪車生産台数の合計は47.9＋131.0＋54.7＋333.7＝567.3［千台］で、その60％は、567.3×60％＝56.73×6＞56×6＝336［千台］より大きい。小型二輪車の生産台数は333.7千台であるから、60％を上回ってはいない。

3 ○ 対前年増加率の大小関係は、前年に対する今年の値の比率の大小関係と同じであるので、比率で考える。2016年から2019年のうち、軽二輪車の生産台数が前年より増加して比率が１を上回るのは2017年のみであるので、比率が最も大きいのは2017年である。それ以外の年について、2016年の前年に対する比率は$\frac{73.2}{76.9}$で、76.9の10％が7.69で、90％が76.9−7.69＝69.21であるから、73.2は90％より大きい。2018年の前年に対する比率は$\frac{61.7}{79.0}$で、79.0の10％が7.9で、80％が7.9×8＝63.2であるから、61.7は80％より小さい。2019年の前年に対する比率は$\frac{54.7}{61.7}$で、61.7の10％が6.17で、80％が6.17×8＝49.36であるから、54.7は80％より大きい。よって、比率が最も小さいのは2018年である。

4 × 求める比率は$\frac{\text{2019年における原付第二種の生産台数}}{\text{2017年から2019年までの3か年における原付第二種の生産台数の平均}}$で、これが1.0を下回っているということは、2019年における原付第二種の生産台数が、2017年から2019年までの３か年における原付第二種の生産台数の平均を下回っているということと同じで、これは、2019年における原付第二種の生産台数の３倍が、2017年から2019年までの３か年における原付第二種の生産台数の総和を下回っているということと同じである。2019年における原付第二種の生産台数の３倍は47.9×3＝143.7であり、2017年から2019年までの３か年における原付第二種の生産台数の総和は33.7＋59.5＋47.9＝141.1であるから、2019年における原付第二種の生産台数の３倍は、2017年から2019年までの３か年における原付第二種の生産台数の総和を下回ってはいない。

5 × 対前年増加率の大小関係は、前年に対する今年の値の比率の大小関係と同じであるので、比率で考える。小型二輪車の2019年の前年に対する比率は$\frac{333.7}{389.9}$で、389.9の10％が約39.0で、90％が389.9−39.0＝350.9であるから、333.7は90％より小さい。原付第一種の2019年の前年に対する比率は$\frac{131.0}{140.9}$で、140.9の10％が約14.1で、90％が140.9−14.1＝126.8であるから、131.0は90％より大きい。よって、小型二輪車の比率は原付第一種の比率を上回ってはいない。

資料解釈　実数のグラフ

次の図から正しくいえるのはどれか。

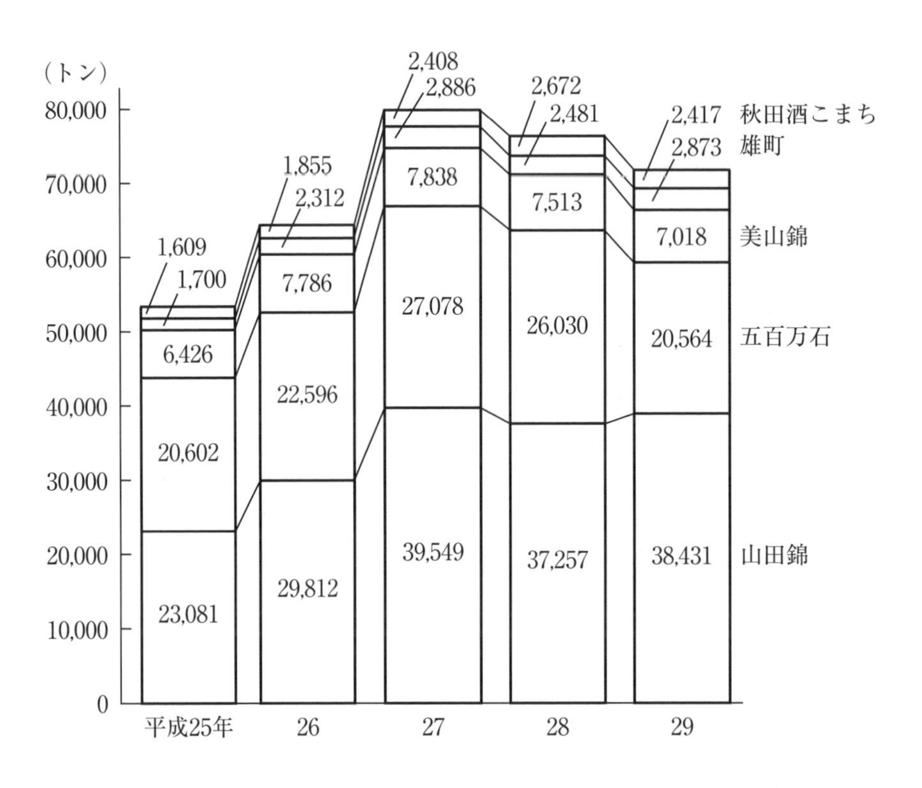

1　平成25年から27年までの各年についてみると、酒造好適米５銘柄の生産量の合計に占める美山錦の生産量の割合は、いずれの年も10%を上回っている。

2　平成25年における山田錦の生産量を100としたとき、29年における山田錦の生産量の指数は、150を下回っている。

3　平成26年から29年までの各年についてみると、五百万石の生産量に対する秋田酒こまちの生産量の比率は、いずれの年も0.1を下回っている。

4　平成27年から29年までの３か年における雄町の生産量の年平均は、2,800トンを上回っている。

5　平成29年における酒造好適米５銘柄の生産量の対前年増加率を銘柄別にみると、最も小さいのは五百万石であり、次に小さいのは秋田酒こまちである。

解説　正解　5　TAC生の正答率 81%

1 ×　平成27年の酒造好適米5銘柄の生産量の合計は、2,408＋2,886＋7,838＋27,078＋39,549＝79,759[トン]で、その10％は7,975.9[トン]である。一方、美山錦の生産量は7,838トンであるから、合計の10％を上回っていない。

2 ×　基準を100としたときに、指数が150を下回っているということは、基準の1.5倍を下回っているということと同じである。平成25年の山田錦の生産量は23,081トンで、その1.5倍は23,081＋23,081÷2＝34,621.5[トン]である。一方、平成29年の山田錦の生産量は38,431トンだから、平成25年の1.5倍を上回っている。

3 ×　五百万石の生産量に対する秋田酒こまちの生産量の比率が0.1を下回っているということは、秋田酒こまちの生産量が五百万石の生産量の10％を下回っているということと同じである。平成29年を見ると、五百万石の生産量は20,564トンで、その10％は2,056.4トンである。一方、秋田酒こまちの生産量は2,417トンだから、10％を上回っている。

4 ×　3か年の生産量の年平均が2,800トンを上回っているということは、3か年の生産量の合計が2,800×3＝8,400[トン]を上回っているということと同じである。雄町の平成27年から29年の3か年の生産量の合計は2,886＋2,481＋2,873＝8,240[トン]だから、8,400トンを下回っている。

5 ○　平成29年の対前年増加率について、雄町と山田錦は前年よりプラス、秋田酒こまちと美山錦と五百万石は前年よりマイナスだから、対前年増加率が小さいのはマイナスの3銘柄になる。対前年増加率が小さいということは、対前年減少率が大きいということと同じであるので、対前年減少率の大小を比較する。秋田酒こまちは平成28年が2,672トンで、平成29年は2,672－2,417＝255[トン]だけ減少している。減少率は$\frac{255}{2,672}$で、2,672の10％が267.2で、1％が約26.7で、9％が約267.2－26.7＝240.5だから、減少率は9％と10％の間である。美山錦は平成28年が7,513トンで、平成29年は7,513－7,018＝495[トン]だけ減少している。減少率は$\frac{495}{7,513}$で、7,513の10％が751.3で、1％が約75.1で、9％が約751.3－75.1＝676.2だから、減少率は9％より小さい。五百万石は平成28年が26,030トンで、平成29年は26,030－20,564＝5,466[トン]だけ減少している。減少率は$\frac{5,466}{26,030}$で、26,030の10％が2,603だから、減少率は10％より大きい。よって、対前年減少率は、美山錦＜秋田酒こまち＜五百万石であるから、対前年増加率が最も小さいのは五百万石で、次に小さいのは秋田酒こまちである。

資料解釈　実数のグラフ

2020年度
教養 No.17

次の図から正しくいえるのはどれか。

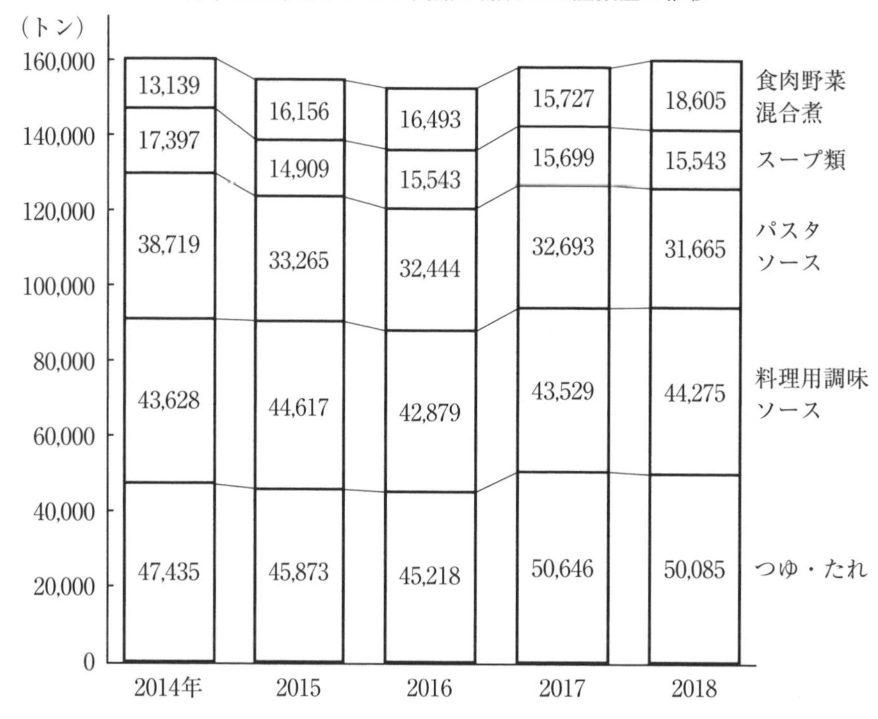

1　2014年における料理用調味ソースの生産数量を100としたとき、2018年における料理用調味ソースの生産数量の指数は105を上回っている。

2　2015年から2017年までについてみると、パスタソースの生産数量の３か年の累計に対する食肉野菜混合煮の生産数量の３か年の累計の比率は0.5を下回っている。

3　2015年から2017年までの各年についてみると、つゆ・たれの生産数量に対する料理用調味ソースの生産数量の比率は、いずれの年も0.9を上回っている。

4　2016年におけるレトルト食品の生産数量の対前年増加率を品目別にみると、５品目のうち最も大きいのはスープ類であり、最も小さいのはパスタソースである。

5　2016年から2018年までの各年についてみると、レトルト食品５品目の生産数量の合計に占めるつゆ・たれの生産数量の割合は、いずれの年も30％を下回っている。

解説　正解 2　TAC生の正答率 84%

1 × 2014年における料理用調味ソースの生産数量を100としたとき、2018年のそれの指数が105を上回っているということは、2014年の生産数量に対する2018年の生産数量の増加率が5％を上回っていることと同じである。2014年に対する2018年の生産数量の増加量は44,275－43,628＝647である。2014年の生産数量は43,638トンで、43,628の10％が約4,363だから、5％は約4,363÷2≒2,182である。よって、647は増加率5％を下回っている。

2 ○ パスタソースの生産数量の3か年の累計に対する食肉野菜混合煮のそれの比率が0.5を下回っているということは、食肉野菜混合煮の生産数量の累計がパスタソースの生産数量の累計の半分より少ないことと同じである。2015年から2017年の3年間の生産数量の累計は、食肉野菜混合煮が16,156＋16,493＋15,727であり、パスタソースが33,265＋32,444＋32,693で、その半分は16,632.5＋16,222＋16,346.5である。16,493＜16,632.5、16,156＜16,222、15,727＜16,346.5であるから、16,156＋16,493＋15,727＜16,632.5＋16,222＋16,346.5となる。よって、半分より少ない。

3 × 比率が0.9を上回っているということは、割合が90％を上回っていることと同じである。2017年をみると、つゆ・たれの生産数量は50,646で、10％が約5,065だから、90％は50,646－5,065＝45,581である。料理用調味ソースの生産数量は43,539だから、90％を下回っている。

4 × 2015年から2016年にかけて、生産数量が減少しているのが3品目あり、増加率が最も小さいということは、減少率が最も大きいことになる。パスタソースの2015年は33,265で、2016年の減少量は33,265－32,444＝821である。33,265の1％が約333で、3％が333×3＝999だから、減少率は3％より小さい。一方、料理用調味ソースの2015年は44,617で、2016年の減少量は44,617－42,879＝1,738である。44,617の1％が約446で、3％が446×3＝1,338だから、減少率は3％より大きい。よって、増加率が最も小さい＝減少率が最も大きいのは、パスタソースではない。

5 × 2017年をみると、レトルト食品5品目の生産数量の合計は、グラフの目盛より約160,000トンである。実際に計算してみても15,727＋15,699＋32,693＋43,529＋50,646＜16,000＋16,000＋33,000＋44,000＋51,000＝160,000で、160,000トンより少ない。160,000トンだとしてもその30％は16,000×3＝48,000[トン]であり、実際は160,000トンより少ないので30％の値もこれより少ない。よって、つゆ・たれの生産数量の50,646トンは30％を上回っている。

資料解釈　実数のグラフ

2019年度
教養 No.17

次の図から正しくいえるのはどれか。

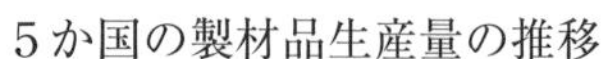

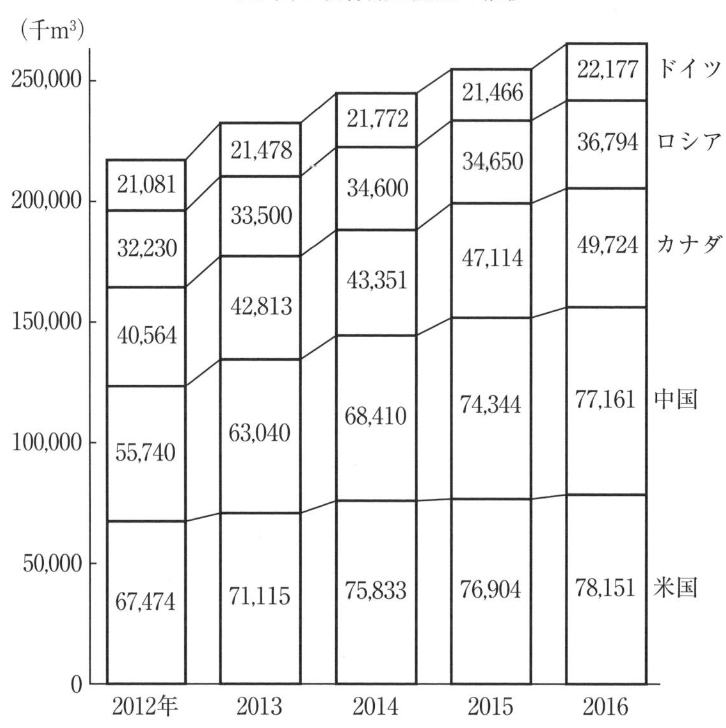

1　2012年から2014年までの各年についてみると、ロシアの製材品生産量に対するドイツの製材品生産量の比率は、いずれの年も0.6を下回っている。

2　2012年における中国とドイツとの製材品生産量の計を100としたとき、2016年における中国とドイツとの製材品生産量の計の指数は135を上回っている。

3　2013年から2015年までについてみると、中国の製材品生産量の３か年の累計に対するカナダの製材品生産量の３か年の累計の比率は0.7を下回っている。

4　2014年から2016年までの各年についてみると、５か国の製材品生産量の合計に占める米国の製材品生産量の割合は、いずれの年も35％を上回っている。

5　2015年における製材品生産量の対前年増加率を国別にみると、５か国のうち最も大きいのはカナダであり、次に大きいのは米国である。

解説　正解　3　TAC生の正答率 89%

1　×　ロシアの製材品生産量が小さく、ドイツの製材品生産量が大きそうな年として、2012年に着目すると、21,081÷32,230≒0.654となるので、0.6を上回っている。したがって、いずれの年も0.6を下回っているとはいえない。

2　×　指数が135を上回っているかを調べるには、増加率が35％より大きいかどうかを調べればよい。中国とドイツの製材品生産量の計は2012年が55,740＋21,081＝76,821［千m^3］、2016年が77,161＋22,177＝99,338［千m^3］であり、76,821から99,338で約22,500の増加量である。76,821の10％は約7,682、5％は約3,841であり、35％を少なめに概算しても7,500×3＋3,800＝26,300であることから、22,500の増加量は増加率にすると35％未満である。したがって、指数は135を上回っているとはいえない。

3　○　中国の製材品生産量の3か年の累計は63,040＋68,410＋74,344＝205,794［千m^3］であり、これの0.7倍は少なく概算しても205,000×0.7＝143,500［千m^3］である。一方、カナダの製材品生産量の3か年の累計は42,813＋43,351＋47,114＝133,278［千m^3］であるので、中国の0.7倍を下回る。したがって、比率は0.7を下回っている。

4　×　最も35％を下回っていそうな年として、5か国合計が大きく米国の割合が小さそうな2016年に着目する。2016年の5か国の製材品生産量の合計は、左端の目盛りから読み取ると確実に250,000［千m^3］を上回っている。250,000［千m^3］の35％は250,000×0.35＝87,500［千m^3］であり、米国は78,151［千m^3］であるから、確実に下回っている。したがって、少なくとも2016年は35％を上回っていない。

5　×　2014年から2015年で米国の製材品生産量は75,833［千m^3］から76,904［千m^3］に増加しており、76,904－75,833＝1,071［千m^3］の増加量である。一方、中国は68,410［千m^3］から74,344［千m^3］に増加しており、74,344－68,410＝5,934［千m^3］の増加量である。中国のほうが基準となる2014年の数値が小さく、増加量が大きいことから、2015年の対前年増加率は米国よりも中国のほうが大きいことがわかる。したがって、米国よりも中国のほうが大きい。

資料解釈　実数のグラフ

2018年度
教養 No.17

次の図から正しくいえるのはどれか。

日本の５港湾における取扱貨物量の推移

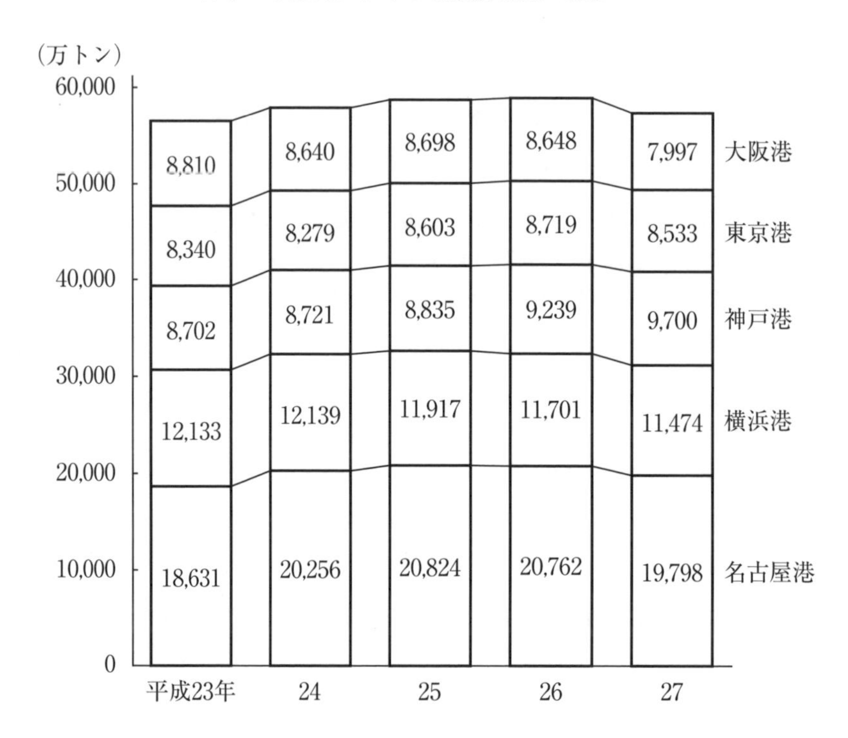

1　平成23年から25年までについてみると、名古屋港の取扱貨物量の３か年の累計に対する横浜港の取扱貨物量の３か年の累計の比率は0.5を下回っている。

2　平成23年における神戸港と大阪港との取扱貨物量の計を100としたとき、27年における神戸港と大阪港との取扱貨物量の計の指数は103を上回っている。

3　平成24年から26年までの各年についてみると、横浜港の取扱貨物量と東京港の取扱貨物量との差は、いずれの年も3,000万トンを下回っている。

4　平成25年から27年までの各年についてみると、５港湾の取扱貨物量の合計に占める名古屋港の取扱貨物量の割合は、いずれの年も30％を上回っている。

5　平成25年における取扱貨物量の対前年増加率を港湾別にみると、５港湾のうち最も大きいのは東京港であり、次に大きいのは神戸港である。

解説　正解　4　TAC生の正答率 82%

1　×　名古屋港の取扱貨物量の３か年の累計に対する横浜港の取扱貨物量の３か年の累計の比率が0.5を下回るということは、名古屋港の取扱貨物量の３か年の累計が横浜港の取扱貨物量の３か年の累計の２倍を上回るということである。平成23年から25年までの３か年の累計について、百の位で四捨五入して計算すると、名古屋港は19,000＋20,000＋21,000＝60,000[万トン]、横浜港は12,000＋12,000＋12,000＝36,000[万トン]であり、60,000＜36,000×２＝72,000より、名古屋港が横浜港の２倍を上回っていないため、名古屋港に対する横浜港の比率は0.5を下回っていない。

2　×　平成23年における神戸港と大阪港との取扱貨物量の計は、8,702＋8,810＝17,512[万トン]であり、平成27年における神戸港と大阪港との取扱貨物量の計は、9,700＋7,997＝17,697[万トン]である。23年の計を100としたとき、27年の計の指数が103を上回るということは、23年から27年にかけての増加率が３％を上回るということである。23年から27年にかけての増加量は17,697－17,512＝185である。23年の計である17,512の１％が約175で、３％が175×３＝525だから、185は３％を下回る。よって23年の計を100としたとき、27年の計の指数は103を上回っていない。

3　×　横浜港の取扱貨物量と東京港の取扱貨物量との差は、平成24年が12,139－8,279＝3,860[万トン]、平成25年が11,917－8,603＝3,314[万トン]、平成26年が11,701－8,719＝2,982[万トン]であり、平成24年と25年は3,000万トンを上回っている。

4　○　平成25年の名古屋港の取扱貨物量は20,824万トンであり、５港湾の取扱貨物量の合計は，十の位で四捨五入して計算すると、8,700＋8,600＋8,800＋11,900＋20,800＝58,800[万トン]である。58,800の10％が5,880で、30％が5,880×３＝17,640だから、20,824は30％を上回っている。平成26年の名古屋港の取扱貨物量は20,762万トンであり、５港湾の取扱貨物量の合計は、十の位で四捨五入して計算すると、8,600＋8,700＋9,200＋11,700＋20,800＝59,000[万トン]である。59,000の10％が5,900で、30％が5,900×３＝17,700だから、20,762は30％を上回っている。平成27年の名古屋港の取扱貨物量は19,798万トンであり、５港湾の取扱貨物量の合計は、十の位で四捨五入して計算すると、8,000＋8,500＋9,700＋11,500＋19,800＝57,500[万トン]である。57,500の10％が5,750で、30％が5,750×３＝17,250だから、19,798は30％を上回っている。よって、平成25年から27年までの各年とも、５港湾の取扱貨物量の合計に占める名古屋港の取扱貨物量の割合は30％を上回っている。

5　×　神戸港の取扱貨物量は、平成24年の8,721万トンに対し、25年は8,835－8,721＝114[万トン]増加している。8,721の１％が約87で、２％が87×２＝約174だから、神戸港の平成25年における取扱貨物量の対前年増加率は２％より小さい。名古屋港の取扱貨物量は、平成24年の20,256万トンに対し、25年は20,824－20,256＝568[万トン]増加している。20,256の１％が約203で、２％が203×２＝約406だから,名古屋港の平成25年における取扱貨物量の対前年増加率は２％より大きい。よって、平成25年における取扱貨物量の対前年増加率は、神戸港よりも名古屋港の方が大きいため、誤りである。

資料解釈　実数のグラフ

2017年度
教養 No.17

次の図から正しくいえるのはどれか。

日本の血液事業における20歳以上の年代別献血者数の推移

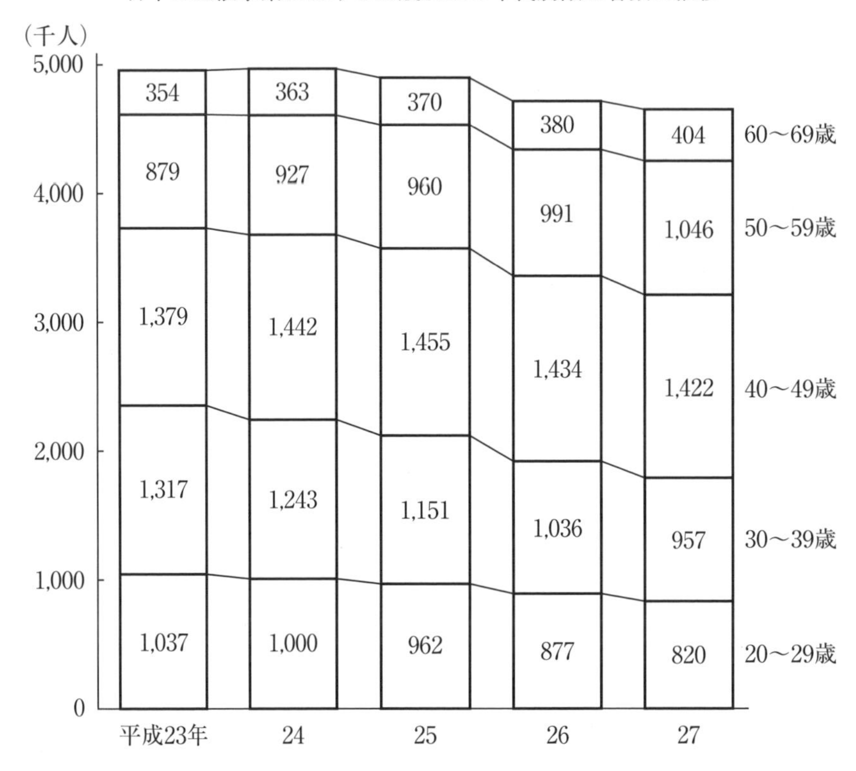

1　平成23年から25年までの各年についてみると、年代別の献血者数の合計に占める40～49歳の割合は、いずれの年も30％を下回っている。

2　平成23年における20～29歳の献血者数を100としたとき、27年における20～29歳の献血者数の指数は75を下回っている。

3　平成24年から26年までの各年についてみると、30～39歳の献血者数に対する60～69歳の献血者数の比率は、いずれの年も0.3を上回っている。

4　平成25年から27年までの３か年における50～59歳の献血者数の年平均は、1,000千人を上回っている。

5　平成27年における献血者数の対前年増加率を年代別にみると、最も大きいのは60～69歳であり、次に大きいのは40～49歳である。

解説　正解 1　TAC生の正答率 73%

1 ○ 平成23年の40～49歳の献血者数は1,379千人であり、年代別の献血者数の合計の30％は（1,037＋1,317＋1,379＋879＋354）×0.3＝4,966×0.3≒1,490[千人]であるので、平成23年の年代別の献血者数の合計に占める40～49歳の割合は、30％を下回っている。平成24年の40～49歳の献血者数は1,442千人であり、年代別の献血者数の合計の30％は（1,000＋1,243＋1,442＋927＋363）×0.3＝4,975×0.3≒1,493[千人]であるので、平成24年の年代別の献血者数の合計に占める40～49歳の割合は、30％を下回っている。平成25年の40～49歳の献血者数は1,455千人であり、年代別の献血者数の合計の30％は（962＋1,151＋1,455＋960＋370）×0.3＝4,898×0.3≒1,469[千人]であるので、平成25年の年代別の献血者数の合計に占める40～49歳の割合は、30％を下回っている。よって、平成23年から25年の各年において、合計に占める40～49歳の割合は、いずれの年も30％を下回っている。

2 × 平成23年における20～29歳の献血者数を100としたとき、27年における20～29歳の献血者数の指数は75を下回っているということは、平成27年における20～29歳の献血者数が、平成23年における20～29歳の献血者数の75％を下回っているのと同じことである。平成27年における20～29歳の献血者数は820千人であり、平成23年における20～29歳の献血者数の75％は、1,037×0.75≒778[千人]であるから、平成27年における20～29歳の献血者数は、平成23年における20～29歳の献血者数の75％を上回っている。

3 × 30～39歳の献血者数に対する60～69歳の献血者数の比率が0.3を上回るということは、60～69歳の献血者数が30～39歳の献血者数の30％を上回るということと同じである。平成24年の60～69歳の献血者数は363千人であり、30～39歳の献血者数の30％は、1,243×0.3≒373[千人]であるので、平成24年は、30～39歳の献血者数に対する60～69歳の献血者数の30％を下回っている。よって、平成24年から26年までのいずれの年も、60～69歳の献血者数が30～39歳の献血者数の30％を上回っているとはいえない。

4 × 平成25年から平成27年までの３か年における50～59歳の献血者数の年平均が1,000千人を上回るということは、平成25年から平成27年までの3か年における50～59歳の献血者数の合計が1,000×3＝3,000[千人]を上回るということと同じである。平成25年から平成27年までの３か年における50～59歳の献血者数の合計は、960＋991＋1046＝(1,000－40)＋(1,000－9)＋(1,000＋46)＝3,000－3＝2,997[千人]であるので、平成25年から平成27年までの３か年における50～59歳の献血者数の合計は、1,000×3＝3,000[千人]を下回っている。

5 × 平成26年から平成27年にかけて献血者数が増加している年代は60～69歳と50～59歳であり、40～49歳は減少しているので、平成27年における対前年増加率は40～49歳よりも50～59歳の方が大きい。

現代文　英文　判断推理　数的推理　資料解釈　空間把握　文芸　日本史　世界史

資料解釈　増加率のグラフ

2023年度
教養 No.20

次の図から正しくいえるのはどれか。

学校区分別肥満傾向児の出現率の**対前年度増加率**の推移

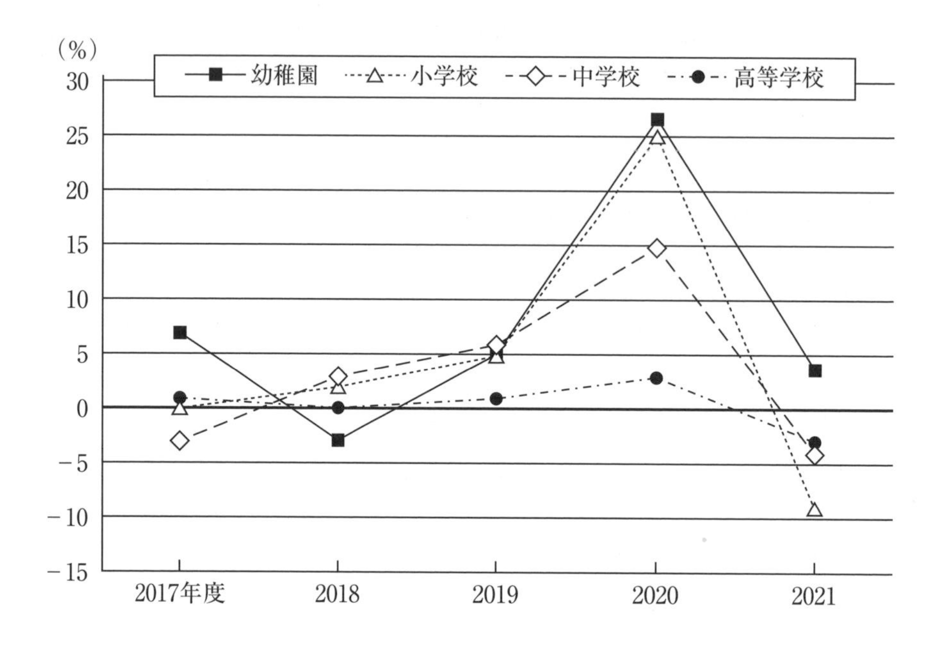

1　2016年度から2021年度までのうち、幼稚園の肥満傾向児の出現率が最も高いのは2020年度であり、最も低いのは2018年度である。

2　2017年度における中学校の肥満傾向児の出現率を100としたとき、2020年度における中学校の肥満傾向児の出現率の指数は130を上回っている。

3　2018年度から2020年度までの各年の肥満傾向児の出現率についてみると、小学校に対する幼稚園の比率は、いずれの年度も前年度に比べて減少している。

4　2021年度における肥満傾向児の出現率を学校区分別にみると、肥満傾向児の出現率が2019年度に比べて減少しているのは、小学校と高等学校である。

5　2021年度における高等学校の肥満傾向児の出現率は、2018年度における高等学校の肥満傾向児の出現率に比べて増加している。

解説　**正解　5**　TAC生の正答率 71%

1 ×　肥満傾向児の出現率について、2021年度の幼稚園の対前年増加率はプラスであるので、幼稚園は（2020年度）＜（2021年度）となる。よって、幼稚園の肥満傾向児の出現率が最も高いのは2020年度ではない。

2 ×　肥満傾向児の出現率について、2017年度の中学校を100とし、対前年増加率は2018年度が約＋3％、2019年度が約＋6％、2020年度が15％であるので、まず、2019年度まで近似法計算で求めると、$100+3+6=109$となる。次に、2020年度の対前年増加率が＋15％より、倍率は1.15であるので、2020年度の値は$109\times1.15\fallingdotseq125$となる。よって、2020年度の中学校の肥満傾向児の出現率の指数は130を上回っていない。

3 ×　肥満傾向児の出現率について、小学校に対する幼稚園の比率は$\frac{幼稚園}{小学校}$である。2020年度の対前年増加率に着目すると、小学校は約25％、幼稚園は約26％である。一方、2019年度の小学校および幼稚園の指数をそれぞれ100とすると、2019年度の比率は$\frac{100}{100}=1$であり、2020年度の比率は$\frac{126}{125}>1$である。よって、小学校に対する幼稚園の比率は、（2019年度）＜（2020年度）となり、減少してはいない。

4 ×　肥満傾向児の出現率について、2019年度の小学校を100とすると、対前年増加率は2020年度が約＋25％、2021年度が約－9％であるので、2021年度の値は、$100\times1.25\times0.91=125\times0.91\fallingdotseq114$である。よって、小学校の肥満傾向児の出現率は、（2019年度）＜（2021年度）となり、減少してはいない。

5 ○　肥満傾向児の出現率について、2018年度の高等学校を100とすると、対前年増加率は2019年度が約＋1％、2020年度が約＋3％、2021年度が約－3％であるので、近似法計算より、2021年度の値は、$100+1+3-3=101$である。よって、2021年度の高等学校の肥満傾向児の出現率は2018年度に比べて増加している。

資料解釈 増加率のグラフ

2022年度
教養 No.18

次の図から正しくいえるのはどれか。

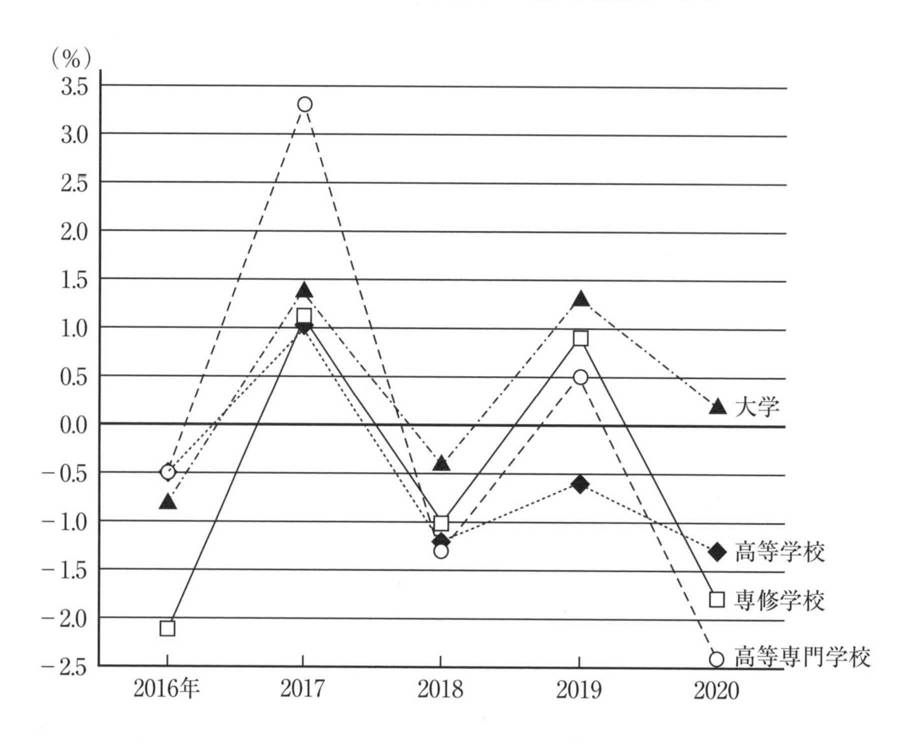

1　2015年から2020年までのうち、大学の卒業生が最も多いのは2020年であり、最も少ないのは2018年である。

2　2016年における専修学校の卒業生を100としたとき、2020年における専修学校の卒業生の指数は95を下回っている。

3　2017年と2018年についてみると、高等学校の卒業生に対する大学の卒業生の比率は、いずれの年も前年に比べて増加している。

4　2019年における卒業生を学校の種類別にみると、卒業生が2016年に比べて減少しているのは、高等学校と高等専門学校である。

5　2020年における高等専門学校の卒業生は、2017年における高等専門学校の卒業生に比べて増加している。

解説　正解 3　TAC生の正答率 72%

1 ×　2016年の大学の卒業生を100とすると、2018年の指数は近似法を用いて100＋1.4－0.4＝101となる。よって、最も少ないのは2018年ではない。

2 ×　2016年の専修学校の卒業生を100とすると、2020年の指数は近似法を用いて100＋1.1－1＋0.9－1.8＝99.2となる。よって、95を下回ってはいない。

3 ○　2016年の高等学校の卒業生に対する大学の卒業生の比率は$\frac{\text{2016年の大学の卒業生}}{\text{2016年の高等学校の卒業生}}$である。2017年のそれは$\frac{\text{2016年の大学の卒業生}\times(100\%+\text{2017年の対前年増加率})}{\text{2016年の高等学校の卒業生}\times(100\%+\text{2017年の対前年増加率})}$で求められ、$\frac{\text{2016年の大学の卒業生}\times101.4\%}{\text{2016年の高等学校の卒業生}\times101\%}=\frac{\text{2016年の大学の卒業生}}{\text{2016年の高等学校の卒業生}}\times\frac{101.4\%}{101\%}$となる。これは2016年の比率に1より大きい値をかけているから、2017年の比率の方が大きい。同様に考えると、2017年の高等学校の卒業生に対する大学の卒業生の比率は$\frac{\text{2017年の大学の卒業生}}{\text{2017年の高等学校の卒業生}}$である。2018年のそれは$\frac{\text{2017年の大学の卒業生}\times(100\%+\text{2018年の対前年増加率})}{\text{2017年の高等学校の卒業生}\times(100\%+\text{2018年の対前年増加率})}$で求められ、$\frac{\text{2017年の大学の卒業生}\times99.6\%}{\text{2017年の高等学校の卒業生}\times98.8\%}=\frac{\text{2017年の大学の卒業生}}{\text{2017年の高等学校の卒業生}}\times\frac{99.6\%}{98.8\%}$となる。これは2017年の比率に1より大きい値をかけているから、2018年の比率の方が大きい。よって、2017年、2018年のいずれにおいても、比率は前年に比べて増加している。

4 ×　2016年の高等専門学校の卒業生を100とすると、2019年の指数は近似法を用いて100＋3.3－1.3＋0.5＝102.5となる。よって、2019年の高等専門学校の卒業生は2016年に比べて減少してはいない。

5 ×　2017年の高等専門学校の卒業生を100とすると、2020年の指数は近似法を用いて100－1.3＋0.5－2.4＝96.8となる。よって、2020年の高等専門学校の卒業生は2017年に比べて増加してはいない。

次の図から正しくいえるのはどれか。

日本における4か国からの水産物輸入額の**対前年増加率**の推移

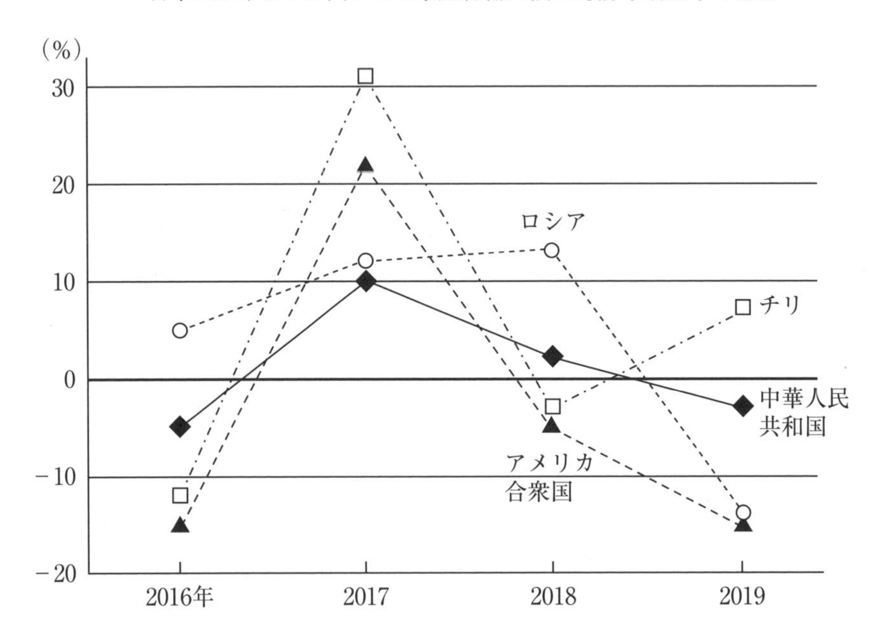

1 2015年から2019年までのうち、チリからの水産物輸入額が最も多いのは2017年であり、最も少ないのは2016年である。

2 2015年から2019年までの各年についてみると、アメリカ合衆国からの水産物輸入額に対するロシアからの水産物輸入額の比率が最も小さいのは2015年である。

3 2016年における中華人民共和国からの水産物輸入額を100としたとき、2018年における中華人民共和国からの水産物輸入額の指数は105を下回っている。

4 2016年から2019年までの4か年におけるアメリカ合衆国からの水産物輸入額の年平均は、2018年におけるアメリカ合衆国からの水産物輸入額を上回っている。

5 2017年と2019年の水産物輸入額についてみると、2017年の水産物輸入額に対する2019年の水産物輸入額の増加率が最も大きいのは、ロシアである。

解説　正解 2　TAC生の正答率 61%

指数を用いた場合、近似法で考える。

1 ×　2017年のチリからの水産物輸入額を100とすると、2018年の対前年増加率は約－３％だから、指数は100－3＝97で、2019年の対前年増加率は約＋７％だから、97＋7＝104となる。よって、水産物輸入額が最も多いのは2017年ではない。

2 ○　2015年のロシアからの水産物輸入額を100とすると、2016年の対前年増加率は約＋５％だから、指数は100＋5＝105で、2017年の対前年増加率は約＋12％だから、指数は105＋12＝117で、2018年の対前年増加率は約＋13％だから、指数は117＋13＝130で、2019年の対前年増加率は約－14％だから、指数は130－14＝116となる。一方、2015年のアメリカからの水産物輸入額を100とすると、2016年の対前年増加率は約－15％だから、指数は100－15＝85で、2017年の対前年増加率は約＋22％だから、指数は85＋22＝107であり、2018年、2019年の対前年増加率はともにマイナスだから、指数は107より小さくなる。アメリカ合衆国からの水産物輸入額に対するロシアからの水産物輸入額の比率の大小は指数で比較でき、2015年が$\frac{100}{100}=1$であり、2016年が$\frac{105}{85}$、2017年が$\frac{117}{107}$でいずれも１より大きい。また、2018年、2019年の分母（アメリカ合衆国からの水産物輸入額）はいずれも107より小さく、分子（ロシアからの水産物輸入額）はそれぞれ130、116だから、比率の分数はやはり１より大きい。よって、比率が最も小さいのは2015年である。

3 ×　2016年の中華人民共和国からの水産物輸入額を100とすると、2017年の対前年増加率は約＋10％だから、指数は100＋10＝110で、2018年の対前年増加率はプラスだから、指数は110より大きい。よって、105を上回っていることになる。

4 ×　2016年のアメリカ合衆国からの水産物輸入額を100とすると、2017年の対前年増加率は約＋22％だから、指数は100＋22＝122である。2018年の対前年増加率は約－５％で、122の10％が12.2で、５％が6.1だから、指数は122－6.1＝115.9である。2019年の対前年増加率は約－15％で、115.9の10％が約11.6で、５％が11.6÷2＝5.8だから、指数は115.9－（11.6＋5.8）＝98.5である。よって、2016年から2019年までの４か年の平均は（100＋122＋115.9＋98.5）÷4＝109.1で、2018年の指数は115.9だから、2018年の値を下回っている。

5 ×　2017年のロシアからの水産物輸入額を100とすると、2018年の対前年増加率は約＋13％で、2019年の対前年増加率は約－14％であるから、100＋13－14＝99であり、2017年に対する2019年の増加率はマイナスである。チリを見ると、2017年のチリからの水産物輸入額を100とすると、2018年の対前年増加率は約－３％で、2019年の対前年増加率は約＋７％であるから、100－3＋7＝104であり、2017年に対する2019年の増加率はプラスである。よって、増加率が最も大きいのはロシアではない。

資料解釈　増加率のグラフ

2020年度
教養 No.18

次の図から正しくいえるのはどれか。

日本の参加者数の**4年前に対する増加率**の推移

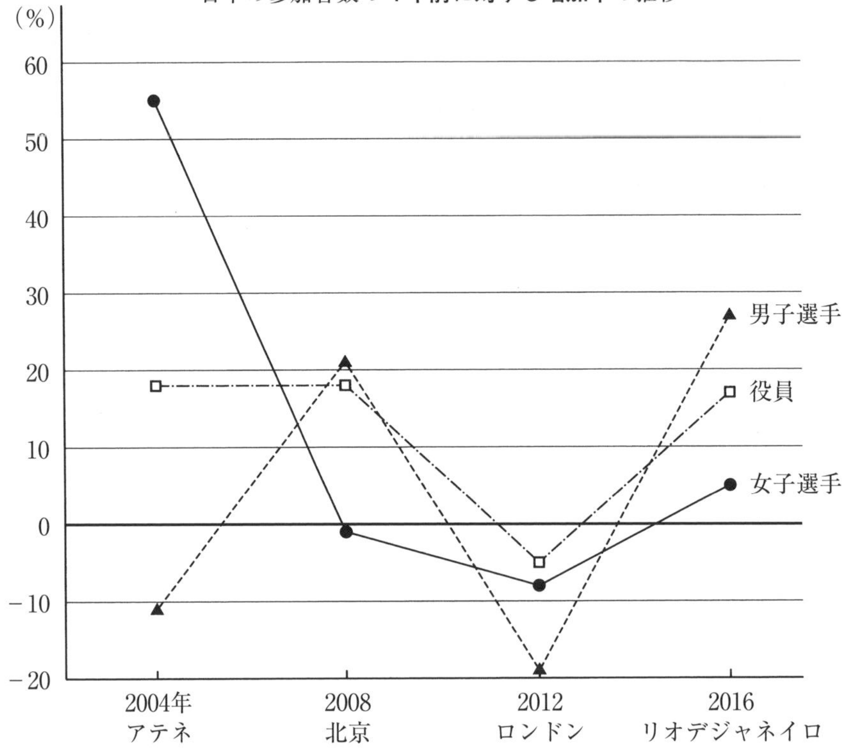

1　2000年と2016年についてみると、2000年の大会への参加者数に対する2016年の大会への参加者数の増加率が最も大きいのは、女子選手である。

2　2000年から2016年までの5大会のうち、大会への男子選手の参加者数が最も多いのは2008年の大会であり、最も少ないのは2004年の大会である。

3　2004年の大会への役員の参加者数を100としたとき、2016年の大会への役員の参加者数の指数は130を上回っている。

4　2004年から2016年までの4大会における女子選手の参加者数の平均は、2008年の大会への女子選手の参加者数を上回っている。

5　2008年から2016年までの3大会についてみると、男子選手の参加者数に対する役員の参加者数の比率が最も大きいのは、2016年の大会である。

解説　正解　3　TAC生の正答率　65%

1 ×　2000年の女子選手の参加者数を100とすると、2004年は約55%の増加だから155、2008年は約1%の減少だから155－1.55≒154、2012年は約8%の減少だから154－1.54×8≒142、2016年は約5%の増加だから142＋14.2÷2≒149となり、約49%の増加となる。一方、2000年の役員の参加者数を100とすると、2004年は約18%の増加だから118、2008年は約18%の増加だから118＋11.8×2－1.18×2≒139、2012年は約5%の減少だから139－13.9÷2≒132、2016年は約17%の増加だから132＋13.2＋1.32×7≒154となり、約54%の増加となる。よって、増加率が最も大きいのは女子選手ではない。

2 ×　2008年の男子選手の参加者数を100とする。2012年は約19%の減少、2016年は約27%の増加である。2012年が20%の減少、2016年が25%の増加の場合、2012年が100－20＝80、2016年が80＋80÷4＝100となり、2008年と2016年の値が等しくなる。実際は、2012年は20%より減少率が小さく、2016年は25%より増加率が大きいので、2016年の値は100より大きくなる。よって、最も多いのは2008年ではない。

3 ○　2004年の役員の参加者数を100としたとき、2016年のそれが130を上回っているということは、2004年に対する2016年の増加率が30%を上回っていることと同じである。**1**の解説より、2000年の役員の参加者数を100としたとき、2004年が118で、2016年が154であり、指数では154－118＝36だけ増加している。118の10%が11.8で、30%が11.8×3＝35.4だから、36の増加率は30%をわずかに上回っている。

4 ×　4大会の女子選手の参加者数の平均が2008年の参加者数を上回っているということは、4大会の女子選手の参加者数の合計が、2008年の女子選手の参加者数の4倍を上回っているということと同じである。**1**の解説より、2000年の女子選手の参加者数を100とすると、2004年が155で、2008年が154で、2012年が142で、2016年が149であり、4大会の合計は155＋154＋142＋149＝600である。2008年の女子選手の参加者数の4倍は154×4＝616だから、下回っていることになる。

5 ×　男子選手の参加者数に対する役員の参加者数の比率は$\frac{\text{役員の参加者数}}{\text{男子選手の参加者数}}$で求められる。2012年の比率は$\frac{\text{2012年の役員の参加者数}}{\text{2012年の男子選手の参加者数}}$であり、2016年の比率は増加率を利用すると、$\frac{\text{2012年の役員の参加者数}\times(100+17)\%}{\text{2012年の男子選手の参加者数}\times(100+27)\%}=\frac{\text{2012年の役員の参加者数}}{\text{2012年の男子選手の参加者数}}\times\frac{117\%}{127\%}$となる。$\frac{117\%}{127\%}<1$より、2016年の比率は2012年より小さくなる。よって、比率が最も大きいのは2016年ではない。

資料解釈　増加率のグラフ

2019年度
教養 No.18

次の図から正しくいえるのはどれか。

日本における民生用電気機械器具４器具の生産数量の**対前年増加率**の推移

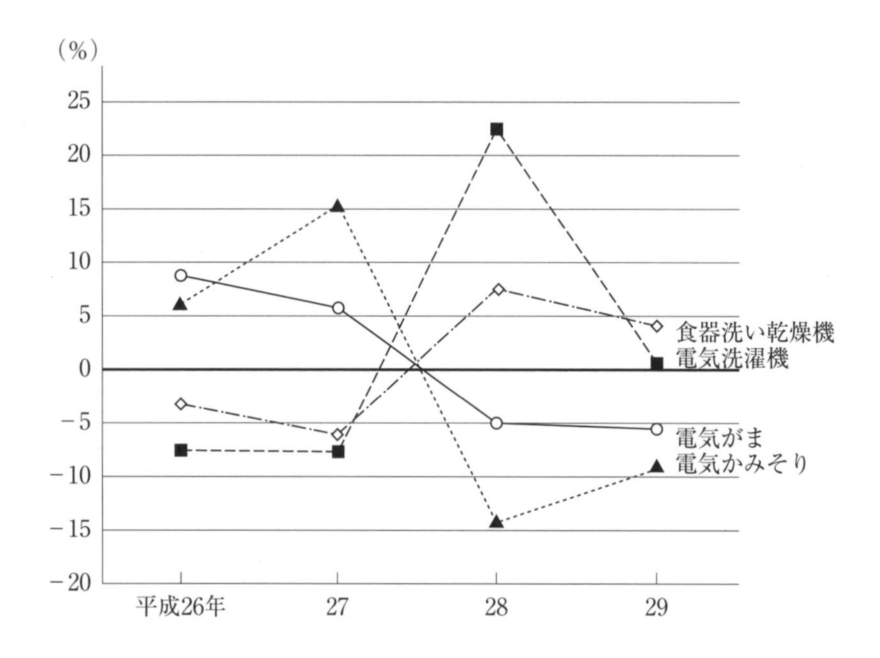

1　平成25年における電気洗濯機の生産数量を100としたとき、28年の電気洗濯機の生産数量の指数は110を上回っている。

2　平成25年から27年までの各年についてみると、電気がまの生産数量に対する電気かみそりの生産数量の比率が最も小さいのは25年である。

3　平成26年から28年までの３か年における食器洗い乾燥機の生産数量の年平均は、25年における食器洗い乾燥機の生産数量を下回っている。

4　平成26年から29年までのうち、電気洗濯機の生産数量が最も多いのは28年であり、最も少ないのは26年である。

5　平成29年における民生用電気機械器具４器具の生産数量についてみると、生産数量が27年に比べて増加したのは電気かみそりだけである。

解説　**正解　3**　TAC生の正答率 79%

1 × 電気洗濯機の生産数量の平成26年、27年、28年の対前年増加率はそれぞれ約－８%、約－８%、約＋23%であるので、25年を100とすると28年は$100 \times (1-0.08) \times (1-0.08) \times (1+0.23) \fallingdotseq 104.1$となる。したがって、28年の電気洗濯機の生産数量の指数は110を上回っていない。

2 × 電気がまの生産数量に対する電気かみそりの生産数量の比率は$\frac{\text{電気かみそりの生産数量}}{\text{電気がまの生産数量}}$と表せる。それぞれの生産数量を平成25年と26年で比較すると、25年と比べて26年の電気がまの生産数量の対前年増加率は約＋８%、電気かみそりの生産数量の対前年増加率は約＋６%である。比率の分数は、分母の方が分子よりも増加率が大きいので、分数の値は小さくなる。したがって、25年よりも26年の方が比率は小さくなっているので、比率が最も小さいのは25年ではない。

3 ○ 平成25年を100として、26年、27年、28年を指数で表し、その３か年合計が$100 \times 3 = 300$を下回るかどうかを調べればよい。食器洗い乾燥機の生産数量の26年度、27年度、28年度の対前年増加率はそれぞれ約－３%、約－６%、約＋８%であるので、25年を100とすると26年は$100 \times (1-0.03) = 97$、27年は$97 \times (1-0.06) \fallingdotseq 91$、28年は$91 \times (1+0.08) \fallingdotseq 98$となる。３か年合計は$97+91+98 = 286$であり、300を下回っている。したがって、３か年の年平均は25年を下回っている。

4 × 電気洗濯機の生産数量の対前年増加率をみると、平成29年は約＋１%でプラスになっている。したがって、29年は28年よりも多いので、最も多いのは28年ではない。

5 × 電気かみそりの生産数量の対前年増加率をみると、平成28年は約－14%、29年は約－９%でいずれもマイナスになっている。したがって、電気かみそりは27年に比べて29年の生産数量が増加していない。

資料解釈　増加率のグラフ

2018年度
教養 No.18

次の図から正しくいえるのはどれか。

建築物の用途別の着工床面積の**対前年度増加率**の推移

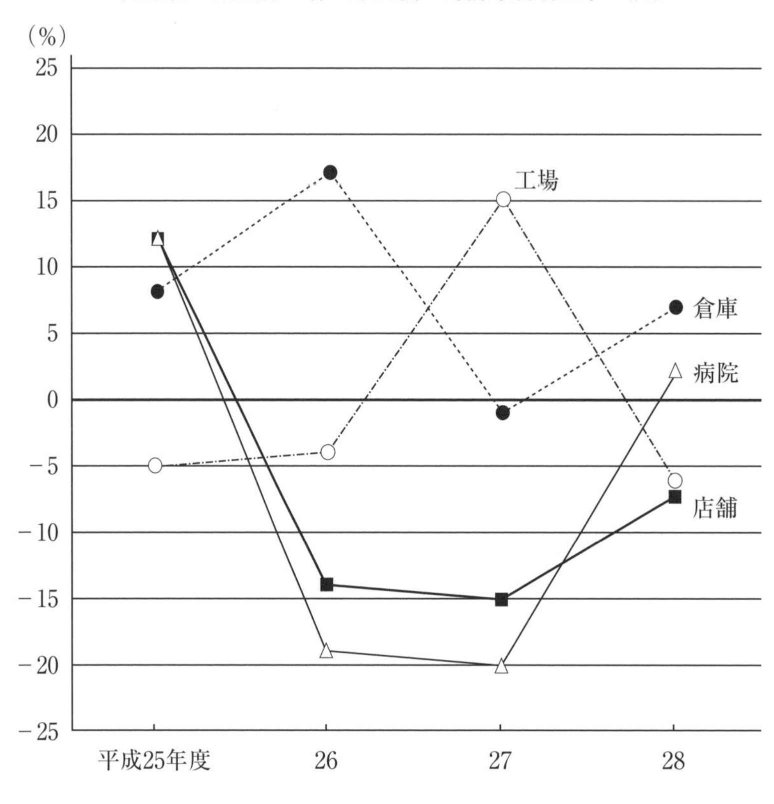

1　平成24年度から28年度までの各年度についてみると、倉庫の着工床面積に対する店舗の着工床面積の比率が最も小さいのは26年度である。

2　平成24年度における店舗の着工床面積を100としたとき、28年度における店舗の着工床面積の指数は70を下回っている。

3　平成25年度から28年度までのうち、工場の着工床面積が最も大きいのは27年度であり、次に大きいのは28年度である。

4　平成26年度から28年度までの３か年度における病院の着工床面積の年度平均は、25年度における病院の着工床面積の80％を上回っている。

5　平成28年度における建築物の用途別の着工床面積をみると、着工床面積が24年度に比べて増加したのは、倉庫と病院である。

解説　　正解　3　　TAC生の正答率　82%

1　×　平成27年度の着工床面積の対前年度増加率は、倉庫が約－1％、店舗が約－15％である。よって、平成26年度の倉庫の着工床面積を x、平成26年度の店舗の着工床面積を y とすると、倉庫の着工床面積に対する店舗の着工床面積の比率は、平成26年度が $\frac{y}{x}$、平成27年度が $\frac{y \times 0.85}{x \times 0.99}$ である。$\frac{0.85}{0.99} < 1$ より、$\frac{y}{x} > \frac{y \times 0.85}{x \times 0.99}$ となり、倉庫の着工床面積に対する店舗の着工床面積の比率は、平成26年度よりも平成27年度の方が小さいので、最も小さいのは平成26年度ではない。

2　×　店舗の着工床面積の対前年度増加率は、平成25年度が約12％、平成26年度が約－14％、平成27年度が約－15％、平成28年度が約－7％である。平成24年度における店舗の着工床面積を100として、28年度における店舗の着工床面積の指数を求めると、$100 \times 1.12 \times 0.86 \times 0.85 \times 0.93 \fallingdotseq 76.14$ となり、70を上回っている。

3　○　工場の着工床面積の対前年度増加率は、平成26年度が約－4％、平成27年度が約15％、平成28年度が約－6％である。よって、平成25年度の工場の着工床面積を100とすると、平成26年度は $100 \times 0.96 = 96$、平成27年度は $96 \times 1.15 = 110.4$、平成28年度は $110.4 \times 0.94 \fallingdotseq 103.8$ となる。よって、最も大きいのは平成27年度で、次に大きいのは平成28年度である。

4　×　病院の着工床面積の対前年度増加率は、平成26年度が約－19％、平成27年度が約－20％、平成28年度が約2％である。よって、平成25年度における病院の着工床面積を100とすると、平成26年度は $100 \times 0.81 = 81$、平成27年度は $81 \times 0.8 = 64.8$、平成28年度は $64.8 \times 1.02 \fallingdotseq 66.1$ である。平成26年度の指数は80を超えているが、平成27年度、28年度の指数は80を大きく下回っており、平成26年度から28年度までの3か年度における指数の平均は明らかに80を下回っている。

5　×　表中の年度において、倉庫の着工床面積が前年に比べて減少したのは平成27年度の約－1％のみであり、その他の年は全て前年に比べて5％以上増加しているため、倉庫の着工床面積は、平成24年度から平成28年度にかけて明らかに増加している。病院の着工床面積の対前年度増加率は、平成25年度が約12％、平成26年度が約－19％、平成27年度が約－20％、平成28年度が約2％である。よって平成24年度の病院の着工床面積を100とすると、平成28年度のそれの指数は、$100 \times 1.12 \times 0.81 \times 0.8 \times 1.02 = 100 \times (1.12 \times 1.02) \times (0.81 \times 0.8) \fallingdotseq 100 \times 1.14 \times 0.65 \fallingdotseq 100 \times 0.74 = 74$ となる。よって、病院の着工床面積は平成28年度は平成24年度に比べて減少している。

資料解釈　増加率のグラフ　2017年度 教養 No.18

次の図から正しくいえるのはどれか。

日本における４か国からの牛肉輸入量の**対前年増加率**の推移

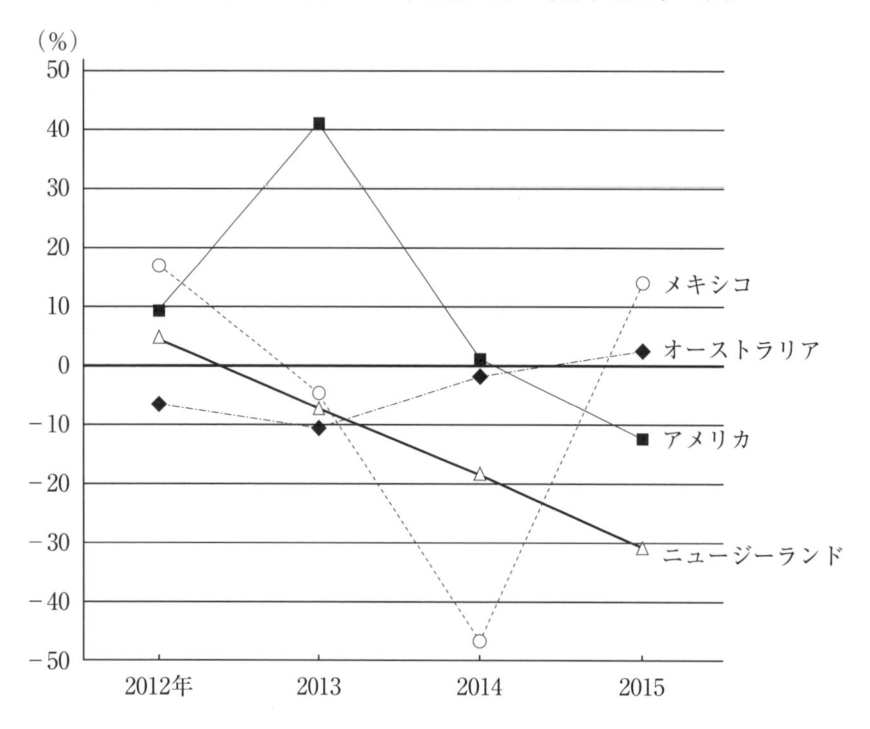

1　2012年におけるメキシコからの牛肉輸入量を100としたとき、2015年におけるメキシコからの牛肉輸入量の指数は70を下回っている。

2　2013年から2015年までの各年についてみると、オーストラリアからの牛肉輸入量はいずれの年も前年に比べて増加している。

3　2012年から2015年までの各年のアメリカからの牛肉輸入量についてみると、最も多いのは2013年であり、最も少ないのは2015年である。

4　2013年から2015年までのうち、ニュージーランドからの牛肉輸入量が前年に比べて減少した年についてみると、いずれの年においてもアメリカからの牛肉輸入量は前年に比べて増加している。

5　2013年から2015年までの３か年における、ニュージーランドからの牛肉輸入量の年平均は、2012年におけるニュージーランドからの牛肉輸入量の60%を下回っている。

解説　正解　1　　TAC生の正答率　81％

1　○　2013年におけるメキシコからの牛肉輸入量の対前年増加率は－４％、2014年のそれは－47％、2015年のそれは＋13％であるので、2012年におけるメキシコからの牛肉輸入量を100とすると、2015年のそれは100×0.96×0.53×1.13≒57.5であり、70を下回っている。

2　×　2013年のオーストラリアからの牛肉輸入量の対前年増加率は－10.5％、2014年のそれは－２％であるので、2013年と2014年は、オーストラリアからの牛肉輸入量は前年に比べて減少している。

3　×　2014年におけるアメリカからの牛肉輸入量の対前年増加率は＋１％であり、2013年より増加している。よって、アメリカからの牛肉輸入量が最も多いのは2013年ではない。

4　×　2015年について、ニュージーランドからの牛肉輸入量の対前年増加率は－31％なので、前年より減少しているが、アメリカからの牛肉輸入量の対前年増加率は－12％であるので、アメリカからの牛肉輸入量も前年に比べて減少している。

5　×　2013年におけるニュージーランドからの牛肉輸入量の対前年増加率は－７％、2014年のそれは－18％、2015年のそれは－31％である。2012年におけるニュージーランドからの牛肉輸入量を100とすると、この60％は、100×0.6＝60である。一方、2013年におけるニュージーランドからの牛肉輸入量は100×0.93＝93、2014年のそれは93×0.82≒76.3、2015年のそれは76.3×0.69≒52.6であり、2013年から2015年までの３か年におけるニュージーランドからの牛肉輸入量の年平均は、(93＋76.3＋52.6)÷3≒74.0となる。よって、2013年から2015年までの３か年におけるニュージーランドからの牛肉輸入量の年平均は、2012年におけるニュージーランドからの牛肉輸入量の60％を上回っている。

資料解釈　総数と構成比のグラフ

2023年度
教養 No.21

次の図から正しくいえるのはどれか。

日本における発生場所別食品ロス発生量の構成比の推移

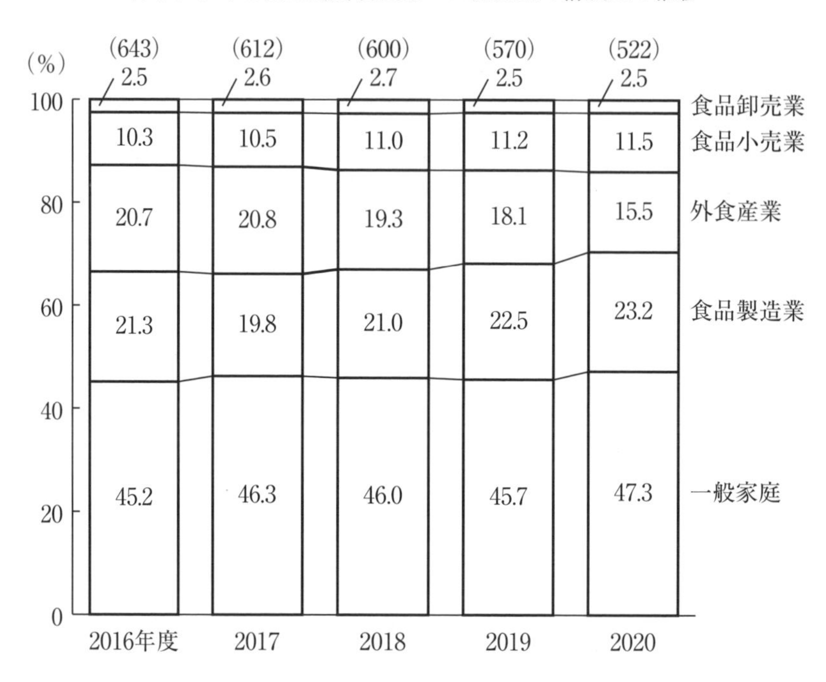

（注）（　）内の数値は、発生場所別食品ロス発生量の合計（単位：万トン）

1　2016年度から2019年度までのうち、食品製造業の食品ロス発生量が最も多いのは2018年度であり、最も少ないのは2017年度である。

2　2016年度における食品小売業の食品ロス発生量を100としたとき、2020年度における食品小売業の食品ロス発生量の指数は、80を下回っている。

3　2017年度から2019年度の各年度についてみると、外食産業の食品ロス発生量は食品小売業の食品ロス発生量を、いずれの年度も50万トン以上、上回っている。

4　2018年度についてみると、一般家庭からの食品ロス発生量の対前年度減少率は、外食産業の食品ロス発生量の対前年度減少率を上回っている。

5　2018年度から2020年度までの３か年度における食品卸売業の食品ロス発生量の平均は、15万トンを下回っている。

解説　正解　5　　TAC生の正答率　65%

1　×　2018年度の食品製造業の食品ロス発生量は600×21.0%で、2016年度に着目すると、食品ロス発生量は643×21.3%である。600<643、21.0<21.3より、食品ロス発生量は（2018年度）<（2016年度）である。よって、食品製造業の食品ロス発生量が最も多いのは2018年度ではない。

2　×　基準を100としたときの指数が80を下回っているということは、基準の80%を下回っているということと同じである。2016年度の食品小売業の食品ロス発生量は643×10.3%であり、約64＋0.6×3＝65.8［トン］で、65.8の80%は約6.6×8＝52.8である。一方、2020年度の食品小売業の食品ロス発生量は522×11.5%であり、約52＋5＋3＝60［トン］である。よって、2020年度の食品小売業の食品ロス発生量は2016年のそれの80%を下回っていない。

3　×　2019年度に着目する。2019年度の外食産業の食品ロス発生量と食品小売業の食品ロス発生量の差は、570×(18.1－11.2)%＝570×6.9%であり、5.7×7＝39.9［万トン］程度である。よって、2019年の外食産業の食品ロス発生量は食品小売業の食品ロス発生量を、50万トン以上、上回ってはいない。

4　×　2017年度に対する2018年度の減少率と2017年度に対する2018年度の比率の大小関係は逆になるので、比率を用いて比較をする。2017年度に対する2018年度の比率は$\frac{\text{2018年度(食品ロス発生量の合計)×(ある項目の構成比)}}{\text{2017年度(食品ロス発生量の合計)×(ある項目の構成比)}}$で、項目別の比較をする場合は、$\frac{\text{2018年度の食品ロス発生量の合計}}{\text{2017年度の食品ロス発生量の合計}}$が共通であるので、大小関係を判断するには$\frac{\text{2018年度のある項目の構成比}}{\text{2017年度のある項目の構成比}}$だけでよい。一般家庭は$\frac{46.0}{46.3}$、外食産業は$\frac{19.3}{20.8}$であり、$\frac{46.0}{46.3} \fallingdotseq 1$なので、$\frac{46.0}{46.3} > \frac{19.3}{20.8}$となる。よって、比率は、（一般家庭）>（外食産業）より、減少率は、（一般家庭）<（外食産業）となり、一般家庭の食品ロス発生量の対前年減少率は、外食産業の食品ロス発生量の対前年減少率を上回っていない。

5　○　3か年度における食品卸売業の食品ロス発生量の平均が15万トンを下回っているということは、3か年度における食品卸売業の食品ロス発生量の合計が15×3＝45［万トン］を下回っているということと同じである。2018年度は600×2.7%であり、6×2＋0.6×7＝16.2［万トン］、2019年度と2020年の合計は(570＋522)×2.5%＝1,092×2.5%であり、約11×2＋1.1×5＝27.5［万トン］である。よって、3か年度の合計は16.2＋27.5＝43.7［万トン］となるので、45万トンを下回っている。

資料解釈 総数と構成比のグラフ

2022年度 教養 No.19

次の図から正しくいえるのはどれか。

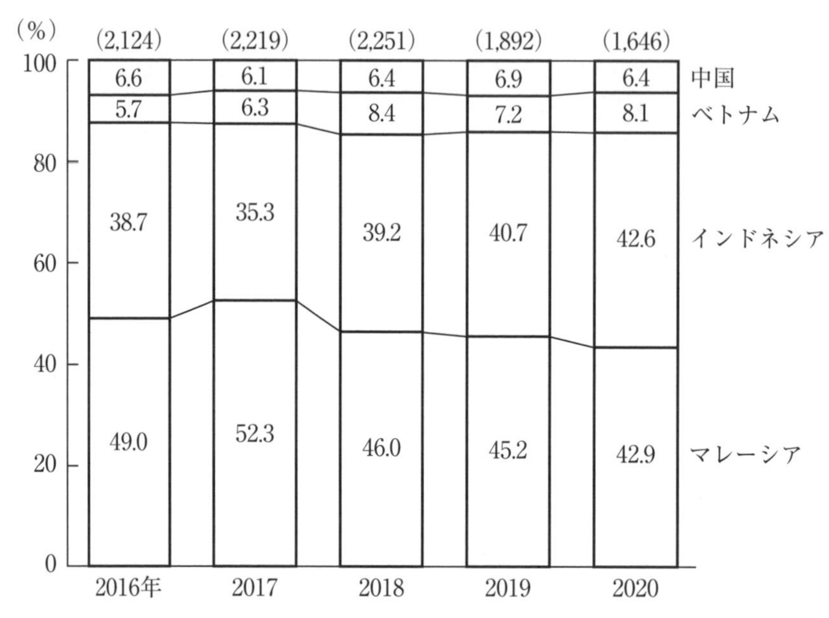

(注)(　)内の数値は、4か国からの合板輸入量の合計(単位:千m³)を示す。

1　2016年から2019年までのうち、インドネシアからの合板輸入量が最も多いのは2018年であり、最も少ないのは2017年である。

2　2016年における中国からの合板輸入量を100としたとき、2020年における中国からの合板輸入量の指数は、70を下回っている。

3　2017年についてみると、マレーシアからの合板輸入量の対前年増加率は、ベトナムからの合板輸入量の対前年増加率を上回っている。

4　2017年から2019年までの各年についてみると、ベトナムからの合板輸入量は中国からの合板輸入量を、いずれの年も6千m³以上、上回っている。

5　2018年から2020年までの3か年におけるマレーシアからの合板輸入量の年平均は、870千㎥を下回っている。

解説　正解　5　TAC生の正答率 56%

1 × 2017年のインドネシアからの合板輸入量は2,219×35.3％＞2,210×35％＝773.5［千m^3］より、773.5千m^3よりも多い。2019年のインドネシアからの合板輸入量は1,892×40.7％＜1,900×40.7％＝773.3［千m^3］より、773.3千m^3よりも少ない。よって、最も少ないのは2017年ではない。

2 × 基準を100としたとき、指数が70を下回っているということは、基準の70％を下回っているということと同じである。2016年における中国からの合板輸入量は2,124［千m^3］×6.6％で、その70％は2,124×6.6％×70％＝(2,124×70％)×6.6％＜1,500×6.6％＝99より、99千m^3よりも少ない。一方、2020年における中国からの合板輸入量は1,646×6.4％＞1,600×6.4％＝102.4より、102.4千m^3よりも多いので、70％を下回ってはいない。

3 × 対前年増加率の大小関係は前年に対する今年の比率の大小関係と同じであるので、比率で考える。マレーシアからの合板輸入量の2016年に対する2017年の比率は$\frac{2,219\times 52.3\%}{2,124\times 49.0\%}$、ベトナムからの合板輸入量の2016年に対する2017年の比率は$\frac{2,219\times 6.3\%}{2,124\times 5.7\%}$で、$\frac{2,219}{2,124}$の部分は同じであるから、構成比の部分で比較する。$\frac{52.3}{49.0}=1+\frac{3.3}{49.0}$で、49の10％が4.9であるから、3.3は10％より小さい。一方、$\frac{6.3}{5.7}=1+\frac{0.6}{5.7}$で、5.7の10％が0.57であるから、0.6は10％より大きい。よって、マレーシアの比率はベトナムの比率を上回ってはいない。

4 × ベトナムと中国の構成比の差が小さい2017年をみると、ベトナムからの合板輸入量は2,219［千m^3］×6.3％、中国からの合板輸入量は2,219［千m^3］×6.1％で、その差は2,219［千m^3］×(6.3－6.1)％＝2,219［千m^3］×0.2％＜2,500［千m^3］×0.2％＝5［千m^3］となる。よって、2017年は６千m^3以上、上回ってはいない。

5 ○ ３か年におけるマレーシアからの合板輸入量の年平均が870千m^3を下回っているということは、３か年におけるマレーシアからの合板輸入量の総和が870×3＝2,610［千m^3］を下回っているということと同じである。2018年の合板輸入量は2,251×46.0％＝1,035.46＜1,040［千m^3］、2019年の合板輸入量は1,892×45.2％＝855.184＜860［千m^3］、2020年の合板輸入量は1,646×42.9％＝706.134＜710［千m^3］で、３か年の総和は1,040＋860＋710＝2,610［千m^3］を下回っている。

資料解釈　総数と構成比のグラフ

2021年度
教養 No.19

次の図から正しくいえるのはどれか。

日本における４か国からのナチュラルチーズ輸入量の構成比の推移

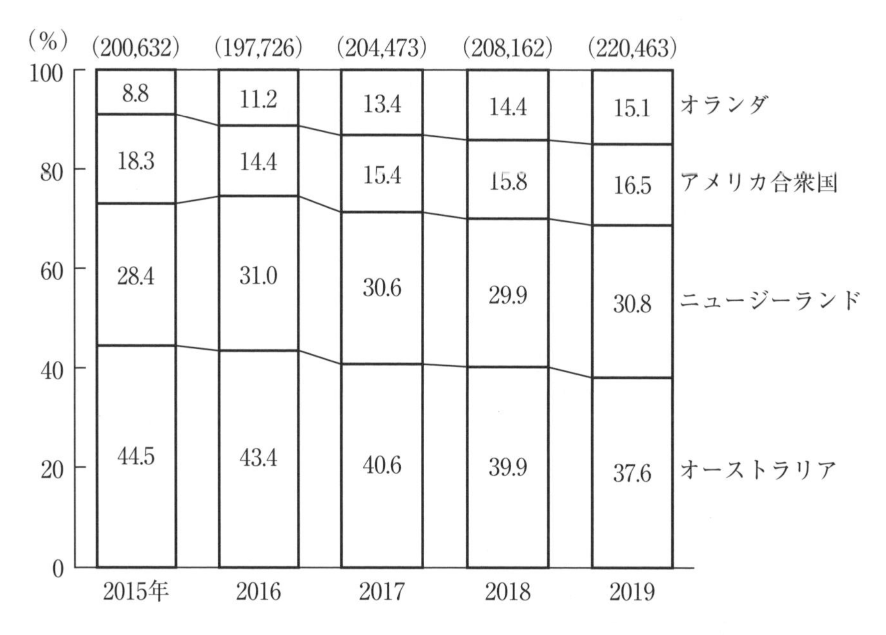

（注）（　）内の数値は、４か国からのナチュラルチーズ輸入量の合計（単位：トン）を示す。

1　2015年についてみると、オーストラリアからのナチュラルチーズ輸入量は、アメリカ合衆国からのナチュラルチーズ輸入量を55,000トン以上、上回っている。

2　2015年におけるオランダからのナチュラルチーズ輸入量を100としたとき、2019年におけるオランダからのナチュラルチーズ輸入量の指数は180を下回っている。

3　2016年から2018年までの３か年におけるアメリカ合衆国からのナチュラルチーズ輸入量の累計は、93,000トンを下回っている。

4　2016年から2019年までのうち、オーストラリアからのナチュラルチーズ輸入量が最も多いのは2018年であり、最も少ないのは2019年である。

5　2017年から2019年までのうち、ニュージーランドからのナチュラルチーズ輸入量が前年に比べて最も増加したのは、2017年である。

解説　正解　3　TAC生の正答率　61%

1 ×　2015年のオーストラリアからのナチュラルチーズ輸入量は200,632［トン］×44.5%、アメリカからのナチュラルチーズ輸入量は200,632［トン］×18.3%だから、その差は200,632［トン］×（44.5－18.3）%＝200,632［トン］×26.2%で、200,632［トン］×26.2%＜201,000［トン］×27%＝54,270［トン］だから、55,000トンより小さい。よって、55,000トン以上上回ってはいない。

2 ×　基準の指数を100としたときに180を下回っているということは、基準の1.8倍を下回っているということと同じである。2015年のオランダからのナチュラルチーズ輸入量は200,632［トン］×8.8%で、2019年のオランダからのナチュラルチーズ輸入量は220,463［トン］×15.1%である。総数は200,632トンから220,463－200,632＝19,831［トン］だけ増加しており、200,632の10%が約20,063で、1%が約2,006で、9%が20,063－2,006＝18,057だから、増加率は9%より大きい。構成比は8.8%から15.1－8.8＝6.3［ポイント］だけ増加しており、8.8の10%が0.88で、70%が0.88×7＝6.16だから、増加率は70%より大きい。2015年に対する2019年の増加率がそれぞれ9%、70%だとすると、2019年の値は、（2016年の値）×1.09×1.7＝（2016年の値）×1.853となり、2016年に対して約1.85倍となる。実際の増加率は9%、70%よりそれぞれ大きいから、1.85倍を上回っていることになる。

3 ○　正確に計算して、アメリカ合衆国からのナチュラルチーズ輸入量は、2016年が197,726［トン］×14.4%＝28,472.544≒28,473［トン］、2017年が204,473［トン］×15.4%＝31,488.842≒31,489［トン］、2018年が208,162［トン］×15.8%＝32,889.596≒32,890［トン］だから、累計で28,473＋31,489＋32,890＝92,852［トン］となり、93,000トンを下回っている。

4 ×　2016年のオーストラリアからのナチュラルチーズ輸入量は197,726［トン］×43.4%、2018年のオーストラリアからのナチュラルチーズ輸入量は208,162［トン］×39.9%である。値をそれぞれ6%ずつ増加すると、2016年は197,726［トン］×43.4%×1.06＝209,590［トン］×43.4%、2018年は208,162［トン］×39.9%×1.06≒208,162［トン］×42.3%となる。209,590［トン］＞208,162［トン］、43.4%＞42.3%より、209,590［トン］×43.4%＞≒208,162［トン］×42.3%であるから、2018年より2016年の方が多い。

5 ×　上から3桁で概算する。ニュージーランドからのナチュラルチーズ輸入量は、2016年が198,000［トン］×31.0%＝61,380［トン］、2017年が204,000［トン］×30.6%＝62,424［トン］だから、2017年の対前年増加量は62,424－61,380＝1,044［トン］である。一方、2018年が208,000［トン］×29.9%＝208,000［トン］×（30－0.1）%＝62,192［トン］、2019年が220,000［トン］×30.8%＝67,760［トン］だから、2019年の対前年増加量は67,760－62,192＝5,568［トン］である。よって、最も増加したのは2017年ではない。

資料解釈　総数と構成比のグラフ

次の図から正しくいえるのはどれか。

日本から４か国への自動車輸出額の構成比の推移

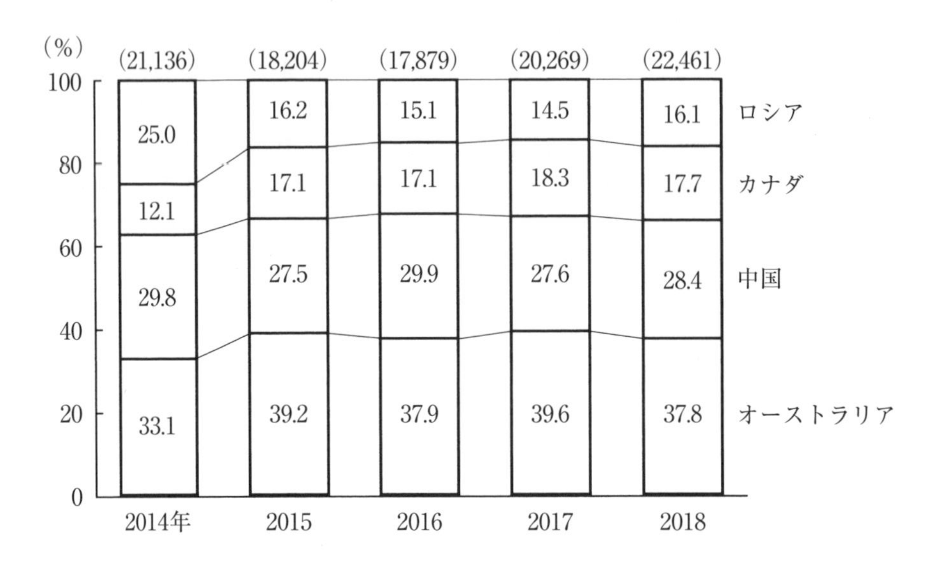

(注)（　）内の数値は、４か国への自動車輸出額の合計（単位：億円）を示す。

1　2014年におけるオーストラリアへの自動車輸出額を100としたとき、2017年におけるオーストラリアへの自動車輸出額の指数は120を下回っている。

2　2015年から2017年までの３か年における中国への自動車輸出額の累計は、15,000億円を下回っている。

3　2015年から2018年までのうち、ロシアへの自動車輸出額が最も多いのは2015年であり、最も少ないのは2017年である。

4　2016年から2018年までのうち、カナダへの自動車輸出額が前年に比べて最も増加したのは、2018年である。

5　2018年についてみると、オーストラリアへの自動車輸出額は、中国への自動車輸出額を2,500億円以上、上回っている。

解説　正解　1　TAC生の正答率　73%

1　○　2014年におけるオーストラリアへの自動車輸出額を100としたときに2017年のそれが120を下回っているということは、2017年の輸出額が2014年の輸出額の1.2倍を下回っているということと同じである。2014年の輸出額の1.2倍は（21,136×33.1%）×1.2＝21,136×(33.1＋3.31×2)％＝21,136×39.72％であり、2017年の輸出額は20,269×39.6％である。21,136＞20,269、39.72％＞39.6％より、21,136×39.72％＞20,269×39.6％となるから、2017年の輸出額は2014年の輸出額の1.2倍を下回っている。

2　×　2015年から2017年までの３か年における中国への自動車輸出額の累計は、18,204×27.5％＋17,879×29.9％＋20,269×27.6％＞（18,200＋17,800＋20,000）×27％＝56,000×(30－3)％＝16,800－1,680＝15,120[億円]である。よって、15,000億円を上回っている。

3　×　2015年のロシアへの自動車輸出額は18,204×16.2％[億円]であるのに対し、2018年のそれは22,461×16.1％[億円]である。構成比がほぼ変わらないのに対し、輸出額全体は2018年の方が20％以上大きいから、値は2018年の方が大きい。よって、最も多いのは2015年ではない。

4　×　2017年のカナダへの自動車輸出額の対前年増加額は20,269×18.3％－17,879×17.1％＞20,200×18％－17,900×18％＝2,300×18％＝414で、414億円より多い。一方、2018年のカナダへの自動車輸出額の対前年増加額は22,461×17.7％－20,269×18.3％＜22,500×18％－20,200×18％＝2,300×18％＝414で、414億円より少ない。よって、2017年の対前年増加額＞2018年の対前年増加額であるから、前年に比べて最も増加したのは2018年ではない。

5　×　2018年のオーストラリアと中国への自動車輸出額の差は、22,461×(37.8－28.4)％＝22,461×9.4％＜22,461×10％＝2,246.1[億円]である。よって、2,500億円以上、上回ってはいない。

資料解釈

総数と構成比のグラフ

2019年度
教養 No.19

次の図から正しくいえるのはどれか。

日本における農林水産物の輸出額の構成比の推移

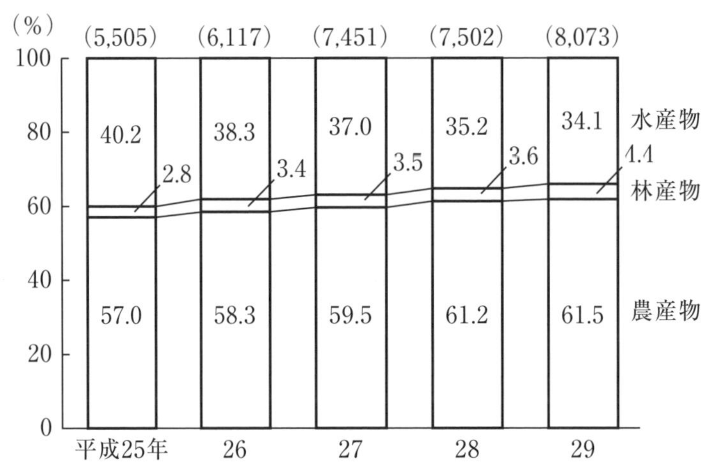

(注)(　)内数値は、農林水産物の輸出額の合計(単位:億円)を示す。

1　平成25年から27年までの3か年における水産物の輸出額の累計は、7,000億円を下回っている。

2　平成26年における林産物の輸出額を100としたとき、27年における林産物の輸出額の指数は120を上回っている。

3　平成26年から28年までのうち、農産物の輸出額が前年に比べて最も増加したのは、26年である。

4　平成27年から29年までのうち、水産物の輸出額が最も多いのは29年であり、最も少ないのは27年である。

5　平成29年についてみると、農産物の輸出額は、水産物の輸出額を2,500億円以上、上回っている。

解説　正解 2

TAC生の正答率 85%

1 ×　平成25年から27年までの3か年における水産物の輸出額の累計を計算すると、5,505×40.2%＋6,117×38.3%＋7,451×37.0%≒2,213＋2,343＋2,757＝7,313［億円］となる。したがって、累計は7,000億円を下回っていない。

2 ○　指数が120を上回っているかを調べるには、増加率が20%より大きいかどうかを調べればよい。平成26年における林産物の輸出額は6,117×3.4%、27年における林産物の輸出額は7,451×3.5%で求めることができる。まず総数の増加率に着目すると、6,117から7,451で増加量は1,334であり、6,117の10%は約612であることから、1,334は20%以上の増加率であることがわかる。構成比も3.4%から3.5%で増加していることをふまえると、6,117×3.4%から7,451×3.5%で増加率は20%を超えることは確実にいえる。したがって、26年における林産物の輸出額を100とすると、27年の指数は120を上回っている。

3 ×　総数も構成比もいずれもそれなりに大きく増えているところに着目するのがよい。農産物の輸出額について平成26年の対前年増加量をみると、25年が5,505×57.0%、26年が6,117×58.3%であり、総数は6,117－5,505＝612、構成比は58.3－57.0＝1.3%増えている。同様に27年の対前年増加量をみると、26年が6,117×58.3%、27年が7,451×59.5%であり、構成比は59.5－58.3＝1.23%増えているので26年とほぼ同じであるが、総数が7,451－6,117＝1,334でかなり大きく増えているので、27年のほうが大きいのではないかと目星をつける。25年は5,505×57.0%≒3,138、26年は6,117×58.3%≒3,566なので、26年は前年に比べて3,566－3,138＝428増えている。同様に27年は7,451×59.5%≒4,433なので、27年は前年に比べて4,433－3,566＝867増えている。したがって、前年に比べて最も増加したのは、26年ではない。

4 ×　最も少ないのは平成27年であるという点について、構成比が27年よりかなり小さくなっている28年がもっと少ないのではないかと推測を立てて、27年と28年を比較する。27年は7,451×37.0%≒2,757、28年は7,502×35.2%≒2,641である。したがって、最も少ないのは27年ではない。

5 ×　平成29年の農産物の輸出額と水産物の輸出額の差は8,073×(61.5%－34.1%)＝8,073×27.4%で求められる。このとき、少し多めに見積もって概算しても8,100×30%＝2,430なので、8,073×27.4%が2,500を超えないことは確実にいえる。したがって、農産物の輸出額は水産物の輸出額を2,500億円以上、上回ってはいない。

資料解釈　総数と構成比のグラフ　2018年度 教養 No.19

次の図から正しくいえるのはどれか。

車種別の新車販売台数の構成比の推移

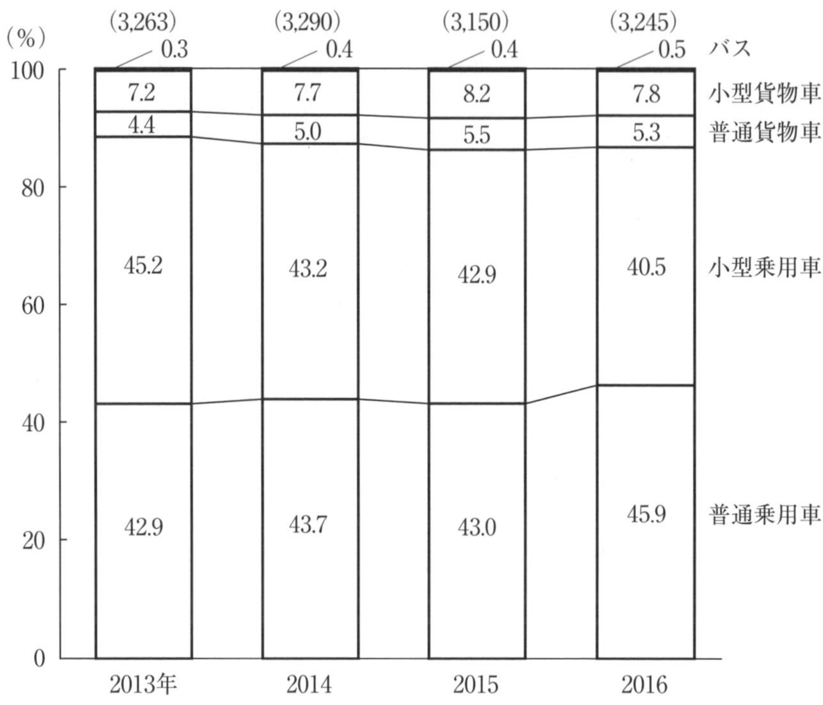

（注）（　）内の数値は、車種別の新車販売台数の合計（単位：千台）を示す。

1　2013年から2015年までの３か年における普通貨物車の新車販売台数の累計は、400千台を上回っている。

2　2013年における小型貨物車の新車販売台数を100としたとき、2015年における小型貨物車の新車販売台数の指数は120を上回っている。

3　2013年から2016年までのうち、普通乗用車の新車販売台数が最も多いのは2014年であり、次に多いのは2016年である。

4　2013年から2016年までの４か年におけるバスの年平均の新車販売台数は、11千台を下回っている。

5　2014年における小型乗用車の新車販売台数に対する2016年の比率は、0.9を下回っている。

解説　正解　1　　TAC生の正答率 82%

1　○　普通貨物車の新車販売台数は、2013年が3,263×4.4%［千台］、2014年が3,290×5.0%［千台］、2015年が3,150×5.5%［千台］である。合計の数値は2015年の3,150が最小であり、構成比は2103年の4.4%が最小だから、3か年とも3,150×4.4%［千台］を上回っていることになる。3,150の1%が31.5で、4%が31.5×4＝126だから、4.4%は126＋12.6＝138.6であり、3か年の累計は138.6×3＝415.8［千台］を上回っている。よって、2013年から2015年までの3か年における普通貨物車の新車販売台数の累計は、400千台を上回っている。

2　×　2013年における小型貨物車の新車販売台数を100としたとき、2015年における小型貨物車の新車販売台数の指数が120を上回るということは、2015年の値が、2013年の値の1.2倍を上回るのと同じである。小型貨物車の新車販売台数は、2013年が3,263×7.2%［千台］、2015年が3,150×8.2%［千台］である。2013年の値の1.2倍は、3,263×7.2%×1.2であり、明らかに3,263×7.2%×1.2＝3,263×8.64%＞3,150×8.2%であるから、13年における小型貨物車の新車販売台数を100としたとき、2015年における小型貨物車の新車販売台数の指数は120を下回る。

3　×　普通乗用車の新車販売台数は、2014年が3,290×43.7%［千台］、2016年が3,245×45.9%［千台］である。新車販売台数の合計は2014年の方が3,290－3,245＝45だけ大きく、3,245の1%が32.45で、2%が32.45×2＝64.9だから、新車販売台数の合計については、2014年は2016年の2%未満だけ増加している。一方、構成比は2016年の方が、45.9－43.7＝2.2だけ大きく、43.7の10%が4.37で、5%が4.37÷2≒2.19だから、構成比については、2016年は2014年の約5%増加している。2016年の構成比の増加率の方が大きく、3,290×43.7%＜3,245×45.9%となるので、普通乗用車の新車販売台数が最も多いのは2014年ではない。

4　×　2013年のバスの新車販売台数は3,263×0.3%＝3,263×0.003≒9.79［千台］で、2016年のバスの新車販売台数は3,245×0.5%＝3,245×0.005≒16.22［千台］だから、この2か年におけるバスの年平均の新車販売台数は、(9.79＋16.22)÷2≒13［千台］で、11千台を上回る。また、2014年と2015年のバスの新車販売台数はそれぞれ3,290×0.4%と3,150×0.4%で、いずれも3,000×0.4%＝3,000×0.004＝12を上回ることになる。よって、2013年と2016年の2か年の平均、2014年、2015年がいずれも11千台を上回っているので、4か年の年平均も11千台を上回っている。

5　×　小型乗用車の新車販売台数は、2014年が3,290×43.2%［千台］、2016年が3,245×40.5%［千台］である。新車販売台数の合計について、2016年は2014年に比べて3,290－3,245＝45減であり、3,290の1%が約33で、2%が33×2＝66であるから、新車登録台数の合計は2014年から2016年にかけて2%未満の減少である。一方、構成比について、2016年は2014年に比べて43.2－40.5＝2.7減であり、43.2の1%が約0.43で、7%が0.43×7＝3.01であるから、小型乗用車の構成比は2014年から2016年にかけて7%未満の減少である。2014年から2016年にかけて、新車登録台数の合計は2%未満の減少、小型乗用車の構成比は7%未満の減少であるが、0.98×0.93≒0.91＞0.9より、2014年における小型乗用車の新車販売台数に対する2016年のそれの比率は、0.9を上回っている。

資料解釈　増加率と構成比のグラフ

2021年度
教養 No.20

次の図から正しくいえるのはどれか。

富士山登山者数の状況

全登山者数の**対前年増加率**の推移

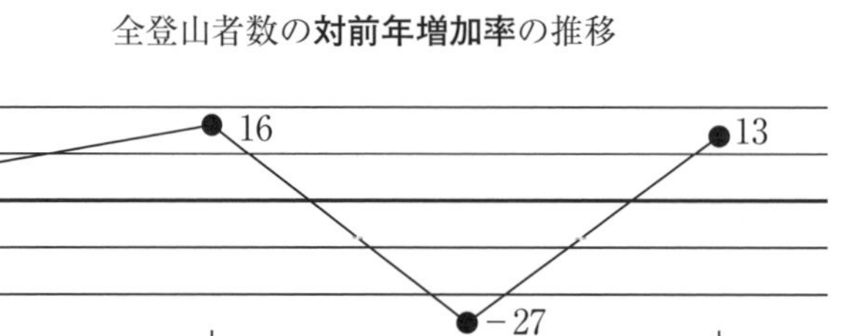

登山道別登山者数の構成比の推移

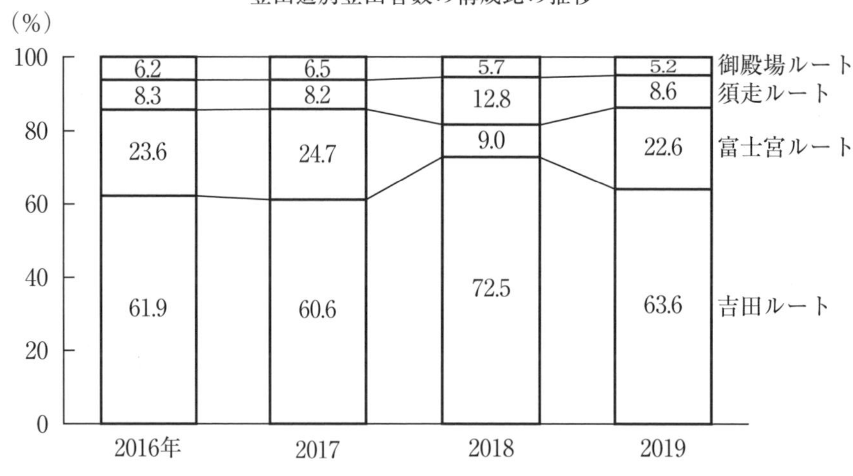

1　2015年から2018年までの各年についてみると、富士山登山者の全登山者数が最も少ないのは2015年である。

2　2016年から2018年までの各年についてみると、吉田ルートの登山者数に対する御殿場ルートの登山者数の比率は、いずれの年も0.1を上回っている。

3　富士宮ルートについてみると、2016年から2018年までの３か年の登山者数の年平均は、2019年の登山者数を下回っている。

4　須走ルートについてみると、2017年の登山者数は、2019年の登山者数を下回っている。

5　吉田ルートについてみると、2017年の登山者数を100としたとき、2019年の登山者数の指数は、95を上回っている。

解説　　正解　3　　TAC生の正答率 70%

2015年の全登山者数を100とすると、2016年の対前年増加率は＋7％だから、指数は100＋7＝107、2017年の対前年増加率は＋16％で、107の10％が10.7で、5％が10.7÷2＝5.35で、1％が1.07だから、指数は107＋（10.7＋5.35＋1.07）＝124.12≒124.1、2018年の対前年増加率は－27％で、124.1の10％が12.41で、30％が12.41×3＝37.23で、3％が約3.72だから、指数は124.1－（37.32－3.72）＝90.5で、2019年の対前年増加率は＋13％で、90.5の10％が9.05で、1％が約0.91で、3％が0.91×3＝2.73だから、指数は90.5＋（9.05＋2.73）＝102.28≒103である。よって、選択肢において、全登山者数を指数で表すと、2015年が100で、2016年が107で、2017年が124.1で、2018年が90.5で、2019年が103となるので、これを用いて計算する。

1　×　前述のとおり、（2015年の指数）＞（2018年の指数）となるので、最も少ないのは2015年ではない。

2　×　ある年における吉田ルートの登山者数に対する御殿場ルートの登山者数の比率は、$\frac{\text{全登山者数×御殿場ルートの構成比}}{\text{全登山者数×吉田ルートの構成比}}=\frac{\text{御殿場ルートの構成比}}{\text{吉田ルートの構成比}}$で求められる。2018年を見ると$\frac{5.7}{72.5}$で、72.5の10％（＝比率0.1）が7.25だから、5.7は10％（＝比率0.1）を下回っている。

3　○　富士宮ルートの登山者数は、2016年が107×23.6％＜108×25％＝27、2017年が124.1×24.7％＜124.4×25％＝31.1、2018年が90.5×9.0％＜91×9％＝8.19で、27＋31.1＋8.19＝66.29＜66.3より、3か年の平均は66.3÷3＝22.1より小さい。一方、2019年は103×22.6％＞103×22％＝22.66より、22.66より大きい。よって、2016年から2018年の登山者数の3か年の平均は、2019年の登山者数を下回っている。

4　×　須走ルートの登山者数について、2017年は124.1×8.2％＞120×8％＝9.6より、9.6より大きい。一方、2019年は103×8.6％＜103×9％＝9.27より、9.27より小さい。よって、2017年の登山者数は2019年の登山者数を上回っている。

5　×　基準を100としたときに、指数が95を上回っているということは、基準の95％を上回っているということと同じである。吉田ルートの登山者数について、2019年は103×63.6％＜103×64％＝65.92より、65.92より小さい。一方、2017年は124.1×60.6％＞124×60％＝74.4より、74.4より大きく、その95％は、74.4×95％＝74.4×（100－10÷2）％＝74.4－7.44÷2＝70.68より大きい。よって、2019年は2017年の95％を下回っている。

次の図表から正しくいえるのはどれか。

貯蓄の種類別貯蓄現在高（二人以上の世帯）

貯蓄の種類別貯蓄現在高（2016年）　（単位：万円）

通貨性預貯金	定期性預貯金	有価証券	生命保険など
412	727	265	378

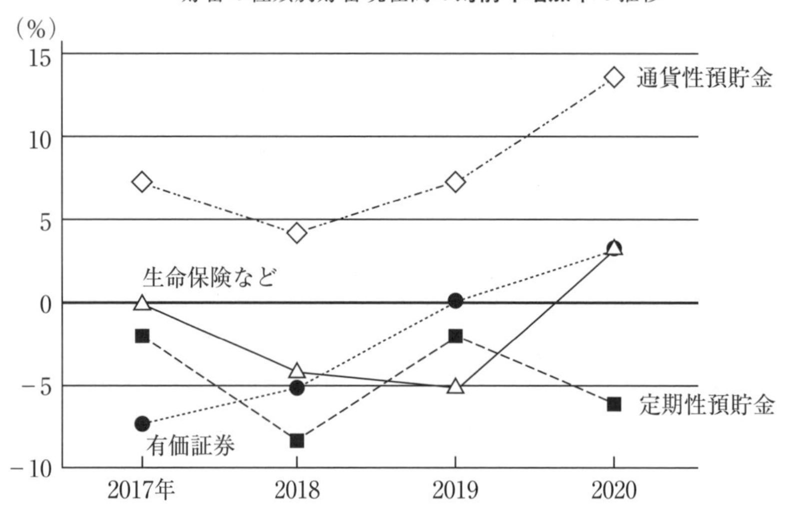

1　2016年における有価証券の貯蓄現在高を100としたとき、2018年における有価証券の貯蓄現在高の指数は85を下回っている。

2　2017年における生命保険などの貯蓄現在高と定期性預貯金の貯蓄現在高との差は、350万円を上回っている。

3　2017年から2019年までの３か年における定期性預貯金の貯蓄現在高の累計は、2,000万円を下回っている。

4　2018年から2020年までの３か年における通貨性預貯金の貯蓄現在高の年平均は、2017年における有価証券の貯蓄現在高を下回っている。

5　2020年についてみると、通貨性預貯金の貯蓄現在高に対する生命保険などの貯蓄現在高の比率は、0.6を上回っている。

解説　正解　5　　TAC生の正答率 48%

1　×　2016年における有価証券の貯蓄現在高を100としたとき、近似法を用いると2018年の指数は100－7－5＝88となるので、85を下回ってはいない。

2　×　2016年の定期性預貯金の貯蓄現在高は727万円、生命保険などの貯蓄現在高は378万円で、その差は727－378＝349[万円]である。2017年の定期性預貯金の貯蓄現在高は、対前年増加率がマイナスであるから727万円より少なく、2017年の生命保険などの貯蓄現在高は、対前年増加率が±０％であるから378万円である。よって、2017年の差は349万円より小さくなるので、350万円を上回ってはいない。

3　×　2016年の定期性預貯金の貯蓄現在高を100としたとき、近似法を用いると2017年の指数は100－2＝98、2018年の指数は98－8＝90、2019年の指数は90－2＝88で、３か年の指数の累計は98＋90＋88＝276となる。よって、2017年から2019年までの３か年における定期性預貯金の貯蓄現在高の累計は、2016年の定期性預貯金の貯蓄現在高の2.76倍であり、727×2.76＝2,006.52＞2,000[万円]であるから、2,000万円を下回ってはいない。

4　×　2016年の通貨性預貯金の貯蓄現在高を100としたとき、2017年から2020年までの指数は対前年増加率がいずれもプラスであるから、すべての年で100を超えていることになり、2018年から2020年までの３か年の年平均も100を上回る。よって、2018年から2020年までの３か年における通貨性預貯金の貯蓄現在高の年平均は、2016年の412万円より大きい。一方、2017年における有価証券の貯蓄現在高は対前年増加率がマイナスであるから、265万円より小さい。よって、2018年から2020年までの３か年における通貨性預貯金の貯蓄現在高の年平均は、2017年における有価証券の貯蓄現在高を下回ってはいない。

5　○　2016年の通貨性預貯金の貯蓄現在高を100としたとき、近似法を用いると2017年の指数は100＋7＝107、2018年の指数は107＋4＝111、2019年の指数は111＋7＝118、2020年の指数は118＋13＝131となり、2020年の通貨性預貯金の貯蓄現在高は412[万円]×1.31となる。一方、2016年の生命保険などの貯蓄現在高を100としたとき、近似法を用いると2017年の指数は100±0＝100、2018年の指数は100－4＝96、2019年の指数は96－5＝91、2020年の指数は91＋3＝94となり、2020年の生命保険などの貯蓄現在高は378[万円]×0.94となる。よって、2020年の通貨性預貯金の貯蓄現在高に対する生命保険などの貯蓄現在高の比率は$\frac{378[万円]\times 0.94}{412[万円]\times 1.31}$である。$\frac{378[万円]}{412[万円]}$は、412の10％が41.2で、90％が412－41.2＝370.8であるから、90％より大きく、$\frac{0.94}{1.31}$は、1.31の10％が0.131で、70％が0.131×7＝0.917であるから、70％より大きい。以上より、2020年の通貨性預貯金の貯蓄現在高に対する生命保険などの貯蓄現在高の比率は90％×70％＝0.9×0.7＝0.63より大きいから、0.6を上回っている。

資料解釈　複数の資料

2020年度
教養 No.20

次の図表から正しくいえるのはどれか。

日本におけるコーヒー生豆の輸入状況

日本におけるコーヒー生豆の国別輸入量（2013年）　（単位：トン）

ブラジル	ベトナム	コロンビア	インドネシア
157,275	79,473	60,730	45,402

日本におけるコーヒー生豆の国別輸入量の**対前年増加率**の推移

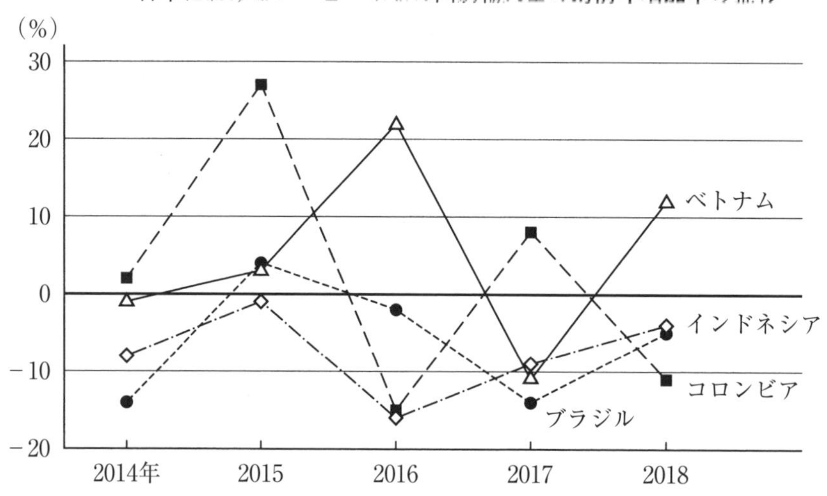

1　2013年におけるブラジルからのコーヒー生豆の輸入量を100としたとき、2015年におけるブラジルからのコーヒー生豆の輸入量の指数は95を上回っている。

2　2014年におけるベトナムからのコーヒー生豆の輸入量とインドネシアからのコーヒー生豆の輸入量との差は、35,000トンを下回っている。

3　2014年に対する2015年のコーヒー生豆の国別輸入量についてみると、最も増加しているのはブラジルであり、最も減少しているのはインドネシアである。

4　2015年から2017年までの３か年におけるコロンビアからのコーヒー生豆の輸入量の累計は、210,000トンを上回っている。

5　2016年から2018年までの３か年におけるベトナムからのコーヒー生豆の輸入量の年平均は、2014年におけるベトナムからのコーヒー生豆の輸入量を下回っている。

解説　　正解　4　　TAC生の正答率　73%

1　×　2013年におけるブラジルからのコーヒー生豆輸入量を100とすると、2014年は約14%の減少だから86で、2015年は約4%の増加だから86＋0.86×4≒89となる。よって、指数は95を下回っている。

2　×　2013年のベトナムからのコーヒー生豆輸入量とインドネシアからの生豆輸入量の差は79,473－45,402＝34,071[トン]である。2014年はベトナムが約1%の減少だから79,473×1%≒795[トン]程度減少し、インドネシアは約8%の減少だから45,402×8%≒3,632[トン]ほど減少しているため、輸入量の差は－795－(－3,632)＝2,837[トン]程度広がったことになる。よって、34,071＋2,837＞35,000より、2014年の差は35,000トンを上回っている。

3　×　2015年のブラジルからのコーヒー生豆輸入量の対前年増加率は約5%であり、2014年の輸入量が2013年と同じままの157,275トンだとすると、増加量は157,275×5%≒15,728÷2＝7,864[トン]となるが、2014年の輸入量は2013年より減少しており、157,275トンより少ないため、2015年の対前年増加量も7,864トンより少ない。一方、2015年のコロンビアからのコーヒー生豆輸入量の対前年増加率は約27%であり、2014年の輸入量が2013年と同じままの60,730トンだとすると、増加量は60,730×27%≒6,073×3－607×3＝16,395[トン]となるが、2014年の輸入量は2013年より増加しており、60,730トンより多いため、2015年の対前年増加量も16,395トンより多い。よって、最も増加しているのはブラジルではない。

4　○　2013年におけるコロンビアからのコーヒー生豆輸入量を100とすると、2014年は約2%の増加だから102で、2015年は約27%の増加だから102＋1.02×27≒130で、2016年は約15%の減少だから130－(13＋13÷2)≒111で、2017年は約8%の増加だから111＋1.11×8≒120となる。2015年から2017年までの3か年の指数の累計は130＋111＋120＝361であり、指数361は指数100の3.61倍だから、指数361の輸入量は60,730×3.61＞60,000×3.5＝210,000[トン]となる。よって、3か年の輸入量の累計は210,000トンを上回っている。

5　×　2014年におけるベトナムからのコーヒー生豆輸入量を100とすると、2015年は約3%の増加だから103で、2016年は約22%の増加だから103＋10.3×2＋1.03×2≒126で、2017年は約10%の減少だから126－12.6≒113で、2018年は約12%の増加だから113より大きい。よって、2016年から2018年の3か年の値はいずれも2014年の値より大きいから、3か年の平均は2014年の値を上回っている。

資料解釈 複数の資料

2019年度 教養 No.20

次の図から正しくいえるのはどれか。

東京都における献血状況

献血者総数の**対前年度増加率**の推移

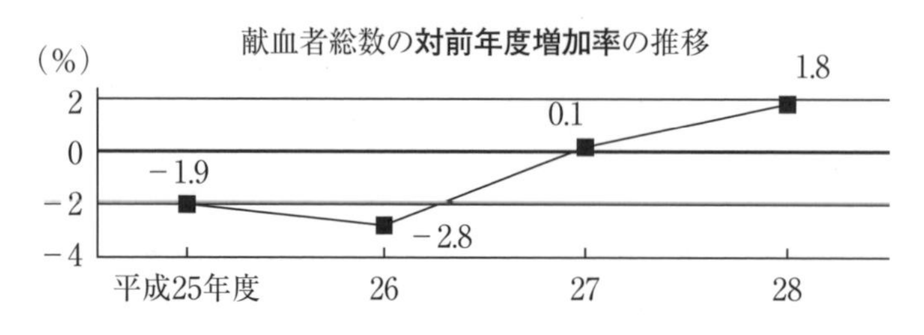

献血方法別の献血者数の構成比の推移

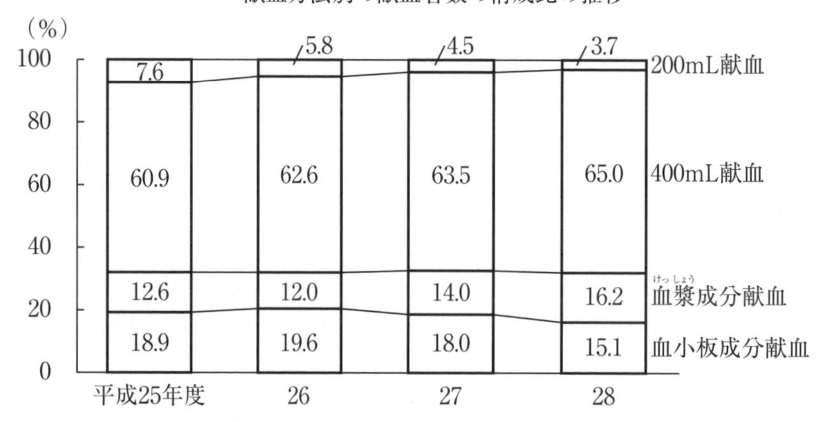

1 平成24年度から27年度までの各年度についてみると、献血者総数が最も少ないのは27年度である。

2 平成25年度から27年度までの各年度についてみると、400mL献血の献血者数に対する血漿成分献血の献血者数の比率は、いずれの年度も0.2を下回っている。

3 血小板成分献血についてみると、平成26年度から28年度までの３か年度の献血者数の年度平均は、25年度の献血者数を上回っている。

4 400mL献血についてみると、平成27年度の献血者数は、25年度の献血者数を上回っている。

5 200mL献血についてみると、平成26年度の献血者数を100としたとき、27年度の献血者数の指数は70を下回っている。

解説　**正解　4**　TAC生の正答率　68%

1　×　献血者総数の対前年増加率は、平成27年度が＋0.1%であるので、少なくとも26年度よりは多い。したがって、献血者総数が最も少ないのは27年度ではない。

2　×　年度内では基準が同じなので、構成比の値で比較することができる。平成27年度についてみると、400mL献血の献血者数の構成比は63.5%であり、63.5×0.2＝12.7%となるが、血漿成分献血の献血者数の構成比は14.0%である。したがって、いずれの年度も0.2を下回っているとはいえない。

3　×　まず献血者総数を明らかにする。平成25年度の献血者総数を100とおくと、対前年度増加率と近似法の計算により、26年度は100×(1－0.028)＝100×0.972＝97.2、27年度は97.2×(1＋0.001)≒97.2＋0.1＝97.3、28年度は97.3×(1＋0.018)≒97.3＋1.8＝99.1と表せる。これをふまえて血小板成分献血の献血者数を計算すると、25年は100×18.9%＝18.9となるので、26年度から28年度までの3か年度の献血者数の合計が18.9×3＝56.7を上回るかを調べればよい。26年度は97.2×19.6%≒19.1、27年度は97.3×18.0%≒17.5、28年度は99.1×15.1%≒15.0であり、合計は19.1＋17.5＋15.0＝51.6となるので、56.7を下回る。したがって、26年度から28年度までの3か年度の献血者数の年度平均は、25年度の献血者数を上回っていない。

4　○　**3**で明らかにした献血者総数の数値を用いて計算する。400mL献血の献血者数は平成25年度が100×60.9%＝60.9、27年度が97.3×63.5%≒61.8である。したがって、27年度の献血者数は、25年度の献血者数を上回っている。

5　×　**3**で明らかにした献血者総数の数値を用いて計算する。200mL献血の献血者数は26年度が97.2×5.8%、27年度が97.3×4.5%で求めることができる。このとき、総数はほぼ同じ数値であるので、構成比で比較をすればよい。構成比は5.8%から4.5%で1.3%減少している。このとき、5.8%の10%は0.58%であり、30%は0.58×3＝1.74%であるので、1.3%は30%未満であることがわかる。したがって、1.3%の減少は減少率でいうと30%未満であるので、26年度の献血者数を100としたとき、27年度は70を下回っているとはいえない。

資料解釈　複数の資料

次の図表から正しくいえるのはどれか。

ある共済組合における決算の概要

全体支出額、全体収入額及び掛金・負担金収入額（平成24年度）

（単位：億円）

全体支出額	全体収入額	掛金・負担金収入額
3,759	2,885	2,529

全体支出額、全体収入額及び掛金・負担金収入額の**対前年度増加率**の推移

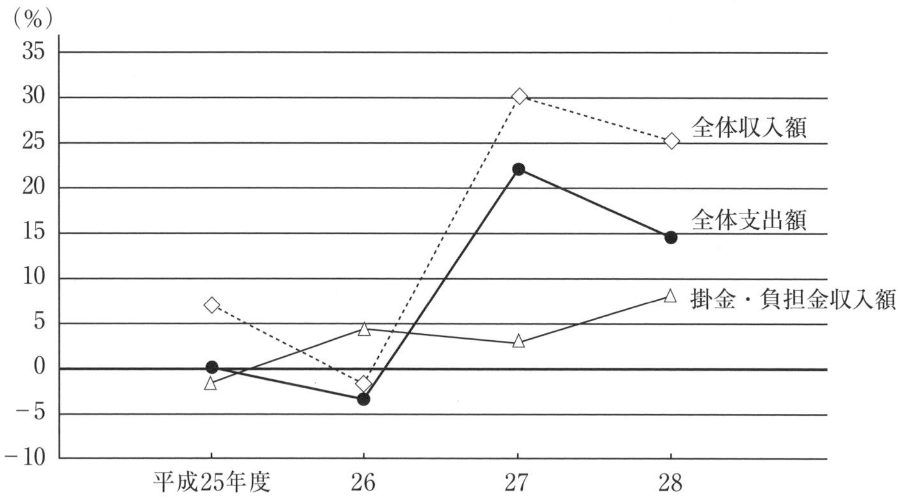

1　平成24年度から26年度までの３か年度における全体支出額の年度平均は、3,500億円を下回っている。

2　平成24年度から27年度までのうち、全体収入額が最も多いのは27年度であり、最も少ないのは26年度である。

3　平成25年度から27年度までのうち、掛金・負担金収入額が前年度より増加した年度は、いずれの年度も全体収入額は前年度より増加している。

4　平成26年度における全体収入額を100としたとき、28年度における全体収入額の指数は180を上回っている。

5　平成28年度における全体支出額と掛金・負担金収入額との差は、2,000億円を上回っている。

解説　正解　5

TAC生の正答率　84%

1 **×**　図より、平成25年度の全体支出額の対前年度増加率は約±0％、平成26年度の全体支出額の対前年増加率は約－3％であるので、平成24年度の全体支出額を100とすると、平成25年度は100、平成26年度は97であり、平成24年度から26年度までの3か年度の平均は、(100＋100＋97)÷3＝99となる。よって、平成24年度から26年度までの3か年度の平均は、平成24年度の全体支出額である3,759億円の99％であり、3,759の1％が約38で、99％が3,759－38＝3,721であるから、平成24年度から26年度までの3か年度における全体支出額の平均は、3,500億円を上回っている。

2 **×**　図より、全体収入額の対前年度増加率は、平成25年度がおよそ7％、平成26年度がおよそ－2％である。増減率が10％未満なので、指数に％の値をそのまま増減した近似法を用いて計算する。平成24年度の全体収入額を100とすると、平成25年度の全体収入額は100＋7＝107、平成26年度は107－2＝105となる。よって、平成24年度の全体収入額＜平成26年度の全体収入額となるので、最も少ないのは平成26年度ではない。

3 **×**　図より、平成25年度から27年度までのうち、掛金・負担金収入額が前年度より増加した年度は、平成26年度と27年度であるが、平成26年度の全体収入額の対前年増加率は約－2％であり、前年度より減少している。

4 **×**　図より、全体収入額の対前年度増加率は、平成27年度が約31％、平成28年度が約26％である。よって、平成26年度の全体収入額を100とすると、平成28年度の全体収入額の指数は100×1.31×1.26≒165であるから、180を下回っている。

5 **○**　表より、平成24年度の全体支出額は3,759[億円]であり、図より、全体支出額の対前年度増加率は、平成25年度が約±0％、平成26年度が約－3％、平成27年度が約22％、平成28年度が約15％であるので、平成28年度の全体支出額は3,759×1.00×0.97×1.22×1.15≒5,116[億円]である。また、表より、平成24年度の掛金・負担金収入額は2,529億円であり、図より、掛金・負担金収入額の対前年度増加率は、平成25年度が約－2％、平成26年度が約4％、平成27年度が約3％、平成28年度が約8％であるので、平成28年度の掛金・負担金収入額は2,529×0.98×1.04×1.03×1.08≒2,867[億円]である。よって、その差は5,116－2,867＝2,249[億円]であるので、2,000億円を上回っている。

空間把握　正多面体

2020年度
教養 No.23

正八面体の八つの面のうち、二面を黒、残りの六面を赤に塗り分ける。このときにできる正八面体の種類の数として、妥当なのはどれか。ただし、回転して同じになる場合は、同種類とする。

1　3種類

2　4種類

3　5種類

4　6種類

5　7種類

解説　正解　1

TAC生の正答率　13%

黒に塗る面をどこに置くかを考える。1つ目の黒に塗る面は、どの面を塗っても回転させれば同じ位置になる（図1）。残る7面のうち2つ目に黒く塗る面が、1つ目に黒に塗った面と、①辺を共有する面、②辺を共有しないが頂点を共有する面、③辺も頂点も共有しない面、に分けて考える。

図1

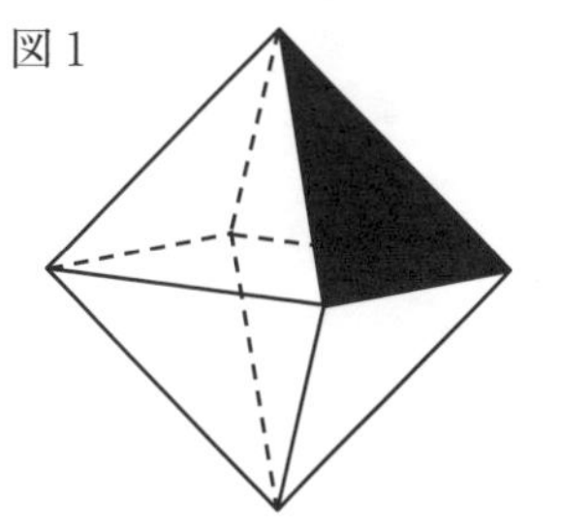

①にあたる面は、図2、図3、図4のように3面ある。これらは回転させてすべて同じ面の配置（例えば図4の位置）にすることができるので、この3通りの塗り方は1通りとして数える。

図2

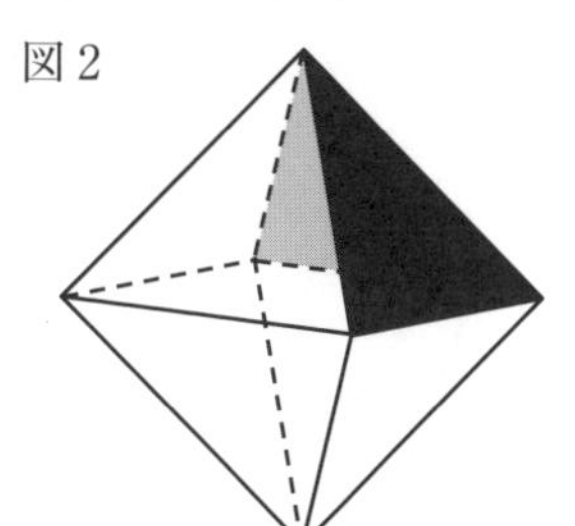

図3

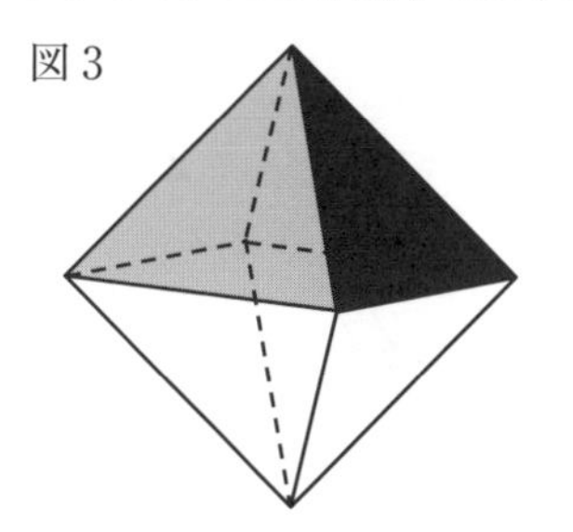

図4

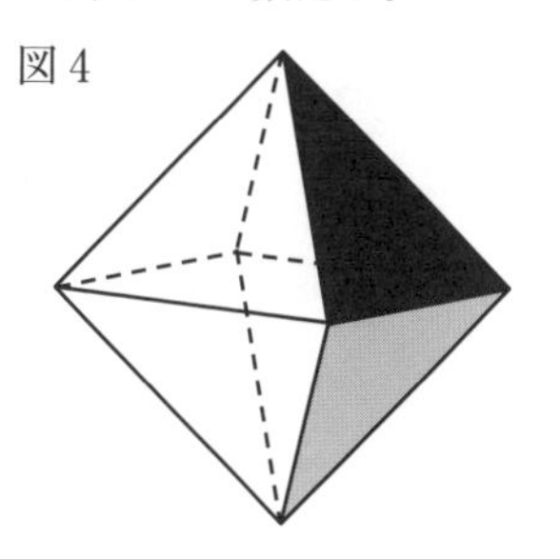

②にあたる面は、図5、図6、図7のように3面ある。これらは回転させてすべて同じ面の配置（例えば図7の位置）にすることができるので、この3通りの塗り方は1通りとして数える。

図5

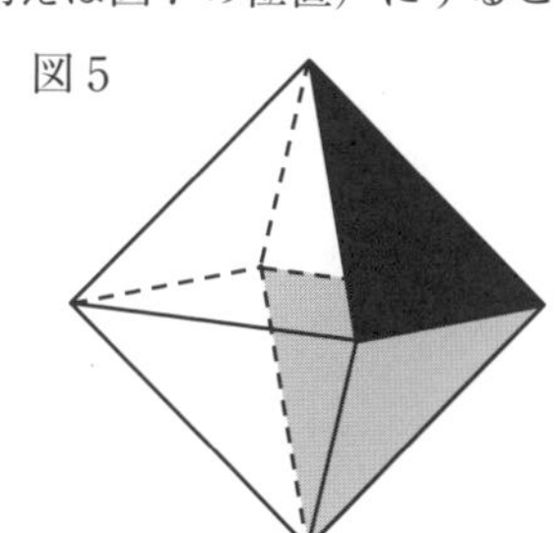

図6

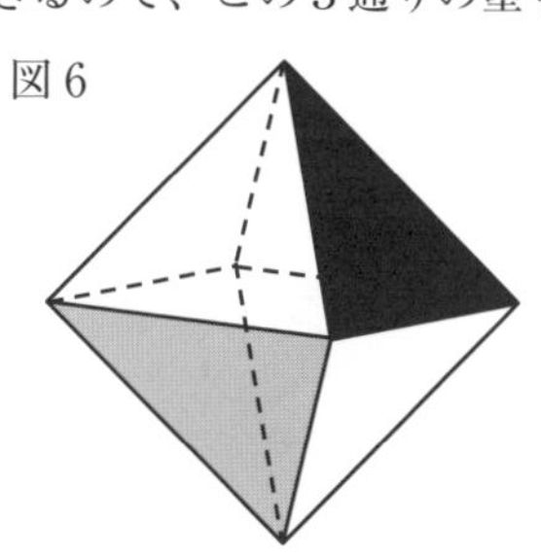

図7

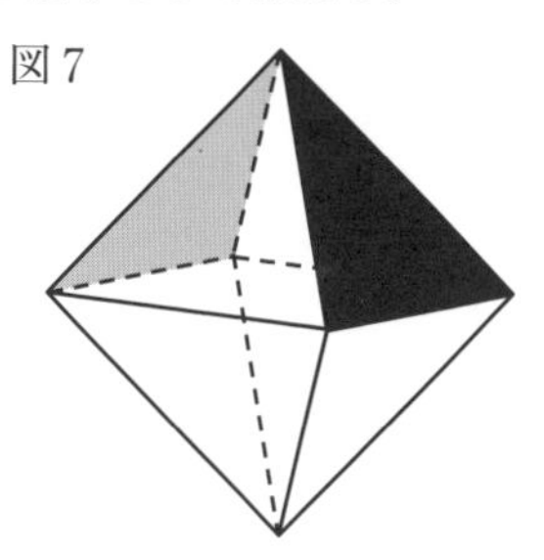

③にあたる面は、図8のように平行の1面で、1通りである。

図8

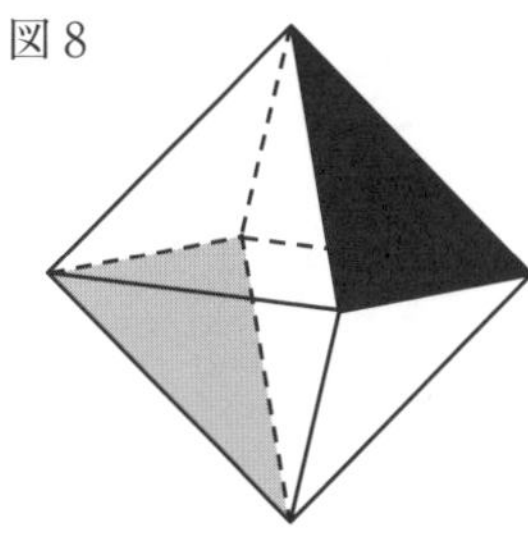

以上より、黒の2面の塗り分け方は全部で3通りあるから、正解は**1**である。

下の図のような円すい台の展開図として、妥当なのはどれか。

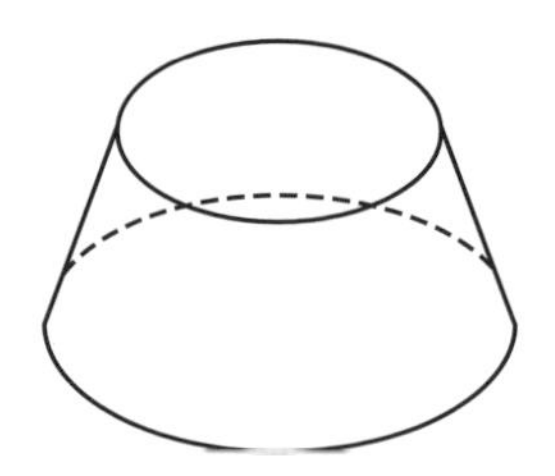

1

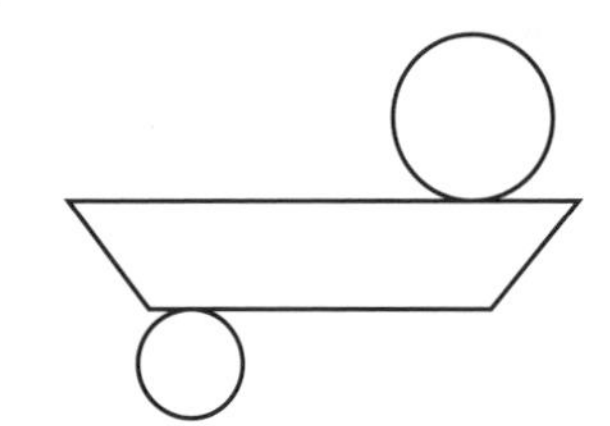

2

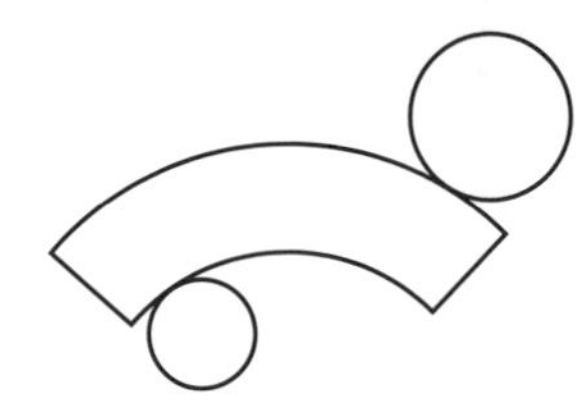

3

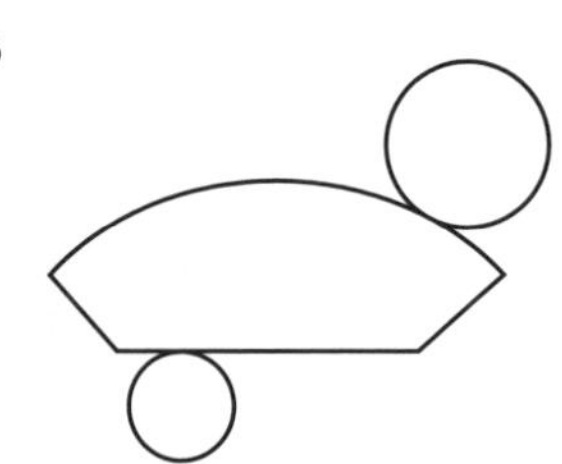

4

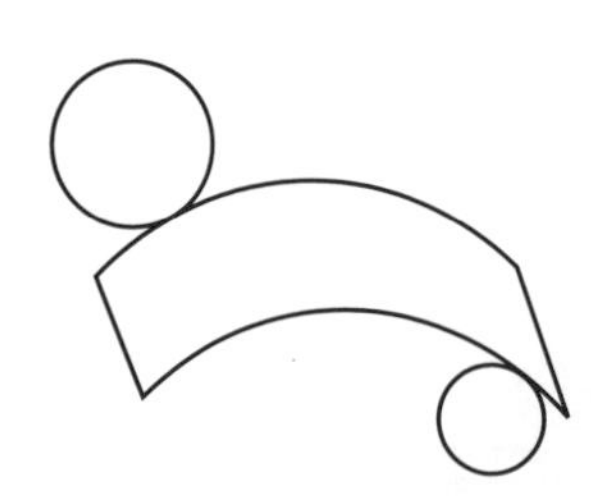

5

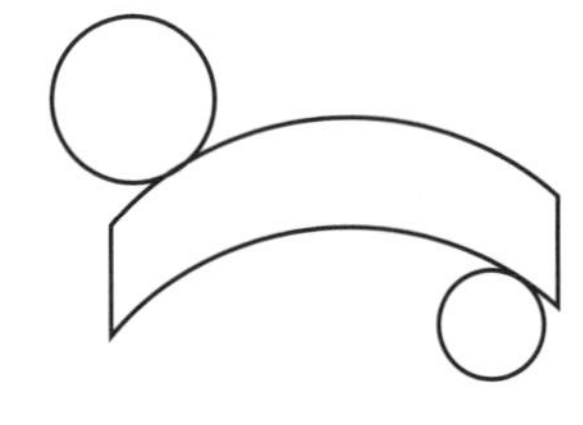

解説　正解　2　TAC生の正答率 60%

円すいの展開図は図１のようになる。円すい台は、円すいから上部の円すいを取り除いた形であるから、円すいの展開図の側面のおうぎ形においても、上部のおうぎ形が取り除かれる（図２）。

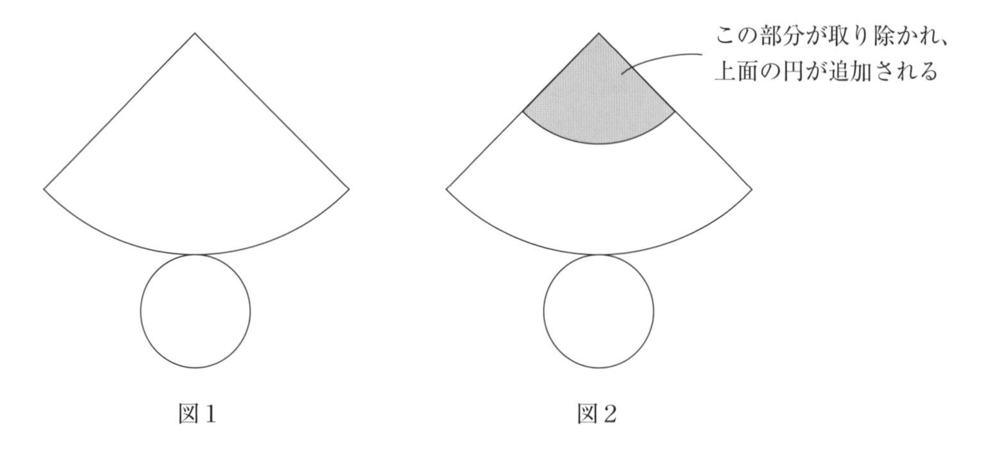

図１　　図２

したがって、消去法より正解は**2**である。

空間把握 立体の切断

2019年度
教養 No.22

下の図のような、一辺の長さが6cmの立方体ABCDEFGHを、頂点A、頂点F及び点Pの３点を通る平面で切断したとき、切断面の面積として、正しいのはどれか。ただし、点Pは辺CD上にあり、CPの長さは２cmとする。

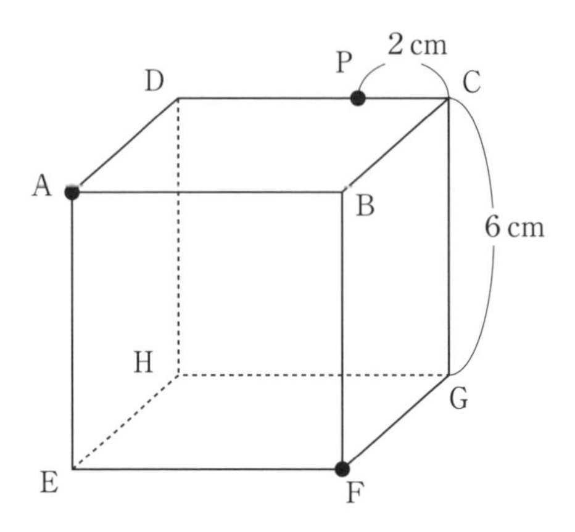

1 $\sqrt{22}$cm^2

2 $2\sqrt{22}$cm^2

3 $4\sqrt{22}$cm^2

4 $6\sqrt{22}$cm^2

5 $8\sqrt{22}$cm^2

解説　正解　5

TAC生の正答率　53%

切断線を引く。同一面上の２点は直線で結べるので、頂点Ａと点Ｐ、頂点Ａと頂点Ｆを直線で結ぶ（図１）。平行な面に対しては、切断線は平行となるので、点Ｐから面CDHGに引くことのできる切断線は、切断線AFに平行である。よって、点ＰからAFと平行な線を引き、辺CG上に現れる点をＱとおく（図２）。さらに、点Ｑと頂点Ｆは同一面上の２点となるので、直線で結ぶと、切断面AFQPは等脚台形（図３）となり、この図形の面積を求めればよい。

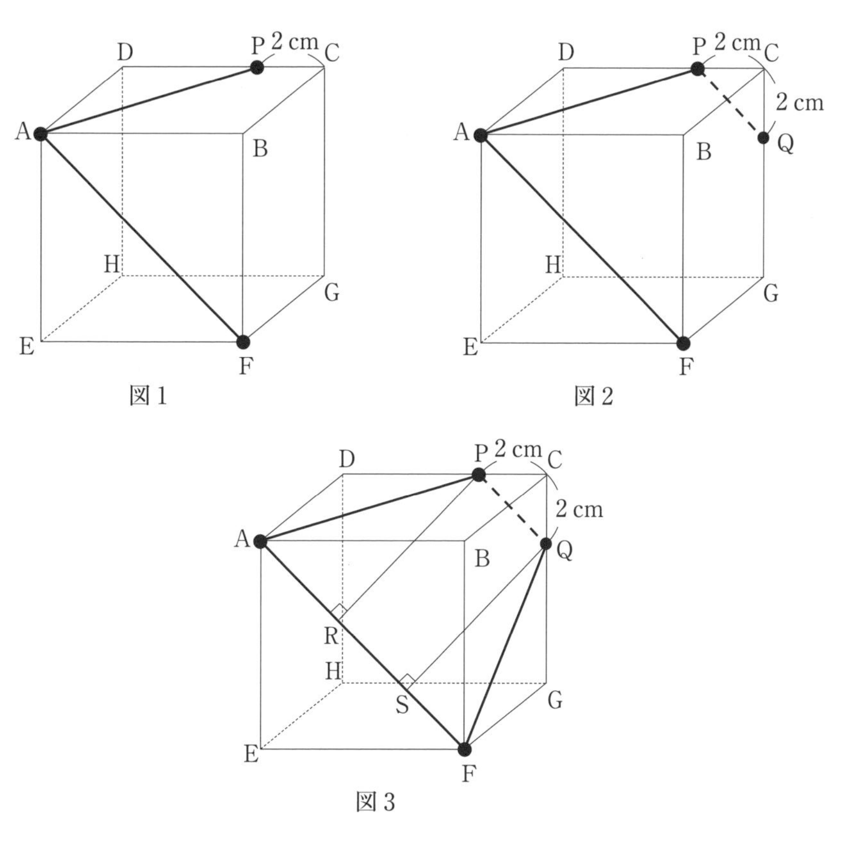

点Ｐ及び点Ｑから辺AFにそれぞれ垂線を引き、その足を点Ｒ、Ｓとおく。△CPQは直角二等辺三角形より$PQ=2\sqrt{2}$cmであり、△AEFも直角二等辺三角形より$AF=6\sqrt{2}$cmである。$PQ=RS$、$AR=SF$より、$FS=(6\sqrt{2}-2\sqrt{2})\div 2=2\sqrt{2}$[cm]である。また、△FGQは$GQ=4$[cm]、$FG=6$[cm]の直角三角形より、三平方の定理より、$FQ=\sqrt{6^2+4^2}=2\sqrt{13}$[cm]となる。よって、△FQSに着目すると、三平方の定理より、$QS=\sqrt{(2\sqrt{13})^2-(2\sqrt{2})^2}=2\sqrt{11}$[cm]となる。

したがって、切断面の面積は、$(2\sqrt{2}+6\sqrt{2})\times 2\sqrt{11}\times\frac{1}{2}=8\sqrt{22}$[cm^2]となるので、正解は**5**である。

空間把握　立体の切断

2016年度
教養 No.23

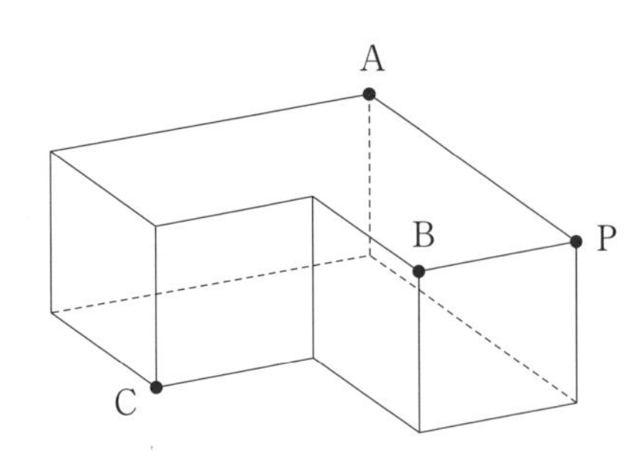

左図のように、３つの立方体をＬ字形に並べた形状をした立体を、頂点Ａ、Ｂ及びＣの３点を通る平面で切断したとき、頂点Ｐを含む側の立体にできる切断面の形状として、妥当なのはどれか。

1

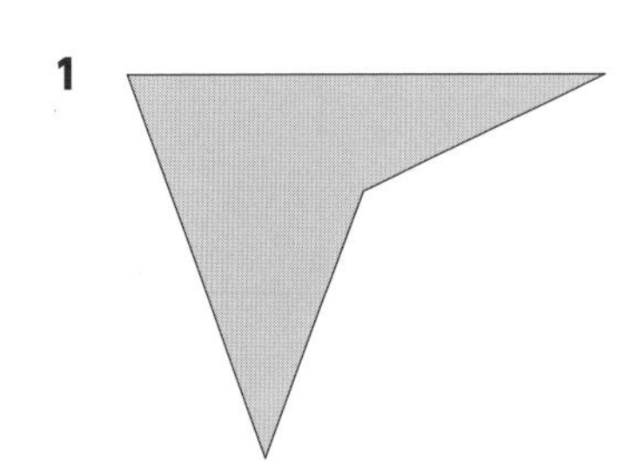

2

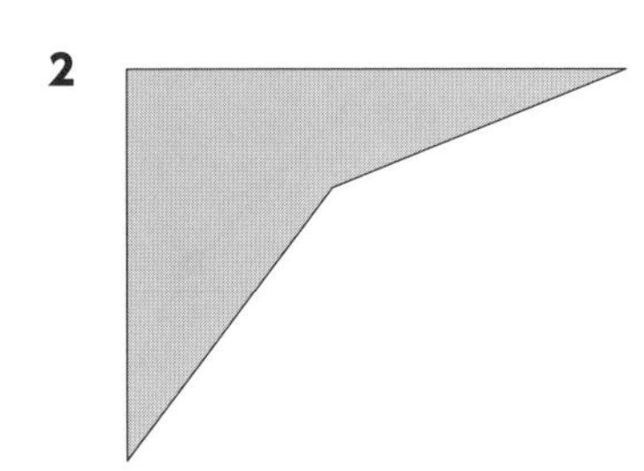

3

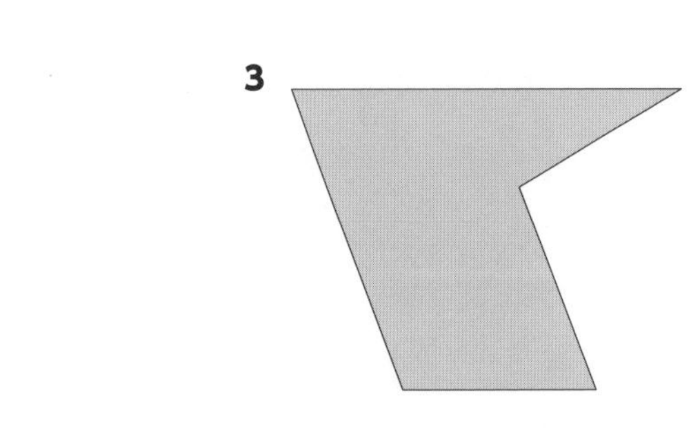

4

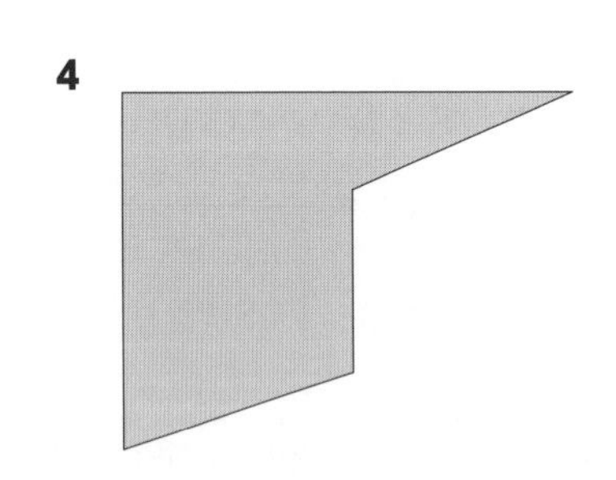

5

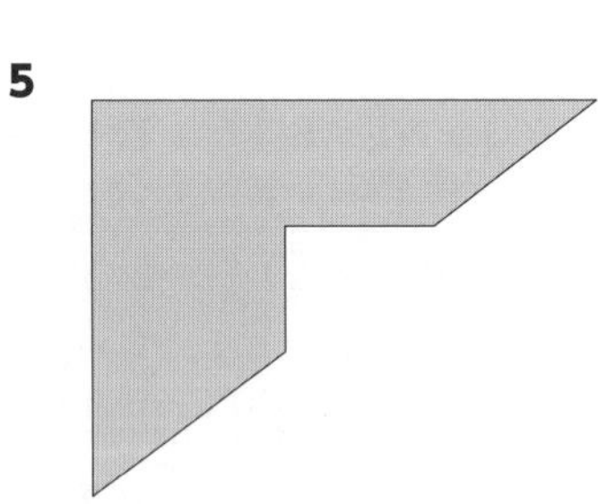

点Aと点Bは同一平面上の点であるので直線で結ぶことができる。点Cから下面に引くことができる切断線は切断線ABに平行になる。ここで、立方体の1辺を1とすると、切断線ABは奥に2進む間に右に1進んでいる。点Cから下面に引くことができる切断線がABと平行になるには、奥に1進む間に右に$\frac{1}{2}$進めばよい。そのときに立体の辺にできる切断点をDとおくと、点Dと点Aは同一平面上の点となるので直線で結ぶことができる。ここまでを図示したものが図1である。

点Cから左前面に引くことができる切断線は切断線ADに平行になる。切断線ADは右に$2-\frac{1}{2}=\frac{3}{2}$進む間に上に1進んでいる。すなわち、右に$\frac{1}{2}$進む間に上に$\frac{1}{3}$進んでいることになる。点Cから左前面に引くことができる切断線がADと平行になるには、右に1進む間に上に$\frac{2}{3}$進めばよい。そのときに立体の辺にできる切断点をEとおくと、点Eと点Bは同一平面上の点となるので直線で結ぶことができる。ここまでを図示したものが図2である。

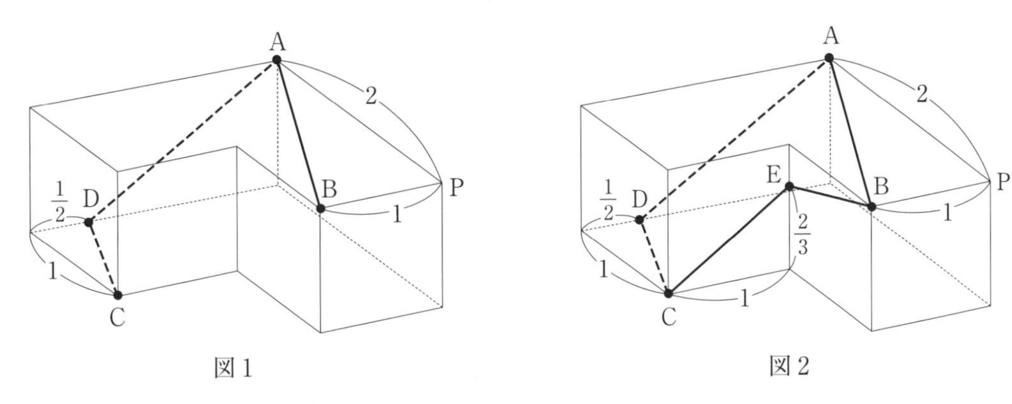

図1　　図2

図2より、頂点Pを含む側の立体にできる切断面は五角形であり、辺ABと辺CDは平行である。
よって、選択肢より、正解は**3**となる。

空間把握　投影図

2016年度
教養 No.22

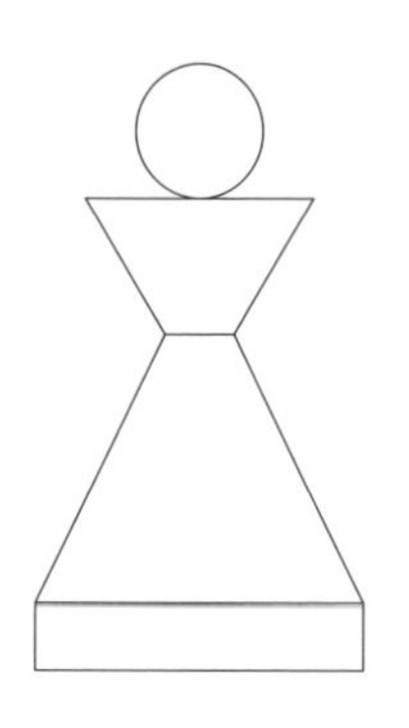

左図のような正面図となる形状をした置物の平面図として、妥当なのはどれか。ただし、置物は回転して、どの向きを正面としてもよい。

1

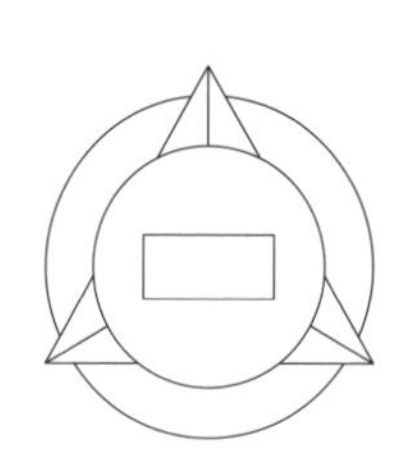

2

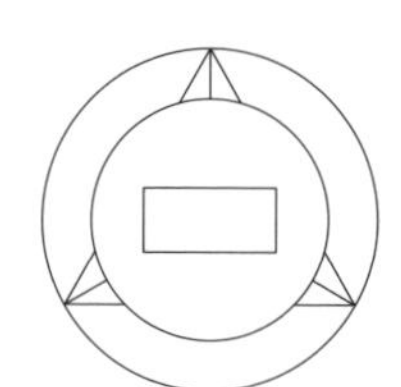

3

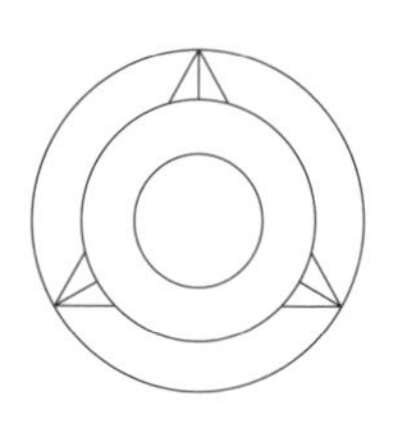

4

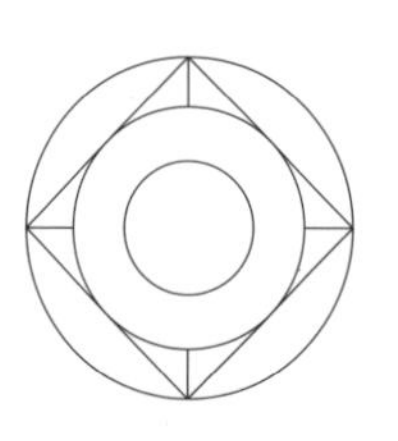

5

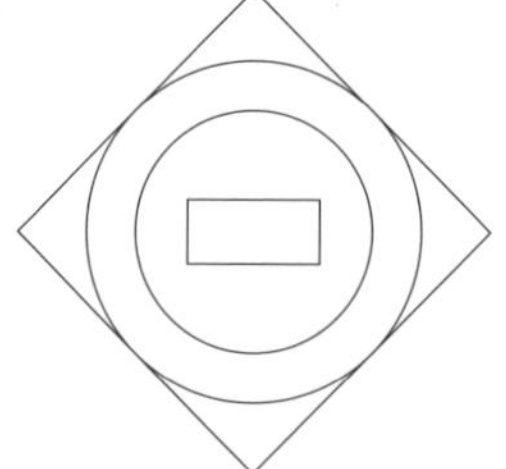

解説　正解　1　TAC生の正答率 8%

与えられた正面図より、一番上の図形は「円」であり、この図形は平面図では図の中央に現れ、選択肢を確認すると、「円または長方形」であるので、図形として考えられるのは、「球または円柱」である。

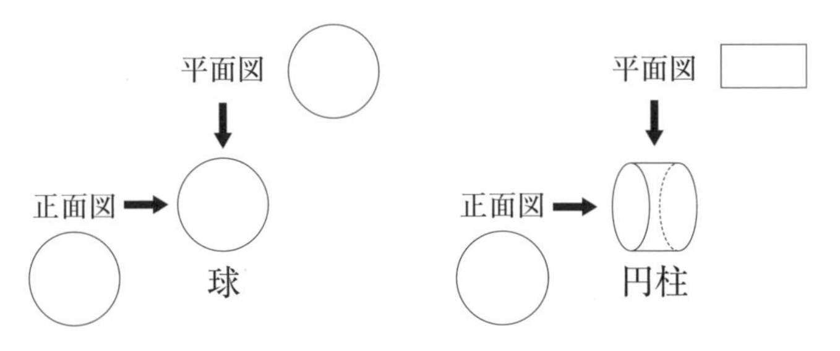

5では、図の中央にある「長方形」の長辺（太線）を正面方向とすれば、正面図では「円」として現れる。しかし、この場合、一番下の図形の①と②の辺は正面図ではそれぞれ面を表すが、折れ曲がっているので、正面図では同一平面とはならない。よって、正面から見ると、A●の部分が辺として見えるため、実線が必要となり、妥当な平面図ではない。

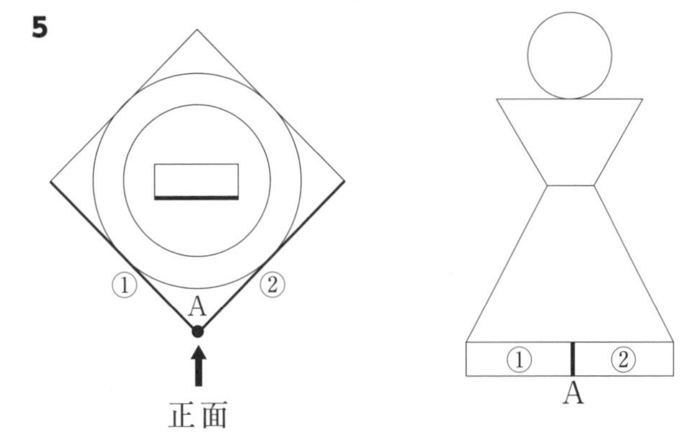

2、**3**、**4**の平面図の正面方向はそれぞれ矢印で表したとおりとなる。それぞれの太線は正面図では太線Bを表しており、太線Bより右側には図形はない。しかし、これらの選択肢では、正面から見た場合に、それぞれの点線より右側に図形（網掛け部分）があり、この図形を正面から見ると、例えば、図のように、太線Bより右側に図形（網掛け部分）が現れる。よって、妥当な平面図ではない。

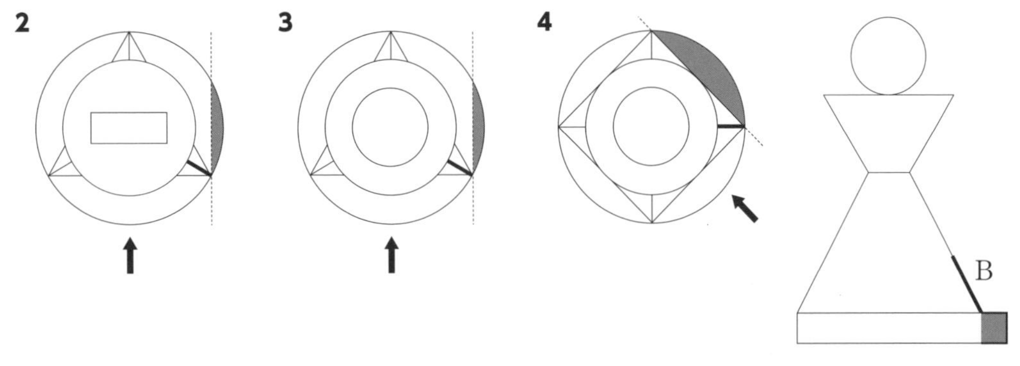

以上より、消去法から正解は**1**となる。

空間把握　サイコロ

2023年度
教養 No.23

下の図のように、矢印が１つの面だけに描かれている立方体を、滑ることなくマス目の上をA～Sの順に回転させ、最初にSの位置にきたときの立方体の状態を描いた図として、妥当なのはどれか。

	A	B	C	D	E	F
S						G
R						H
Q						I
P	O	N	M	L	K	J

1 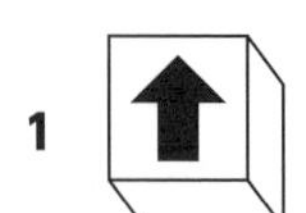

2 

3 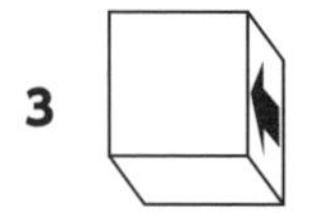

4 

5 

解説　**正解　5**　TAC生の正答率 73%

まず、右に6回転がしてFにきたときの五面図を考える。同一方向に4回転がすと面配置はもとの配置に戻ることから、6÷4の余りは2なので、Fでの面配置は、スタートの五面図を右に2回転がしたときと同じになる。よって、Fでの面配置は、図1のように矢印が描かれた面は下面となり、矢印は左向きとなる。

次にFから前に4回転がしてJにきたときの五面図を考えると、4÷4の余りは0なので、Jでの面配置はFでの配置と同じになる。よって、Jでの面配置は図1となる。

さらに、Jから左に6回転がしてPにきたときの五面図を考えると、6÷4の余りは2なので、Pでの面配置は、Jでの五面図を左に2回転がしたときと同じになる。よって、Pでの面配置は、図2のようにスタートでの面配置と同じになる。

最後に、Pから後に3回転がしてSにきたときの五面図を考える。同一方向に3回転がしたときの面配置は、逆方向に1回転がしたときの配置と同じになるので、Sでの面配置は、図2を前に1回転がしたときの配置と同じになる。よって、Sでの面配置は、図3のように矢印が描かれた面は前面となり、矢印は右向きとなる。

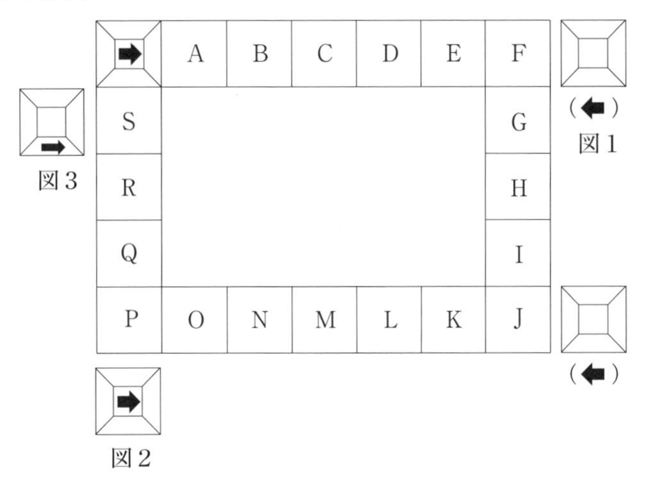

したがって、正解は**5**である。

空間把握　立体構成　2021年度 教養 No.23

同じ大きさの立方体の積み木を重ねたものを、正面から見ると図１、右側から見ると図２のようになる。このとき、使っている積み木の数として**考えられる最大の数と最小の数の差**として、妥当なのはどれか。

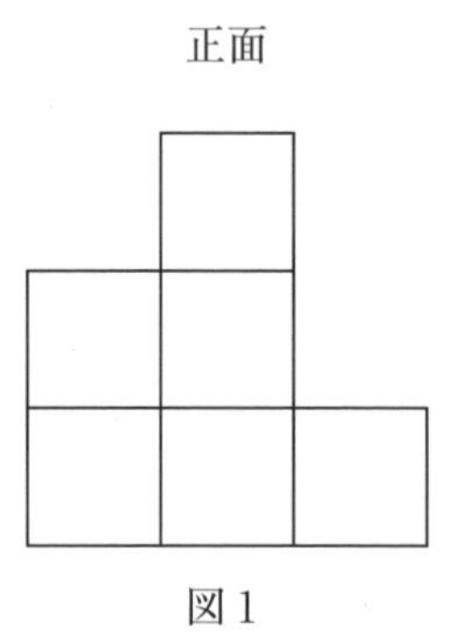

図１

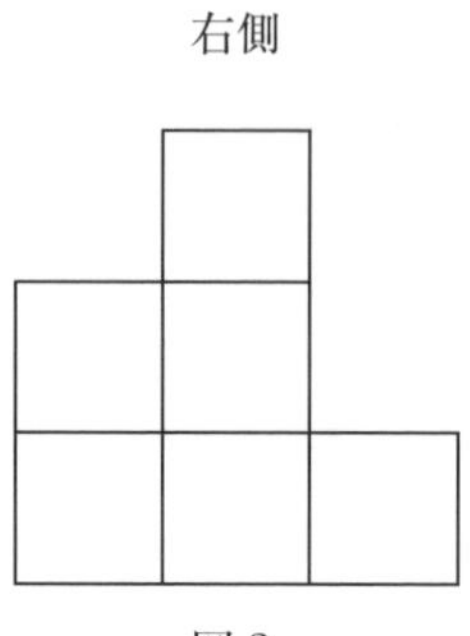

図２

1　0

2　2

3　4

4　6

5　8

解説　正解　5

TAC生の正答率　61%

平面図に、それぞれの列で見える立方体の個数を書き入れると、図1のようになる。ここから平面図での9つのエリアにそれぞれ立方体の積み木が何個積まれているかを考える。

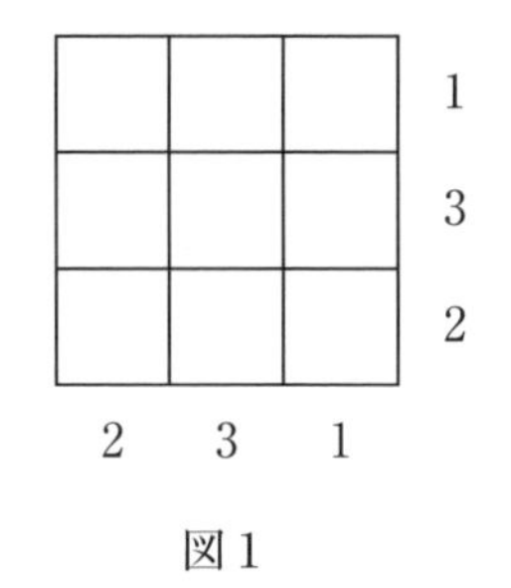

図1

使っている立方体の積み木の最大数について、立方体が1個だけ見える列は、最大でも1個しか積まれていないので、すべてのエリアに最大の1個積まれているとする（図2）。同様に、立方体が2個見える列は最大で2個、3個見える列は最大で3個なので、空いているエリアにそれぞれ最大個数だけ積まれているとする（図3）。図3より、積まれている立方体の積み木の最大数は14である。

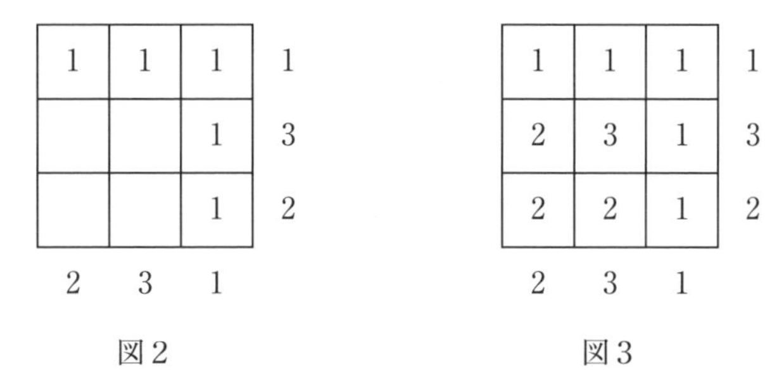

図2　図3

使っている立方体の積み木の最小数について、立方体が3個見える列は、どこか1か所に3個積まれていればよいので、正面、右側からともに3個見える列の交差するエリアに3個積まれているとする（図4）。同様に、立方体が2個見える列はどこか1か所に2個、1個だけ見える列はどこか1か所に1個積まれていればよいので、それぞれ列の交差するエリアに積まれているとする（図5）。図5より、積まれている立方体の積み木の最小数は6である。

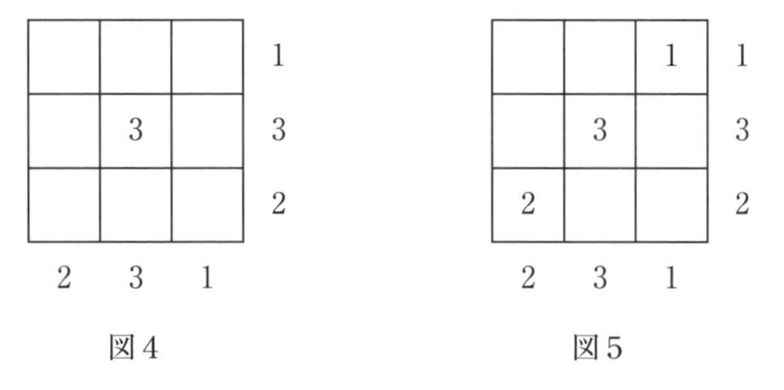

図4　図5

以上より、最大の数と最小の数の差は14－6＝8となるので、正解は**5**である。

空間把握　軌跡　2023年度 教養 No.24

下の図のように、ひし形が正方形の辺と接しながら、かつ、接している部分が滑ることなく矢印の方向に回転して、Aの位置からBの位置まで移動したとき、ひし形の頂点Pの描く軌跡の長さとして、正しいのはどれか。ただし、円周率はπとする。

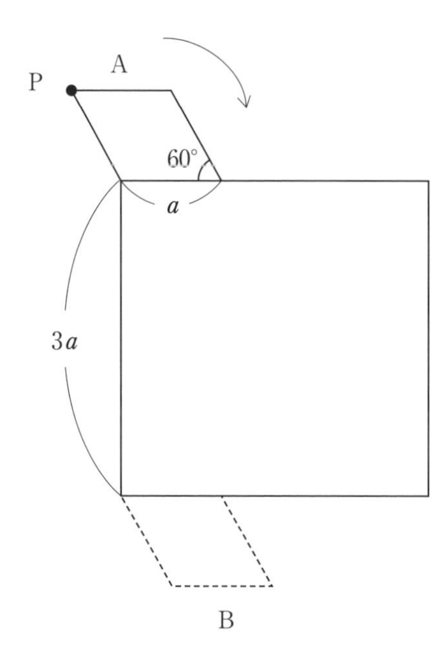

1　$\frac{11+8\sqrt{3}}{6}\pi a$

2　$\frac{6+4\sqrt{3}}{3}\pi a$

3　$(1+2\sqrt{3})\pi a$

4　$(3+\sqrt{3})\pi a$

5　$\frac{3+4\sqrt{3}}{2}\pi a$

解説　正解　1

TAC生の正答率　25%

ひし形を問題のように回転させたときにできる軌跡は、いくつかの円弧から構成される。この一つ一つの円弧に対するおうぎ形の半径について考える。回転するひし形は、図1のように正三角形が2個でできているので、対角線を引くと、網掛けの三角形は、内角が30°、60°、90°の直角三角形となる。この直角三角形の斜辺の長さがaであるので、残りの2辺は図1のようになり、ひし形の長い方の対角線の長さは$\frac{\sqrt{3}a}{2}\times 2=\sqrt{3}a$となる。よって、円弧に対応するおうぎ形の半径は$a$または$\sqrt{3}a$の2種類である。そして、実際にひし形を回転させると図2のようになる（①～⑧は回転中心、曲線P_xP_{x+1}が一つの円弧を表す）。

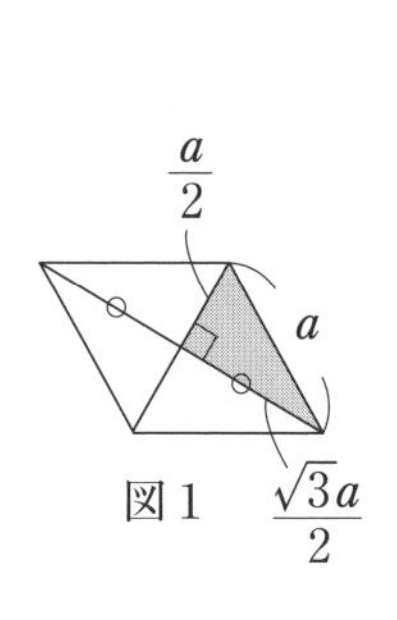

図1

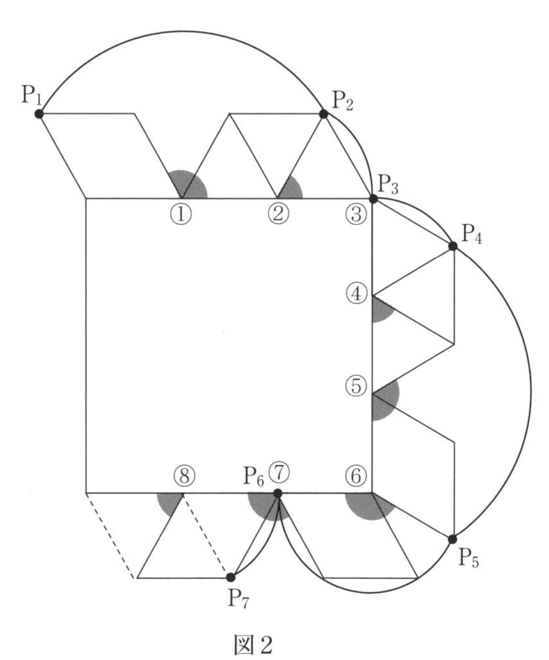

図2

それぞれの回転中心によって現れる円弧の長さを求めるために、それぞれの円弧に対応するおうぎ形の半径および中心角は次のようになる。

①ではP_1からP_2までで、半径は①とP_1を結んだ対角線であるので長さは$\sqrt{3}a$であり、中心角は180－60＝120°である。②ではP_2からP_3までで、半径は②とP_2を結んだ一辺であるので長さaであり、中心角は180－120＝60°である。③では回転中心と点Pが一致するため、円弧は現れない。同様にして、④では、P_3からP_4までで、半径はa、中心角は60°、⑤では、P_4からP_5までで、半径は$\sqrt{3}a$、中心角は120°、⑥ではP_5からP_6までで、半径はa、中心角は360－90－120＝150°、⑦では回転中心と点Pが一致するため、円弧は現れない。最後に、⑧では、P_6からP_7までで、半径はa、中心角は60°である。

よって、軌跡の長さは、$\left(2\pi\times\sqrt{3}a\times\frac{120°}{360°}\right)\times 2+\left(2\pi\times a\times\frac{60°}{360°}\right)\times 3+2\pi\times a\times\frac{150°}{360°}=\frac{11+8\sqrt{3}}{6}\pi a$となるので、正解は**1**である。

空間把握　軌跡　2022年度 教養 No.23

下の図のように、一辺の長さ3cmの正六角形の各辺を延長し、得られた交点を結んでつくった図形がある。この図形が、直線と接しながら、かつ、直線に接している部分が滑ることなく矢印の方向に1回転したとき、この図形の頂点Pが描く軌跡の長さとして、正しいのはどれか。ただし、円周率はπとする。

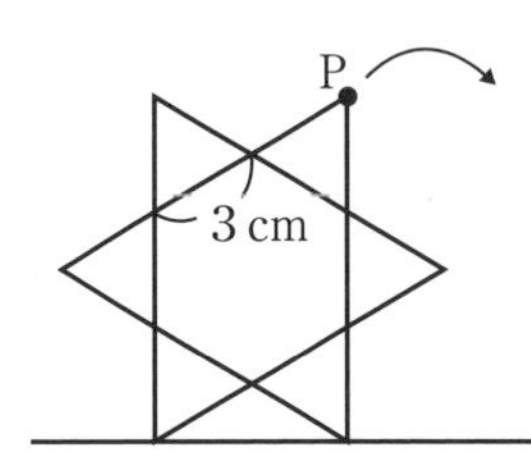

1　$(6+3\sqrt{3})\pi$ cm

2　$(6+4\sqrt{3})\pi$ cm

3　$(9+2\sqrt{3})\pi$ cm

4　$(9+3\sqrt{3})\pi$ cm

5　$(9+4\sqrt{3})\pi$ cm

解説　正解　2　TAC生の正答率 23%

正六角形の一つの内角は120°で、外角は180－120＝60°であるから、正六角形の外側にできた六つの三角形はすべて正三角形で一辺の長さは3cmである（図1）。Pを含む、図形の最も外側にある頂点六つ（Pの真下の点をAとし、反時計回りにB、P、C、D、Eとする）を結ぶと、図形の対称性より正六角形ができ、図1の頂点Bに注目すると、図形の対称性より、●は（120－60）÷2＝30°となる。△PMBは、∠P＝60＋30＝90°で、三辺の長さの比が1：2：$\sqrt{3}$の直角三角形であるので、大きい正六角形の一辺の長さ（＝PB）は$3\sqrt{3}$cmとなる。

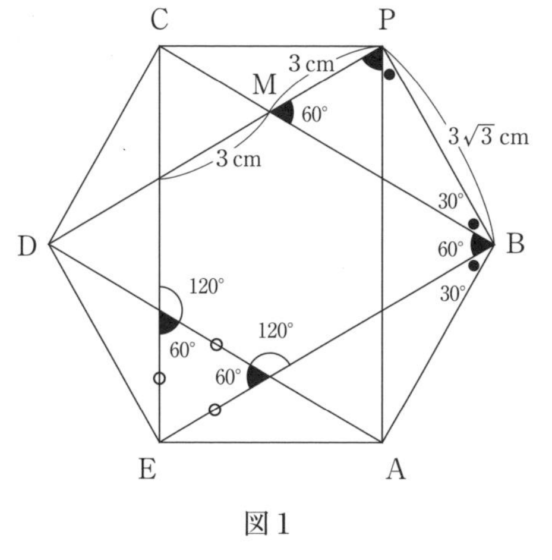

図1

問題の図を１回転させることと、図１の正六角形を１回転させることは同じであるので、正六角形を１回転させたときの軌跡を考える。軌跡は、正六角形の各頂点が回転の中心となって回転することが６回行われ、このとき、点Ｐの軌跡は必ずおうぎ形の弧となるので、それぞれの弧の長さを求めればよい。弧の長さを求めるのに必要なのは、半径および中心角の大きさで、「中心角の大きさ」＝「各点が回転の中心となったときの回転角度」＝「外角の大きさ」であるから、中心角はすべて60°である。半径については、回転の中心となる頂点と点Ｐの距離が半径となる。回転の中心は、図２のＡ、Ｂ、Ｐ、Ｃ、Ｄ、Ｅで、Ｐが回転の中心のとき、軌跡は描かれない。残りの５つの頂点が回転の中心のとき描かれる弧の半径は、Ａ、ＤのときはPA＝PD＝9[cm]、Ｂ、ＣのときはPB＝PC＝$3\sqrt{3}$ [cm]で、PEについては、正六角形の最も遠い点を結ぶ対角線であるので、図３のように考えると、$3\sqrt{3}\times2=6\sqrt{3}$ [cm]となる。

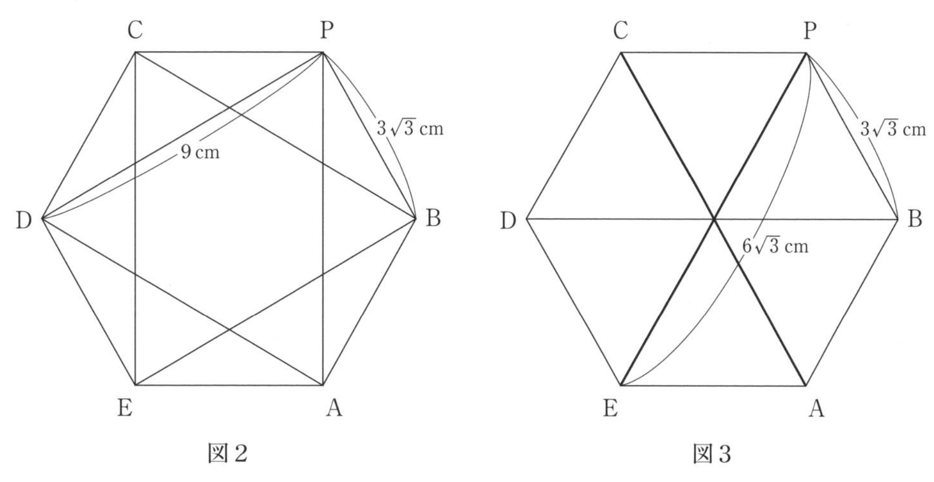

図２　　図３

以上より、弧の長さは、ＡおよびＤを中心として回転したときが$(9\times2\times\pi)\times\frac{60°}{360°}=3\pi$ [cm]、ＢおよびＣを中心として回転したときが$(3\sqrt{3}\times2\times\pi)\times\frac{60°}{360°}=\sqrt{3}\pi$ [cm]、Ｅを中心として回転したときが$(6\sqrt{3}\times2\times\pi)\times\frac{60°}{360°}=2\sqrt{3}\pi$ [cm]であり、軌跡の長さは$3\pi\times2+\sqrt{3}\pi\times2+2\sqrt{3}\pi=(6+4\sqrt{3})\pi$ [cm]となるので、正解は**2**である。

空間把握　軌跡

2022年度
教養 No.24

下の図のように、半径$3a$の円があり、長辺の長さ$3a$、短辺の長さaの長方形が、一方の長辺の両端で円の内側に接しながら円の内側を１周するとき、長方形が通過する部分の面積として、正しいのはどれか。ただし、円周率はπとする。

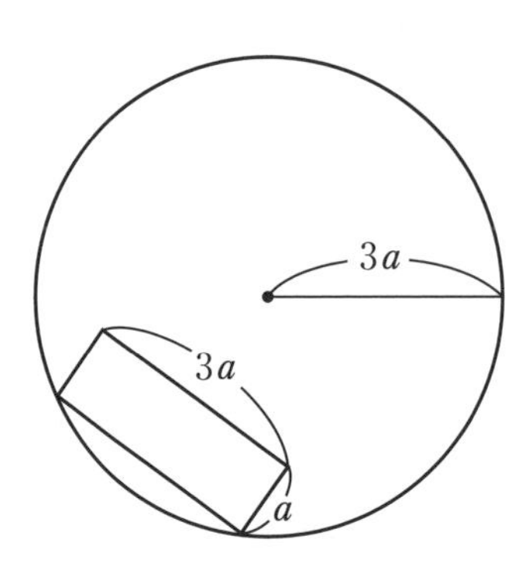

1　$\left(\frac{1}{4}+3\sqrt{3}\right)\pi a^2$

2　$\left(\frac{1}{2}+3\sqrt{3}\right)\pi a^2$

3　$\left(\frac{3}{4}+3\sqrt{3}\right)\pi a^2$

4　$(1+3\sqrt{3})\pi a^2$

5　$\left(\frac{5}{4}+3\sqrt{3}\right)\pi a^2$

解説　正解　5

TAC生の正答率　29%

長方形のうち円の中心から最も遠い点は図１の点ＰおよびＱで、この点が通過する部分は半径$3a$の円の円周と一致する。また、長方形のうち円の中心から最も近い点は、円の中心から長方形の長辺に垂線を下ろしたときの足となる点Ｒで、この点が通過する部分は中心Ｏ、半径ORの円の円周となる。ORの長さを求めると、△OPQは一辺が$3a$の正三角形であり、高さは$\frac{3\sqrt{3}}{2}a$である。ORはこの高さから長方形の短辺の長さを引いたものであるから、$\left(\frac{3\sqrt{3}}{2}-1\right)a$となる。

以上より、長方形が通過する部分の面積は図２の色塗り部分で、その面積は、$(3a)^2\times\pi-\left\{\left(\frac{3\sqrt{3}}{2}-1\right)a\right\}^2\times\pi=9\pi a^2-\left(\frac{27}{4}-3\sqrt{3}+1\right)\pi a^2=\left(\frac{5}{4}+3\sqrt{3}\right)\pi a^2$となる。

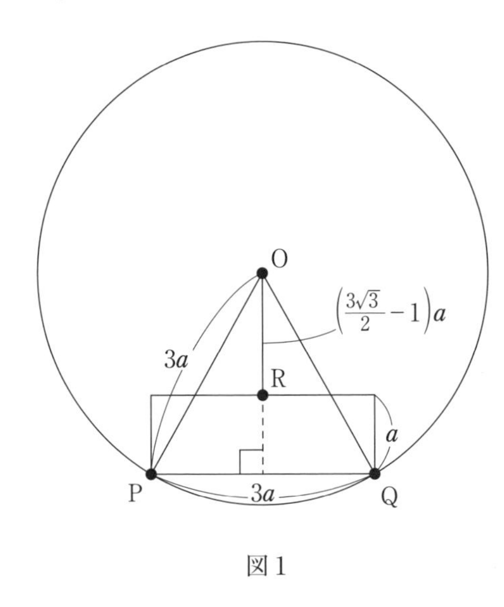

図１

図２

したがって、正解は**5**である。

空間把握　軌跡

下の図のように、一辺の長さaの正三角形が、一辺の長さaの五つの正方形でできた図形の周りを、正方形の辺に接しながら、かつ、辺に接している部分が滑ることなく矢印の方向に回転し、一周して元の位置に戻るとき、頂点Pが描く軌跡の長さとして、正しいのはどれか。ただし、円周率はπとする。

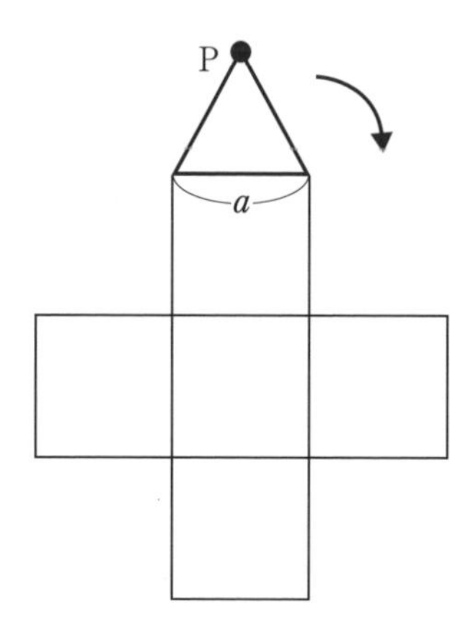

1　$\frac{26}{3}\pi a$

2　$9\pi a$

3　$\frac{28}{3}\pi a$

4　$\frac{29}{3}\pi a$

5　$10\pi a$

解説　正解　3

TAC生の正答率 82%

点Pの軌跡を描くと次の図のようになる。軌跡は8つの円弧でできており、これらの円弧はすべて同じ長さである。

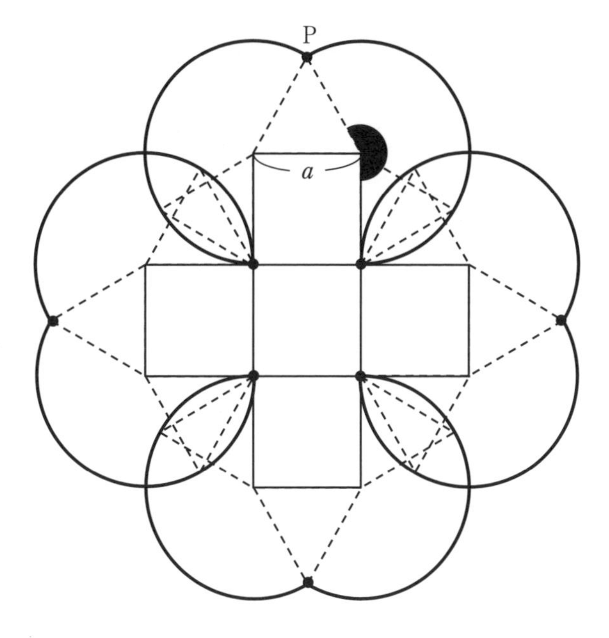

円弧1つについて、半径の長さはaで、中心角は$360-(90+60)=210°$だから、弧の長さは$2\pi a\times\frac{210}{360}=\frac{7}{6}\pi a$である。

よって、全体の軌跡の長さは$\frac{7}{6}\pi a\times 8=\frac{28}{3}\pi a$となるから、正解は**3**である。

空間把握　軌跡

2019年度
教養 No.24

下の図のような、直径２cmの半円と一辺の長さが２cmの正三角形ABCを組み合わせた図形が、直線に接しながら、かつ直線に接している部分が滑ることなく矢印の方向に１回転するとき、辺BCの中点Pの描く軌跡の長さとして、正しいのはどれか。ただし、円周率はπとする。

1　$\frac{2+\sqrt{3}}{4}\pi\,\mathrm{cm}$

2　$\frac{2+\sqrt{3}}{3}\pi\,\mathrm{cm}$

3　$\frac{2+\sqrt{3}}{2}\pi\,\mathrm{cm}$

4　$\frac{2(2+\sqrt{3})}{3}\pi\,\mathrm{cm}$

5　$\frac{3(2+\sqrt{3})}{4}\pi\,\mathrm{cm}$

解説　正解　4

TAC生の正答率　75%

問題の図形を矢印の方向に１回転させたときの点Ｐの描く軌跡は、下図のようになる。

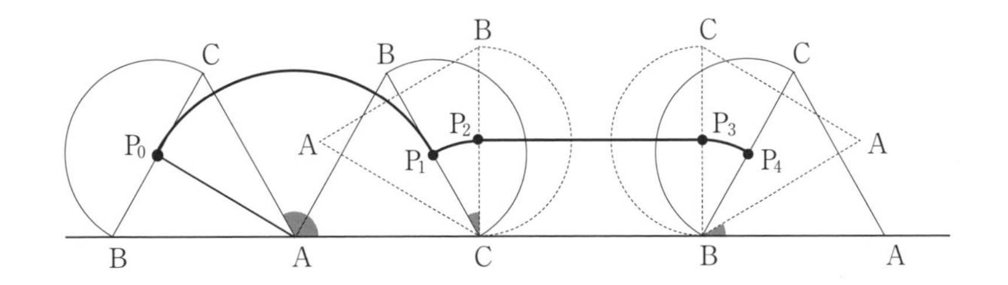

まず、図形は頂点Ａで120°回転する。そのときの回転半径はAP_0の長さに等しい。△ACP_0は内角が30°、60°、90°の直角三角形であるので、ACとAP_0の比率は、AC：AP_0＝2：$\sqrt{3}$である。AC＝2[cm]であるので、2：AP_0＝2：$\sqrt{3}$より、$AP_0=\sqrt{3}$[cm]となる。よって、弧P_0P_1の長さは、$2\pi\times\sqrt{3}\times\frac{120°}{360°}=\frac{2\sqrt{3}}{3}$[cm]となる。次に図形は頂点Ｃで30°回転する。そのときの回転半径はCP_1の長さに等しい。点P_1は辺BCの中点であるので、CP_1＝1[cm]となる。よって、弧P_1P_2の長さは、$2\pi\times1\times\frac{30°}{360°}=\frac{\pi}{6}$[cm]となる。さらに、図形は円弧CBが直線と接するように回転する。P_2P_3の長さは円弧CBの長さに等しいので、$P_2P_3=2\pi\times1\times\frac{1}{2}=\pi$[cm]となる。最後に、図形は頂点Ｂで30°回転する。これは２番目の回転、すなわち頂点Ｃでの回転と同じであるので、弧$P_3P_4=\frac{\pi}{6}$[cm]となる。

したがって、点Ｐの描く軌跡の長さは、$\frac{2\sqrt{3}\pi}{3}+\frac{\pi}{6}+\pi+\frac{\pi}{6}=\frac{2(2+\sqrt{3})\pi}{3}$[cm]となり、正解は**4**である。

空間把握　図形の回転　2020年度 教養 No.24

下の図のように、半径３の円板Ａ～Ｆを並べて、円板の中心が一辺の長さが６の正六角形の頂点となるように固定する。半径３の円板Ｇが、固定した円板Ａ～Ｆと接しながら、かつ接している部分が滑ることなく、矢印の方向に回転し、１周して元の位置に戻るとき、円板Ｇの回転数として、正しいのはどれか。

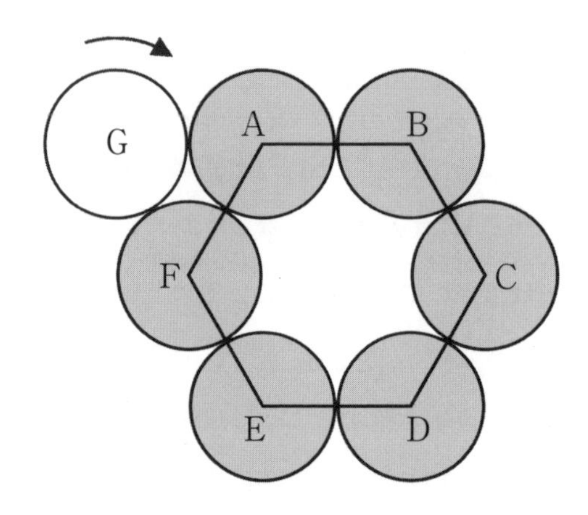

1　２回転

2　４回転

3　６回転

4　８回転

5　10回転

解説　正解　2　TAC生の正答率 50%

1つの円が、半径比n倍の円の外周を滑らずに1周（＝360°）してもとの位置に戻るまでに、自分自身は（$n+1$）回転する。このとき、円の回転角度がθとすると、円は$(n+1)\times\frac{\theta}{360}$［回転］する。このことを用いて考える。

円板Gが右回りに回転し、開始時の円板Ａ、Ｆと接している位置から、円板Ａ、Ｂと接している位置まで移動したときの回転数を考える。円板Ａ～Ｇまではすべて同じ大きさだから$n=1$である。また、このときの円板Gの回転角度を考えると、半径の長さはすべて等しいので円板Ａ、Ｇ、Ｆの中心を結んだ三角形と、円板Ａ、Ｂ、G'の中心を結んだ三角形はいずれも正三角形である。さらに、円板Ａ～Ｆの中心は正六角形の頂点であるから、円板Ｆと円板Ａの中心を結んだ線および円板Ａと円板Ｂの中心を結んだ線のなす角は正六角形の１つの内角と同じ120°である。円板Ａ、Ｆと接している位置から、円板Ａ、Ｂと接している位置まで移動したときの回転角度は（図の黒く塗られた角度）は、$360-(60+60+120)=120°$であり、円板Ｇは、この位置までに$2\times\frac{120}{360}=\frac{2}{3}$［回転］している。円板Ａ、Ｂと接している位置から、円板Ｂ、Ｃと接している位置まで移動したときの回転も同じ回転数となり、開始時から１周して元の位置に戻るまで、この回転が６回繰り返されるから、円板Ｇの回転数は$\frac{2}{3}\times6=4$［回転］となる。

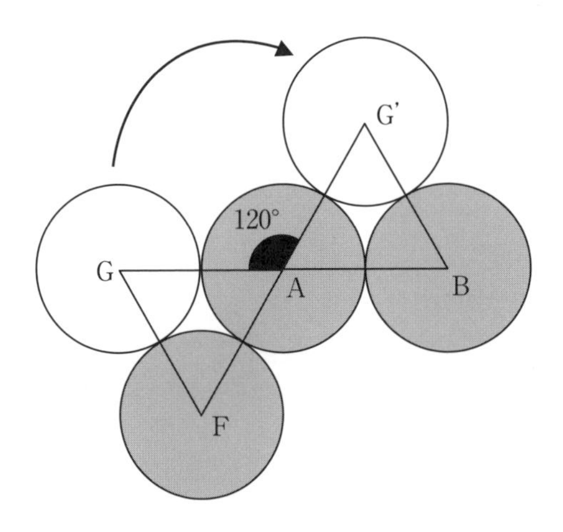

したがって、正解は**2**である。

空間把握　図形の回転

2019年度
教養 No.23

下の図のように、同一平面上で直径3*a*の大きい円に、「A」の文字が描かれた直径*a*の円盤Aが外接し、「B」の文字が描かれた直径*a*の円盤Bが内接している。円盤Aと円盤Bがそれぞれ、アの位置から大きい円の外側と内側に接しながら、かつ、接している部分が滑ることなく矢印の方向に回転し、大きい円を半周してイの位置に来たときの円盤A及び円盤Bのそれぞれの状態を描いた図の組合せとして、妥当なのはどれか。

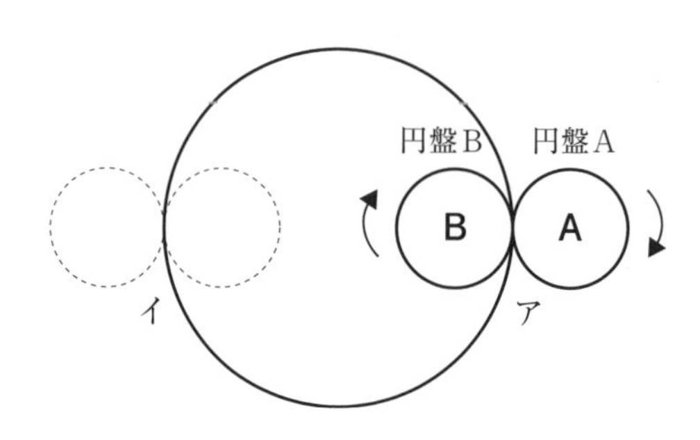

	円盤A	円盤B
1		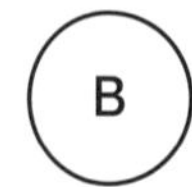
2		
3		
4	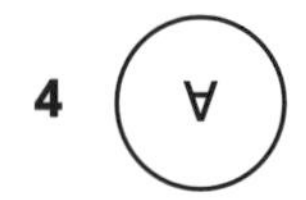	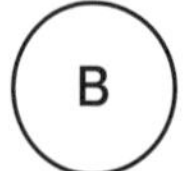
5	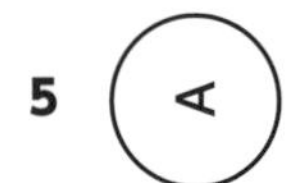	

解説　正解　1　TAC生の正答率 64%

円盤Aが直径$3a$の円の外側を１周するとき、円盤Aの回転数は $\left(\frac{3a}{a}+1=\right)$ 4回転である。イの位置に来たとき、円盤Aは直径$3a$の円を半周しているので、そのときの円盤Aの回転数は$4\times\frac{1}{2}=2$[回転]である。よって、イの位置に来たときの円盤Aの状態は、アの位置と同じなので、Aの向きは「A」となる。

円盤Bが直径$3a$の円の内側を１周するとき、円盤Aの回転数は $\left(\frac{3a}{a}-1=\right)$ 2回転である。イの位置に来たとき、円盤Bは直径$3a$の円を半周しているので、そのときの円盤Bの回転数は$2\times\frac{1}{2}=1$[回転]である。したがって、イの位置に来たときの円盤Bの状態は、アの位置と同じなので、Bの向きは「B」となる。

よって、正解は**1**である。

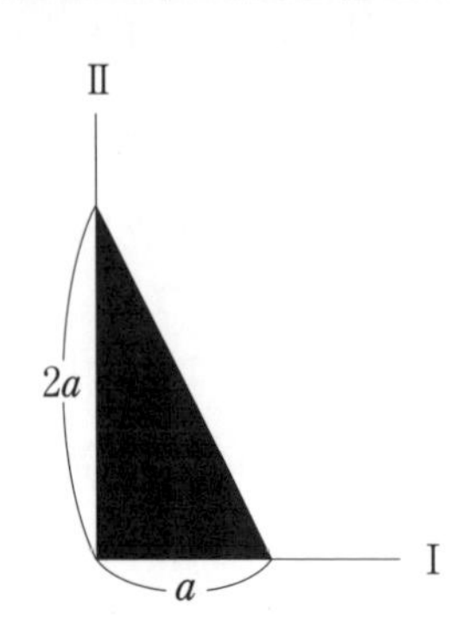

左図のような図形を、軸Ⅰを中心に一回転させてできた立体を、次に軸Ⅱを中心に一回転させたときにできる立体として、正しいのはどれか。

1

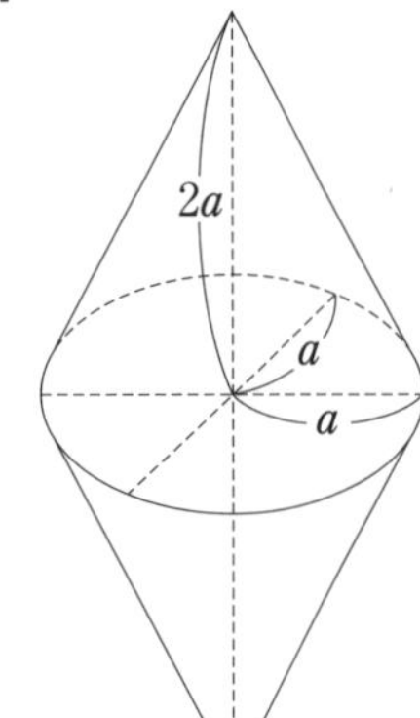

2

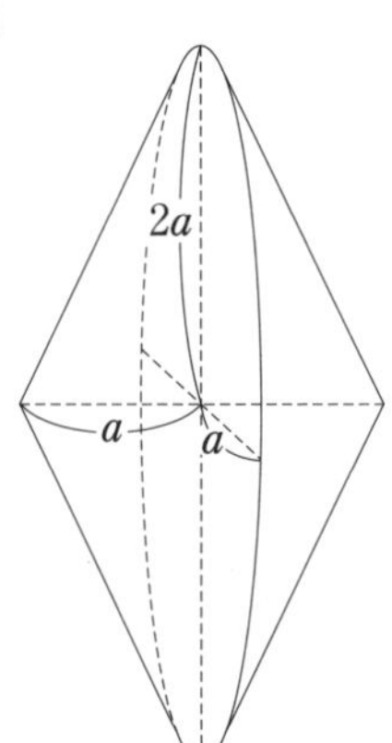

3

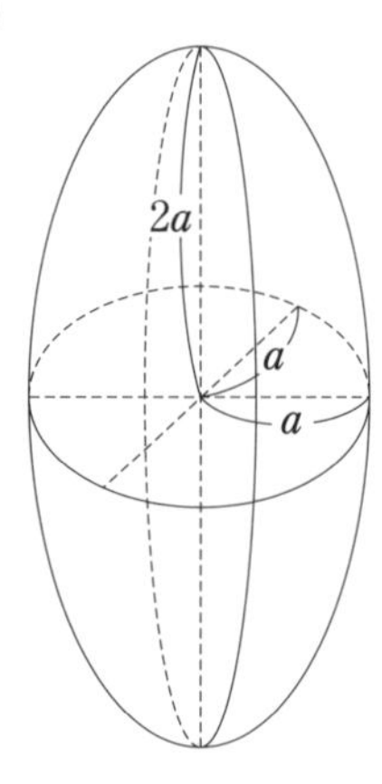

4

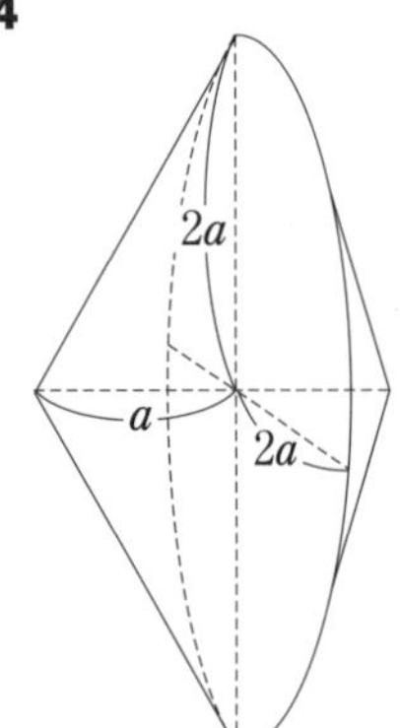

5

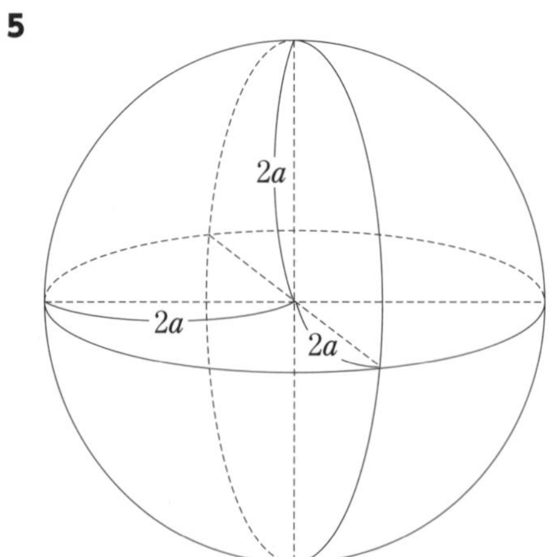

解説　正解　5

TAC生の正答率　19%

図形を、軸Ⅰを中心に一回転させてできた立体は図1のように、底面が半径$2a$の円で、高さaの直円錐となる。

次に、図1の直円錐を、軸Ⅱを中心に一回転させたときの立体を考える。図1を2つの平面で考えると、半径$2a$の円と底辺$4a$、高さaの二等辺三角形となる。よって、この2つの平面を、軸Ⅱを中心に一回転させた立体を合わせたときに、最も軸Ⅱから離れている部分が、できる立体の外形となる。

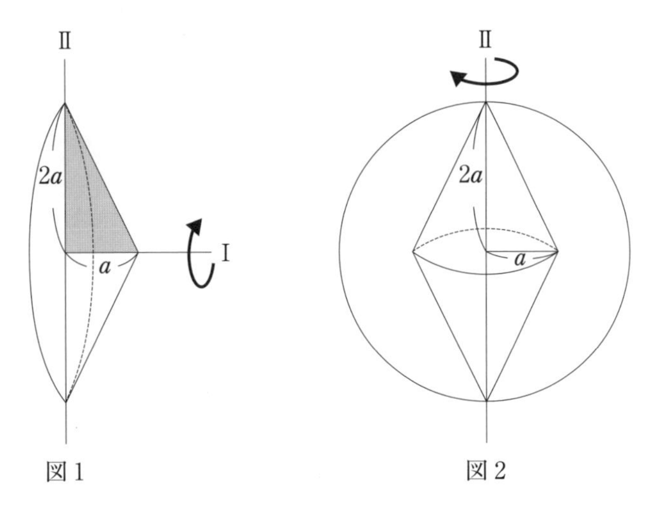

図1　図2

図2より、できる立体は球となるので、正解は**5**となる。

下の図のような、上段に68628、中段に92965、下段に68828の数字を描いた紙を、点線のところで切断してA～Fの小片とし、B、C、D、Eを裏返すことなく並べ替えたとき、上段に82688、中段に59825、下段に82588となる並べ方として、妥当なのはどれか。ただし、ᗺ、Ɔ、ᗡ、Ǝは、B、C、D、Eをそれぞれ上下逆にした小片を表すものとする。

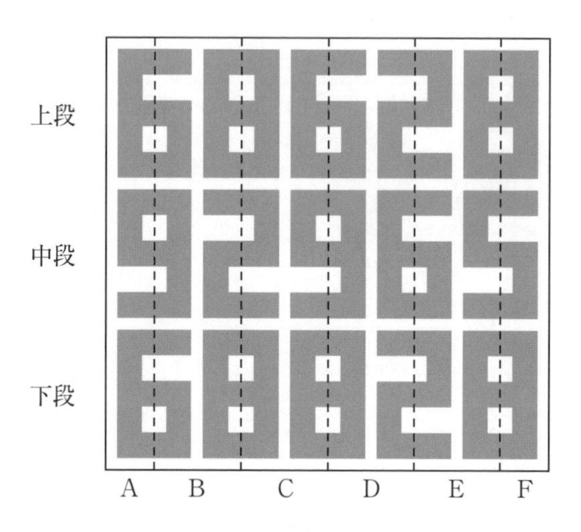

1　A－Ɔ－D－ᗺ－E－F

2　A－Ɔ－ᗺ－D－E－F

3　A－Ǝ－D－ᗺ－C－F

4　A－Ǝ－ᗡ－B－C－F

5　A－Ǝ－ᗡ－Ɔ－ᗺ－F

解説　正解　4　　TAC生の正答率 73%

並べ替え後は図１のようになる。このうち、図２の形になっている部分に注目する。

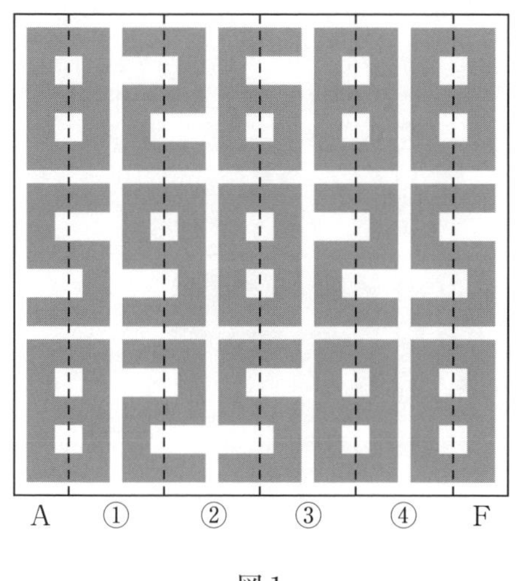

図１

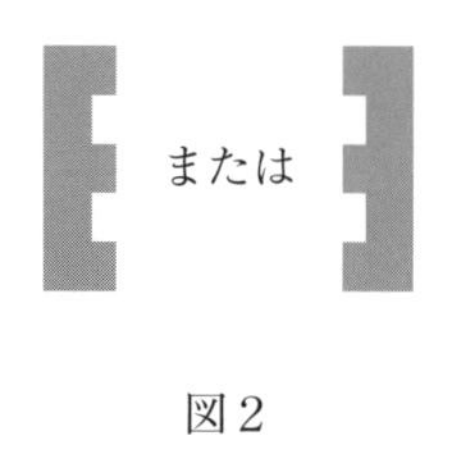

図２

④の上段、下段は左右ともに図２の形になっている。Ｂ～Ｅのうち、このようになっているのはＣだけである。なお、④の中段を見ると上下はそのままの向きで並べている。②の中段は左右ともに図２の形になっている。Ｂ～Ｅのうち、このようになっているのはＤだけである。なお、②の上段の右が図２の形になっており、Ｄは下段の左が図２の形になっているから、②はＤを上下逆にして並べている。

よって、②はＤを上下逆にしたもの、④はＣであるから、消去法より正解は**4**である。

空間把握　平面パズル　2016年度 教養 No.21

下図のような、上段に62868、下段に98625の数字を描いた紙を、破線のところで切断してA～Fの小片とし、B、C、D及びEを裏返すことなく並べ替えたとき、上段に62528、下段に99886となる並べ方として、正しいのはどれか。ただし、ᗺ、Ɔ、ᗡ及びƎは、それぞれ上下逆にした小片を表すこととする。

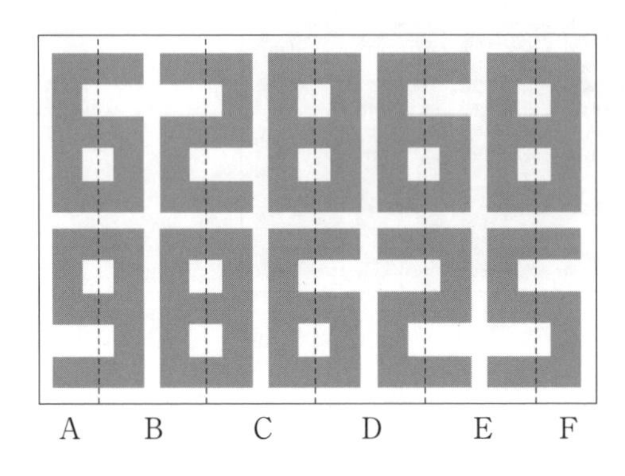

1　A－B－C－Ǝ－ᗡ－F

2　A－B－Ɔ－E－ᗡ－F

3　A－ᗺ－D－Ǝ－C－F

4　A－Ǝ－ᗡ－B－C－F

5　A－Ǝ－C－ᗺ－ᗡ－F

解説　正解　4

TAC生の正答率 69%

上段の左から５番目の数字「８」、下段の左から５番目の数字「６」に着目すると、小片Ｆの左隣の小片の右側は図１の点線の図形のように、上段、下段とも同じ形にならなければならない。そして、この形は、小片がそのままの向きなら小片の右側に、上下逆にした小片なら左側にないといけない（図２）。このことを踏まえると、満たすのは小片Ｃしかなく、そのままの向きで小片Ｆの左隣に並べることになる。

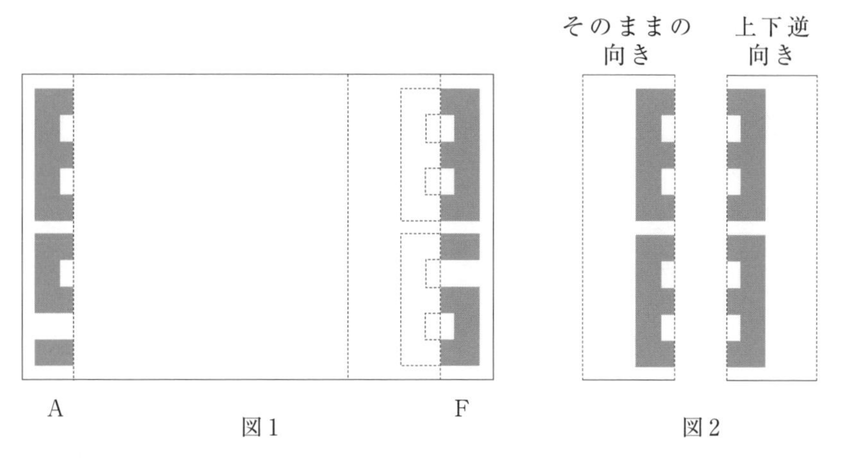

図１　図２

次に、上段の左から４番目の数字「２」、下段の左から４番目の数字「８」に着目すると、小片Ｃの左隣の小片の右側は図３の点線の図形のように、上段、下段とも異なる形にならなければならない。そして、この形は、小片がそのままの向きなら小片の右側に、上下逆にした小片なら左側にないといけない（図４）。このことを踏まえると、満たすのは小片Ｂしかなく、そのままの向きで小片Ｃの左隣に並べることになる。

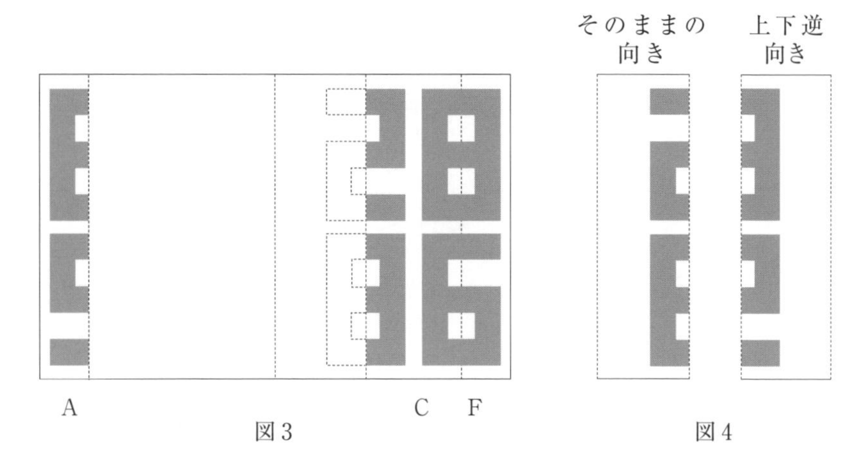

図３　図４

よって、消去法より、正解は**4**となる。

図１に示すＡ～Ｅの紙片のうち４枚をすき間なく、かつ、重なり合うことなく並べて、図２に示す台形における着色部分をはみ出すことなく全て埋めるとき、**必要でない紙片**として、妥当なのはどれか。ただし、いずれの紙片も裏返さないものとする。

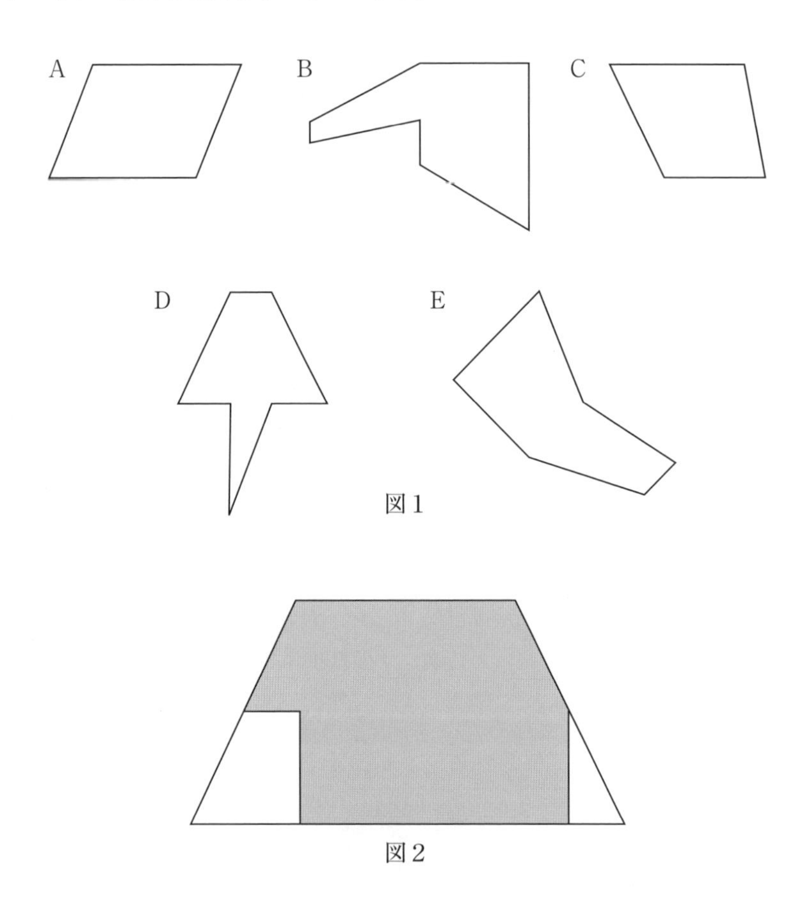

図１

図２

1 A

2 B

3 C

4 D

5 E

解説　**正解　2**　TAC生の正答率　47%

着色部分左端の直角のくぼみから考えると紙片Dが左側に入ることが分かる。次に、着色部分右端に入るのは紙片Bか紙片Eのいずれかである（図Ⅰ、図Ⅱ）。

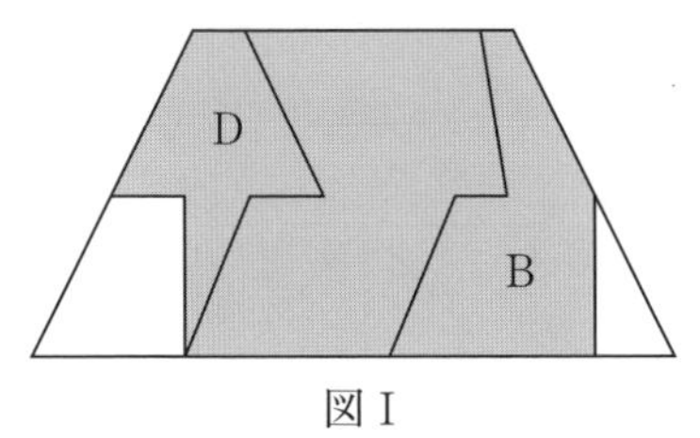

図Ⅰ

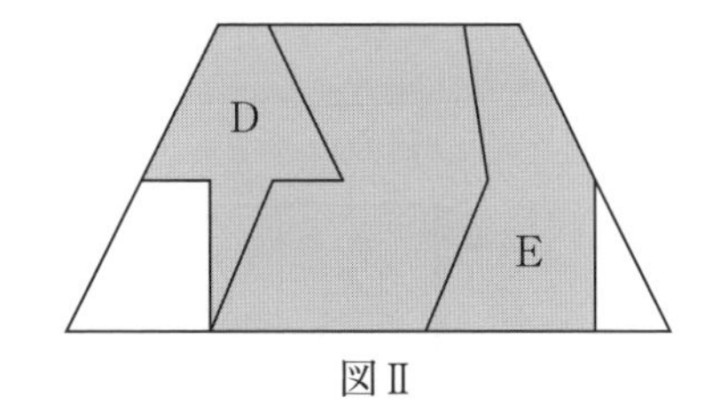

図Ⅱ

すると、残った部分には、上側に紙片Cが入り、下側に紙片Aが入ることになる。ここで、紙片Cと紙片Aでは、紙片Aのほうが横に長いので、着色部分を全て埋めることができるのは、図Ⅱのように埋めた場合である。そして、最終的に図Ⅲのようになる。

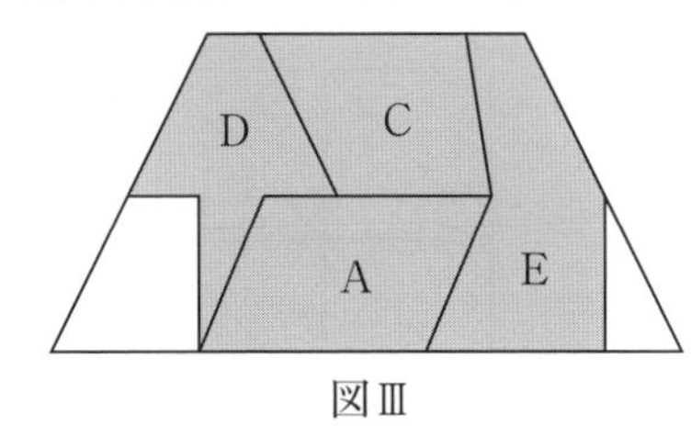

図Ⅲ

以上より、不要な紙片はBであるから、正解は**2**である。

空間把握　一筆書き　2022年度 教養 No.21

下の図A～Eのうち、始点と終点が一致する一筆書きとして、妥当なのはどれか。ただし、一度描いた線はなぞれないが、複数の線が交わる点は何度通ってもよい。

A
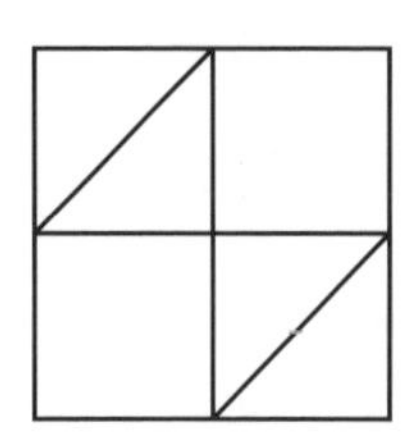

B
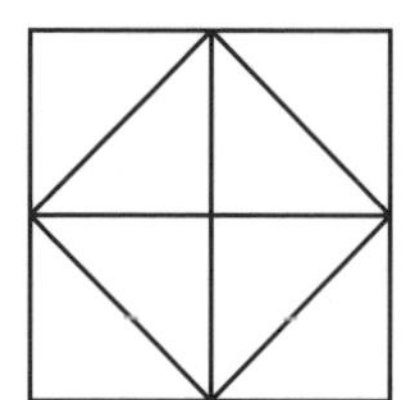

C
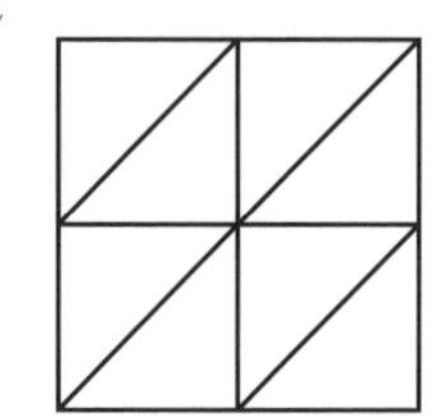

D
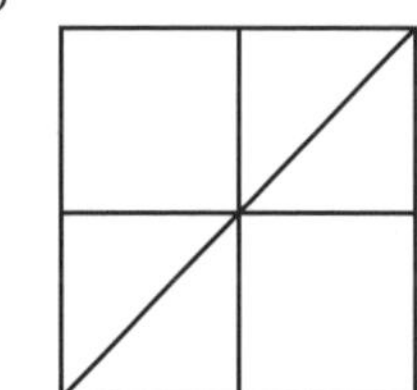

E
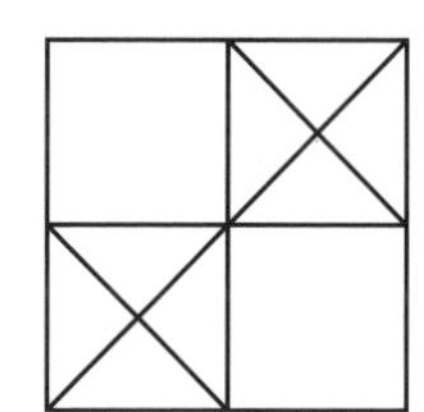

1　A

2　B

3　C

4　D

5　E

解説　正解　1

TAC生の正答率　72%

一筆書きが可能で、かつ、始点と終点が一致する図形は、奇点（＝集まる線分の数が奇数である点）がなくすべて偶点（＝集まる線分の数が偶数である点）となる図形である。A～Eの図において、各頂点に集まる線分の数を調べると以下のようになる。

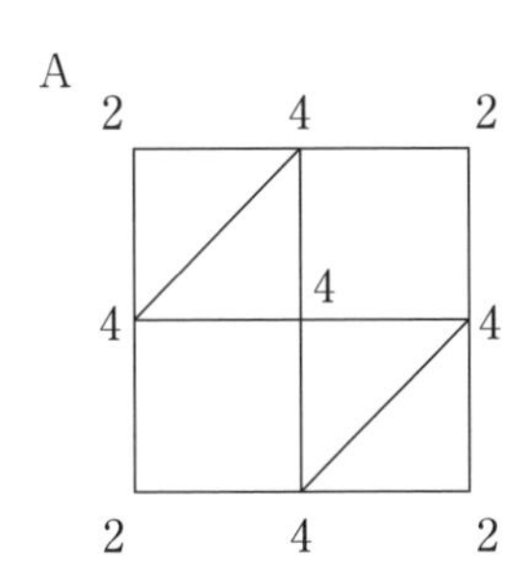

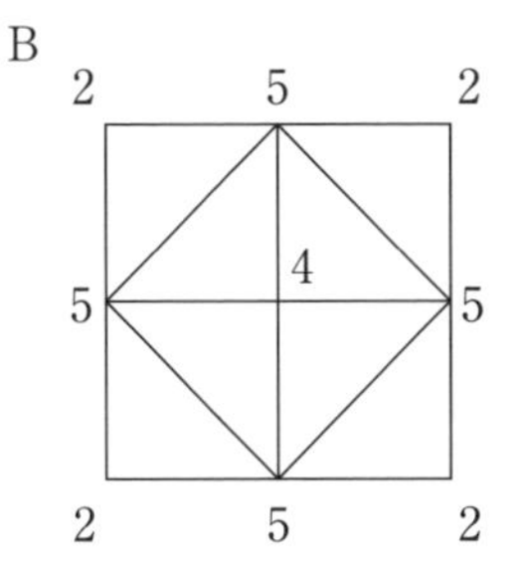

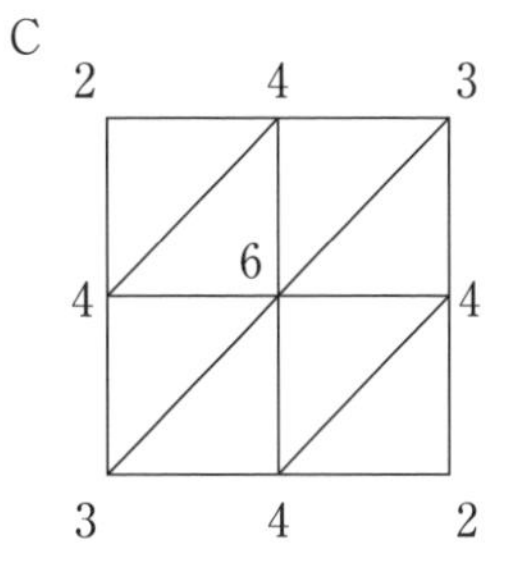

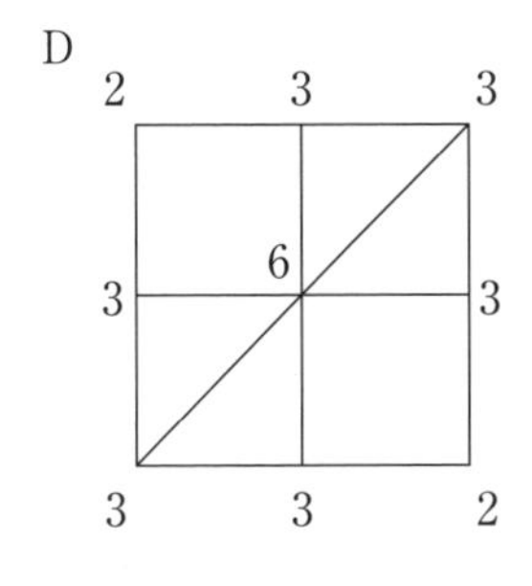

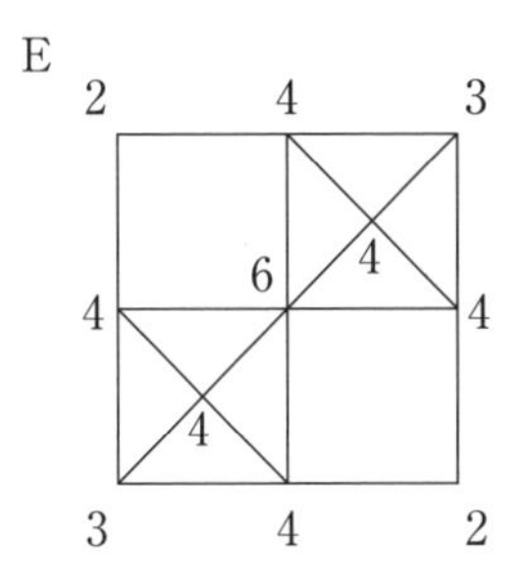

よって、すべて偶点である図はAであるので、正解は**1**である。

空間把握　位相

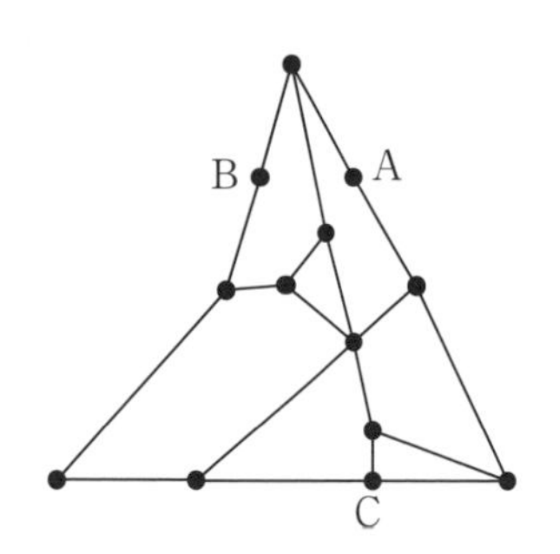

左図は、ゴムひもの結び目を平板にピンで留めて作った図形であり、線はゴムひもを、点は結び目を表している。結び目とピンをともに動かしたときにできる図形として、妥当なのはどれか。ただし、ピンは他のピンと同じ位置又はゴムひも上に動かさず、ゴムひもは他のゴムひもと交差しない。

1

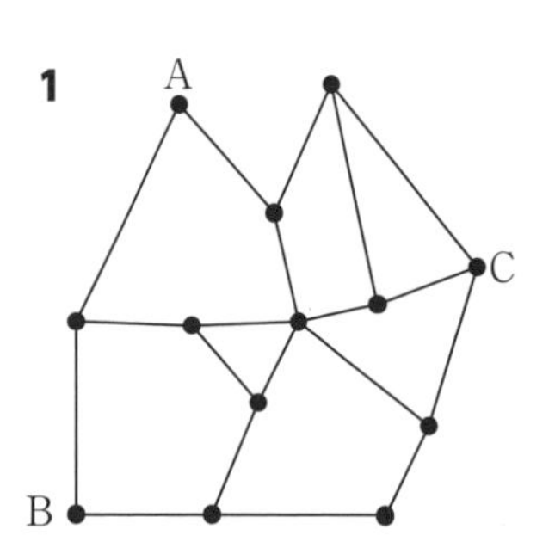

2

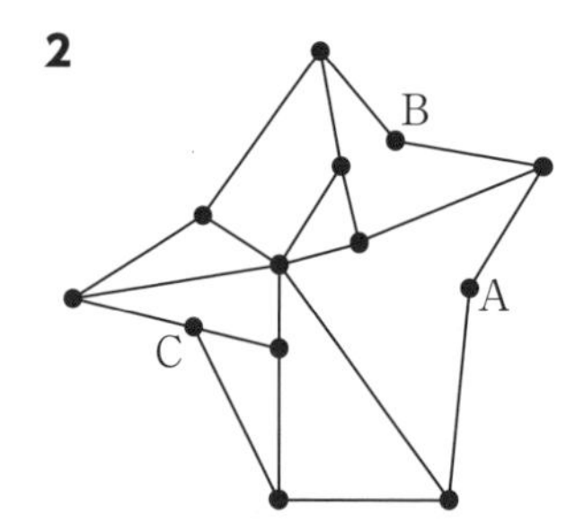

3

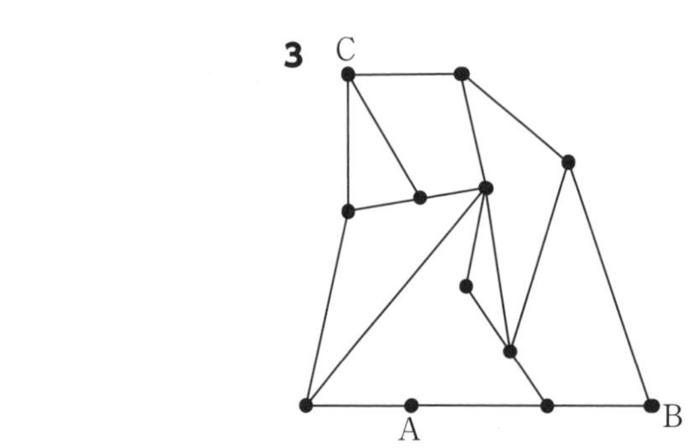

4

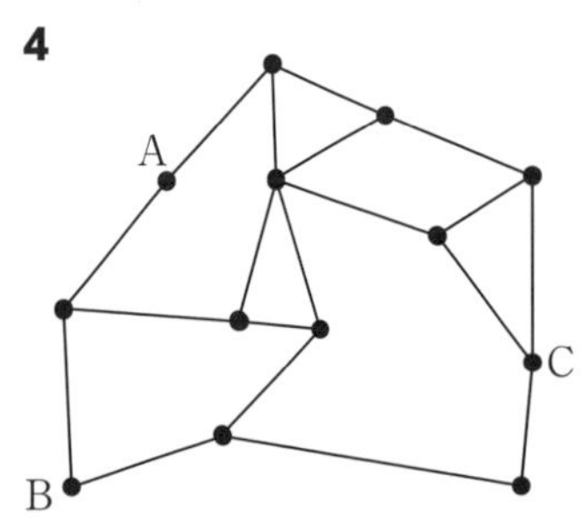

5

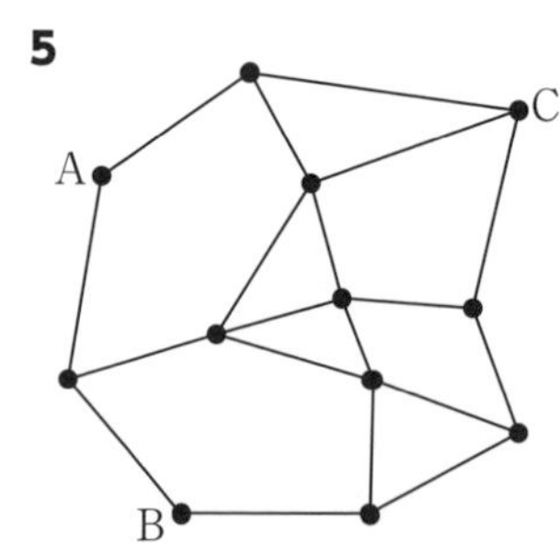

解説　正解　1

TAC生の正答率　71%

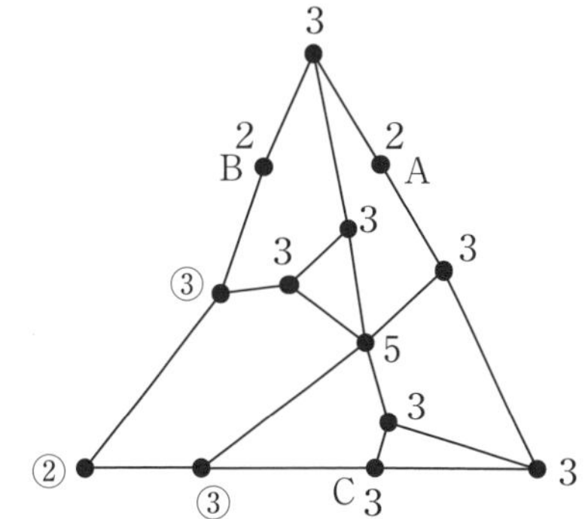

各結び目（●）に集まるひもの数は次のようになり、条件通り結び目とピンを動かしても各結び目に集まるひもの数は変わらない。ひもが5本集まる結び目は1つあるが、4本集まる結び目や6本集まる結び目はない。よって、**5**は、ひもが5本集まる結び目がなく、**2**は、ひもが6本集まる結び目が1つあり、**3**は、ひもが4本集まる結び目があるので、妥当な図形ではない。

BとCの間にある図形の外側の結び目に着目すると、Bから見て、③→②→③の3つの結び目がある（上図）。**1**では、Bから見て③→②→③の3つの結び目があり、**4**では、Bから見て③→②の2つの結び目しかない。よって、**4**は妥当な図形ではなく、**1**が妥当な図形となる。

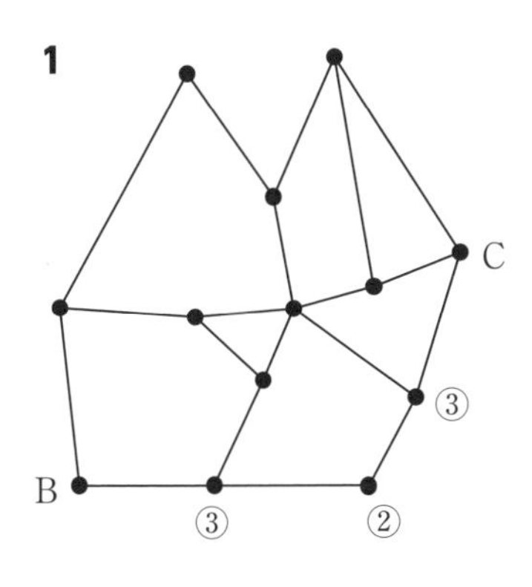

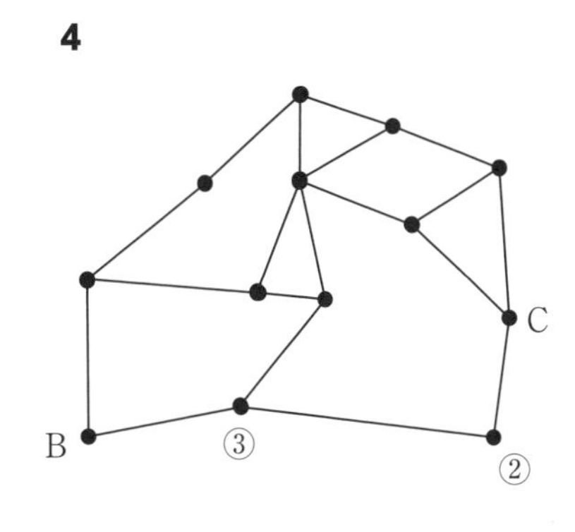

空間把握　図形の分割

2020年度
教養 No.21

下の図のように、円を１本の直線で仕切ると、円が分割される数は２である。円を７本の直線で仕切るとき、円が分割される最大の数として、正しいのはどれか。

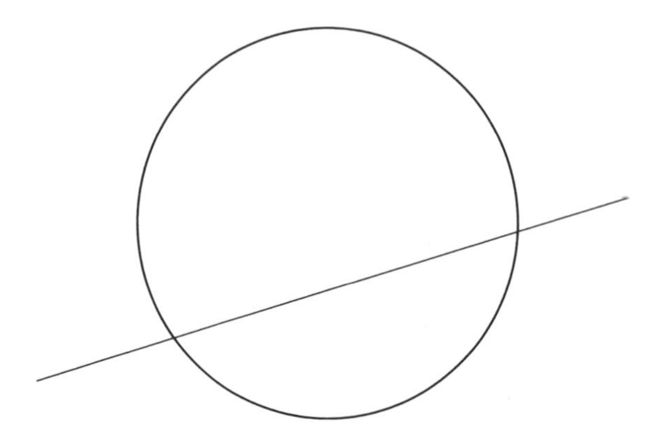

1　20

2　23

3　26

4　29

5　32

解説　正解　4

TAC生の正答率　84%

4本まで実際に直線を描いたときに分割される最大の数は、2本では分割数4、3本では分割数7、4本では分割数11となる。このとき、n本目の直線を引いたとき、分割数がnだけ増加していると推測できる。なお、最大で分割数がnだけ増加することは、以下の（参照）からも確認できる。

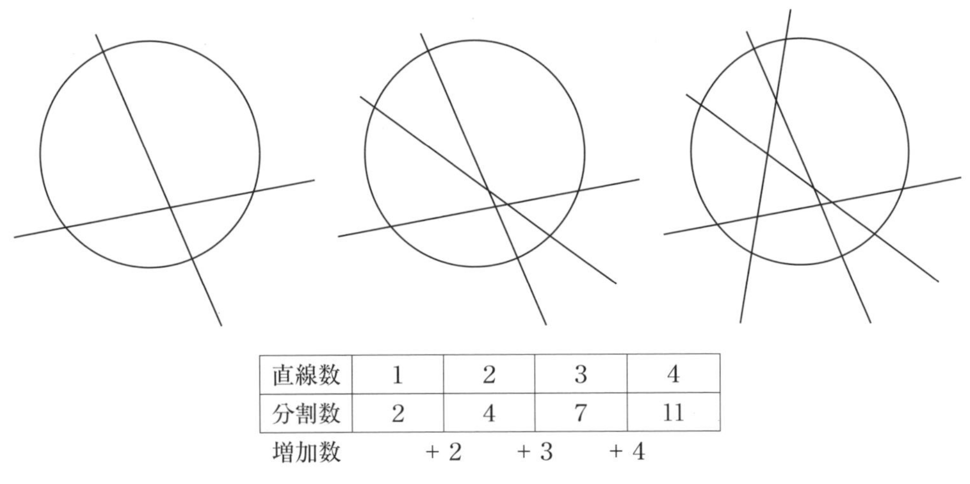

直線数	1	2	3	4
分割数	2	4	7	11
増加数		＋2	＋3	＋4

（参照）

平面上の2つの直線が交わる回数は多くて1回であり、n本目の直線を引くときに平面（円）に描かれている直線の数は$n-1$である。よって、交点は最大で$n-1$個でき、n本目の直線はn個の領域を通過することになる。直線が通過した領域は2つに分割されるから、n個の領域を通過した場合、領域（＝分割数）はnだけ増加することになる。

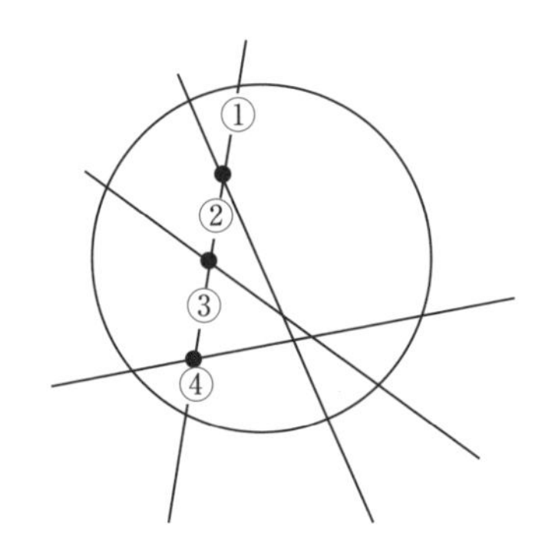

4本目の直線を引く場合、できる交点の最大数は3であり、4つの領域を通過することになるから、分割数は4だけ増加する

以上より、7本の直線で仕切ったときの分割される最大数は、初めの領域数1から、$1+1+2+3+4+5+6+7=29$となるので、正解は**4**である。

図形の数

下図の中にある三角形の数として、正しいのはどれか。

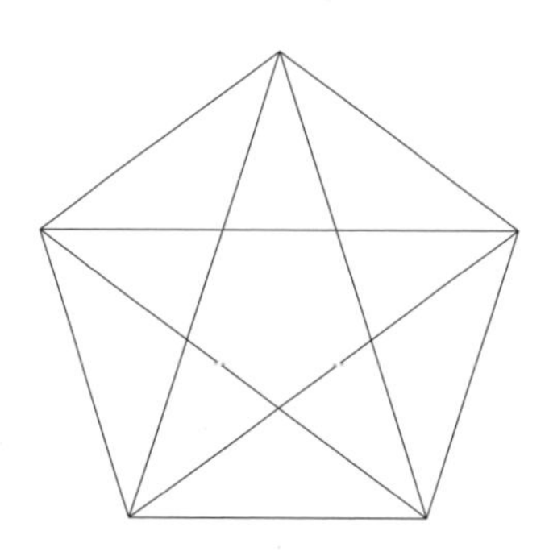

1 20

2 25

3 30

4 35

5 40

解説　正解　4

TAC生の正答率 56%

三角形の大きさ別に数えると、次のようになる。

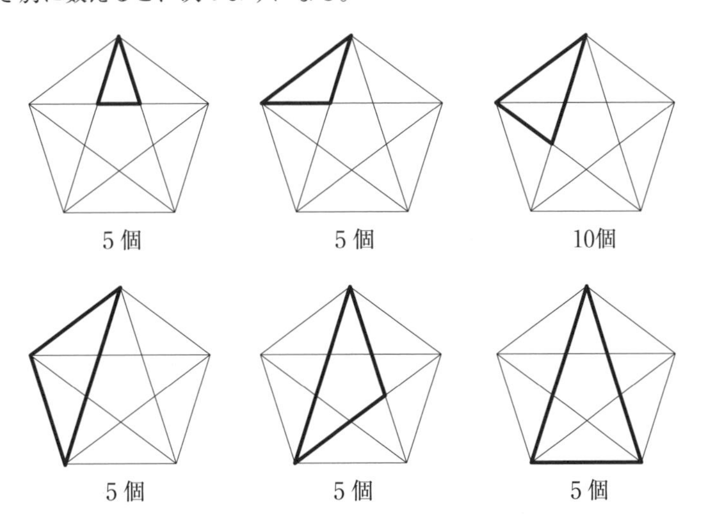

よって、三角形の個数は$5+5+10+5+5+5=35$[個]となるので、正解は**4**である。

空間把握　折り紙

2023年度
教養 No.22

正方形の紙を続けて５回折ってから元のように開いたところ、下の図の点線のような折り目ができたとき、４回目に折った際にできた折り目はどれか。

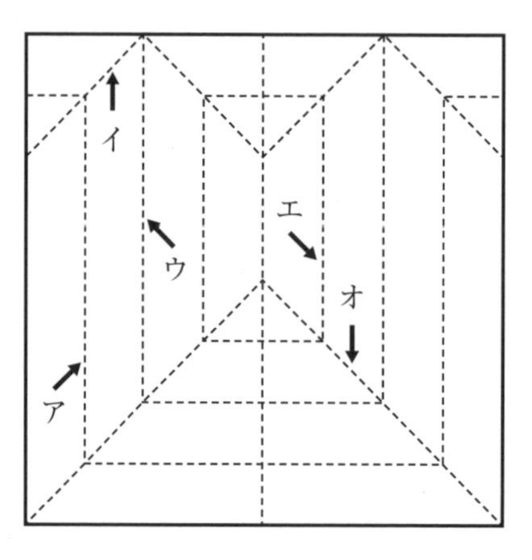

1　ア

2　イ

3　ウ

4　エ

5　オ

解説　正解　**2**　TAC生の正答率 45%

紙を折る場合、折り目は、紙の端から端に真っすぐに引かれた線である。また、折り目と対称になる線はない。よって、最初の折り目はカであるので、カに対して正方形を矢印の方向に折る。そして、先の折り目に対して後の折り目は左右対称になることからア、イ、ウは図1のように表すことができる。

次の折り目はオであるので、矢印の方向に折ると図2のようになる。さらに、ウで矢印の方向に折ると図3となり、アとエは同じ折り目であることがわかる。そして、イで矢印の方向に折ると図4のようになり、最後にア（またはエ）で折れば完成である。

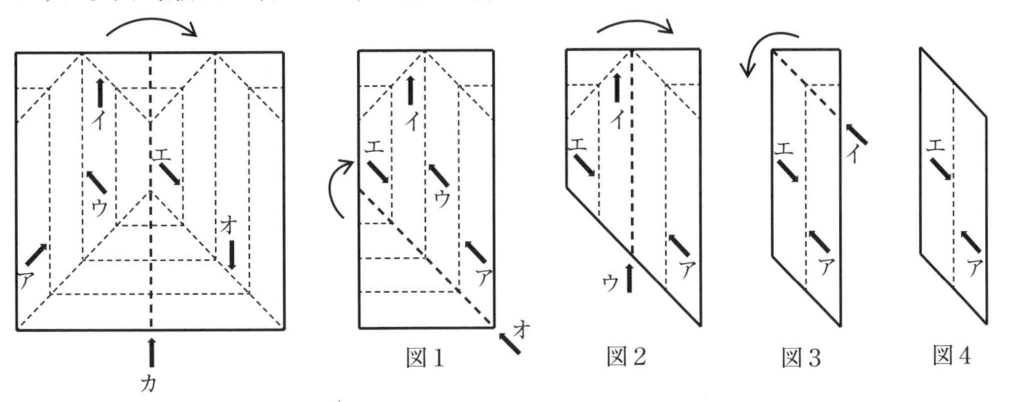

折った順は、カ→オ→ウ→イ→ア（またはエ）であるので、4回目にできた折り目はイである。よって、正解は**2**である。

空間把握　折り紙

2020年度
教養 No.22

下の図のように、１～８の数字が書かれた展開図について、点線部分を山折りかつ直角に曲げて立方体をつくるとき、重なり合う面に書かれた数字の組合せとして、妥当なのはどれか。

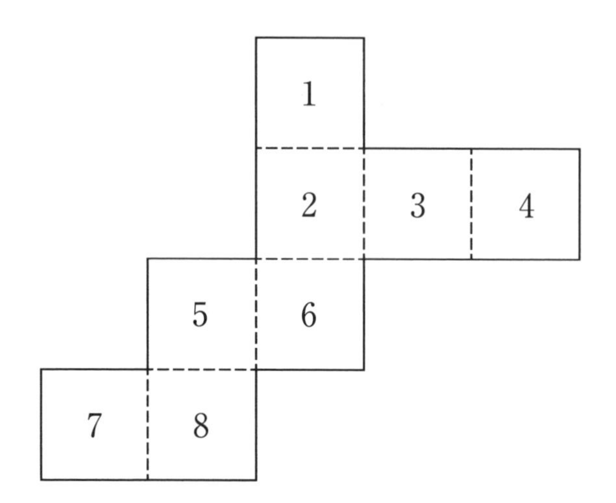

1　1と7、3と8

2　1と7、4と8

3　3と7、4と8

4　4と7、1と8

5　4と7、3と8

解説　　正解　2　　TAC生の正答率　83%

立方体の展開図では、90度開いている辺どうしは重なるので、図１の７と８の面は、図２のように移動させることができる。

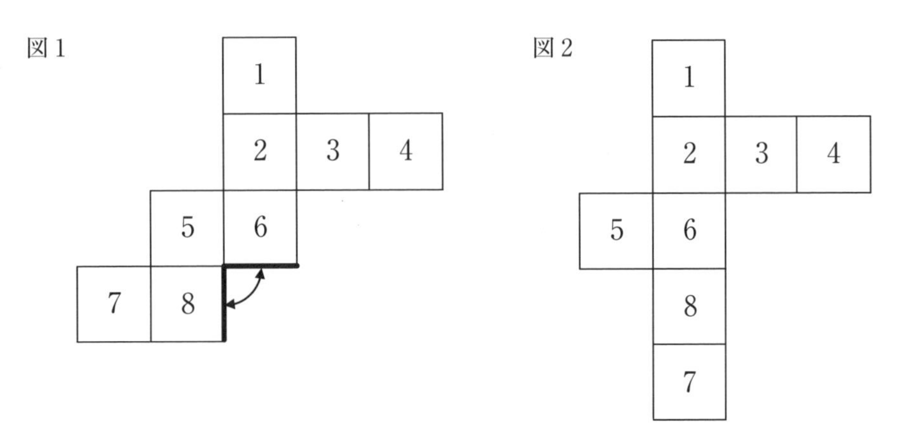

立方体の平行面は、展開図では正方形が一直線上に３面並んだ場合の両端の面となる。図２において横１列に「２・３・４」が並んでいるから、２の面と４の面は平行であり、縦１列に「２・６・８」が並んでいるから、２の面と８の面は平行である。立方体において、１つの面に対して平行な面はただ１つであるから、２の面と平行である４と８の面は立方体を組み立てたときに同じ位置で重なることになる。同様に、図２において縦１列に「１・２・６」および「６・８・７」が並んでいるから、１の面と６の面、６の面と７の面がそれぞれ平行であり、立方体を組み立てたときに１と７の面は重なることになる。

よって、正解は**2**である。

空間把握 | 最短経路

2022年度
教養 No.10

下の図のように、縦方向と横方向に平行な道路が、土地を直角に区画しているとき、最短ルートで、地点Aから地点Xを通って地点Bまで行く経路は何通りあるか。

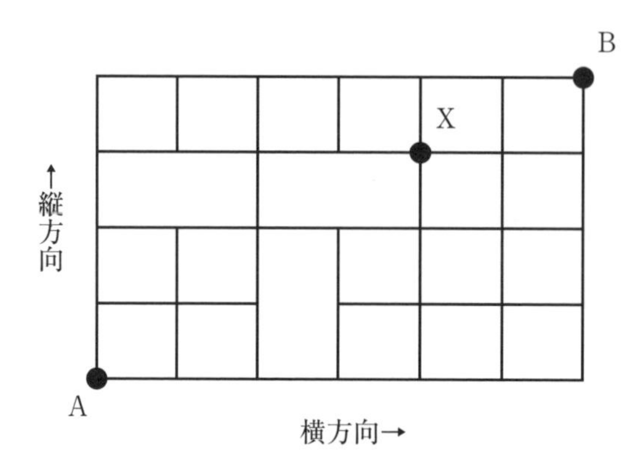

1　48通り

2　49通り

3　50通り

4　51通り

5　52通り

解説　正解　1

TAC生の正答率　80%

求める経路数は、地点Aから地点Xまでの経路数と地点Xから地点Bまでの経路数の積で求められる。

地点Aから地点Xまでの最短経路を経路加算法で求めると、図1のようになるので、16通りある。

地点Xから地点Bまでの最短経路を経路加算法で求めると、図2のようになるので、3通りある。なお、これは、右方向(→)に2回、上方向(↑)に1回の合計3回進むうち、右方向に進む順番を選ぶのと同じであるから、${}_3C_2 = {}_3C_1 = 3$[通り]とすることもできる。

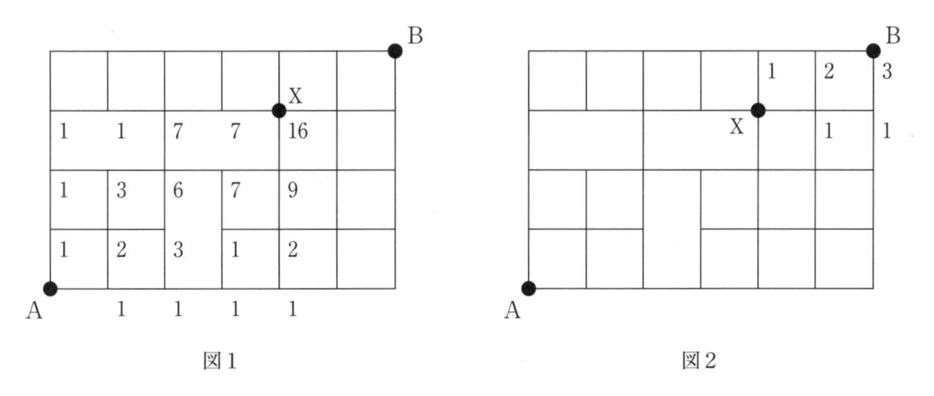

図1　　図2

よって、地点Aから地点Xを通って地点Bまで行く経路は16×3＝48[通り]となるので、正解は**1**である。

文芸　ヨーロッパの芸術　2022年度 教養 No.25

ヨーロッパの芸術に関する記述として、妥当なのはどれか。

1 耽美（たんび）主義とは、美を唯一最高の理想とし、美の実現を至上目的とする芸術上の立場をいい、代表的作品にワイルドの戯曲「サロメ」がある。

2 古典主義とは、バロック式の芸術が持つ形式美や理知を尊重した芸術上の立場をいい、代表的作品にモネの絵画「積みわら」がある。

3 写実主義とは、現実をありのままに模写・再現しようとする芸術上の立場をいい、代表的作品にゴッホの絵画「ひまわり」がある。

4 印象主義とは、事物から受けた客観的印象を作品に表現しようとする芸術上の立場をいい、代表的作品にミレーの絵画「落穂（おちぼ）拾い」がある。

5 ロマン主義とは、秩序と論理を重視しつつ感性の解放を目指す芸術上の立場をいい、代表的作品にフローベールの小説「ボヴァリー夫人」がある。

解説　正解　1　TAC生の正答率 19%

1 ○

2 × 「バロック式の」という箇所が誤りである。「バロック式」とは、16世紀から18世紀にかけてヨーロッパに広がった様式で、曲線や楕円の多用、豪華な装飾を特徴とする。「形式美」を重んじる古典主義とはまったく逆の様式である。また、モネの「積みわら」は古典主義（古典派）ではなく、印象主義（印象派）の作品とされる。

3 × 選択肢前半の説明は妥当だが、ゴッホの「ひまわり」は写実主義ではなく、後期印象派の作品である。

4 × ミレーの「落穂拾い」は自然主義あるいはバルビゾン派の作品である。また、「印象」とは主観的に対象をとらえた対象物の姿を指すものであり、「客観的印象」という表現は、印象主義の説明としても自然主義の説明としても適切ではない。

5 × 「感性の解放を目指す芸術上の立場」という説明はロマン主義の説明として妥当だが、「秩序と論理を重視」という説明は、ロマン主義と対照的な現実主義の説明などに用いられる表現である。また、フローベールの「ボヴァリー夫人」は写実主義の代表である。

日本の生活文化に関する記述として、妥当なのはどれか。

1 年中行事とは、毎年同じ時期に伝統的に行われる行事をいい、子供の成長を祝う宮参りや成人式などが該当する。

2 日常の中にあって、節目となる特別な日を「ケ」の日といい、「ケ」の日にはいつもと異なる特別な食事をとるものとされている。

3 厄(やく)年とは、通過儀礼の一つであり、厄難にあうといわれ忌(い)みつつしまれる年齢をいい、男性は19歳、33歳及び37歳が、女性は25歳、42歳及び61歳が該当する。

4 日本の文化は、芸術性が海外でも高く評価されており、19世紀後半には、アメリカにおいて、浮世絵などの江戸絵画の大胆で独創的な表現が注目を集めて、「クールジャパン」とよばれる文化現象が起こった。

5 サブカルチャーとは、ある社会の支配的・伝統的な文化に対し、若者など特定の社会集団に支持される独特の文化をいい、近年では、マンガやアニメなどの日本のサブカルチャーが、世界の注目を集めている。

解説　正解 5

TAC生の正答率 78%

1 × 宮参りは、生後1か月の頃に神社に参詣してご祈祷を受けるものであり、毎年同じ時期に行う行事とは異なる。また、成人式が始まったのは戦後であり、伝統的に行われる行事とするのは妥当ではない。

2 × 節目となる特別な日は「ケ」ではなく、「ハレ」である。儀式などがある公的あるいは正式な場や、特別な日である「ハレ」に対して、「ケ」とは私的な場や日常のことを指す。

3 × 厄年は厄難にあうといわれ忌みつつしまれる年齢のことを指すが、通過儀礼の一つではない。また、男性と女性の厄年の説明が逆になっている。

4 × 19世紀後半に日本の文化に注目が集まったのは、アメリカではなく、ヨーロッパであり、クールジャパンではなく、ジャポニズムと呼ばれる。

5 ○

文芸　百人一首の和歌

2021年度
教養 No.25

次の小倉百人一首の和歌ア～エの空欄Ａ～Ｄに当てはまる語句の組合せとして、妥当なのはどれか。

ア　春過ぎて夏来にけらし［Ａ］衣干すてふ天の香具山
イ　［Ｂ］山鳥の尾のしだり尾の長々し夜をひとりかも寝む
ウ　［Ｃ］神代も聞かず竜田川からくれなゐに水くくるとは
エ　［Ｄ］光のどけき春の日にしづ心なく花の散るらむ

	A	B	C	D
1	白妙の	あしびきの	ちはやぶる	ひさかたの
2	白妙の	たらちねの	いはばしる	あらたまの
3	白妙の	たらちねの	ちはやぶる	ひさかたの
4	若草の	あしびきの	ちはやぶる	ひさかたの
5	若草の	たらちねの	いはばしる	あらたまの

解説　正解　1

TAC生の正答率　74%

空欄Ａには「白妙の」が入る。「白妙の」は「衣」を導く枕詞である。アの和歌は持統天皇の歌で、「もう春は過ぎ、夏が来たようだ。夏になると白い衣を干すという天の香具山に、衣が干されているのが見える」という意味である。

空欄Ｂには「あしびきの」が入る。「あしびきの」は「山」を導く枕詞である。イの和歌は柿本人麻呂の歌で、「山鳥のあの垂れ下がった長い尾のように、長いこの秋の夜を、私は一人で寂しく寝るのであろうなあ」という意味である。

空欄Ｃには「ちはやぶる」が入る。「ちはやぶる」は「神」を導く枕詞である。ウの和歌は在原業平の歌で、「遠い神代にも、聞いたことがない。竜田川が紅葉を浮かべ、真っ赤な色に水をしぼり染めにしているなどということは」という意味である。

空欄Ｄには「ひさかたの」が入る。「ひさかたの」は「光」を導く枕詞である。エの和歌は紀友則の歌で、「こんなにのどかな春の光が差している春の日に、桜はどうして落ち着いた気持ちもなく散っていくのであろうか」という意味である。

なお、**2**にある「たらちねの」は「母・親」を導く枕詞、「いはばしる」は「滝」を導く枕詞、「あらたまの」は「年・月・春」を導く枕詞、**4**にある「若草の」は「妻」を導く枕詞である。

以上より、**1**が最も妥当である。

日本の古典文学

2016年度
教養 No.27

次の我が国の古典文学の一節A～Cと、それぞれの作品名の組合せとして、妥当なのはどれか。

A 「春はあけぼの。やうやうしろくなり行く、山ぎはすこしあかりて、むらさきだちたる雲のほそくたなびきたる。」
B 「いづれの御時にか、女御・更衣あまたさぶらひたまひける中に、いとやむごとなき際にはあらぬが、すぐれて時めきたまふありけり。」
C 「祇園精舎の鐘の声、諸行無常の響あり。娑羅双樹の花の色、盛者必衰のことはりをあらはす。奢れる人も久しからず、唯春の夜の夢のごとし。」

	A	B	C
1	土佐日記	伊勢物語	太平記
2	土佐日記	源氏物語	平家物語
3	枕草子	伊勢物語	太平記
4	枕草子	源氏物語	太平記
5	枕草子	源氏物語	平家物語

解説　正解 5

TAC生の正答率 90%

A 「枕草子」の冒頭である。「枕草子」は平安時代中期に清少納言によって書かれた随筆である。

B 「源氏物語」の冒頭である。「源氏物語」は平安時代中期に紫式部によって書かれた物語である。

C 「平家物語」の冒頭である。「平家物語」は鎌倉時代前期に書かれた軍記物語で、作者は不詳である。

以上より**5**が最も妥当である。

「土佐日記」は平安時代前期に紀貫之によって書かれた日記文学である。その冒頭は「男もすなる日記といふものを、女もしてみむとて、するなり。それの年の十二月二十日あまり一日の日、戌の時に門出す。」と始まる。
「伊勢物語」は平安時代前期に書かれた歌物語で、作者は不詳である。
「太平記」は室町時代前期に書かれた軍記物語で、作者は不詳である。

現代文 英文 判断推理 数的推理 資料解釈 空間把握 文芸 日本史 世界史

文芸　日本の近代作家

2019年度
教養 No.25

日本の作家に関する記述として、妥当なのはどれか。

1　武者小路実篤は、耽美派の作家の一人であり、彼の代表的な作品には、「その妹」や「和解」がある。

2　谷崎潤一郎は、耽美派の作家の一人であり、彼の代表的な作品には、「刺青」や「痴人の愛」がある。

3　芥川龍之介は、白樺派の作家の一人であり、彼の代表的な作品には、「山月記」や「李陵」がある。

4　志賀直哉は、新思潮派の作家の一人であり、彼の代表的な作品には、「人間万歳」や「暗夜行路」がある。

5　川端康成は、新感覚派の作家の一人であり、彼の代表的な作品には、「日輪」や「旅愁」がある。

解説　正解　2

TAC生の正答率　58%

1　×　「耽美派の作家」という箇所、作品の一部が誤りである。武者小路実篤は、耽美派ではなく白樺派の作家である。また、「その妹」は武者小路実篤の戯曲なので正しいが、「和解」は志賀直哉の作品である。

2　○　「耽美派」、「刺青」、「痴人の愛」などのキーワードで判断できる。

3　×　「白樺派の作家」、代表的な作品が誤り。芥川龍之介は、白樺派ではなく新思潮派の作家である。また、「山月記」、「李陵」は中島敦の作品である。

4　×　「新思潮派の作家」という箇所、作品の一部が誤り。志賀直哉は、新思潮派ではなく白樺派の作家である。また、「暗夜行路」は志賀直哉の作品だが、「人間万歳」は武者小路実篤の作品である。

5　×　作品が誤り。川端康成は新感覚派の作家で正しいが、「日輪」、「旅愁」は横光利一の作品である。

文芸	日本の作曲家	2020年度 教養 No.25

日本の作曲家に関する次の記述と、それぞれに該当する人物名との組合せとして最も妥当なのはどれか。

A　明治12年に東京で生まれ、西洋音楽の様式を日本で最も早い時期に取り入れた作曲家である。「花」、「荒城の月」、「箱根八里」などの代表曲があり、22歳でドイツの音楽院への入学を果たすも、病気のためわずか23歳で生涯を閉じた。

B　明治11年に鳥取で生まれ、キリスト教系の学校で音楽の基礎を学び、文部省唱歌の作曲委員を務めた。「春の小川」、「朧(おぼろ)月夜」、「ふるさと」など、作詞家高野辰之との作品を多く残したとされている。

C　大正13年に東京で生まれ、戦後の日本で、オペラから童謡にいたるまで様々なジャンルの音楽を作曲した。オペラ「夕鶴」や、ラジオ歌謡「花の街」、童謡「ぞうさん」など幅広い世代に親しまれる楽曲を残した。

	A	B	C
1	瀧(たき)廉太郎	成田為三	團(だん)伊玖磨
2	瀧廉太郎	成田為三	中田喜直
3	瀧廉太郎	岡野貞一	團伊玖磨
4	山田耕筰(さく)	成田為三	中田喜直
5	山田耕筰	岡野貞一	團伊玖磨

解説　**正解　3**　TAC生の正答率　29%

A　瀧廉太郎の説明である。「花」、「荒城の月」、「箱根八里」などの曲名や、「病気のためわずか23歳で生涯を閉じた」という説明がヒントになる。選択肢の中にある山田耕筰は、明治19年に生まれた指揮者・作曲家である。指揮者としては国際的にも活躍し、日本における西洋音楽の普及に貢献した。童謡「赤とんぼ」、「ペチカ」、「待ちぼうけ」の作曲者としても知られる。

B　岡野貞一の説明である。「春の小川」、「朧月夜」、「ふるさと」などの曲名がヒントになる。選択肢にある成田為三は、明治26年に生まれた作曲家で、「浜辺の歌」などで知られる。

C　團伊玖磨(だんいくま)の説明である。オペラ「夕鶴」や、童謡「ぞうさん」などがヒントになる。選択肢にある中田喜直は、大正12年に生まれた作曲家・社会運動家である。「小さい秋みつけた」や「めだかの学校」の作曲者として知られる。

以上より、**3**が最も妥当である。

日本史　奈良時代の文化

2019年度
教養 No.26

奈良時代の文化に関する記述として、妥当なのはどれか。

1　712年に完成した「古事記」は、天武天皇が太安万侶（おおのやすまろ）に「帝紀」と「旧辞」をよみならわせ、これを稗田阿礼（ひえだのあれ）に筆録させたものである。

2　751年に編集された「懐風藻（かいふうそう）」は、日本に現存する最古の漢詩集として知られている。

3　官吏の養成機関として中央に国学、地方に大学がおかれ、中央の貴族や地方の豪族である郡司の子弟を教育した。

4　仏像では、奈良の興福寺仏頭（旧山田寺本尊）や薬師寺金堂薬師三尊像に代表される、粘土で作った塑像や原型の上に麻布を漆で塗り固めた乾漆像が造られた。

5　正倉院宝庫には、白河天皇が生前愛用した品々や、螺鈿紫檀五絃琵琶（らでんしたんのごげんびわ）などシルクロードを伝わってきた美術工芸品が数多く保存されている。

解説　正解　2

TAC生の正答率　30%

1　×　太安万侶と稗田阿礼の説明が反対である。「古事記」は稗田阿礼によみならわせた「帝紀」と「旧辞」を、後に太安万侶に筆録させて成立したと言われている。

2　○　奈良時代には貴族の教養として漢詩文が盛んに作られた。現存最古の漢詩集「懐風藻」は、中国からの影響を強く受けたものとされている。

3　×　奈良時代の教育制度に関する説明だが、国学と大学の説明が反対である。

4　×　仏像の手法の説明が誤り。「塑像」や「乾漆像」は奈良時代を代表する手法だが、興福寺仏頭、薬師寺金堂薬師三尊像はいずれも金属で作られた鋳造仏である。

5　×　「白河天皇」という箇所が誤り。正倉院宝庫は、聖武天皇が生前愛用した品々等が保存されている。白河天皇は平安期の天皇なので、「奈良時代の文化」の説明として明らかに誤りであると判断できるだろう。

日本史　鎌倉仏教　2022年度 教養 No.26

鎌倉仏教に関する記述として、妥当なのはどれか。

1　一遍は、煩悩の深い人間こそが、阿弥陀仏の救いの対象であるという悪人正機を説き、「愚管抄」をあらわし、時宗の開祖と仰がれた。

2　栄西は、坐禅によってみずからを鍛練し、釈迦の境地に近づくことを主張する禅宗を日本に伝え、「興禅護国論」をあらわし、日本の臨済宗の開祖と仰がれた。

3　親鸞は、善人・悪人や信仰の有無を問うことなく、すべての人が救われるという念仏の教えを説き、「選択本願念仏集」をあらわし、浄土宗を開いた。

4　日蓮は、「南無妙法蓮華経」と題目を唱えることで救われると説き、武士を中心に広まった日蓮宗は、鎌倉幕府の保護を受けた。

5　法然は、「南無阿弥陀仏」の念仏を唱えれば、極楽浄土に往生できるという専修念仏の教えを説き、「立正安国論」をあらわし、浄土真宗（一向宗）を開いた。

解説　正解　2

TAC生の正答率　57%

1　×　一遍は時宗の開祖であるが、「煩悩の深い人間…悪人正機」は親鸞に関する記述である。「愚管抄」は慈円による史論書である。

2　○

3　×　「選択本願念仏集」をあらわし、浄土宗を開いたのは親鸞ではなく法然である。

4　×　選択肢前半は妥当だが、鎌倉幕府の保護は受けていない。他宗への激しい批判や北条時頼に「立正安国論」を提出したことによって伊豆に配流されている。

5　×　選択肢前半は妥当だが、「立正安国論」は日蓮によるものであり、浄土真宗は親鸞が開いた。

日本史　江戸時代　2023年度 教養 No.26

江戸幕府の政策に関する記述として、妥当なのはどれか。

1　徳川家康は、武家諸法度を発布し、大名に3年おきに国元と江戸とを往復させる参勤交代を義務づける制度を定めることにより、将軍の権威強化を図った。

2　徳川綱吉は、百姓の江戸出稼ぎを禁じ、江戸に流入した居住者を強制的に農村へ帰らせる人返しの法を出した。

3　徳川吉宗は、評定所（ひょうじょうしょ）に日安箱を設けて庶民の意見を聞くとともに、公事方御定書（くじかたおさだめがき）を制定して裁判や刑罰の基準を定めた。

4　田沼意次は、困窮する武士を救済するため棄捐令（きえんれい）を出し、各地に米や雑穀を蓄える社倉・義倉を設けさせた。

5　松平定信は、陽明学を正学としてそれ以外の学問を禁じ、小石川の学問所に中江藤樹らを儒官として迎えて陽明学の講義をさせた。

解説　正解　3

TAC生の正答率　72%

1　×　参勤交代が制度化された武家諸法度寛永令は徳川家光が発布した。参勤交代は原則として1年ごとに国元と江戸を往復させた。しかし、例外として対馬藩は3年ごとであり、水戸藩や役職のある大名は定府といって参勤交代がなく、江戸に定住したケースもある。

2　×　人返しの法は、天保の改革で老中水野忠邦が行った政策である。

3　○　目安箱によって、貧困者のための医療機関である小石川養生所などが設置された。

4　×　棄捐令は寛政の改革において老中松平定信が発布した法令で、困窮した旗本・御家人の借金を帳消しにするものである。各地に米や雑穀を備蓄したのは、同じく松平定信が行った囲米の制である。これにより住民が分に応じて拠出した社倉や富裕者が拠出した義倉が各地に設置された。

5　×　松平定信は陽明学ではなく、朱子学を正学とし、それ以外の学問を昌平坂学問所で教えることを禁止した寛政異学の禁を出した。学問所の教官として柴野栗山や尾藤二洲などの朱子学者が教官となった。

日本史　明治時代の教育・文化

2021年度
教養 No.26

明治時代の教育・文化に関する記述として、妥当なのはどれか。

1　政府は、1872（明治５）年に教育令を公布し、同年、小学校令によって６年間の義務教育が定められた。

2　文学の分野において、坪内逍遙（しょうよう）が「小説神髄」で自然主義をとなえ、夏目漱石ら「文学界」の人々を中心に、ロマン主義の作品が次々と発表された。

3　芸術の分野において、岡倉天心やフェノロサが日本の伝統的美術の復興のために努力し、1887（明治20）年には、官立の東京美術学校が設立された。

4　1890（明治23）年、教育に関する勅語が発布され、教育の基本として、国家主義的な教育方針を排除し、民主主義教育の導入が行われた。

5　絵画の分野において、洋画ではフランスに留学した横山大観らが印象派の画風を日本に伝え、日本画では黒田清輝らの作品が西洋の美術に影響を与えた。

解説　正解　3

TAC生の正答率　57%

1　×　教育令は、1879年に発布されている。小学校令は、1886年に発布され、６年間ではなく、４年間の義務教育が定められた。1872年に発布されたのは学制で、フランス式の急進的な制度だったため、学制反対の農民一揆が起こった。政府は教育令を発布し、アメリカ式の緩やかな教育制度に変更した。

2　×　坪内逍遙が『小説神髄』で主張したのは、写実主義である。自然主義は田山花袋などが唱えた。浪漫主義の拠点となった雑誌が「文学界」であることは正しいが、夏目漱石は余裕派に属する作家である。「文学界」を創刊したのは北村透谷であり、森鷗外（のちに余裕派）や樋口一葉らが寄稿した。

3　○　フェノロサは、お雇い外国人として東大で哲学を教えていたアメリカ人である。日本の古美術復興のため、岡倉天心とともに尽力し、東京美術学校（東京芸術大学の前身）を設立した。

4　×　教育に関する勅語は、忠君愛国や忠孝を重視する儒教的道徳思想を根本とし、天皇の絶対性を強化したものである。各学校で天皇の写真とともに神格化された。ゆえに民主主義教育の要素は皆無である。

5　×　横山大観は東京美術学校出身の日本画家である。朦朧体による画風が特徴的で、「屈原」などの作品がある。黒田清輝は洋画家で、渡仏し、ラファエル＝コランに師事した。日本に印象派を紹介し、白馬会を創設した。「舞妓」、「湖畔」などの作品がある。

日本史　第二次世界大戦後の日本　2020年度 教養 No.26

第二次世界大戦直後の日本の状況に関する記述として、妥当なのはどれか。

1　ワシントンの連合国軍最高司令官総司令部（GHQ）の決定に従い、マッカーサーは東京に極東委員会（FEC）を置いた。

2　経済の分野では、財閥解体とともに独占禁止法が制定され、農地改革により小作地が全農地の大半を占めるようになった。

3　現在の日本国憲法は、幣原（しではら）喜重郎内閣の草案を基礎にしてつくられ、1946年5月3日に施行された。

4　新憲法の精神に基づいて作成された地方自治法では、都道府県知事が国会の任命制となり、これまで以上に国の関与が強められた。

5　教育の機会均等をうたった教育基本法が制定され、中学校までを義務教育とする、六・三制が採用された。

解説　正解　5　TAC生の正答率 44%

1　×　GHQは東京に置かれ、極東委員会はワシントンに置かれた。GHQの最高司令官はマッカーサーである。GHQ本部は、東京丸の内の第一生命館（現・DNタワー21）を接収して置かれた。

2　×　農地改革の目的は自作農の創設である。農地改革により小作地はわずか全農地の10％に減少し、大量の自作農が生まれた。こうして明治以来の寄生地主はなくなり、農村の民主化が達成された。

3　×　幣原内閣が草案を作成したことは正しいが、そのまま受け入れられたわけではなく、GHQ側はマッカーサー草案を提示し、それを日本政府が追加修正を加えながらまとめていった。こうして、日本国憲法は、1946年11月3日に公布され、1947年5月3日に施行された。

4　×　地方自治法は、民主的で能率的な地方行政を行うために制定されたもので、国会の任命制や国の関与の強化はない。より地域住民の意思を反映させるため、首長は住民の選挙で決められ、リコール制も導入された。

5　○　1947年の教育基本法により小学校6年、中学3年の六・三制による9年間の義務教育が導入された。また、当該法令では男女共学や教育の機会均等なども規定されている。

世界史 17世紀のイギリス

2020年度
教養 No.27

17世紀のイギリスの歴史に関する記述として、妥当なのはどれか。

1 クロムウェルに率いられた議会派は、国王軍を破ると、国王チャールズ２世を裁判にかけて処刑し、共和政をはじめる十月革命をおこした。

2 クロムウェルの独裁に不満を持った国民は王制を復古させ、王権神授説をとったチャーチルが立憲君主政の頂点に立った。

3 議会と国教会は国王一家を追放し、カトリックの王族を招き、議会との間に「権利の章典」を定めることで、共和政が確立した。

4 イングランド銀行や公債の発行による積極財政をすすめ、国内産業を盛んにし、海外の植民地を拡大していった。

5 ヴィクトリア女王による絶対王政により、官僚制、常備軍を整えるなど、国内の中央集権化を推進した。

解説　正解 4

TAC生の正答率 39％

1 × チャールズ２世ではなく、チャールズ１世を処刑した。十月革命ではなく、ピューリタン革命である。十月革命は、1917年11月（ロシア暦は10月）にロシアで起きた革命である。

2 × クロムウェルによる軍事独裁政治は国民の不満を招いた。クロムウェル没後、王政復古によりチャーチルではなく、チャールズ２世が即位した。チャーチルは20世紀の首相である。

3 × 議会がカトリックの王族を招いたことはない。ジェームズ２世の悪政に対し、議会がジェームズ２世の娘のメアリと夫のウィレムを国王としてオランダから招聘した。その結果、ジェームズ２世は亡命した。これを名誉革命といい、権利の章典は、名誉革命後に発布された。この権利の章典によって、議会が主権を握る立憲王政が確立された。共和政はクロムウェルの軍事独裁政権時代だけである。

4 ○ イングランド銀行は、1694年に設立された。さらに国債制度を導入し、対外戦争の戦費などに充てた。

5 × ヴィクトリア女王は19世紀の女王である。肢はエリザベス１世についての説明である。エリザベス１世は、イギリス絶対王政の最盛期の女王で、アルマダ海戦でスペインの無敵艦隊を破り、オランダの独立を支援した。東インド会社を設立し、重商主義政策を推進し、国家財政を豊かにした。

世界史　戦間期の国際社会

2023年度
教養 No.27

第一次世界大戦後の国際秩序等に関する記述として妥当なのはどれか。

1　パリ講和会議は、アメリカ大統領セオドア＝ローズヴェルトが1918年に発表した十四か条の平和原則に基づき開催され、革命直後のソヴィエト政府も参加した。

2　ヴェルサイユ条約により、ドイツは、アルザス・ロレーヌをオーストリアに返還し、ラインラントを除く全ての地域の非武装化を義務づけられた。

3　国際連盟は、1920年に発足した史上初の国際平和機構であったが、アメリカは上院の反対により加盟しなかった。

4　ワシントン会議において、海軍軍縮条約が結ばれ、アメリカ・イギリス・日本・フランス・オランダの主力艦の保有総トン数比率は、同率と定められた。

5　ロンドン軍縮会議において、九か国条約が結ばれ、太平洋諸島の現状維持等を相互に約束した。

解説　正解　3

TAC生の正答率　82%

1　×　セオドア＝ローズヴェルトではなく、ウィルソンである。当時、アメリカやイギリスなど連合国は社会主義の浸透を恐れて対ソ干渉戦争を行っていた。ゆえに講和会議にもソヴィエト政府は参加していない。

2　×　アルザス・ロレーヌはフランスに返還した。非武装化が義務づけられたのはラインラントである。

3　○　アメリカは最後まで加盟せず、ソ連とドイツも当初は除外された。

4　×　ワシントン海軍軍縮条約では、アメリカ・イギリス・日本・フランス・イタリアの５か国で締結された条約で、オランダは入っていない。主力艦の総トン数は同率ではなく、５：５：３：1.67：1.67とされた。

5　×　ロンドン軍縮会議ではなく、ワシントン会議で太平洋諸島の現状維持等を相互に約束した四か国条約が結ばれた。九か国条約もワシントン会議で締結された条約で、中国の主権と独立の尊重、領土の保全、門戸開放、機会均等などを約束した。

世界史　戦間期のヨーロッパ　2019年度 教養 No.27

第一次世界大戦後のヨーロッパの歴史に関する記述として、妥当なのはどれか。

1　1919年の国民会議でヴァイマル憲法が制定されたドイツでは、この後、猛烈なインフレーションに見舞われた。

2　イタリアでは、ムッソリーニが率いるファシスト党が勢力を拡大し、1922年にミラノに進軍した結果、ムッソリーニが政権を獲得し、独裁体制を固めた。

3　1923年にフランスは、ドイツの賠償金支払いの遅れを口実にボストン地方を占領しようとしたが、得ることなく撤兵した。

4　1925年にドイツではロカルノ条約の締結後、同年にドイツの国際連合への加盟を実現した。

5　イギリスでは大戦後、労働党が勢力を失った結果、新たにイギリス連邦が誕生した。

解説　正解　1　　TAC生の正答率 33%

1　○

2　×　ムッソリーニが黒シャツ隊（行動隊）を組織・率いて示威行進を行ったのはローマであり（ローマ進軍）、これを機に国王ヴィットーリオ＝エマヌエレ３世（位1900～46）の大命降下によりムッソリーニは内閣を組織した。以上から文中の「ミラノに進軍」という部分が誤りとなる。

3　×　フランスがベルギーと共に「ドイツの賠償金支払いの遅れを口実に」占領したのはボストンではなくドイツ産業の中心地であるルール地方である。

4　×　ドイツがイギリスやフランスなど周辺国の理解を得て国際連盟に加盟したのはロカルノ条約を締結（1925）した「同年」ではなく、翌年の1926年である。

5　×　イギリスでは20世紀に入り自由党に代わり労働党が伸張し始め、第一次世界大戦後の1922年には初めての労働党内閣（自由党との連立）が誕生している。そのため、「イギリスでは大戦後、労働党が勢力を失った結果」というのは誤りとなる。なお、大戦後、ウェストミンスター憲章（1931）によってイギリス本国とイギリス旧自治領との間でイギリス連邦が誕生したことは事実である。

現代文
英文
判断推理
数的推理
資料解釈
空間把握
文芸
日本史
世界史

世界史　20世紀前半における民族運動　2021年度 教養 No.27

20世紀前半における民族運動に関する記述として、妥当なのはどれか。

1　軍人ビスマルクは、祖国防衛戦争を続けて勝利すると、1923年にロカルノ条約を締結し、オスマン帝国にかわるトルコ共和国の建国を宣言した。

2　アラブ地域に民族主義の気運が高まり、第一次世界大戦直後の共和党の反米運動によって独立を認められたエジプト王国などが建国された。

3　イギリスは、ユダヤ人に対しパレスチナでのユダヤ人国家の建設を約束するバルフォア宣言を発したが、アラブ人に対しては、独立国家の建設を約束するフサイン－マクマホン書簡を交わしていた。

4　フランスの植民地であったインドでは、国民会議派の反仏闘争と第一次世界大戦後の民族自決の世界的な流れにより、1919年に自治体制が成立し、同時に制定されたローラット法により、民族運動は保護された。

5　アフガニスタンでは、ガンディーを指導者に、イスラム教徒を中心に組織されたワッハーブ派による非暴力・不服従の運動が起こった。

解説　正解　3　TAC生の正答率 74%

1　×　ビスマルクは、プロイセンの宰相であり、オスマン帝国にもトルコ共和国にも関係ない。ロカルノ条約は、1925年にドイツがイギリスやフランスなどの戦勝国と締結した集団安全保障条約である。その結果、翌年にドイツは国際連盟に加盟した。トルコ共和国を建国したのは、ムスタファ＝ケマルである。

2　×　エジプトを保護国として支配していたのはイギリスである。イギリスの保護国から独立し、1922年にエジプト王国が発足した。共和党ではなく、民族主義政党のワフド党が1924年に政権を握った。

3　○　第一次世界大戦中、イギリスはユダヤ資本の戦争協力を期待し、パレスチナにおけるユダヤ人国家建設に同意してバルフォア宣言を発した。その一方で、アラブ人国家建設を認める代わりにイギリスへの戦争協力をさせるフサイン＝マクマホン協定（書簡）を交わした。この矛盾する２つの協定がパレスチナ問題を複雑にした要因の一つとなっている。

4　×　インドはイギリスの植民地であった。ローラット法は反英独立運動を弾圧するために発布された法令で、逮捕状なしで逮捕できるという悪法である。

5　×　ガンディーは、インドの民族運動家であり、ヒンドゥー教徒である。ガンディーが非暴力・不服従の運動をしたのは正しいが、これはイギリス製品の不買運動およびイギリスに税金を払わないという平和的手段で抵抗したものである。アフガニスタンとは関係ない。ワッハーブ派はイスラム教スンニ派の一派で、サウジアラビア王国の国教である。

モンゴル帝国と元

2022年度
教養 No.27

モンゴル帝国又は元に関する記述として、妥当なのはどれか。

1 チンギス＝ハンは、モンゴル高原の諸部族が平定したイル＝ハン国、キプチャク＝ハン国、チャガタイ＝ハン国を統合し、モンゴル帝国を形成した。

2 オゴタイ＝ハンは、ワールシュタットの戦いでオーストリア・フランス連合軍を破り、西ヨーロッパへの支配を拡大した。

3 モンゴル帝国の第２代皇帝フビライ＝ハンは、長安に都を定めて国号を元とし、南宋を滅ぼして中国全土を支配した。

4 元は、中国の伝統的な官僚制度を採用したが、実質的な政策決定はモンゴル人によって行われ、色目人が財務官僚として重用された。

5 モンゴル帝国は、交通路の安全性を重視し、駅伝制を整えて陸上交易を振興させたが、海洋においては軍事を優先し、海上交易を縮小していった。

解説　正解　4

TAC生の正答率　27%

1 × フラグによって建国されたイル＝ハン国、バトゥによって建国されたキプチャク＝ハン国、チャガタイによるチャガタイ＝ハン国は、いずれもチンギス＝ハンの死後に建国された。

2 × ワールシュタットの戦いで連合軍を破ったのはオゴタイ＝ハンではなく、バトゥである。オーストリア・フランス連合軍ではなく、ポーランド・ドイツ連合軍を破った。またその支配は西北ユーラシア草原であり、西ヨーロッパまでは拡大していない。

3 × フビライ＝ハンは第２代皇帝ではなく第５代である。第２代にあたるのはオゴタイ＝ハンである。

4 ○

5 × 「海上交易を縮小」という点が明らかに誤り。フビライは南宋を征服し広州などの海上貿易が盛んな地域を支配下にすることで、海上交易路を拡大した。

地理

法律

政治

経済

物理

化学

生物

地学

社会事情

地理 ｜ 気候

2021年度
教養 No.28

気候に関する記述として、妥当なのはどれか。

1 気候とは、刻一刻と変化する、気温・気圧などで示される大気の状態や雨・風など、大気中で起こる様々な現象をいう。

2 年較差とは、１年間の最高気温と最低気温との差であり、高緯度になるほど小さく、また、内陸部から海岸部に行くほど小さい。

3 貿易風は、亜熱帯高圧帯から熱帯収束帯に向かって吹く恒常風で、北半球では北東風、南半球では南東風となる。

4 偏西風は、亜熱帯高圧帯と亜寒帯低圧帯において発生する季節風で、モンスーンとも呼ばれる。

5 年降水量は、上昇気流の起こりやすい熱帯収束帯で少なく、下降気流が起こりやすい亜熱帯高圧帯で多くなる傾向にある。

解説　正解 3

TAC生の正答率 43%

1 × 気候とは、ある地域で、１年を周期として繰り返される平均的な大気の状態のことである。一方、刻一刻と変化する大気の状態や大気中の様々な状態は、気象という。

2 × 年較差が１年間の最高気温と最低気温との差であることは妥当だが、高緯度や内陸部になるほど大きくなる。よって肢の後半の記述は誤りである。

3 ○ 貿易風は、亜熱帯高圧帯（中緯度高圧帯）から熱帯収束帯（赤道低圧帯）に向かって吹く恒常風であり、北半球は北東風、南半球は南東風となる。

4 × 偏西風は亜熱帯高圧帯（中緯度高圧帯）から亜寒帯低圧帯（高緯度低圧帯）に向かって吹く風で、両半球とも西寄りの風なので、偏西風という。季節風はモンスーンともいい、夏と冬で風向きが反対になり、偏西風とは異なる。偏西風の中でも風速が大きなものをジェット気流という。

5 × 熱帯収束帯（赤道低圧帯）は、断熱膨張により冷却されて雲や雨の原因となる上昇気流が起こりやすく、降水量が多くなる。一方、下降気流が起こりやすい亜熱帯高圧帯（中緯度高圧帯）では降水量が少なく、晴天になりやすい。低圧帯では雨が多く、高圧帯では雨が少ないと考えればよい。

地理　世界の農業

2022年度
教養 No.28

世界の農業に関する記述として、妥当なのはどれか。

1 園芸農業は、北アメリカや日本などの大都市近郊でみられる、鉢花や切花など、野菜以外の観賞用植物を栽培する農業であり、近年は輸送手段の発達とともに、大都市から遠く離れた地域にも出荷する輸送園芸農業が発達している。

2 オアシス農業は、乾燥地域においてみられる、外来河川や湧水池などを利用した農業であり、イランではフォガラと呼ばれる人工河川を利用して山麓の水を導水し、オリーブなどを集約的に栽培している。

3 企業的穀物農業は、アメリカやカナダなどでみられる、大型の農業機械を用いて小麦やトウモロコシなどの穀物の大規模な生産を行う農業であり、土地生産性が高いものの労働生産性は低い。

4 混合農業は、ドイツやフランスなどの中部ヨーロッパに広くみられる、中世ヨーロッパの三圃（さんぽ）式農業から発展した農業であり、穀物と飼料作物を輪作で栽培するとともに、肉牛や鶏などの家畜を飼育している。

5 地中海式農業は、アルジェリアやモロッコなどの地中海沿岸地域に特有の農業であり、夏には小麦や大麦などの穀物が、冬には柑橘（かんきつ）類やブドウなどの樹木作物が栽培されている。

解説　正解 4

TAC生の正答率 67%

1 × 「野菜以外の」という点が明らかに誤り。園芸農業には切花等の花卉のほかに、野菜や果物を含む。他は妥当である。

2 × イランでみられる地下水路はフォガラではなくカナートである。フォガラはアルジェリア等、北アフリカでみられる地下水路である。また、オアシス農業で栽培されるのは、小麦やナツメヤシである。オリーブの栽培は地中海式農業の特徴である。

3 × 選択肢前半は妥当だが、「土地生産性が高いものの労働生産性は低い」という点が明らかに誤り。アメリカやカナダなどにみられる企業的穀物農業は、一般に、土地生産性が低く労働生産性が高いという特徴がある。

4 ○

5 × 夏と冬の作物が入れ替わっている。地中海式農業は地中海沿岸や地中海性気候の地域にみられる農業形態であり、乾燥する夏は柑橘類やブドウなどの樹木作物を栽培し、温暖湿潤な冬は小麦や大麦を栽培する。

地理

法律

政治

経済

物理

化学

生物

地学

社会事情

地理　各国の資源・エネルギー　2023年度 教養 No.28

世界の資源・エネルギーに関する記述として、妥当なのはどれか。

1　産業革命以前のエネルギーは石炭が中心であったが、産業革命後は近代工業の発展に伴い、石油の消費が増大した。

2　レアメタルの一種であるレアアースの産出量が最も多いのは、以前は中国であったが、近年はアメリカ合衆国となっている。

3　産油国では、自国の資源を自国で開発・利用しようという資源ナショナリズムの動きが高まり、石油輸出国機構（OPEC）が結成された。

4　都市鉱山とは都市再開発によって生じる残土に含まれる金属資源のことであり、低コストで再利用できる資源として多くの先進国で活用されている。

5　ブラジルで生産されているバイオエタノールは、大量の作物を消費することで森林破壊が進むことが危惧されるため、自動車の燃料としての使用が禁止されている。

解説　正解　3　TAC生の正答率　48%

1　×　産業革命後のエネルギーが石炭であり、第二次世界大戦後、石炭から石油中心へと変わっていった。

2　×　2019年のレアアースの産出量は中国が60.3%で首位を占め、アメリカは12.8%である。

3　○　資源ナショナリズムの顕著な例は、第4次中東戦争の時のアラブ諸国である。アメリカや日本などの先進国にイスラエルに味方するなら石油は売らないとし、石油危機が起こった。

4　×　ごみとして捨てられた電化製品や携帯電話などには回収して再利用できる金やレアメタルなどが多く含まれている。これらの資源は都市に集中しているので、これを鉱山に見立てて都市鉱山という。

5　×　バイオエタノールはサトウキビやトウモロコシなどから作られ、ガソリンに混ぜて自動車の燃料として利用されている。石油代替エネルギーとして燃焼させても排出量はゼロなので、環境にもやさしい。

ラテンアメリカに関する記述として、妥当なのはどれか。

1 大西洋側には、最高峰の標高が8000mを超えるアンデス山脈が南北に広がり、その南部には、世界最長で流域面積が世界第2位のアマゾン川が伸びている。

2 アンデス山脈のマヤ、メキシコのインカ、アステカなど先住民の文明が栄えていたが、16世紀にイギリス、フランスの人々が進出して植民地とした。

3 アルゼンチンの中部にはパンパと呼ばれる大草原が広がり、小麦の栽培や肉牛の飼育が行われており、アマゾン川流域にはセルバと呼ばれる熱帯林がみられる。

4 ブラジルやアルゼンチンでは、自作農による混合農業が発達しており、コーヒーや畜産物を生産する農場はアシエンダと呼ばれている。

5 チリにはカラジャス鉄山やチュキカマタ鉄山、ブラジルにはイタビラ銅山がみられるなど、鉱産資源に恵まれている。

解説　正解 3

TAC生の正答率 71%

1 × アンデス山脈は大西洋側ではなく、太平洋側にある。最高峰でも6959m（アコンカグア山）で、8000mもない。アマゾン川は流域面積が世界1位で、長さは世界2位である。世界最長の川はナイル川である。

2 × アンデス山脈にはインカ帝国（現在のペルーにあった）、メキシコにはマヤ文明やアステカ王国が存在した。イギリスとフランスではなく、スペインが進出した。スペインのコルテスがアステカ王国を、スペインのピサロがインカ帝国を滅ぼし、征服した。

3 ○ パンパは温帯草原で、湿潤パンパでは小麦の栽培や肉牛の飼育が、乾燥パンパでは牧羊が盛んである。セルバはアマゾン川流域の熱帯雨林である。

4 × 混合農業は主にヨーロッパなどで行われている農業であり、ブラジルではコーヒー・大豆・さとうきびなどの栽培が、アルゼンチンでは小麦の栽培や肉牛の飼育が盛んである。アシエンダは、メキシコやペルーなどの大土地所有制に基づく大農園であり、ブラジルではファゼンダ、アルゼンチンではエスタンシアという。

5 × カラジャス鉄山はブラジルにある。チュキカマタは鉄山ではなく、チリで有名な銅山である。イタビラは銅山ではなく、鉄山である。ブラジルは鉄鉱石、チリは銅鉱の産地と覚えておこう。

地理　地誌

2018年度
教養 No.28

中国に関する記述として、妥当なのはどれか。

1 中国は、1953年に、市場経済を導入したが、経済運営は順調に進まず、1970年代末から計画経済による改革開放政策が始まった。

2 中国は、人口の約7割を占める漢民族と33の少数民族で構成される多民族国家であり、モンゴル族、マン族、チベット族、ウイグル族、チョワン族は、それぞれ自治区が設けられている。

3 中国は、1979年に、夫婦一組に対し子供を一人に制限する「一人っ子政策」を導入したが、高齢化や若年労働力不足などの問題が生じ、現在は夫婦双方とも一人っ子の場合にのみ二人目の子供の出産を認めている。

4 中国は、外国からの資本と技術を導入するため、沿海地域に郷鎮企業を積極的に誘致し、「漢江の奇跡」といわれる経済発展を遂げている。

5 中国は、沿海地域と内陸部との地域格差を是正するため、西部大開発を進めており、2006年には青海省とチベット自治区を結ぶ青蔵鉄道が開通している。

解説　正解　5

TAC生の正答率　22%

1 × 市場経済と計画経済の導入の時期が入れ替わっているので誤りとなる。国家が経済活動を一元的に計画・管理し、効率的な資源分配を目指すのが社会主義国家で採られていた計画経済であり、中国ではそれを前提に1953年第一次五か年計画が始まった。社会主義経済の枠内で市場経済を導入した背景には、文化大革命（1966～76）で疲弊した経済を立て直し、先進国の技術を導入して近代化を進めようとしたことが挙げられる。

2 × 漢民族は「人口の7割」ではなく92%を占めており、「漢民族と33の少数民族」ではなく55の少数民族からなる多民族国家である。また、省・直轄市と並んで一級行政区画である自治区は5つ設置されており、文中で誤りとなるのはマン族であり、正しくは寧夏回族自治区である。

3 × 2016年1月1日より一人っ子政策は廃止され、「夫婦双方とも一人っ子の場合にのみ」ではなく、すべての夫婦が二人目まで子どもを持つことを認められた。

4 × 「漢江の軌跡」とは、1960年代後半から90年代にかけて飛躍的な経済発展を遂げた韓国の高度経済成長をいう。

5 ○

法律　外国人の人権

2019年度
教養 No.29

外国人の人権に関する記述として、妥当なのはどれか。

1　権利の性質上、日本国民のみを対象としているものを除き、外国人にも人権が保障されるが、不法滞在者には人権の保障は及ばない。

2　地方自治体における選挙について、定住外国人に法律で選挙権を付与することは憲法上禁止されている。

3　外国人に入国の自由は国際慣習法上保障されておらず、入国の自由が保障されない以上、在留する権利も保障されない。

4　政治活動の自由は外国人にも保障されており、たとえ国の政治的意思決定に影響を及ぼす活動であっても、その保障は及ぶ。

5　在留外国人には、みだりに指紋の押捺を強制されない自由が保障されておらず、国家機関が正当な理由もなく指紋の押捺を強制しても、憲法には反しない。

解説　正解　3

TAC生の正答率　60%

1　×　「不法滞在者には人権の保障は及ばない」という部分が妥当でない。そもそも、人権は、人が生まれながらに有するものである（普遍性）。また、人権の保障は、「権利の性質上日本国民のみをその対象としていると解されるものを除き、わが国に在留する外国人に対しても等しく及ぶ」ものである（最大判昭53.10.4、マクリーン事件）。したがって、不法滞在者にも、外国人として、一定の人権の保障が及ぶことになる。

2　×　「憲法上禁止されている」という部分が妥当でない。判例は、日本に在留する外国人のうちでも永住者等については、「法律をもって、地方公共団体の長、その議会の議員等に対する選挙権を付与する措置を講ずることは、憲法上禁止されているものではない」としている（最判平7.2.8）。

3　○　判例と同旨であり妥当である。判例は、「憲法上、外国人は、わが国に入国する自由を保障されているものでないことはもちろん、所論のように在留の権利ないし引き続き在留することを要求しうる権利を保障されているものでもない」としている（最大判昭53.10.4、マクリーン事件）。

4　×　「国の政治的意思決定に影響を及ぼす活動であっても」という部分が妥当でない。判例は、政治活動の自由に関する憲法の保障は、「わが国の政治的意思決定又はその実施に影響を及ぼす活動等外国人の地位にかんがみこれを認めることが相当でないと解されるものを除き」、わが国に在留する外国人に対しても及ぶとしている（最大判昭53.10.4、マクリーン事件）。

5　×　全体として妥当でない。判例は、「何人もみだりに指紋の押なつを強制されない自由を有するものというべきであり、国家機関が正当な理由もなく指紋の押なつを強制することは、同条の趣旨に反して許されず、また、右の自由の保障は我が国に在留する外国人にも等しく及ぶ」としている（最判平7.12.15）。

法律　生存権　2023年度 教養 No.29

憲法第25条に定める生存権に関する記述として、妥当なのはどれか。

1　生存権は社会権的側面を持ち、国の介入の排除を目的とする権利である自由権とは性質を異にするため、自由権的側面が認められることはないとされる。

2　プログラム規定説では、生存権を具体化する法律がない場合に、裁判所に対して国の立法不作為の違憲確認訴訟を提起できるとされる。

3　抽象的権利説では、生存権は国民に法的権利を保障したものではないが、生存権を具体化する法律を前提とした場合に限り、違憲性を裁判上で主張することができるとされる。

4　最高裁判所は、昭和42年の朝日訴訟判決において、憲法第25条１項の規定は、直接個々の国民に対して具体的権利を賦与したものではないとした。

5　最高裁判所は、昭和57年の堀木訴訟判決において、憲法第25条の規定の趣旨に基づき具体的に講じられる立法措置の選択決定は、立法府の広い裁量に委ねられており、いかなる場合も裁判所が審査判断するのに適しない事柄であるとした。

解説　正解 4

TAC生の正答率 73%

1 × 「自由権的側面が認められることはないとされる」という部分が妥当でない。生存権には国に対し救済を求めていくという社会権的側面があるが、それ以前に、国民は自らの手で健康で文化的な最低限度の生活を維持する自由を有し、国家はそれを阻害してはならないという自由権的側面も認められる。なお、社会権的側面の法的性格については争いがあるが、自由権的側面については具体的権利であるとする点で争いがない。

2 × 「プログラム規定説では」という部分が妥当でない。生存権の法的性格について、生存権を具体化する法律がない場合に、裁判所に対して国の立法不作為の違憲確認訴訟を提起できるとする見解は、具体的権利説である。プログラム規定説は、憲法の生存権の規定は、国民の生存を確保すべき政治的・道義的義務を国に課したにとどまり、個々の国民に対して具体的権利を保障したものではないとする見解である。

3 × 「生存権は国民に法的権利を保障したものではないが」という部分が妥当でない。抽象的権利説は、憲法25条は国に立法・予算を通じて生存権を実現すべき法的義務を課したもの（法的権利）であり、憲法25条を直接の根拠にして生活扶助を請求する権利を導き出すことはできないが、生存権を具体化する法律によってはじめて具体的な権利となるとする見解である。

4 ○ 判例により妥当である。判例は、憲法25条1項の規定は、すべて国民が健康で文化的な最低限度の生活を営み得るように国政を運営すべきことを国の責務として宣言したにとどまり、直接個々の国民に対して具体的権利を付与したものではないとしている（最大判昭42.5.24、朝日訴訟）。

5 × 「いかなる場合も裁判所が審査判断するのに適しない事柄であるとした」という部分が妥当でない。判例は、憲法25条の「健康で文化的な最低限度の生活」なるものは、きわめて抽象的・相対的な概念であって、憲法25条の規定の趣旨にこたえて具体的にどのような立法措置を講ずるかの選択決定は、立法府の広い裁量にゆだねられており、それが著しく合理性を欠き明らかに裁量の逸脱・濫用と見ざるをえないような場合を除き、裁判所が審査判断するのに適しない事柄であるとしている（最大判昭57.7.7、堀木訴訟）。したがって、著しく合理性を欠き明らかに裁量の逸脱・濫用と見ざるをえない場合には司法審査が可能となる。

地理
法律
政治
経済
物理
化学
生物
地学
社会事情

法律　衆議院の優越

2018年度
教養 No.29

憲法に定める国会における衆議院の優越に関する記述として、妥当なのはどれか。

1　法律案について、参議院が、衆議院の可決した法律案を受け取った後、国会休会中の期間を除いて30日以内に議決しないときは、衆議院は、参議院がその法律案を可決したものとみなすことができる。

2　予算について、参議院で衆議院と異なった議決をした場合に、衆議院で出席議員の３分の２以上の多数で可決したときは、衆議院の議決を国会の議決とする。

3　条約の締結に必要な国会の承認について、参議院で衆議院と異なった議決をした場合に、法律の定めるところにより、両議院の協議会を開いても意見が一致しないときは、衆議院の議決を国会の議決とする。

4　内閣総理大臣は、衆議院議員の中から国会の議決でこれを任命するが、この任命は、他の全ての案件に先立って行わなければならない。

5　衆議院で内閣不信任の決議案を可決したときは、内閣は衆議院を解散しなければならず、また、衆議院で内閣信任の決議案を否決したときは、内閣は総辞職しなければならない。

解説　正解 3　TAC生の正答率 87%

1 ×　憲法59条４項は、「参議院が、衆議院の可決した法律案を受け取つた後、国会休会中の期間を除いて60日以内に、議決しないときは、衆議院は、参議院がその法律案を否決したものとみなすことができる。」と定めている。したがって、参議院が議決しない期間を「30日以内」とし、「可決したものとみなす」とする本肢は妥当でない。

2 ×　予算について、参議院で衆議院と異なった議決をした場合には、必ず両院協議会が開催される。その後、両院協議会で意見が一致しなかったときには、衆議院の議決を国会の議決とし、予算を成立させる（憲法60条２項）。本肢は、予算成立にあたって、衆議院における出席議員の３分の２以上の再議決を認めており、妥当でない。

3 ○　憲法61条は、「条約の締結に必要な国会の承認については、前条第２項の規定を準用する。」と定めている。そして、本条が準用する憲法60条２項は、「予算について、参議院で衆議院と異なつた議決をした場合に、法律の定めるところにより、両議院の協議会を開いても意見が一致しないとき、又は参議院が、衆議院の可決した予算を受け取つた後、国会休会中の期間を除いて30日以内に、議決しないときは、衆議院の議決を国会の議決とする。」と定めている。したがって、本肢は妥当である。

4 ×　憲法67条１項は、「内閣総理大臣は、国会議員の中から国会の議決で、これを指名する。この指名は、他のすべての案件に先だつて、これを行ふ。」と定めている。すなわち、内閣総理大臣は「国会議員」の中から指名されるため、衆議院議員に限定されるわけではない。また、内閣総理大臣を任命するのは天皇である（憲法６条１項）。したがって、本肢は妥当でない。

5 ×　憲法69条は、「内閣は、衆議院で不信任の決議案を可決し、又は信任の決議案を否決したときは、10日以内に衆議院が解散されない限り、総辞職をしなければならない。」と定めている。すなわち、衆議院で内閣不信任の決議案を可決または内閣信任の決議案を否決した場合には、内閣は、衆議院の解散か内閣の総辞職かの選択をしなければならない。本肢は、不信任決議可決の場合と信任決議否決の場合に分別した上で、それぞれ、内閣に異なった対応を義務づけており、妥当でない。

法律　裁判制度

2023年度
教養 No.30

日本の裁判制度に関する記述として、妥当なのはどれか。

1　憲法は裁判官の独立を定め、裁判官に身分保障を与えており、裁判官は心身の故障のために職務を行えない場合を除いて罷免されることはない。

2　裁判所には、最高裁判所と地方裁判所があり、地方裁判所には高等裁判所、家庭裁判所、特別裁判所の３種類がある。

3　再審制度とは、第一審に不服があるときに上級審の裁判所の判断を求めることをいい、原則として三度の機会がある。

4　行政裁判は民事裁判の一種で、国や地方公共団体の行為や決定に対して、国民や住民が原告となって訴えを起こすものである。

5　日本の裁判員制度は陪審制に当たり、無作為に選ばれた裁判員が、裁判官から独立して有罪・無罪を決定したあと、裁判官が量刑を確定する。

解説　正解　4　　TAC生の正答率　45%

1　×　「裁判官は心身の故障のために職務を行えない場合を除いて罷免されることはない」という部分が妥当でない。裁判官の身分を保障するために裁判官の罷免事由は限定されており、すべての裁判官に妥当する罷免事由は、①裁判により心身の故障のために職務を執ることができないとされた場合（分限裁判）と、②公の弾劾（憲法64条、弾劾裁判）による場合に限られる（憲法78条前段）。

2　×　全体が妥当でない。憲法76条１項は、すべて司法権は、最高裁判所及び法律の定めるところにより設置する下級裁判所に属すると規定する。これは、最高裁判所を憲法上設置すべきことを定めるものであるが、どのような下級裁判所を設置すべきかについては法律に委ねている。これを受けて、裁判所法は、下級裁判所として、高等裁判所、地方裁判所、家庭裁判所、簡易裁判所の４種類を定めている（裁判所法２条１項）。

3　×　「再審制度とは」という部分が妥当でない。本記述は、三審制についての説明である。再審制度とは、いったん判決が確定した後、その判決の結果を変更すべき重大な事由が新たに発覚したなどの場合（法定の再審事由がある場合）に、再審理を行う制度である。民事訴訟・刑事訴訟・行政事件訴訟のいずれにも存在する制度である。

4　○　条文・通説により妥当である。行政裁判は、裁判によって、①違法な行政活動により権利利益を侵害された者を救済すること、②違法な行政活動を是正することを目的とする制度であり、個人が自己の権利利益の救済を目的として提起する訴え（主観訴訟）と、住民などが個人の権利利益の救済とは無関係に行政活動の客観的適法性の実現を目的として提起する訴え（客観訴訟）に大別される。また、行政裁判に関しては行政事件訴訟法が定められているが、条文数が少なく、「行政事件訴訟に関し、この法律に定めがない事項については、民事訴訟の例による」（同法７条）として民事訴訟に関する規定に従うことも多いため、この意味で民事裁判の一種ということもできる。

5　×　「日本の裁判員制度は陪審制に当たり」、「裁判官から独立して有罪・無罪を決定したあと、裁判官が量刑を確定する」という部分が妥当でない。裁判員制度は、無作為に選ばれた裁判員が裁判官とともに刑事裁判（事実認定、法令の適用、刑の量定など）を行う制度である。また、陪審制とは、被告人の有罪・無罪の判断を国民から選ばれた陪審員のみで行い、法解釈と量刑を職業裁判官のみで行う制度であるから、上記のような内容をもつ裁判員制度は、陪審制とは異なる。

法律 日本の裁判所

2018年度
教養 No.30

日本の裁判所に関する記述として、妥当なのはどれか。

1 憲法は、裁判官の独立を保障するとともに、裁判官に身分保障を与える規定を設けており、裁判官は、裁判により、心身の故障のために職務を執ることができないと決定された場合を除いて罷免されることはない。

2 最高裁判所は、内閣の指名に基づいて天皇が任命する長官と、内閣総理大臣が任命する14名の裁判官で構成されるが、下級裁判所の裁判官については、最高裁判所の長官が内閣の同意に基づき任命することとされている。

3 裁判において判決に不服がある場合は、上級の裁判所に再度審議と判決を求めることができるが、三審制により、3回目で最終審となり判決が確定するため、判決が確定した後の再審は認められていない。

4 裁判所は、一切の法律、命令、規則、処分が憲法に違反していないかどうかを判断する違憲法令審査権を持ち、この権限は全ての裁判所に与えられており、最高裁判所が終審裁判所として位置付けられている。

5 裁判員制度は、一定の重大な犯罪に関する刑事事件の第二審までに限定して、有権者の中から無作為に選ばれた裁判員が裁判官と一緒に裁判にあたる制度であり、裁判員は、量刑の判断を除いて、裁判官と有罪か無罪かの決定を行う。

解説　正解　4

TAC生の正答率　52%

1　×　裁判官は、心身の故障だけでなく、弾劾裁判によっても罷免される（憲法78条）。さらに、最高裁判所の裁判官は、この２つの場合に加え、国民審査で罷免される場合もある（憲法79条２項、３項）。したがって、裁判官の罷免を心身の故障に限定する本肢は妥当でない。

2　×　最高裁判所の長官は、内閣の指名に基づいて天皇が任命し（憲法６条２項）、最高裁判所の長官以外の裁判官は、内閣が任命する（憲法79条１項）。一方、下級裁判所の裁判官は、最高裁判所の指名した者の名簿に基づいて、内閣が任命する（憲法80条１項）。本肢は、内閣総理大臣が最高裁判所の長官以外の裁判官を任命する点、および、最高裁判所の長官が下級裁判所の裁判官を任命する点について、妥当でない。

3　×　三審を経て判決が確定した事件については、法律に定められた再審事由がある場合に再審が認められる（民事訴訟法338条、刑事訴訟法435条参照）。したがって、確定判決に対して再審を認めない本肢は妥当でない。

4　○　憲法81条は、「最高裁判所は、一切の法律、命令、規則又は処分が憲法に適合するかしないかを決定する権限を有する終審裁判所である。」と定めている。そして、判例は、81条について、最高裁判所が違憲審査権を有する終審裁判所であることを明らかにした規定であり、下級裁判所が違憲審査権を有することを否定する趣旨をもつものではないとして、全ての裁判所に違憲審査権の行使を認めている（最大判昭25.2.1）。したがって、本肢は妥当である。

5　×　裁判員裁判の対象は、一定の重大犯罪に関する刑事事件の第一審（地方裁判所）に限定されている。また、裁判員は、犯罪事実の有無だけでなく、量刑についても裁判官とともに判断する。本肢は、第二審（高等裁判所）まで対象とする点、および、量刑の判断を除外する点について、妥当でない。

法律　債務不履行による損害賠償

2022年度
教養 No.29

債務不履行による損害賠償に関する記述として、妥当なのはどれか。

1　債務不履行により債権者が損害を被った場合には、損害賠償の範囲は債務不履行がなければ生じなかった損害全てに及び、特別な事情による損害も、通常生ずべき損害と同様に損害賠償の対象となる。

2　債権者と債務者の間であらかじめ違約金を定めておいた場合には、その違約金は原則として債務不履行に対する制裁と推定されるため、債務者は、債権者に対し、現実に発生した損害賠償額に加えて違約金を支払わなければならない。

3　金銭賠償とは、損害を金銭に算定して賠償するものであり、原状回復とは、債務不履行がなかったのと同じ状態に戻すものであるが、債務不履行による損害賠償の方法としては金銭賠償が原則とされる。

4　昭和48年に最高裁は、金銭を目的とする債務の履行遅滞による損害賠償については、法律に別段の定めがなくとも、債権者は、約定または法定の利率以上の損害が生じたことを立証すれば、その賠償を請求することができるとした。

5　平成23年に最高裁は、売買契約の締結に先立ち、信義則上の説明義務に違反して、契約締結の判断に影響を及ぼす情報を買主に提供しなかった場合、売主は契約締結により買主が被った損害に対し、契約上の債務不履行による賠償責任を負うとした。

解説　正解 3

TAC生の正答率 45%

1 × 「損害賠償の範囲は債務不履行がなければ生じなかった損害全てに及び、特別な事情による損害も、通常生ずべき損害と同様に損害賠償の対象となる」という部分が妥当でない。債務不履行に対する損害賠償の範囲は、債務不履行によって通常生ずべき損害の賠償である（民法416条1項）。また、特別の事情によって生じた損害であっても、当事者がその事情を予見すべきであったときは、債権者は、その賠償を請求することができる（同法416条2項）。

2 × 「その違約金は原則として債務不履行に対する制裁と推定されるため、債務者は、債権者に対し、現実に発生した損害賠償額に加えて違約金を支払わなければならない」という部分が妥当でない。違約金は、賠償額の予定と推定される（民法420条3項）。したがって、この推定が覆されない限り、債務者は、債権者に対し、現実に発生した損害賠償額ではなく、違約金を支払えばよい。

3 ○ 条文により妥当である。損害賠償は、別段の意思表示がないときは、金銭をもってその額を定める（民法417条、金銭賠償の原則）。

4 × 「法律に別段の定めがなくとも、債権者は、約定または法定の利率以上の損害が生じたことを立証すれば、その賠償を請求することができるとした」という部分が妥当でない。判例は、金銭を目的とする債務の履行遅滞による損害賠償の額は、法律に別段の定めがある場合を除き、約定または法定の利率により、債権者はその損害の証明をする必要がないとされているが（民法419条1項、2項）、その反面として、たとえそれ以上の損害が生じたことを立証しても、その賠償を請求することはできないとしている（最判昭48.10.11）。

5 × 「契約上の債務不履行による賠償責任を負うとした」という部分が妥当でない。判例は、契約の一方当事者が、当該契約の締結に先立ち、信義則上の説明義務に違反して、当該契約を締結するか否かに関する判断に影響を及ぼすべき情報を相手方に提供しなかった場合には、上記一方当事者は、相手方が当該契約を締結したことにより被った損害につき、不法行為による賠償責任を負うことがあるのは格別、当該契約上の債務の不履行による賠償責任を負うことはないとしている（最判平23.4.22）。

法律　労働法

2020年度
教養 No.29

労働法に関する記述として、妥当なのはどれか。

1　労働基本権とは、団結権、団体交渉権、団体行動権（争議権）の三つをいい、労働基準法において定められている。

2　労働法とは、個別的労働関係、団体的労働関係を規律する法の総称であり、労働三法とは労働基準法、労働契約法、労働関係調整法をいう。

3　国家公務員や地方公務員は労働二権に制限が加えられ、最高裁では全農林警職法事件において公務員の争議行為の一律禁止は合憲であるとの判断を示し、今日に至っている。

4　労働関係調整法は、労働争議が発生し、当事者間の自主的な解決が不調の場合に労働基準監督署が、あっせん・調停・勧告の三つの方法によって、争議の収拾にあたることなどを定めている。

5　労働組合法は、労働組合が争議行為を行った場合、労働者は正当な行為である限り刑罰を科されることはないが、使用者は当該争議行為によって受けた損害について、労働組合に賠償請求できるとしている。

解説　正解　3　TAC生の正答率 46%

1 × 「労働基準法において定められている」という部分が妥当でない。団結権、団体交渉権、団体行動権（争議権）の３つが労働基本権（労働三権）であるため、前段は妥当である。しかし、労働基本権は憲法28条で定められている基本的人権の一つであり、労働組合法や労働関係調整法によって労働基本権の保障が具体化されているので、後段が妥当でない。

2 × 「労働三法とは労働基準法、労働契約法、労働関係調整法をいう」という部分が妥当でない。労働三法とは、労働基準法（1947年制定）、労働組合法（1945年制定）、労働関係調整法（1946年制定）である。労働契約法は、2007年に制定された比較的新しい法律である。なお、労働法とは、個別的労働関係（使用者と個々の労働者との関係）及び団体的労働関係（使用者と労働組合との関係）を規律する法の総称であると定義されているので、前段は妥当である。

3 ○ 条文・判例により妥当である。公務員は、労働三権に制限が加えられており、特に争議行為は一律禁止されている。最高裁は全農林警職法事件（最大判昭48.4.25）において、公務員の地位の特性・公共性や、人事院の給与勧告等の代償措置が講じられていることを理由に、争議行為の一律禁止を合憲であると判断しており、この判断は現在でも覆っていない。

4 × 「労働基準監督署が、あっせん・調停・勧告の三つの方法によって」という部分が妥当でない。労働関係調整法は、労働争議（労働組合などの労働者の団体と使用者との間で争議行為が生じ、又は生じるおそれがある状態）が発生し、当事者間の自主的な解決が不調の場合に、公正・中立の機関である労働委員会が、あっせん（斡旋）、調停、仲裁の方法によって、争議の収拾などにあたること等を定めている。労働委員会は、主に使用者と労働組合との間の紛争を解決するための機関であるのに対し、労働基準監督署は、主に労働基準法や労働安全衛生法に違反する事業者への監督をするための機関である。

5 × 「使用者は当該争議行為によって受けた損害について、労働組合に賠償請求できるとしている」という部分が妥当でない。使用者は、正当な行為である労働組合の争議行為によって受けた損害について、労働組合やその組合員に賠償を請求することができない（労働組合法８条）。なお、労働組合の争議行為は、それが正当な行為である限り、労働者は刑罰を科されないので（労働組合法１条２項）、前段は妥当である。

政治　アメリカの大統領制

2015年度
教養 No.29

次のA～Eのうち、アメリカの大統領制に関する記述の組合せとして、妥当なのはどれか。

A　大統領は、議会が大統領を選ぶ間接選挙によって選出される。
B　大統領は、議会の不信任決議に対し、議会を解散する権限をもつ。
C　大統領は、議会が可決した法案への署名を拒否する拒否権をもつ。
D　大統領は、議会に対し、教書を送付する権限をもつ。
E　大統領は、憲法の最終解釈権をもち、違憲立法審査権を行使する。

1　A、B

2　A、E

3　B、C

4　C、D

5　D、E

解説　正解　4

TAC生の正答率　95%

A　×　大統領は、有権者が選出する大統領選挙人によって選出される。大統領の選出に議会議員は直接携わらない。

B　×　アメリカの大統領制には、議会の解散、議会による不信任決議は存在しない。これらが存在しないのが大統領制の特徴でもある。

C　○　大統領は法案提出権をもたないが、議会が可決した法案について拒否をすることができる。ただし、拒否された法案であっても、議会の３分の２以上で再可決成立させることは可能である。

D　○　大統領は法案提出権をもたないが、立法や予算上の意見書を提出することができる。これを教書という。予算教書、一般教書などが毎年提出されている。

E　×　違憲立法審査権は裁判所の役割である。日本と同様に憲法の最終解釈権は連邦最高裁判所が有する。

国際連合に関する記述として、妥当なのはどれか。

1　総会は全加盟国により構成され、一国一票の投票権を持つが、総会での決議に基づいて行う勧告には、法的拘束力はない。

2　国際連合には現在190か国以上の国々が加盟しており、日本は、国際連合が設立された当初から加盟している。

3　安全保障理事会は、常任理事国６か国と非常任理事国10か国によって構成されており、安全保障理事会における手続き事項の決定は、常任理事国だけの賛成で行うことができる。

4　国際司法裁判所は、国際的紛争を平和的に解決することを目的として設立され、現在では、国際人道法に反する個人の重大な犯罪も裁いている。

5　平和維持活動（PKO：Peacekeeping Operations）について、日本は、紛争当事者のいずれかが平和維持隊への参加国に日本を指名していることなど、全部で６つの原則を参加の条件としている。

解説　正解　1

TAC生の正答率　63%

1　○　国連総会の構成ならびに権限として妥当な内容である。なお、国連総会の決議には法的拘束力はないものの、国際社会の意思表明という重い意味がある。

2　×　国連が設立されたのは1945年であるが、日本が国連に加盟したのは1956年である。日本はサンフランシスコ平和条約締結後の1952年に国連加盟を申請したもののソ連の拒否権によって否決され、1956年に日ソ共同宣言によって国連加盟が実現した。

3　×　安全保障理事会の常任理事国は５か国である。また、手続き事項の決定は15か国のうち９か国の賛成が必要なので、常任理事国だけの賛成では決定できない。

4　×　国際司法裁判所は国家間の紛争を解決するための機関であり、個人は対象ではない。国際人道法に反する個人の重大な犯罪を裁く機関は国際刑事裁判所である。

5　×　日本がPKOに参加する条件の原則は５つである。一般にPKO参加５原則と呼ばれる。

政治　世界の政治体制

2020年度
教養 No.30

世界の政治体制に関する記述として、妥当なのはどれか。

1　フランス及びロシアの大統領は、議院内閣制のもとで議会を中心に選出され、名目的・儀礼的な権限しかもたない。

2　議院内閣制を採用するイギリスでは、政権を担当できなかった野党は、「影の内閣」を組織し、次期政権を担う準備をする。

3　イタリアでは大統領制を採用しており、大統領は議会や裁判所に対して強い独立性を持ち、違憲立法審査権など強い権限をもっている。

4　フィリピンやインドネシアは、権力集中制と呼ばれる軍人や官僚中心の政権が国民の政治的・市民的自由を制限し、経済開発を最優先する体制である。

5　中国では、全国民の意思は中国共産党に集約されているため、立法府に当たるものは存在しない。

解説　正解　2

TAC生の正答率　81％

1　×　フランス及びロシアの大統領は、国民に直接選出されることから実質的な権限をもつ。ただし、大統領の下には議会の信任を必要とする内閣があることから、大統領制と議院内閣制が混合した半大統領制に分類される。

2　○　二大政党制に分類されるイギリスでは政権交代が何度も起こっていることもあり、野党でいる間も政権担当能力を落とさないように「影の内閣」が制度的に保障されている。

3　×　イタリアは、議院内閣制を採用している。そのため、大統領は象徴的な位置づけにとどまっており、違憲立法審査権などの権限は持っていない。

4　×　フィリピンやインドネシアは、権力集中制ではなく開発独裁または権威主義体制に該当する。ただし、現在のフィリピンやインドネシアは、開発独裁、権威主義体制を脱して民主化したと評価されている。

5　×　中国では憲法により、「全国人民代表大会と全国人民代表大会常務委員会は、国家の立法権を行使する」と規定されている。また、行政は国務院、司法は人民法院が担当するが、全国人民代表大会が最上位の組織であり、国務院や人民法院は下位に位置づけられていることから、三権分立はしていない。

政治　選挙制度

2021年度
教養 No.30

日本の選挙制度に関する記述として、妥当なのはどれか。

1　2015年に公職選挙法の一部を改正する法律が成立し、2016年6月の施行日後に初めて行われる国政選挙の公示日以後にその期日を公示又は告示される選挙から、選挙権年齢が満20歳以上から満18歳以上へと引き下げられた。

2　小選挙区制は、選挙民が候補者を理解しやすいという長所があるが、少数分立の不安定な政権が生まれやすいとされており、死票が多く、多額の選挙費用が必要とされている。

3　2000年の公職選挙法改正後、衆議院議員選挙では、比例代表区には政党名のほかに候補者名も書くことができ、得票順に政党内の当選者が決まる拘束名簿式比例代表制に改められた。

4　「一票の格差」とは、選挙区ごとの議員一人当たりの有権者数に格差が生じ、一票の価値が選挙区で異なっている状態をいうが、衆議院議員選挙において、最高裁判所が違憲又は違憲状態と判示したことはない。

5　公職選挙法による連座制では、選挙運動の総括主宰者など、当該候補者と一定の関係にある者が、買収などの選挙違反で有罪となった場合、当該候補者は当選が無効となるほか、全ての選挙区から10年間、立候補できなくなる。

解説　正解　1

TAC生の正答率　71％

1　○　2015年の段階で、世界の約9割の国は議会の選挙権を18歳までに付与していた。

2　×　「少数分立の不安定な政権が生まれやすい」と「多額の選挙費用が必要」という記述が誤り。まず、1人しか当選できない小選挙区制では小政党の候補者が当選することは難しく、むしろ少数分立ではなく二大政党制になりやすい傾向がある。また、比例代表制や大選挙区制と比べると選挙区の面積が狭くなるため、選挙費用は抑えられる傾向がある。

3　×　「政党名のほかに候補者名も書くことができ、得票順に政党内の当選者が決まる」のは、参議院議員選挙で採用されている非拘束名簿式比例代表制である。衆議院議員選挙で採用されている拘束名簿式比例代表制では、政党名しか書けない。

4　×　衆議院議員選挙について、最高裁判所は1972年・1983年の選挙を違憲、1980年・1990年・2009年・2012年・2014年の選挙を違憲状態と判示している。なお、参議院議員選挙については、最高裁判所は違憲状態と判示したことはあるが、違憲と判示したことはない。

5　×　「全て」と「10年間」が誤り。当該候補者は、同一の選挙区から5年間立候補できなくなる。

政治　地域紛争

2019年度
教養 No.30

地域紛争に関する記述として、妥当なのはどれか。

1　北アイルランド紛争とは、北アイルランドに住む少数派のプロテスタント系住民が、イギリスからの分離独立を求めて起こしたものである。

2　インドとパキスタンは、イギリスからの分離独立後、カシミール地方の帰属を巡って争い、両国の間では、1970年代までに三度に渡る印パ戦争が起きた。

3　チェチェン紛争とは、スラブ系住民が大半を占めるチェチェン共和国が1980年代に独立を宣言後、ロシアがチェチェンに軍事介入したものである。

4　1990年代後半に、コソボ解放軍とセルビア治安部隊との間でコソボ紛争が発生したため、アメリカ軍は単独でセルビア側への空爆を行った。

5　1990年にイラクがイエメンに侵攻し、併合宣言を出したことから、翌年アメリカを中心とした国連平和維持軍はイラク攻撃を開始し、湾岸戦争が始まった。

解説　正解　2

TAC生の正答率　65%

1　×　「少数派のプロテスタント系住民」という点が誤り。北アイルランドの少数派はカトリック系住民である。北アイルランド紛争は英国への帰属を望む多数派プロテスタント系住民とアイルランドへの帰属を望む少数派カトリック系住民との間で生じたものである。

2　○　インドとパキスタンの説明として妥当である。インドとパキスタンはカシミール地方の領有などをめぐって、1947－49年、1965－66年、1971年の３度にわたって戦争を行っている。

3　×　まず「スラブ系住民が大半」という点が誤り。チェチェン共和国は、チェチェン語を母語とするチェチェン人が多数派である。そして「1980年代に独立を宣言」という点も誤り。チェチェン共和国が独立を宣言したのはソ連崩壊のタイミングである1991年のことである。

4　×　「アメリカ軍が単独で…空爆」という点が誤り。コソボ紛争においてセルビアに空爆を行ったのはアメリカ、イギリス、フランス、ドイツなどを中心とするNATO軍である。

5　×　まず「イラクがイエメンに侵攻」という点が誤り。1990年にイラクが侵攻したのは隣国のクウェートである。また「国連平和維持軍」という点も誤り。湾岸戦争はアメリカを中心とする多国籍軍とイラクとの間で行われたものである。

次のA～Dは中東・北アフリカ地域の政治に関する記述であるが、それぞれに該当する国の組合せとして、妥当なのはどれか。

A　この国は、1948年にパレスチナに建国されたが、これを認めない周辺諸国と4次にわたる中東戦争を戦った。
B　この国では、ヨーロッパ型の近代化を強行してきた王政が1979年に起こった革命によって倒れ、イスラームに基づく共和国に移行した。
C　この国は、大量破壊兵器の保有疑惑に対し、国連の査察への協力が不十分だったことなどから、2003年にアメリカ等の攻撃を受け、フセイン政権が崩壊した。
D　この国では、2011年、「アラブの春」とよばれる反独裁を掲げ民主化を求める運動により、ムバラク政権が崩壊した。

	A	B	C	D
1	イスラエル	イラン	イラク	エジプト
2	イスラエル	イラン	リビア	チュニジア
3	イスラエル	シリア	リビア	チュニジア
4	ヨルダン	イラン	イラク	エジプト
5	ヨルダン	シリア	リビア	チュニジア

解説　正解　1

TAC生の正答率　85%

A 「イスラエル」が該当する。1948年にパレスチナに建国されたのはイスラエルである。イスラエルの建国にあたっては現地のイスラム教徒の意向が軽視されたため、これに反発した（イスラム教徒を多数抱える）中東諸国とイスラエルとの間で4次にわたり中東戦争が行われた。

B 「イラン」が該当する。1979年にホメイニ師の指導により成就したイスラム革命が起こり、王政から共和制に移行したのはイランである。

C 「イラク」が該当する。大量破壊兵器の保有を疑われたイラクは、2003年3月からアメリカ等による武力攻撃を受けた。同年4月にはバグダッドが事実上陥落し、フセイン政権は崩壊した。しかし、その後イラクで大量破壊兵器の捜査を行ったアメリカの調査団は、イラクに大量破壊兵器の備蓄はなかったと結論づけた。

D 「エジプト」が該当する。2011年にムバラク政権が崩壊したのはエジプトである。2010年末にチュニジアで起こった民主化運動が波及し、エジプト国内における反政府デモの高まりを鎮められなくなったことで、約30年続いたムバラク政権は崩壊した。

政治　国際法

2017年度
教養 No.30

国際法に関する記述として、妥当なのはどれか。

1　オランダのグロティウスは、「国際法の父」と呼ばれており、「海洋自由の原則」を説いた。

2　国際法とは、国家間の合意が文書により明示された法規範のことをいうが、条約は国家間の契約の一種であり、国際法としての性質は有しない。

3　国際司法裁判所は、当事国から合意を得た上で裁判を始めることができるが、その判決は、当事国に対する法的拘束力を持たない。

4　国際刑事裁判所は、オランダのハーグに常設の機関として設置されており、アメリカ、ロシア及び中国は加盟しているが、日本は加盟していない。

5　地域的な国際裁判所として、欧州連合に欧州人権裁判所が設置されているほか、欧州評議会では欧州司法裁判所の設置が検討されている。

解説　正解　1

TAC生の正答率　49%

1　○

2　×　条約も、当事国間での合意が文書に明示された国際法の一つである。

3　×　国際司法裁判所（ICJ）の判決は、当事国に対して法的拘束力を持つ。従わない場合は、国連安全保障理事会からの制裁が下される可能性もある。

4　×　加盟している国と加盟していない国が逆である。国際刑事裁判所（ICC）に、アメリカ、ロシアおよび中国は未だに加盟していないが、日本は2007年に加盟している。

5　×　それぞれの裁判所と、置かれている機関が逆である。欧州人権裁判所が欧州評議会（CE）に設置されており、欧州司法裁判所は欧州連合（EU）に、すでに設置されている。なお、欧州評議会は欧州連合とは別機関であり、本部もフランスのストラスブールに置かれている（EUの本部はベルギーの首都ブリュッセルにある）。

経済　競争市場

2021年度
教養 No.31

競争的な状態である市場に関する記述として、妥当なのはどれか。

1　供給量が需要量を上回る超過供給の時には価格が上昇し、需要量が供給量を上回る超過需要の時には価格が下落する。

2　価格が上昇すると需要量が増え、価格が下落すると需要量が減るので、縦軸に価格、横軸に数量を表したグラフ上では、需要曲線は右上がりとなる。

3　縦軸に価格、横軸に数量を表したグラフ上では、需要曲線と供給曲線の交点で需要量と供給量が一致しており、この時の価格は均衡価格と呼ばれる。

4　需要量と供給量の間にギャップがあるときには、価格の変化を通じて品不足や品余りが自然に解消される仕組みを、プライマリー・バランスという。

5　技術革新でコストが下がり、全ての価格帯で供給力が高まると、縦軸に価格、横軸に数量を表したグラフ上では、供給曲線は左にシフトする。

解説　正解　3

TAC生の正答率　94%

1　×　超過供給（超過需要）が生じた場合、価格は下落（上昇）する。

2　×　一般に価格が上昇すると需要量が減少することを需要法則といい、このことから縦軸に価格、横軸に需要量をとった座標平面上において需要曲線は右下がりに描かれる。また、需要法則を満たさない財をギッフェン財といい、ギッフェン財の需要曲線は右上がりに描かれる。

3　○

4　×　プライマリー・バランスとは基礎的財政収支のことであり、公債金収入以外の歳入が国債費以外の歳出をどれほどまかなえているかを示すものである。また、価格の変化を通じて需給ギャップが解消されることを市場メカニズム（価格メカニズム）という。

5　×　技術革新でコストが下がった場合、供給曲線は右方シフトする。

経済　市場の失敗

2018年度
教養 No.31

経済学における市場の失敗に関する記述として、妥当なのはどれか。

1　市場を通さずに他の経済主体に影響を与える外部性のうち、正の影響を与える外部経済の場合には、財の最適な供給が実現するが、負の影響を与える外部不経済の場合には、財の最適な供給が実現しない。

2　公共財とは、複数の人が不利益なしで同時に利用でき、料金を支払わない人の消費を防ぐことができない財のことをいい、利益が出にくいため、市場では供給されにくい。

3　情報の非対称性とは、市場において虚偽の情報が流通することによって、取引の当事者同士が、当該情報を正しいものとして認識し合っている状態のことをいう。

4　寡占・独占市場においては、企業が少数であることから、十分な競争が行われないため、消費者にとって不利益になるが、社会全体の資源配分に対する効率性は失われない。

5　寡占・独占企業が市場の支配力を用いて価格を釣り上げないように行われるのが独占禁止政策であり、日本ではこれを実施する機関として消費者庁が設けられ、カルテルなどの行動に対して罰金支払命令等の措置をとることができる。

解説　正解 2

TAC生の正答率 66%

1　×　外部経済が発生している市場において均衡取引量は、最適な供給量に比べて過少供給となる。

2　○　複数の人が同時に利用できることを消費の非競合性、料金を支払わない人の消費を防ぐことができないことを消費の非排除性という。

3　×　情報の非対称性とは、経済主体（売り手と買い手）が持っている当該取引に関する情報量に差が生じていることを指す。

4　×　寡占・独占市場下では、社会全体の資源配分に関する効率性が失われている（社会的総余剰が最大化されず、死荷重が発生する）。

5　×　独占禁止法に基づき各種勧告等を行うのは公正取引委員会である。

経済　金融　2023年度 教養 No.31

金融のしくみと働きに関する記述として、妥当なのはどれか。

1 直接金融とは、企業が必要とする資金を、金融機関から直接借り入れて調達する方法であり、実質的な貸し手は預金者である。

2 間接金融とは、企業が株式や社債などの有価証券を発行して、必要な資金を金融市場から調達する方法である。

3 日本銀行による金融調節の手法としては、公定歩合操作、預金準備率操作及び公開市場操作があるが、公開市場操作は現在行われていない。

4 外国通貨と自国通貨の交換比率をプライムレートといい、政府が外国為替市場に介入することをペイオフという。

5 信用創造は、金融機関が貸し付けを通して預金通貨をつくることであり、通貨量を増大させる効果をもつ。

解説　正解 5　TAC生の正答率 60%

1 × 直接金融ではなく間接金融に関するものである。

2 × 間接金融ではなく直接金融に関するものである。

3 × 公開市場操作は現在、金融政策の主たる手段として用いられている。

4 × 外国通貨と自国通貨の交換比率を為替レートという。プライムレートとは、金融機関が優良企業向けの貸出に適用する最優遇金利をいい、短期プライムレートは貸出期間が１年未満、長期プライムレートは１年以上のものをいう。また、ペイオフとは、一般に金融機関が破綻した際に定期預金や利息の付く普通預金等が預金者１人当たり、元本1,000万円までと破綻日までの利息等が保護されることをいう。

5 ○

経済　金融

2019年度
教養 No.31

日本の金融のしくみと働きに関する記述として、妥当なのはどれか。

1　直接金融とは、余剰資金の所有者が銀行などの金融機関に預金をし、金融機関が預かった資金を家計や企業に貸し付ける方式をいう。

2　間接金融とは、余剰資金の所有者が株式市場や債券市場を通じて株式や社債を購入することによって、資金を企業に融通する方式をいう。

3　日本銀行は、短期金利に関する誘導日標値を設定し、公開市場操作を行うことにより、金融調節を実施する。

4　日本銀行が金融機関から国債を買い上げ、金融市場に資金を供給することにより金利を上げることができる。

5　日本銀行は、好況の時には金融緩和政策を行い、家計・企業向けの預金・貸出金利が引き下がる金融調節を行う。

解説　正解　3

TAC生の正答率　61％

1　×　直接金融ではなく間接金融に関する説明である。

2　×　間接金融ではなく直接金融に関する説明である。

3　○　厳密には、短期金利に関する誘導目標値を設定するだけではない。日本銀行は、2016年９月の金融政策決定会合において、これまでの量的・質的金融緩和、マイナス金利付き量的・質的金融緩和を強化する形で、新たな金融緩和の枠組みである「長短金利操作付き量的・質的金融緩和」を導入している（2019年５月現在）。これは金融市場調節により長短金利の操作を行うイールドカーブ・コントロールと消費者物価上昇率の実績値が安定的に２％の物価安定の目標を超えるまで、マネタリーベースの拡大を継続するものである。恐らく出題者は、「金融政策は短期金利をコントロールすることしかできない」とされていることにとらわれて、現在の金融政策動向をフォローしていないと考えられる。出題として、本文の主語が「日本銀行は…」ではなく「一般的に中央銀行の行う金融政策は…」なら正答としてもよい。

4　×　日本銀行が金融機関から買いオペレーションによって国債を買い上げ、金融市場に資金を供給することにより、一般的には金利を下げることができるとされる。

5　×　一般に、日本銀行は、好況の時には金融引締政策を行い、家計・企業向けの預金・貸出金利が上昇する金融調整を行う。

景気変動に関する記述として、妥当なのはどれか。

1 景気変動は、世界貿易機関（WTO）設立協定の前文で、好況、均衡、不況の３つの局面が、安定的に一定の周期で出現する現象と定義されている。

2 不況期のため生産物の売れ行きが鈍るにもかかわらず、物価が持続的に上昇する現象を、デフレスパイラルという。

3 コンドラチェフは、企業の在庫投資による在庫調整の変動を原因とする、約１年の短期波動があることを明らかにした。

4 フリードマンは、政府が公共投資などによって有効需要を創出し、景気を回復させるべきであると説いた。

5 財政には、累進課税制度等が組み込まれることにより景気変動を緩和させる仕組みが備わっており、これをビルトイン・スタビライザーという。

解説　正解 5

TAC生の正答率 71%

1 × 世界貿易機関（WTO）設立協定の前文に肢の記述は存在しない。そもそも世界貿易機関（WTO）は、貿易の円滑化を目的として設立されたものであることに鑑みれば違和感を覚えるであろう。また、景気変動（循環）は好況、後退、不況、回復の４局面で示される。

2 × デフレスパイラルのデフレとは、デフレーションすなわち物価の下落を意味する。よって、「物価が持続的に上昇」という部分と矛盾する。デフレスパイラルとは、物価下落により企業収益が悪化し、労働者の賃金カットが断行され、労働者の購買力減退で景気が落ち込むという循環を繰り返すことをいう。

3 × コンドラチェフは、技術革新を要因とした約50年周期で生じる景気循環を主張した（コンドラチェフの波）。選択肢の記述は、キチンが主張した在庫投資を原因とした景気循環（キチンの波）に関する記述であるが、その周期は約３年とされている。

4 × フリードマンは、新古典派経済学の一派であるマネタリストと呼ばれるグループの代表的学者であり、政府によるマクロ経済に対する市場介入（総需要管理政策）に否定的な立場をとっている。よって、「公共投資などによって有効需要を創出し、景気を回復させるべき」などという主張をするはずがない。ちなみに、選択肢の記述はケインズの有効需要の原理に関するものである。

5 ○

経済　景気変動

2017年度
教養 No.31

景気変動に関する記述として、妥当なのはどれか。

1　景気変動とは、経済活動の水準が上下する現象をいい、好況・回復・不況・後退の４つの局面がこの順序で移り変わって１つの周期となる。

2　不況期には、投資の低下、失業の減少などの状態になり、やがて景気の谷を越えると後退期へと向かう。

3　景気変動を引き起こす原因には、周期の短い順に、建設投資、設備投資、在庫変動などがあるとされている。

4　財政の機能の１つとして景気変動の調整があるが、そのうちのフィスカル・ポリシーの例として、所得税の累進課税制度が挙げられる。

5　第二次世界大戦後の日本で初めて実質経済成長率がマイナスとなったのは、第一次石油危機後の昭和49年（1974年）である。

解説　正解　5

TAC生の正答率　59%

1　×　景気変動は、好況、後退、不況、回復の順で移り変わり、１つの周期となる。

2　×　不況期には失業は増加する。

3　×　景気変動を引き起こす原因には、周期の短い順に、在庫投資、設備投資、建築投資などがある。

4　×　所得税の累進課税制度は、ビルト・イン・スタビライザー（自動安定化装置）の例である。フィスカル・ポリシー（裁量的財政政策）とは、政府が意図的に総需要をコントロールして、経済を安定化させることをいい、例としては、景気対策として公共事業を意図的に増やしたり、所得税減税を行うことなどが挙げられる。

5　○

株式会社の仕組み

2020年度
教養 No.31

株式会社の仕組みに関する記述として、妥当なのはどれか。

1 株式会社が倒産した際には株式の価値はなくなるが、株主は自身が出資した資金を失う以上の責任を負うことはないことを、無限責任制度という。

2 会社の最高意思決定機関である株主総会において、株主１人につき１票の議決権を持っている。

3 会社が大規模になり、会社の意思決定を左右できるほど株式を所有していないが、専門的知識を有する人が会社経営にあたることを、所有と経営の分離という。

4 ストックオプションとは、株主などが企業経営に関してチェック機能を果たすことをいう。

5 現代の日本における株式会社の経営は、株主の利益の最大化よりもステークホルダーの利益を優先するよう会社法で義務付けられている。

解説　正解　3

TAC生の正答率　70%

1 × 「無限責任制度という」という部分が妥当でない。株主が自ら出資した資金を失う以上の責任を負うことがないことを、株主有限責任（有限責任制度）という（会社法104条）。

2 × 「株主１人につき１票の議決権を持っている」という部分が妥当でない。株主総会において、株主は１株につき１票の議決権を持っているのが原則である（会社法308条１項本文）。これを１株１議決権の原則という。

3 ○ 所有と経営の分離は、取締役会設置会社において制度化されている。取締役会設置会社では、取締役によって構成される取締役会が株式会社の業務執行を決定し（会社法362条２項１号）、これに基づいて代表取締役等が業務執行を行う（会社法363条１項）という形で、専門的知識を有する者が会社経営を行う。一方、株式会社の所有者である株主で構成される株主総会は、会社法に規定する事項及び定款で定めた事項に限り、決議をすることができるにすぎない（会社法295条２項）。

4 × ストックオプションとは、新株予約権（会社法２条21号）の一種で、株式会社が、自社の取締役や従業員等に対して、あらかじめ決められた金額（権利行使価格）で自社の株式を購入する権利を与えることである。株価が権利行使価格を上回るときにストックオプションを行使すれば、権利行使価格で購入した株式を株価で売却することで差額の利益を得ることができる。この点から、取締役や従業員等のモチベーションを高めるために導入するケースが見られる。なお、株主などが企業経営に対してチェック機能を果たすことは、コーポレートガバナンス（企業統治）という。

5 × 「株主の利益の最大化よりもステークホルダーの利益を優先するよう会社法で義務付けられている」という部分が妥当でない。本記述のような規定は会社法に存在しない。株主の利益の最大化を優先するのか、ステークホルダー（会社経営における利害関係者）の利益を優先するのか、それとも両者とも同じ程度に重視するのか、といった点については、個々の株式会社の経営方針として決めることになる。

物理　物体の運動　2023年度 教養 No.32

鉛直上向きに発射した小球の最高点が19.6mであったとき、小球の初速度の大きさとして、正しいのはどれか。ただし、重力加速度は9.8m/s^{2}とし、空気抵抗は無視できるものとする。

1　9.8m/s

2　14.7m/s

3　19.6m/s

4　24.5m/s

5　29.4m/s

解説　正解　3　TAC生の正答率 39%

求める初速度の大きさをv_0とすると、鉛直上向きに発射してt秒後の速度vと位置xの式はそれぞれ$v = v_0 - gt$…①、$x = v_0 t - \frac{1}{2}gt^2$…②と表すことができる（$g$は重力加速度）。

最高点での速度は0 m/sであるから、①に$v = 0$を代入して、$0 = v_0 - gt \Leftrightarrow t = \frac{v_0}{g}$より、$\frac{v_0}{g}$秒後に最高点に到達したことになる。最高点は19.6mであるので、②の式に$x = 19.6$、$t = \frac{v_0}{g}$を代入して、$19.6 = v_0 \times \frac{v_0}{g} - \frac{1}{2} \times g \times \frac{{v_0}^2}{g^2} \Leftrightarrow 19.6 = \frac{{v_0}^2}{2g} \Leftrightarrow {v_0}^2 = 19.6 \times 2g$となる。$g = 9.8$より、${v_0}^2 = 19.6 \times 2 \times 9.8 = (19.6)^2$となり、$v_0 = 19.6$[m/s]となる。

よって、正解は**3**である。

物理　力の合成　2020年度 教養 No.32

下の図のように、物体に３本のひもをつなぎ、ばねはかりで水平面内の３方向に引き、静止させた。ひもA、B、Cから物体にはたらく力の大きさをそれぞれF_A、F_B、F_Cとするとき、これらの比として、正しいのはどれか。

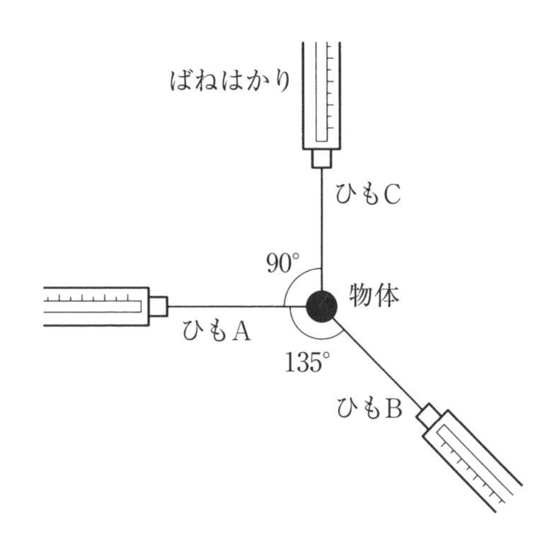

	F_A	F_B	F_C
1	1	1	1
2	1	$\sqrt{2}$	1
3	1	$\sqrt{2}$	2
4	1	2	1
5	$\sqrt{2}$	1	$\sqrt{2}$

解説　正解　2　TAC生の正答率 69%

AとCの合力がBとつり合っているが、図よりこれらは一直線上にある。AとCの力を１とすると、AとCの合力はその間45°に$\sqrt{2}$となり、これがCと等しい。よって正解は**2**である。

地理 法律 政治 経済 物理 化学 生物 地学 社会事情

物理　熱運動と温度

2021年度
教養 No.32

熱運動及び温度に関する次の文章の空欄に当てはまる語句の組合せとして、最も妥当なのはどれか。

煙の微粒子や、水に溶かした絵の具の微粒子を顕微鏡で観察すると、微粒子が［ア］運動とよばれる不規則な運動をしていることがわかる。このような原子・分子の乱雑な運動を熱運動という。温度が高くなるにつれて、［ア］運動は激しくなる。これは、原子・分子の熱運動がより激しくなるためである。温度は、熱運動の激しさを表す物質量である。

日常生活でよく使われる温度日盛りは、［イ］と呼ばれるもので、単位の記号は℃を用いる。一方、科学の世界では、［ウ］を使うことが多く、単位の記号は［エ］を用いる。

	ア	イ	ウ	エ
1	コリオリ	カ氏温度（ファーレンハイト温度）	セ氏温度（セルシウス温度）	°F
2	コリオリ	セ氏温度（セルシウス温度）	カ氏温度（ファーレンハイト温度）	K
3	コリオリ	セ氏温度（セルシウス温度）	絶対温度（熱力学温度）	°F
4	ブラウン	カ氏温度（ファーレンハイト温度）	セ氏温度（セルシウス温度）	°F
5	ブラウン	セ氏温度（セルシウス温度）	絶対温度（熱力学温度）	K

解説　正解　5

TAC生の正答率 78%

煙や水に溶かした絵の具を顕微鏡で観察すると、微粒子がブラウン（アの答え）運動とよばれる不規則な運動をしていることがわかる。このような原子・分子の乱雑な運動を熱運動という。温度が高くなるにつれて、ブラウン運動は激しくなる。

日常生活でよく使われる目盛りは、セ氏温度（イの答え）と呼ばれるもので、単位の記号は℃を用いる。一方、科学の世界では、絶対温度（ウの答え）を使うことが多く、単位の記号はK（エの答え）を用いる。

以上より、ア：ブラウン、イ：セ氏温度、ウ：絶対温度、エ：K、となり、正解は**5**となる。

なおコリオリ運動とは、地球の自転による見かけの力が引き起こすものであり、カ氏は水の凝固点を32、沸点を212とした温度の表記法であり、単位は°Fを用いる。

物理　比熱　2022年度 教養 No.32

6℃の液体A、28℃の液体B、46℃の液体Cの比熱の異なる三つの液体から二つを選んで混ぜ合わせてしばらくすると、混ぜ合わせた液体の温度が次のように変化した。

ア　同じ質量の液体Aと液体Bとを混ぜ合わせると、液体の温度が16℃となった。
イ　同じ質量の液体Bと液体Cとを混ぜ合わせると、液体の温度が36℃となった。

以上から、同じ質量の液体Aと液体Cとを混ぜ合わせてしばらくした後の液体の温度として、正しいのはどれか。ただし、液体の混ぜ合わせによる状態変化又は化学変化はなく、混ぜ合わせる二つの液体以外に熱は移動しないものとする。

1　16℃

2　18℃

3　20℃

4　22℃

5　24℃

解説　正解 4　TAC生の正答率 47%

熱量は$Q=mc\Delta t$より、「質量×比熱×温度変化」で求めることができるが、題意より、混ぜ合わせた液体の質量は同じであるので考えなくてよい。よって、比熱を熱容量とみて$Q=C\Delta t$より、熱量＝比熱×温度変化とし、液体A、B、Cの比熱（熱容量）をそれぞれx、y、zとおく。また、液体の混ぜ合わせによる状態変化や化学変化はなく、混ぜ合わせる二つの液体以外に熱の移動はなかったので、熱量保存の法則が成り立つ。

条件アより、Aが得た熱量＝Bが失った熱量が成り立つので、$x\times(16-6)=y\times(28-16)$となり、$10x=12y$…①となる。

条件イより、Bが得た熱量＝Cが失った熱量が成り立つので、$y\times(36-28)=z\times(46-36)$となり、$4y=5z$…②となる。

ここで、求める温度をt[℃]とおくと、Aが得た熱量＝Cが失った熱量が成り立つので、$x\times(t-6)=z\times(46-t)$…③となる。②×3より、$12y=15z$となり、これを①に代入して、$10x=15z \Leftrightarrow x=\frac{3}{2}z$となる。これを③に代入すると、$\frac{3}{2}z\times(t-6)=z\times(46-t)$となり、$z$で割って2を掛けると、$3(t-6)=2(46-t)$となる。よって$3t-18=92-2t$となり、解くと$t=22$[℃]となる。

以上より、正解は**4**である。

物理 放射線

2019年度 教養 No.32

放射線に関する記述として、妥当なのはどれか。

1 放射性崩壊をする原子核を放射性原子核といい、放射性崩壊によって放出される放射線には α 線、β 線及び γ 線などがある。

2 α 線は非常に波長の短い電磁波で、磁場内で力を受けず直進し、厚さ数cmの鉛板でなければ、これをさえぎることはできない。

3 β 線の放出は、原子核から陽子２個と中性子２個が $^4_2$He となって出ていく現象で、原子核は質量数が４、原子番号が２だけ小さい原子核に変わる。

4 半減期とは、放射性元素が崩壊して原子核が消滅し、もとの放射性元素の半分の質量になるまでにかかる時間をいう。

5 物質に吸収されるときに放射線が物質に与えるエネルギーを吸収線量といい、シーベルト（記号Sv）という単位が用いられる。

解説　正解 1

TAC生の正答率 38%

1 ○

2 × これは γ 線についての説明である。

3 × これは α 線についての説明である。なお、厳密にいうと α 粒子はヘリウムの原子核である。

4 × 半減期とは、元の原子（放射性同位体）が別の種類の原子核に変わり、半分になるまでの期間である。原子核が消滅するわけではない。

5 × これはグレイ（記号Gy）の説明である。シーベルトは人体が受ける影響の大きさを表す単位である。他に、放射能の強さを表すベクレル（記号Bq）という単位もある。

物質の構成

2018年度
教養 No.33

物質の構成に関する記述として、妥当なのはどれか。

1 1種類の元素からできている純物質を単体といい、水素、酸素及びアルミニウムがその例である。

2 2種類以上の元素がある一定の割合で結びついてできた純物質を混合物といい、水、塩化ナトリウム及びメタンがその例である。

3 2種類以上の物質が混じり合ったものを化合物といい、空気、海水及び牛乳がその例である。

4 同じ元素からできている単体で、性質の異なる物質を互いに同位体であるといい、ダイヤモンド、フラーレンは炭素の同位体である。

5 原子番号が等しく、質量数が異なる原子を互いに同素体であるといい、重水素、三重水素は水素の同素体である。

解説　正解 1

TAC生の正答率 76%

1 ○ 単体に関する説明およびその物質例として妥当な記述である。

2 × 2種類以上の元素がある一定の割合で結びついてできた純物質を化合物という。なお、水、塩化ナトリウムおよびメタンは化合物の例である。

3 × 2種類以上の物質が混じり合ったものを混合物という。なお、空気、海水および牛乳は混合物の例である。

4 × 同じ元素からできている単体で、性質の異なる物質を互いに同素体であるという。なお、ダイヤモンドとフラーレンは同素体の例である。

5 × 原子番号が等しく、質量数が異なる原子を互いに同位体であるという。なお、重水素と三重水素（トリチウム）は水素の同位体の例である。

化学　完全燃焼

2020年度
教養 No.33

一酸化炭素2.8gを完全燃焼させるときに必要となる酸素の質量として、妥当なのはどれか。ただし、一酸化炭素の分子量を28、酸素の分子量を32とする。

1　0.8g

2　1.4g

3　1.6g

4　2.8g

5　4.4g

解説　正解　3

TAC生の正答率　75%

燃焼とは酸素と結びつくことをいい、完全燃焼は各原子を完全な燃焼生成物に変化させることである。この場合はすべて二酸化炭素になればよい。なお、不完全燃焼の場合、一酸化炭素COやすすCなどが発生する。

よってこの場合の反応式は、

$$2CO + O_2 \rightarrow 2CO_2$$

となる。一酸化炭素の分子量は28なので、一酸化炭素2.8gでは2.8[g]÷28[g/mol]＝0.1[mol]となる。反応式より、一酸化炭素と酸素の反応比は2：1なので、酸素は0.05[mol]となる。よって、必要な酸素の質量は32[g/mol]×0.05[mol]＝1.6[g]なので、正解は**3**である。

化学	酸化と還元	2021年度 教養 No.33

酸化と還元に関する記述として、妥当なのはどれか。

1 物質が水素原子と化合したときは「酸化された」といい、逆に物質が水素原子を失ったときは「還元された」という。

2 酸化数とは原子の酸化の状態を示す数値であり、水素分子中の水素原子の酸化数と化合物中の水素原子の酸化数は等しい。

3 酸化還元反応において、相手の物質を酸化し、自身は還元される物質を還元剤といい、相手の物質を還元し、自身は酸化される物質を酸化剤という。

4 水素よりイオン化傾向の大きい銀は、塩酸や希硫酸とは反応しないが、酸化力の強い硝酸や高温の濃硫酸と反応し、水素を発生する。

5 イオン化傾向の大きいリチウムとカリウムは、空気中では速やかに内部まで酸化される。

解説　正解 5

TAC生の正答率 36%

1 × 水素原子と化合したときは「還元された」といい、逆に失ったときは「酸化された」という。

2 × 単体における原子の酸化数はどの単体でも0、化合物における水素原子の酸化数は＋1であるので、水素分子中の水素原子の酸化数と化合物中の水素原子の酸化数は異なる。

3 × 相手の物質を還元し、自身は酸化される物質を還元剤といい、相手の物質を酸化し、自身は還元される物質を酸化剤という。

4 × 銀は水素よりイオン化傾向は小さい。また銀は、塩酸や希硫酸とは反応しないが、酸化力の強い硝酸や高温の濃硫酸とは反応する。このときに発生するのは一酸化窒素や二酸化窒素、二酸化硫黄である。

$3Ag + 4HNO_3$（希硝酸）→ $3AgNO_3 + 2H_2O + NO$

$Ag + 2HNO_3$（濃硝酸）→ $AgNO_3 + H_2O + NO_2$

$2Ag + 2H_2SO_4$（熱濃硫酸）→ $Ag_2SO_4 + 2H_2O + SO_2$

5 ○

化学　化学の法則

2023年度
教養 No.33

化学の法則に関する記述として、妥当なのはどれか。

1　ファントホッフの法則とは、希薄溶液の浸透圧は、溶媒や溶質の種類に関係なく溶液のモル濃度と絶対温度に比例するという法則である。

2　ヘスの法則とは、一定の温度において、一定量の溶媒に溶けることができる気体の物質量は、その気体の圧力に比例するという法則である。

3　ヘンリーの法則とは、物質が変化するときに出入りする反応熱の大きさは、変化の前後の状態だけで決まり、変化の経路には無関係であるという法則である。

4　ボイル・シャルルの法則とは、一定質量の気体体積は、絶対温度と圧力に比例するという法則である。

5　ラウールの法則とは、高濃度溶液の蒸気圧は、溶質の種類に関係なく、溶媒のモル分率に反比例するという法則である。

解説　正解　1

TAC生の正答率　13%

1　○

2　×　ヘンリーの法則に関する記述である。

3　×　ヘスの法則に関する記述である。

4　×　ボイル・シャルルの法則とは、一定質量の気体体積は、絶対温度に比例し圧力に反比例するという法則である。

5　×　ラウールの法則とは、不揮発性物質を溶かした希薄溶液において、溶液の蒸気圧は溶質の種類に関係なく溶媒のモル分率に比例するという法則である。

化学　炭素　2022年度 教養 No.33

炭素に関する記述として、妥当なのはどれか。

1　黒鉛は、炭素原子が共有結合により六角形網面構造をなす灰黒色の結晶であり、電気をよく通し、電極に用いられる。

2　活性炭は、黒鉛の微小な結晶が規則的に配列した集合体であり、単位質量当たりの表面積は小さいが、気体等の物質を吸着する性質がある。

3　ダイヤモンドは、炭素原子の単体からなる共有結合の結晶であり、光の屈折率が低く硬いため、宝石や研磨材に用いられる。

4　一酸化炭素は、炭素や炭素化合物が不完全燃焼したときに生じる有毒な気体であり、無色無臭の不燃性で、水によく溶ける。

5　二酸化炭素は、炭素や炭素化合物が完全燃焼したときに生じる気体であり、空気に比べて軽く、無色無臭の不燃性で、水に溶けて弱い塩基性を示す。

解説　正解 1　TAC生の正答率 40%

1　○

2　×　活性炭は、黒鉛の微小な結晶が不規則に配列した集合体であるため、単位質量当たりの表面積が大きい。よって気体等の物質をたくさん吸着できる。

3　×　ダイヤモンドは、炭素原子の単体からなる共有結合結晶であるため、光の屈折率が非常に高く硬い。そのため、宝石や研磨剤に用いられる。

4　×　一酸化炭素COは、炭素や炭素化合物の不完全燃焼で生じる有害で無色無臭の気体であり、青白い炎を上げて燃焼し二酸化炭素CO_2を生成する。また、水にほとんど溶けない。

5　×　二酸化炭素CO_2は、炭素や炭素化合物が完全燃焼したときに生じる気体であり、無色無臭の不燃性である。また空気に比べて重く、水に溶けて弱い酸性を示す。

生物　酵素　2023年度 教養 No.34

酵素に関する次の記述として、妥当なのはどれか。

1　だ液に含まれているアミラーゼは、デンプンをグルコースとフルクトースに分解する。

2　タンパク質は、胃液中のリパーゼや、小腸の壁にある消化酵素などのはたらきで、アミノ酸に分解される。

3　ペプシンは、胆汁に含まれる分解酵素の一つであり、乳糖や脂肪の分解にはたらく。

4　カタラーゼは、過酸化水素によって分解されることで、酸素とアミノ酸を生成する。

5　マルターゼは、腸液に含まれる分解酵素の一つであり、マルトースをグルコースに分解する。

解説　正解　5　TAC生の正答率 20%

1　×　だ液に含まれているアミラーゼは、デンプンを麦芽糖（マルトース）に分解する。なお、スクロースをグルコースとフルクトースに分解するのはスクラーゼで、腸液に含まれている。

2　×　リパーゼを含むのは膵液で脂肪を分解する。小腸の壁にある消化酵素（ペプチターゼ）は、タンパク質が分解されたペプチドをアミノ酸に分解する。

3　×　ペプシンは胃液に含まれる分解酵素であり、タンパク質を分解する。また胆汁は、消化酵素を含まない。

4　×　カタラーゼは、過酸化水素を分解する酵素であり、過酸化水素からは水と酸素が生成する。

5　○

生物　酵素　2019年度 教養 No.34

酵素に関する記述として、妥当なのはどれか。

1　カタラーゼは、過酸化水素を触媒として分解されることで、酸素とアミノ酸を生成する。

2　唾液や膵(すい)液に含まれるアミラーゼは、デンプンをマルトースに分解する消化酵素であり、唾液中のアミラーゼの最適pHは約７である。

3　胃液に含まれるリパーゼは、デンプン及びタンパク質をヒトの小腸の柔毛上皮で吸収できる状態にまで分解する。

4　トリプシンは、胆汁に多く含まれる分解酵素の一つであり、乳糖や脂肪の分解に働く。

5　植物の光合成は、制限酵素の働きの一つであり、水と酸素を原料にタンパク質を合成する。

解説　正解　2　TAC生の正答率 35%

1　×　カタラーゼは過酸化水素を分解する酵素である。ちなみに酵素はすべて触媒である。なお、過酸化水素が分解されると酸素が発生する（$2H_2O_2 \rightarrow 2H_2O + O_2$）。

2　○

3　×　リパーゼが作用するのは脂質に対してである。

4　×　トリプシンは膵液に多く含まれるタンパク質分解酵素である。

5　×　植物の光合成で作られるのはデンプンである。

地理
法律
政治
経済
物理
化学
生物
地学
社会事情

生物　腎臓　2022年度 教養 No.34

ヒトの腎臓に関する記述として、妥当なのはどれか。

1　腎臓は、心臓と肝臓の中間に左右一対あり、それぞれリンパ管により膀胱(ぼうこう)につながっている。

2　腎臓は、タンパク質の分解により生じた有害なアンモニアを、害の少ない尿素に変えるはたらきをしている。

3　腎臓は、血しょうから不要な物質を除去すると同時に、体液の濃度を一定の範囲内に保つはたらきをしている。

4　腎うは、腎臓の内部にある尿を生成する単位構造のことで、１個の腎臓に約１万個ある。

5　腎小体は、毛細血管が集まって球状になったボーマンのうと、これを包む袋状の糸球体からなっている。

解説　正解　3　TAC生の正答率 38%

1　×　腎臓は、腹部背側にあり、輸尿管によって膀胱とつながっている。

2　×　肝臓のはたらきに関する記述である。

3　○

4　×　ネフロン（腎単位）に関する記述であり、ネフロンは１個の腎臓に約100万個ある。なお腎うは、細尿管・集合管で再吸収されたあとの尿が運ばれる場所である。

5　×　ボーマンのうと糸球体の記述が逆である。

生物　植物のつくりとはたらき

2021年度
教養 No.34

植物のつくりとはたらきに関する記述として、最も妥当なのはどれか。

1　裸子植物であるアブラナの花は、外側から、がく、花弁、おしべ、めしべの順についており、めしべの根もとの膨らんだ部分を柱頭といい、柱頭の中には胚珠とよばれる粒がある。

2　おしべの先端にある小さな袋をやく、めしべの先端を花粉のうといい、おしべのやくから出た花粉が、めしべの花粉のうに付くことを受精という。

3　根は、土の中にのび、植物の体を支え、地中から水や水に溶けた養分などを取り入れるはたらきをしており、タンポポは太い根の側根を中心に、側根から枝分かれして細い根のひげ根が広がっている。

4　茎には、根から吸収した水や水に溶けた養分などが通る道管、葉でつくられた栄養分が運ばれる師管の２種類の管が通っている。

5　葉の表皮は、水蒸気の出口、酸素や二酸化炭素の出入り口としての役割を果たしており、葉の内部の細胞の中には、ミドリムシといわれる緑色の粒が見られる。

解説　正解　4

TAC生の正答率　70%

1　×　アブラナは被子植物である。また、めしべの根もとの膨らんだ部分を子房といい、その中に胚珠とよばれる粒がある。なお柱頭とは、めしべの先端部分をいう。

2　×　めしべの先端を柱頭という。やくから出た花粉が柱頭に付くことを受粉という。なお花粉のう（嚢）とは、花粉の入った袋という意味で、一般に裸子植物のりん片にあるものをいう。また、花粉内の精細胞が胚珠内の卵細胞と合体することを受精という。

3　×　タンポポは双子葉類なので、根のつくりは主根と側根である。側根から枝分かれする細いものを根毛といい、表面積を広くするはたらきをしている。なおひげ根とは、単子葉類に見られる根のつくりである。

4　○

5　×　葉の内部の緑色の粒は葉緑体であり、光合成の場である。なおミドリムシは、鞭毛運動をする光合成生物（葉緑体をもつ）である。

生物　脊椎動物

2020年度
教養 No.34

両生類、は虫類、鳥類、哺乳類に属する動物の組合せとして、妥当なのはどれか。

	両生類	は虫類	鳥類	哺乳類
1	イモリ	カメ	ダチョウ	ペンギン
2	イモリ	ヘビ	ムササビ	イルカ
3	サンショウウオ	イモリ	カモノハシ	イルカ
4	サンショウウオ	カメ	ペンギン	カモノハシ
5	ヘビ	イモリ	ダチョウ	カモノハシ

解説　正解　4

TAC生の正答率　54%

選択肢にある生物を分類すると、イモリ・サンショウウオは両生類、ヘビ・カメはは虫類、ダチョウ・ペンギンは鳥類、ムササビ・カモノハシ・イルカは哺乳類である。よって正解は**4**である。

地学　恒星の進化

2022年度
教養 No.35

太陽の進化に関する次のA～Dのうち、太陽の現在の進化段階と次の進化段階に分類されるものの組合せとして、妥当なのはどれか。

A　主系列星
B　赤色巨星
C　白色矮(わい)星
D　惑星状星雲

1　A、B

2　A、C

3　B、C

4　B、D

5　C、D

解説　正解　1

TAC生の正答率　55%

現在の太陽は、主系列星であり、このあと赤色巨星へと進化していく。なお恒星の進化の過程は、赤色巨星のあと２つのルートがあり、太陽の８倍以上の恒星であれば超新星爆発、それ以下のものは惑星状星雲を経て白色矮星となる。

地学　火山

2023年度
教養 No.35

火山活動と災害に関する記述として、最も妥当なのはどれか。

1　火山がある場所はプレート運動に関係し、海嶺・沈み込み帯といった境界部に多いが、ハワイ諸島のようなプレート内部でも火山活動が活発なアスペリティと呼ばれる場所があり、その場所はプレートの動きにあわせて移動する。

2　水蒸気噴火は、マグマからの熱により熱せられた地下水が高温高圧の水蒸気となって噴出する小規模な噴火で、日本では人的被害が発生したことはない。

3　粘性が低い玄武岩質マグマの噴火では、山頂の火口や山腹の割れ目から溶岩が噴出し溶岩流となり、時速100km以上の高速で流れることもあるため、逃げることは難しい。

4　高温の火砕物が火山ガスとともに山体を流れる火砕流は、流れる速度が遅いため、逃げ場さえあれば歩いて逃げることもできることが多い。

5　都の区域内で住民が居住している火山島のうち、特に活発に活動している伊豆大島と三宅島では、過去の噴火で住民が避難する事態が発生したことがある。

解説　正解　5

TAC生の正答率　62%

1　×　ハワイ諸島は典型的なホットスポットであり、ホットスポットはプレートと関係なく一定の場所である。なおアスペリティとは、プレートの境目の固着した部分で、巨大地震の発生原因の1つである。

2　×　水蒸気噴火（水蒸気爆発）は、日本では2014年の御嶽山において死者行方不明者63名という戦後最悪の火山災害をもたらしている。

3　×　玄武岩質マグマでは、場合によれば徒歩で避難できる程度に遅いものもある。

4　×　火砕流は時速100km以上のものもあり、逃げることは難しい。

5　○

地学　火山

2020年度
教養 No.35

火山に関する記述として、妥当なのはどれか。

1　火砕流は、噴火によってとけた雪など多量の水が火山砕屑(せつ)物と混ざって流れ下る現象である。

2　大量の火山灰や軽石が一度に大量に噴出すると、インドのデカン高原のような大規模な溶岩台地が形成される。

3　ハワイ式噴火は、粘性の高いマグマが間欠的に爆発的噴火を引き起こすものであり、例としてハワイ島のマウナロア火山の噴火がある。

4　粘性が低い玄武岩質のマグマが繰り返し噴出すると、富士山のような円錐形の成層火山が形成される。

5　ホットスポットは、アセノスフェア内の特に温度の高い狭い部分から高温のプルームが上昇して火山活動を行う地点である。

解説　正解 5

TAC生の正答率 53%

1　×　火砕流は溶岩ドームなどが崩壊し、高温マグマなどの火山砕屑物に気体が混ざって流れ下る現象である。解けた雪などの多量の水ではない。

2　×　デカン高原は、白亜紀後期の、複数回に及ぶ噴火のマグマ噴出によってできた玄武岩台地である。面積は50万km^2もあり、地球上でもっとも広大な火成活動の痕跡である。

3　×　ハワイの火山は基本的に盾状火山、つまり溶岩の粘性の低いものである。

4　×　成層火山は粘性の高いマグマや低いマグマなど、さまざまなマグマの噴出によって形成される。

5　○

地学　火成岩

2019年度
教養 No.35

地球の岩石に関する記述として、妥当なのはどれか。

1　深成岩は、斑晶と細粒の石基からなる斑状組織を示し、代表的なものとして玄武岩や花こう岩がある。

2　火山岩の等粒状組織は、地表付近でマグマが急速に冷却され、鉱物が十分に成長することでできる。

3　火成岩は、二酸化ケイ素（SiO_2）の量によって、その多いものから順に酸性岩、中性岩、塩基性岩、超塩基性岩に区分されている。

4　火成岩の中で造岩鉱物の占める体積パーセントを色指数といい、色指数の高い岩石ほど白っぽい色調をしている。

5　続成作用は、堆積岩や火成岩が高い温度や圧力に長くおかれることで、鉱物の化学組成や結晶構造が変わり、別の鉱物に変化することである。

解説　正解　3

TAC生の正答率　44%

1　×　玄武岩は深成岩ではなく火山岩である。また深成岩は等粒状組織である。

2　×　マグマが急速に冷却されると、鉱物の結晶は十分に成長できないので、石基と斑晶を持つ斑状組織となる。

3　○

4　×　色指数は有色鉱物の割合であり、色指数の高い岩石ほど黒っぽい色調となる。

5　×　これは続成作用ではなく変成作用の説明である。

地学　低気圧

2021年度 教養 No.35

低気圧に関する記述として、妥当なのはどれか。

1　低気圧は、中心付近に比べて周囲が低圧であり、北半球では時計回りに回転する渦であるという性質を持つ。

2　低気圧は温帯低気圧と熱帯低気圧とに大きく分けられ、温帯低気圧は前線を伴うことが多いが、熱帯低気圧は前線を伴わないなどの違いがある。

3　熱帯低気圧のうち、北太平洋西部で発達し、最大風速が33m/s以上に達したものを台風といい、北大西洋で発達したものをサイクロンという。

4　台風のエネルギー源は、暖かい海から蒸発した大量の水蒸気が融解して雲となるときに放出される顕熱である。

5　発達した台風の目の中では、強い上昇気流と、積乱雲群による激しい雨が観測される。

解説　正解　2

TAC生の正答率　33%

1　×　低気圧は、周囲に比べて中心付近が低圧であり、北半球では反時計回りに回転する渦である。

2　○

3　×　熱帯低気圧のうち、最大風速が17m/s以上に発達したものを台風という。また、北大西洋で発達したものはハリケーンといい、インド洋で発達したものをサイクロンという。

4　×　水蒸気（気体）が雲（液体）になる現象を凝結という。また、このときに放出されるエネルギーを潜熱という。なお融解とは、固体が液体に変化することをいう。

5　×　発達した台風の中心付近では、弱い下降気流が生じており、これが目となっている。また下降気流であるため、雲がない。

社会事情 法人寄附不当勧誘防止法

2023年度
教養 No.38

昨年（編者注：2022年）12月に成立した「法人等による寄附の不当な勧誘の防止等に関する法律」に関する記述として、妥当なのはどれか。

1 契約を伴わない寄附である「単独行為」を除き、個人と法人等との間で締結される契約に基づく寄附は、全て本法律による規制の対象となるとした。

2 寄附の勧誘に際し、霊感等の合理的実証が困難な特別な能力による知見を用い不安をあおる行為は、不当な勧誘行為に該当し禁止されるとした。

3 寄附の勧誘に際し、対象者を退去困難な場所に同行する行為は、勧誘することについての事前告知の有無に関わらず、不当な勧誘行為に該当し禁止されるとした。

4 不特定・多数の個人に対して寄附の不当な勧誘等の違反行為をしている法人等が、必要な措置をとるべき旨の勧告に従わなかったときは、当該法人等には、１年以下の禁錮刑又は50万円以下の罰金刑のいずれかが科されるとした。

5 子や配偶者が養育費等を保全するための特例として、被保全債権が扶養義務等に係る定期金債権である場合、債務者が寄附した金銭の返還請求権等について、履行期が到来したものに限り債権者代位権の行使を可能とするとした。

解説　正解　2

TAC生の正答率 55%

1 × 契約による寄附に加え、契約を伴わない寄附である単独行為も規制の対象とするとした。

2 ○

3 × 「事前告知の有無に関わらず」が誤り。同法４条３号では、「当該寄附について勧誘をすることを告げずに、当該個人が任意に退去することが困難な場所であることを知りながら」と限定している。

4 × 当該違反行為をした法人に対しては、100万円以下の罰金刑が科されるとした（法人は禁錮できない）。

5 × 民法上は履行期が到来した分のみだが、特例として履行期が到来していなくても債権者代位権を行使可能にするとした。

社会事情　改正銃刀法　2023年度 教養 No.39

昨年（編者注：2022年）３月に施行された「銃砲刀剣類所持等取締法の一部を改正する法律」に関する記述として、最も妥当なのはどれか。

1　クロスボウの規制対象の範囲が従前に比べて強化され、人の生命に危険を及ぼし得る威力を有するか否かに関わらず、標的射撃等の用途に供する場合を除き、原則として所持してはならないとされた。

2　標的射撃等の用途に供するため本法律に定めるクロスボウを所持しようとする者は、所持しようとするクロスボウごとに、その所持について、都道府県公安委員会の許可を受けなければならないとされた。

3　標的射撃等の用途に供する場合以外でのクロスボウの発射が禁止されたが、予め都道府県公安委員会に届け出れば、クロスボウの携帯や運搬は可能であるとされた。

4　クロスボウを譲渡する場合には、譲渡の相手方の確認が義務化されたが、具体的な確認内容等については、政令に基づき各都道府県の条例において定めるとされた。

5　本法律の施行日前からクロスボウを所持する者が、施行日以降所定の期間が経過した後もなお適切な手続きを経ずクロスボウを所持している場合、懲役又は罰金に処せられることはないが、クロスボウの使用停止が命ぜられるとされた。

解説　正解　2　　TAC生の正答率　52%

1　×　人の生命に危険を及ぼし得る威力を有するクロスボウを所持禁止の対象とするとされた。威力を有していないクロスボウ（子どものおもちゃレベルのもの）まで所持禁止対象になるのはおかしいだろう。

2　○

3　×　発射ではなく所持そのものが禁止とされた。**1**・**2**・**5**で所持の禁止・規制が書かれていることからも想像できるはず。そのため、**2**に書かれた所持の許可を得なければ、携帯や運搬は原則的として認められない。

4　×　確認内容等は、条例ではなく内閣府令で定めるとされた（同法21条の２）。

5　×　所持し続けた場合は不法所持となり、３年以下の懲役または50万円以下の罰金に処せられるとされた。

社会事情　デジタル庁設置法

2022年度
教養 No.39

昨年（編者注：2021年）９月に施行された「デジタル庁設置法」に関する記述として、妥当なのはどれか。

1　デジタル庁の任務として、デジタル社会の形成に関する内閣の事務を内閣府と共に助け、デジタル社会形成のための技術開発を着実に実施することが規定された。

2　デジタル庁が所掌する事務の一つとして、行政手続における個人等を識別する番号等の利用に関する総合的・基本的な政策の企画立案が規定された。

3　デジタル庁の長及び主任の大臣であるデジタル大臣に対し、関係行政機関の長に対する勧告権のほか、デジタル庁の命令としてデジタル庁令を発出する権限が与えられた。

4　デジタル監は、デジタル大臣を助けると共に、特定の政策及び企画に参画し、政務を処理することを任務とし、その任免はデジタル大臣の申出により内閣が行うとされた。

5　デジタル社会の形成のための施策の実施を推進すること及びデジタル社会の形成のための施策について必要な関係行政機関相互の調整を行うことを所掌事務とする、高度情報通信ネットワーク社会推進戦略本部の設置が規定された。

解説　正解　2

TAC生の正答率　49%

1　×　「内閣府」と「技術開発」が誤り。デジタル庁設置法３条では、デジタル庁の任務として、デジタル社会の形成に関する内閣の事務を内閣官房と共に助けることと、基本理念にのっとり、デジタル社会の形成に関する行政事務の迅速かつ重点的な遂行を図ることを掲げている。

2　○　関連して、マイナンバー（＝個人を識別する番号）、マイナンバーカード、法人番号の利用に関すること並びに情報提供ネットワークシステムの設置及び管理についても、デジタル庁の所掌事務となっている。

3　×　デジタル庁の長及び主任の大臣は、デジタル大臣ではなく内閣総理大臣である。また、デジタル大臣に対し、関連行政機関の長に対する勧告権は与えられているものの、デジタル庁令を発出する権限を持つのは内閣総理大臣のみであり、デジタル担当大臣には与えられていない。

4　×　まず、「デジタル大臣を助けると共に、特定の政策及び企画に参画し、政務を処理することを任務と」するのは、デジタル監ではなく副大臣である。デジタル監は官職であるため、政務は担当しない。また、上記のようにデジタル庁の長及び主任の大臣は内閣総理大臣であるため、デジタル監の任免は内閣総理大臣の申出により内閣が行う。

5　×　同法により、問題文の事務を所掌する組織として設置されたのはデジタル社会推進会議である。デジタル改革関連法の成立に伴い、高度情報通信ネットワーク社会形成基本法（IT基本法）は廃止され、高度情報通信ネットワーク社会推進戦略本部（IT総合戦略本部）も廃止された。

改正道路交通法

2021年度
教養 No.36

昨年（編者注：2020年）６月に公布された「道路交通法の一部を改正する法律」に関する記述として、妥当なのはどれか。

1　この改正法には、妨害運転（あおり運転）罪の新設、スマートフォン等を使用しながら運転する「ながらスマホ」の罰則の強化、75歳以上の高齢ドライバーの事故対策が盛り込まれた。

2　妨害運転罪の対象となる行為として、急ブレーキの禁止違反など５類型を規定したが、車間距離不保持は適正な距離を具体的に規定することが難しいため、違反行為の類型には入っていない。

3　妨害運転罪の罰則として、事故を起こさなくても交通の危険を生じさせるおそれのある場合は３年以下の懲役又は50万円以下の罰金、著しい交通の危険を生じさせた場合は５年以下の懲役又は100万円以下の罰金が定められた。

4　妨害運転で２回以上取締りを受けた者は、行政処分として免許取消しの対象となる。

5　本年（編者注：2021年）６月から、全ての75歳以上の高齢ドライバーに対し、免許更新時の実車試験が義務付けられる。

解説　正解　3

TAC生の正答率　34%

1　×　「スマートフォン等を使用しながら運転する『ながらスマホ』の罰則の強化」という部分が妥当でない。2020年６月公布の道路交通法改正には、妨害運転（あおり運転）罪の新設と75歳以上の高齢ドライバーの事故対策は盛り込まれている。しかし、ながらスマホの罰則の強化は、2019年６月公布の道路交通法改正で盛り込まれている。

2　×　「５類型を規定したが、車間距離不保持は適正な距離を具体的に規定することが難しいため、違反行為の類型には入っていない」という部分が妥当でない。妨害運転罪の対象となる行為は急ブレーキの禁止違反をはじめ10種類であり、この中には車間距離不保持も含まれている（道路交通法117条の２の２第11号）。

3　○　妨害運転罪の罰則は、交通の危険を生じさせるおそれを生じさせた者は、３年以下の懲役又は50万円以下の罰金に処せられる（道路交通法117条の２の２第11号）。これに対して、著しい交通の危険を生じさせた者は、５年以下の懲役又は100万円以下の罰金に処せられる（道路交通法117条の２第６号）。そして、どちらの犯罪についても、事故の発生は犯罪成立要件とされていない。

4　×　「２回以上取締りを受けた者は」という部分が妥当でない。妨害運転で１回取締りを受けるだけで免許取消しの対象となる（道路交通法103条１項８号、同条２項３号）。違反点数は、交通の危険を生じさせるおそれを生じさせた者は25点、著しい交通の危険を生じさせた者は35点である。

5　×　「本年６月から、全ての75歳以上の高齢ドライバーに対し」という部分が妥当でない。免許更新時の実車試験は、2022年６月までに開始される予定である。また、免許更新時に実車試験（運転技能検査）が義務付けられるのは、信号無視や速度超過などの一定の違反歴のある75歳以上の高齢ドライバーに限定される。

社会事情　刑事訴訟法改正

2020年度
教養 No.38

昨年（編者注：2019年）６月に施行された「刑事訴訟法等の一部を改正する法律」に関する記述として、妥当なのはどれか。

1　裁判員裁判事件と検察の独自捜査事件について、身体を拘束されていない任意捜査段階から、取り調べの全過程の録音・録画（可視化）が義務付けられた。

2　取り調べの可視化は、指定暴力団員が絡む事件や取調官が十分な供述を得られないと判断した場合は例外とされるが、機器が故障した場合は例外に当たらない。

3　取り調べの可視化は施行前に試験的に実施されており、取り調べの映像を根拠とした有罪認定を裁判所が違法とした例はない。

4　捜査のために電話やメールを傍受する通信傍受は、これまで通信事業者の施設に限られていたが、専用回線で結ばれた警察本部で、通信事業者の立会いがあれば可能となる。

5　この改正法は、大阪地検特捜部の押収資料改ざん事件を受けて発足した「検察の在り方検討会議」等で議論され、平成28年５月に成立し、司法取引については平成30年６月に施行済みである。

解説　正解　5　　TAC生の正答率 33%

1　×　「身体を拘束されていない任意捜査段階から」という部分が妥当でない。取り調べの可視化（取り調べの全過程の録音・録画）が義務付けられるのは、逮捕又は勾留されている（身柄を拘束されている）被疑者の取り調べをする場合に限定されている（刑事訴訟法301条の２第４項）。なお、取り調べの可視化の対象となる事件が、裁判員裁判対象事件と検察独自捜査事件である点は妥当である（同条１項１号～３号）。

2　×　「機器が故障した場合は例外に当たらない」という部分が妥当でない。取り調べの可視化の例外とされるのは、①機器の故障等により記録ができないとき、②指定暴力団の構成員による犯罪に係るものであると認めるとき、③被疑者の記録拒否その他の言動により、又は被疑者等の身体又は財産に対する加害等のおそれにより、記録をすれば被疑者から十分な供述を得られないと認めるときである（刑事訴訟法301条の２第４項１号～４号）。いずれかの例外に該当するときは、取り調べの可視化が義務付けられないことになる。

3　×　「取り調べの映像を根拠とした有罪認定を裁判所が違法とした例はない」という部分が妥当でない。取り調べの可視化は2019年６月の施行前から試験的に実施されているので、前段は妥当である。しかし、地方裁判所が取り調べの映像から犯罪事実を直接的に認定した（取り調べの映像を有罪認定の根拠とした）ことを、高等裁判所が違法と認定した事例がある（東京高判平30.8.3）。ただし、高等裁判所は、他の証拠から犯罪事実を認定できるとして、被告人を有罪としている。

4　×　「通信事業者の立会いがあれば可能となる」という部分が妥当でない。従来は、通信事業者の施設においてのみ通信傍受が可能だったので、前段は妥当である。しかし、2019年６月の施行後は、専用回線で結ばれた警察本部で通信傍受をする際は、通信事業者の立会いは不要となった（通信傍受法23条１項）。具体的には、通信事業者に命じて、傍受の実施期間内に行われた全ての通信について暗号化をさせた上で、警察本部にある特定電子計算機に伝送がなされ、それを復号して傍受を行うことになる。

5　○　改正経緯として妥当である。本記述の押収資料改ざん事件では、大阪地検特捜部に所属していた元主任検事（事件を担当していた検事）だけでなく、上司の元特捜部長・元特捜副部長も有罪判決を受ける異例の事態となった。

社会事情　改正水道法　2019年度 教養 No.39

昨年（編者注：2018年）12月に成立した「水道法の一部を改正する法律」に関する次の記述のうち、正しいものの組合せとして妥当なのはどれか。

ア　人口減少に伴う水の需要の減少、水道施設の老朽化等の水道の直面する課題に対応し、水道の基盤の強化を図るための措置を講ずることとした。
イ　水道事業者は、水道施設の台帳を作成するとともに、これを公表しなければならないこととした。
ウ　地方公共団体が、水道事業者等としての位置付けを維持しつつ、水道施設に関する公共施設等運営権を民間事業者に設定できる仕組みを導入することとした。
エ　資質の保持や実体との乖離の防止を図るため、指定給水装置工事事業者の指定について、10年ごとの認可制を導入することとした。

1　ア、ウ

2　ア、エ

3　イ、ウ

4　イ、エ

5　ウ、エ

解説　正解　1　TAC生の正答率 63%

ア　○　給水需要の増加に合わせた水道の拡張整備を前提とした時代から、既存の水道施設を維持・更新するとともに必要な人材の確保が求められる時代となったことに対応して、同法の目的規定のうち、「水道を計画的に整備し、及び水道事業を保護育成する」の部分が「水道の基盤を強化する」に変更された。

イ　×　改正前は水道法に台帳整備の規定がなかったため、改正法では22条の３として「水道事業者は、水道施設の台帳を作成し、これを保管しなければならない。」という一文を付け加えたが、台帳の公表は義務づけられていない。

ウ　○　公共施設等運営権とは、PFIの一類型で、利用料金の徴収を行う公共施設について、施設の所有権を地方公共団体が所有したまま、施設の運営権を民間事業者に設定する方式である。

エ　×　指定給水装置工事事業者の指定について、５年ごとの更新制を導入することとした。改正前の水道法では、新規の指定の規定しかなかったため、休廃止等の実態が反映されづらく、無届工事や不良工事も発生していたことから、更新制の導入に至った。

社会事情　総合経済対策

2023年度
教養 No.37

昨年（編者注：2022年）10月に閣議決定された「物価高克服・経済再生実現のための総合経済対策」に関する記述として、妥当なのはどれか。

1　本対策は、「物価高・円安への対応」、「グリーン社会の実現」及び「活力ある地方創り」を重点分野とした総合的な経済対策である。

2　本対策の規模は、財政支出で約56兆円、事業規模で約79兆円であり、これによりGDPを約5.6パーセント押し上げる効果が期待できるとした。

3　物価高騰の主な要因である「エネルギー・食料品」に重点を置いた効果的な対策を講じることなどにより、国民生活と事業活動を守り抜くとした。

4　経済安全保障及び食料安全保障の重要性が高まっており、永久磁石などの重要物資や農林水産物の輸出を抑制し、国内への供給量を増やすとした。

5　妊娠・出産時の負担軽減策として、住民税非課税世帯を対象に、令和４年４月以降に生まれたこどもに対して、一人あたり計５万円を支給するとした。

解説　正解　3

TAC生の正答率　60%

1　×　物価高・円安への対応、構造的な賃上げ及び成長のための投資と改革を重点分野とした。グリーン社会の実現と活力ある地方創りは、菅義偉内閣当時に閣議決定された「経済財政運営と改革の基本方針2021」（骨太の方針2021）において成長を生み出す原動力とされているものである。

2　×　規模は、財政支出で39.0兆円、事業規模で71.6兆円であり、GDPを4.6パーセント押し上げる効果が期待できるとした。

3　○

4　×　「国際競争力のある農林水産物の輸出拡大等に取り組む」とともに、永久磁石などの重要物資は「国内の生産能力を強化し、安定的に供給する体制を整備する」とした。

5　×　住民税非課税世帯に限定せず、令和４年４月以降に生まれた子どもに対して、妊娠届出時及び出産届出時を通じて１人あたり10万円を支給するとした。

社会事情　経済連携協定

2022年度
教養 No.40

日本が署名している経済連携協定等に関する記述として、妥当なのはどれか。

1　環太平洋パートナーシップ（TPP）協定の加盟国は、現在12か国であり、TPP域内の人口は約5億人、GDPは約40兆ドルとなっている。

2　日・EU経済連携協定（日EU・EPA）は、GDPの規模が約30兆ドルで、日本の実質GDPを約3％押し上げる経済効果があると試算されている。

3　日米貿易協定は、世界のGDPの約5割を占める貿易協定であり、日本の実質GDPを約2％押し上げる経済効果があると試算されている。

4　日英包括的経済連携協定（日英EPA）は、英国のEU離脱後の新たな貿易・投資の枠組みとして、2021年1月1日に発効した。

5　地域的な包括的経済連携（RCEP）協定は、ASEAN加盟国、中国、インド、豪州など15か国が参加しており、世界のGDPの約4割を占めている。

解説　正解　4

TAC生の正答率　63％

1　×　TPPは当初12か国で協定が署名されたものの、2017年に米国が離脱したため11か国で署名された。本問が出題された2022年5月時点でも加盟国は11か国である。また、TPP域内の人口は約5億人であるが、GDPは約10兆ドルほどである。

2　×　2020年時点でのGDPは、EUが約15兆6千億ドル、日本が約5兆1千億ドルのため、日EU・EPAの規模は約21兆ドルである。また、2017年に内閣官房TPP等政府対策本部は、このEPAによって日本の実質GDPを約3％ではなく約1％（約5兆円）押し上げる試算を発表しているので、この点でも誤りである。

3　×　2021年時点で世界全体の名目GDPに占める割合は、米国が24.8％、日本が5.9％なので、日米貿易協定は世界のGDPの約3割しか占めていない。また、内閣官房TPP等政府対策本部が2017年に発表した経済効果は約0.8％と試算されているので、この点でも誤りである。

4　○　日英EPAの内容として正しい内容である。

5　×　RCEPにインドは参加していない。また、世界のGDPに占める割合は約3割である。RCEPは2022年1月に10か国で発効し、その後2月に韓国、3月にマレーシアについても発効し、2022年4月現在で12か国が参加している。

昨年（編者注：2021年）５月に厚生労働省及び文部科学省が公表した「ヤングケアラーの支援に向けた福祉・介護・医療・教育の連携プロジェクトチーム報告」に関する記述として、最も妥当なのはどれか。

1 本来大人が担うと想定されている家事や家族の世話などを日常的に行っている児童（ヤングケアラー）を早期に発見して適切な支援につなげるため、「早期発見・把握」、「社会的認知度の向上」などを今後取り組むべき施策とした。

2 ヤングケアラーは大都市地域で顕著に見られることから、全国規模の実態調査に先駆け、まずは東京都及び政令指定都市の存する道府県において実態調査を行うことが、ヤングケアラーに関する問題意識を喚起するのに有効であるとした。

3 家族介護において、すでに児童が主たる介護者となっている場合には、児童を「介護力」とすることを前提とした上で、ヤングケアラーの家族に対して必要な支援を検討するよう地方自治体や関係団体に働きかけるとした。

4 幼いきょうだいをケアするヤングケアラー向けの支援として、ヤングケアラーが気軽に集い、悩みや不安を打ち明けることのできる「ヤングケアラーオンラインサロン」を開設するとした。

5 2022年度からの５年間をヤングケアラー認知度向上のための「普及啓発期間」とし、広報媒体の作成や全国フォーラム等の広報啓発イベントの開催等を通じて、国民の認知度８割を目指すとした。

解説　正解　1

TAC生の正答率 76%

1 ○ 同報告では、ヤングケアラーについて、「法令上の定義はないが、一般に、本来大人が担うと想定されている家事や家族の世話などを日常的に行っている児童を指す」とした。

2 × すでにヤングケアラーに関する全国規模の実態調査は実施されている。同報告では、要保護児童対策地域協議会、子ども本人、学校を対象とした初めての全国規模の調査研究事業「ヤングケアラーの実態に関する調査研究」において作成された報告書に言及している。

3 × 「『介護力』とすることを前提とした上で」が誤り。同報告では、「特に、子どもが主たる介護者となっている場合には、子どもを『介護力』とすることを前提とせず、居宅サービス等の利用について十分配意するなど、ヤングケアラーがケアする場合のその家族に対するアセスメントの留意点等について地方自治体や関係団体に周知を行う」とした。

4 × 同報告では、すでに「現在、ヤングケアラーを対象とした相談支援やオンラインサロンなどを行う支援者団体が一定数存在している」とした。

5 × 同報告では、2022年度からの３年間をヤングケアラー認知度向上のための「集中取組期間」とし、中高生の認知度５割を目指すとした。

社会事情　少子化社会対策白書　2023年度 教養 No.36

昨年（編者注：2022年）6月に内閣府が公表した「令和4年版 少子化社会対策白書」に関する記述として、妥当なのはどれか。

1　日本の総人口は、2021年10月1日時点で1億2,550万人、そのうち年少人口（0～14歳）は3,621万人で、総人口に占める割合は28.9%である。

2　2020年の全国の出生数は136万人で、東京都は、都道府県別出生数では最も多いが、都道府県別合計特殊出生率では1.83で二番目に低い。

3　新型コロナウイルス感染症を踏まえた少子化対策の主な取組の一つとして、地方公共団体が行う結婚新生活支援事業の支援内容を充実するとしている。

4　重点課題として、「子育て支援施策の一層の充実」、「結婚・出産の希望が実現できる環境の整備」、「3人以上子供が持てる環境の整備」、「男女の働き方改革の推進」の四つを挙げている。

5　ライフステージを結婚、妊娠・出産、子育ての3段階に分けて、各段階で施策を掲げており、子育て段階ではライフプランニング支援の充実や、妊娠や家庭・家族の役割に関する教育・啓発等を行うとしている。

解説　正解 3

TAC生の正答率 40%

1 × 「3,621万人」と「28.9%」はいずれも老年人口（65歳以上）の数値である。年少人口は1,478万人、総人口に占める割合は11.8%となっている。

2 × 2020年の全国の出生数は84万人となった（136万人は丙午の年であった1966年の出生数である）。また、東京都の合計特殊出生率は1.12で、都道府県別で最も低い。1.83は最も高い沖縄県の数値である。

3 ○ 内閣府は、2022年度は、地方公共団体間の連携を伴う広域的な結婚支援や、AIを始めとするマッチングシステムの高度化等に加え、「結婚支援ボランティア等育成モデルプログラム」を活用した取組を重点課題として支援するとともに、「結婚新生活支援事業」の対象経費にリフォーム費用を追加することとしている。

4 × これに「地域の実情に即した取組の評価」を加えた５つは少子化社会対策大綱（2015）の内容で、令和２年版白書まではこれが重点課題だった。令和３年版白書からは、少子化社会対策大綱（2020）に基づき、「結婚・子育て世代が将来にわたる展望を描ける環境をつくる」、「多様化する子育て家庭の様々なニーズに応える」、「地域の実情に応じたきめ細かな取組を進める」、「結婚、妊娠・出産、子供・子育てに温かい社会をつくる」、「科学技術の成果など新たなリソースを積極的に活用する」の５つを重点課題としている。

5 × 白書では、ライフステージを結婚前、結婚、妊娠・出産、子育ての４段階に分けている。また、「ライフプランニング支援の充実や、妊娠や家庭・家族の役割に関する教育・啓発等」は結婚前の段階で行うとしている。

社会事情　観光白書

2020年度
教養 No.36

昨年（編者注：2019年）６月に観光庁が発表した「令和元年版　観光白書」に関する記述として、妥当なのはどれか。

1　過去10年の国際観光客数の地域別シェアをみると、アジア太平洋のシェア減少にともない、欧州のシェアは到着地域別及び出発地域別ともに拡大傾向にあるとしている。

2　2018年の出国日本人数は、過去最高であった2012年には及ばなかったが、４年ぶりに訪日外国人旅行者数を上回ったとしている。

3　地方部を訪問する訪日外国人旅行者数は、2012年は三大都市圏のみを訪問する訪日外国人旅行者数を下回っていたが、2018年には三大都市圏のみを訪問する訪日外国人旅行者数の1.4倍になったとしている。

4　2018年における地方部での訪日外国人旅行消費額は、４年連続で１兆円を超えたが、都道府県合計に占めるシェアは、2015年に比べて減少したとしている。

5　体験型観光等の「コト消費」の体験の有無別に、訪日外国人旅行者１人当たりの消費単価を算出したところ、いずれの「コト消費」についても、体験した場合の消費単価は体験しなかった場合を下回ったとしている。

解説　正解 3　TAC生の正答率 65%

1 ×　過去10年でみると、アジア太平洋のシェア拡大にともない、欧州のシェアは減少傾向にあるとしている。2008年から2018年にかけて、到着地域別および出発地域別のシェアは、欧州がそれぞれ53.8%→50.8%、55.4%→48.0%に減少しているのに対して、アジア太平洋地域はそれぞれ20.0%→24.4%、19.8%→24.9%に拡大している。ともあれ、細かい数値は知らなくても、中国などアジア地域の旅行客が増加していることを想定すれば、問題文とは逆であることが予想できるだろう。

2 ×　2018年の出国日本人数は、2012年を上回って過去最高を更新したものの、４年連続で訪日外国人旅行者数が出国日本人数を上回ったとしている。

3 ○　2012年に日本を訪れた訪日外国人旅行者のうち54.2%は三大都市圏のみを訪問先としていたが、その割合は2015年には48.2%となった。他方で、地方部を訪れる訪日外国人旅行者の割合は2012年の45.8%から2018年には57.7%となり、三大都市圏のみを訪れる割合を上回っている。ともあれ、このような細かい内容を覚えていなくても、訪日外国人旅行客数が2018年まで急増していたことを把握していれば、三大都市圏が飽和状態となって地方部へシフトしていくことは予想できるだろう。

4 ×　地方部を訪れる訪日外国人旅行者の増加とともに、地方部における訪日外国人旅行消費額も2015年から2018年にかけて、6,561億円から１兆362億円へと増加しており、2018年に初めて１兆円を超えた。また、地方部での訪日外国人旅行消費額の都道府県合計に占めるシェアは、同期間で23.6%から28.5%へと約５ポイント上昇した。ともあれ、これも選択肢３と同じ類推で、訪日外国人旅行客が三大都市圏から地方部へシフトすれば、地方部での訪日外国人旅行消費額の都道府県合計に占めるシェアが拡大することは予想できるだろう。

5 ×　いずれの「コト消費」についても、体験した場合の消費単価はしなかった場合を上回ったとしている。たとえば、スキー・スノーボードは体験の有無による消費単価の差が特に大きく、体験した場合の消費単価は22万5,056円と、しなかった場合の15万1,699円より７万3,356円高かったとしている。これも普通に考えれば、スキー場のある県に旅行に来ただけの観光客よりも、スキーをしに来た観光客の方が消費単価が高くなるのは当たり前である。なお、これまでは外国人旅行客の「モノ消費」が注目されていたが、次第に「コト消費」にシフトしてきている状況は把握しておこう。

社会事情　まち・ひと・しごと創生　2022年度 教養 No.38

昨年（編者注：2021年）6月に閣議決定された「まち・ひと・しごと創生基本方針2021」に関する記述として、妥当なのはどれか。

1　地方創生の3つの視点である、「デジタル」、「グリーン」、「ファイナンス」に係る取組を、積極的に推進するとした。

2　地方創生テレワークを推進するため、「地方創生テレワーク交付金」によるサテライトオフィス等の整備・利用を促進するとした。

3　魅力ある地方大学を創出するため、地方の大学等による東京圏へのサテライトキャンパスの設置を抑制するとした。

4　地域におけるDX（デジタル・トランスフォーメーション）を推進するため、地方公共団体の職員をデジタル専門人材として民間に派遣するとした。

5　地方創生SDGs等の推進にあたり、地方が牽引すべき最重点事項として、各地域の自然環境を活かした生物多様性の保全・回復を掲げた。

解説　正解　2　　TAC生の正答率 68%

1　×　「ファイナンス」が誤り。同方針では、地方創生の視点を「デジタル」、「グリーン」、「ヒューマン」の3つとしている。このうち「デジタル」は「地域の課題解決や魅力向上に資する地方におけるDXに向けた施策」、「グリーン」は「地方が牽引する脱炭素社会の実現に向けた施策」、「ヒューマン」は「地方へのひとの流れの創出や人材支援に着目した施策」を指す。

2　○　同方針では、「全国における地方公共団体と民間のサテライトオフィス、シェアオフィス及びコワーキングスペースの整備の促進を着実に進め、多くの地域でテレワークが可能となり都会と同じように働ける環境を整える」としている。

3　×　問題文と逆に、同方針では東京圏の大学等の地方へのサテライトキャンパスの設置を推進するなどの取組を通じて、魅力ある地方大学づくりを推進するとしている。

4　×　問題文と逆に、同方針では「情報通信関連事業者などの民間事業者と連携し、DX等にも対応できる社員等をデジタル専門人材（デジタル技術を活用し、地域課題を解決・改善する人材）として、人材を求める地方公共団体に派遣する」としている。

5　×　同方針では、地方創生SDGsの推進にあたり、地方公共団体が取り組むべき重要事項として、脱炭素化の取組を掲げている。

社会事情　国際情勢

2023年度
教養 No.40

国際情勢に関する記述として、妥当なのはどれか。

1　昨年（編者注：2022年）11月、米国のバイデン大統領は政権発足以来２度目となる中国の習近平国家主席と対面での会談を行い、ロシアのウクライナ侵略について、ウクライナでの核兵器の使用や威嚇に反対することで一致し、共同声明を発表した。

2　昨年11月に開催されたASEAN＋3首脳会議では、ロシアのウクライナ侵略や違法な「併合」は、ウクライナの主権及び領土一体性を侵害し、国連憲章をはじめとする国際法に違反する行為であるとする、議長声明が採択された。

3　昨年11月に開催されたAPEC首脳会議では、持続可能な地球のために、全ての環境上の課題に包括的に対処するための世界的な取組を支援することなどを表明した「バイオ・循環型・グリーン経済に関するバンコク目標」が承認された。

4　昨年12月に開催されたG20バリ・サミットでは、全ての国がウクライナでの戦争を非難したとした上で、核兵器の使用又はその威嚇は許されないこと及び現代を戦争の時代にしてはならないことなどを明記した首脳宣言が採択された。

5　昨年12月に開催された生物多様性条約第15回締約国会議（COP15）では、「昆明・モントリオール生物多様性枠組」が採択され、2050年までに陸と海の面積の少なくとも50%を保全する「50by50」などの目標が定められた。

解説　正解　3

TAC生の正答率　41%

1　×　2022年11月に行われた米中首脳会談は、バイデン米大統領と習近平国家主席にとって初の対面での会談であった。また、この会談では共同声明は発表されなかった。

2　×　選択肢にある「ロシア…国際法に違反する行為である」という内容は、会議での岸田首相の発言内容である。議長声明にはこのような内容どころか、ウクライナに言及すらしていない。

3　○　APECで環境課題を中心とする包括的な目標をまとめるのは初めてのことであった。

4　×　2022年のG20バリ・サミットではほとんどの国がウクライナでの戦争を非難したと首脳宣言に明記されている。G20にはロシアも参加しており、全ての国が非難することは考えられない。ただし、後半の核兵器の使用またはその威嚇が許されないことや、現代を戦争の時代にしてはならないことは明記されている。

5　×　2022年の生物多様性条約第15回締約国会議（COP15）で「昆明・モントリオール生物多様性枠組」が採択されたのは正しい。しかし、そこで採択された主な目標の１つは、2030年までに陸と海の30%以上を保全する30by30目標である。

地理　法律　政治　経済　物理　化学　生物　地学　社会事情

社会事情　核軍縮

2021年度
教養 No.40

核軍縮等に関する記述として、妥当なのはどれか。

1　核兵器不拡散条約は原子力の平和的利用の軍事技術への転用を制限しており、非核兵器国は国際原子力機関の保障措置を受諾するよう努めなければならない。

2　化学兵器禁止条約は、化学兵器の開発、生産、保有などを包括的に禁止する法的枠組みであるが、条約遵守の検証制度に関する規定はない。

3　核兵器の開発、保有、使用等を禁止する核兵器禁止条約は、昨年、条約を批准した国と地域が条約の発効要件である50に達したことから、本年（編者注：2021年）１月に発効した。

4　包括的核実験禁止条約は、宇宙空間、大気圏内、水中、地下を含むあらゆる空間における、核兵器の実験的爆発以外の核爆発を禁止している。

5　国連軍縮会議は、毎年ニューヨークで開催され、部分的核実験禁止条約や生物兵器禁止条約など、重要な軍縮関連条約等を決議している。

解説　正解　3

TAC生の正答率　67%

1　×　核兵器不拡散条約（NPT）に参加する非核保有国は、国際原子力機関（IAEA）の保障措置を受諾する義務がある。「努めなければならない」では「努力したが受諾できなくても可」の意味になるので、誤りである。

2　×　化学兵器禁止条約は条約遵守のための検証制度に関する規定があり、化学兵器禁止機関（OPCW）がその役割を担っている。

3　○　核兵器禁止条約の内容として妥当である。

4　×　包括的核実験禁止条約（CTBT）は、あらゆる空間における核兵器の実験的爆発を含む核爆発を禁止しているのであり、本肢の内容は逆である。なお、CTBTは核爆発を伴わない未臨界核実験を禁止していない。

5　×　毎年開催される多国間での軍縮会議はジュネーブ軍縮会議であり、国連など他の国際機関からは独立した軍縮交渉を行うための機関である。この会議の前身である軍縮委員会会議の時に生物兵器禁止条約が決議されたが、部分的核実験禁止条約（PTBT）はこれに当てはまらない。

昨年（編者注：2021年）６月に環境省が公表した「令和３年版　環境白書・循環型社会白書・生物多様性白書」に関する記述として、妥当なのはどれか。

1　新型コロナウイルス感染症を始めとする新興感染症は、土地利用の変化等に伴う生物多様性の損失や地球環境の変化に影響されないものの、人間活動と自然との共生の在り方については再考が必要であるとしている。

2　2020年の世界の温室効果ガス排出量は、新型コロナウイルス感染症による経済活動の減速により減少し、2030年までの排出量削減に大きく寄与するとしている。

3　脱炭素経営に取り組む日本企業の数は先進国の中で最下位であり、今後、排出量等の情報について透明性の高い情報開示を行っていくべきであるとしている。

4　G20大阪サミットにおいて、日本は2050年までに海洋プラスチックごみによる追加的な汚染をゼロにすることを目指す「大阪ブルー・オーシャン・ビジョン」を提案し、G20以外の国にもビジョンの共有を呼び掛けているとしている。

5　世界の食料システムによる温室効果ガスの排出量は、人為起源の排出量の2.1～3.7%を占めると推定され、食料システムに関連する政策は気候変動対策への効果が小さいとしている。

解説　正解　4

TAC生の正答率　74%

1　×　「影響されない」が誤り。同白書では、「新型コロナウイルス感染症を始めとする新興感染症は、土地利用の変化等に伴う生物多様性の損失や気候変動等の地球環境の変化にも深く関係している」としている。

2　×　「大きく寄与する」が誤り。同白書では、UNEP（国連環境計画）の「Emissions Gap Report 2020」の内容の紹介として、「新型コロナウイルス感染症の影響は、短期的な排出削減には寄与しますが、各国が経済刺激策を脱炭素型のものとしない限り、2030年までの排出量削減には大きく寄与しないと述べています」としている。

3　×　「先進国の中で最下位」が誤り。同白書では、炭素に向けたSBT（中長期目標の設定）やTCFD（気候関連財務情報を開示する枠組み）などの「枠組みを活用して脱炭素経営に取り組む日本企業の数が世界トップクラスであるように、既に日本企業は排出量等の情報について透明性の高い情報開示を行って」いるとしている。

4　○　これは、2019年６月に開催されたG20大阪サミットにおける提案内容である。

5　×　「2.1～3.7%」と「効果が小さい」が誤り。同白書では、IPCC（気候変動に関する政府間パネル）が「2019年に公表した土地関係特別報告書でも、世界の食料システムにおける温室効果ガス排出量…は、人為起源の排出量の21～37%を占めると推定されること、食品ロス・食品廃棄物を削減する政策や食生活における選択に影響を与える政策といった食料システムに関連する政策は、気候変動対策に資することなど…が示されています」としている。

東京都（Ⅰ類B／行政・一般方式）問題文の出典について

本書掲載の現代文・英文等の問題文は、以下の著作物からの一部抜粋です。

■本　冊

p.2　谷崎 潤一郎『陰翳礼讃』中公文庫
p.4　今西 錦司『私の自然観』講談社学術文庫
p.6　柳田 國男『野草雑記・野鳥雑記』岩波文庫
p.8　寺田 寅彦/小宮 豊隆編『寺田寅彦随筆集 第四巻』岩波文庫
p.10　黒井 千次『老いのゆくえ』中公新書
p.12　芥川 也寸志『音楽の基礎』岩波新書
p.14　木田 元『偶然性と運命』岩波新書
p.16　上田 紀行『生きる意味』岩波新書
p.18　中村 真一郎『源氏物語の世界』新潮選書
p.20　架場 久和「ダブル・バインド」『命題コレクション 社会学』ちくま学芸文庫
p.22　石田 英敬『現代思想の教科書』ちくま学芸文庫
p.24　野中 郁次郎、竹内 弘高/梅本 勝博訳『知識創造企業』東洋経済新報社
p.26　和辻 哲郎『古寺巡礼』岩波文庫
p.28　野口 悠紀雄『「超」文章法』中公新書
p.30　港 千尋『芸術回帰論』平凡社新書
p.32　Konrad Lorenz, *King Solomon's Ring*, Routledge（原文）
TAC公務員講座（訳文）
p.36　Daniel Kahneman, *Thinking, Fast and Slow*, Penguin（原文）
TAC公務員講座（訳文）
p.38　Lisa Mednick/矢野 安剛訳『アメリカの心・日本の心 American Mind, Japanese Mind』洋販出版（原文）
TAC公務員講座（訳文）
p.40　Yuval Noah Harari, *Sapiens: A Brief History of Humankind*, Vintage（原文）
ユヴァル・ノア・ハラリ/柴田 裕之訳『サピエンス全史 下 文明の構造と人類の幸福』河出書房新社（訳文）
p.44　George Orwell, *Notes on Nationalism*, Penguin Classics（原文）
TAC公務員講座（訳文）
p.46　James Hilton, *Goodbye Mr Chips*, Hodder Paperback（原文）
TAC公務員講座（訳文）
p.48　Charles Dickens, *Great Expectations*, Amazon Digital Services（原文）
TAC公務員講座（訳文）
p.50　M. Scott Peck, *The People Of The Lie: Hope for Healing Human Evil*, Cornerstone Digital 1)（原文）
TAC公務員講座（訳文）
p.52　Donald Keene, *Living in Two Countries*, 朝日出版社（原文）
TAC公務員講座（訳文）

■別　冊

No.1　外山 滋比古『日本語の個性』中公新書

No.2　植田 和弘『環境経済学への招待』丸善出版

No.3　大森 荘蔵『言語・知覚・世界』岩波書店

No.4　藤原 正彦『国家と教養』新潮新書

No.5　Winston Churchill, *The Grand Alliance: The Second World War*, Penguin Classics（原文）
TAC公務員講座（訳文）

No.6　Astrid Lindgren/Florence Lamborn訳, *Pippi Longstocking*, Puffin Books 2)（原文）
TAC公務員講座（訳文）

No.7　Ron Friedman, *The Best Place to Work: The Art and Science of Creating an Extraordinary Workplace*, Tarcher Perigee 3)（原文）
TAC公務員講座（訳文）

No.8　Kazuo Ishiguro, *Klara and the Sun*, Faber & Faber（原文）
TAC公務員講座（訳文）

Credit Line

1) From PEOPLE OF THE LIE: The Hope for Healing Evil by M. Scott Peck, M.D. Copyright ©1983 M. Scott Peck, M.D. Reprinted with the permission of Touchstone, an imprint of Simon & Schuster LLC. All rights reserved.

2) Excerpt(s) from PIPPI LONGSTOCKING by Astrid Lindgren, translated by Florence Lamborn, translation copyright 1950, renewed ©1978 by Penguin Random House LLC. Used by permission of Viking Children's Books, an imprint of Penguin Young Readers Group, a division of Penguin Random House LLC. All rights reserved.

3) "Chapter One: Success Is Overrated: Why Great Workplaces Reward Failure" from THE BEST PLACE TO WORK: THE ART AND SCIENCE OF CREATING AN EXTRAORDINARY WORKPLACE by Ron Friedman, PhD, copyright ©2014 by Ron Friedman, Used by permission of Berkley, an imprint of Penguin Publishing Group, a division of Penguin Random House LLC. All rights reserved.

著作権者の方へ

本書に掲載している現代文・英文の問題文について、弊社で調査した結果、著作権者が特定できないなどの理由により、承諾の可否を確認できていない問題があります。お手数をお掛けいたしますが、弊社出版部宛てにご連絡をいただけると幸いです。

読者特典 模範答案ダウンロードサービスのご案内

本書には択一試験の問題・解答解説を収めていますが、読者特典として記述式試験の問題と模範答案をダウンロードするサービスをご利用いただけます。

TAC出版書籍販売サイト「CYBER BOOK STORE」からダウンロードできますので、ぜひご利用ください（配信期限：2025年９月末日）。

ご利用の手順

① CYBER BOOK STORE（https://bookstore.tac-school.co.jp/）にアクセス

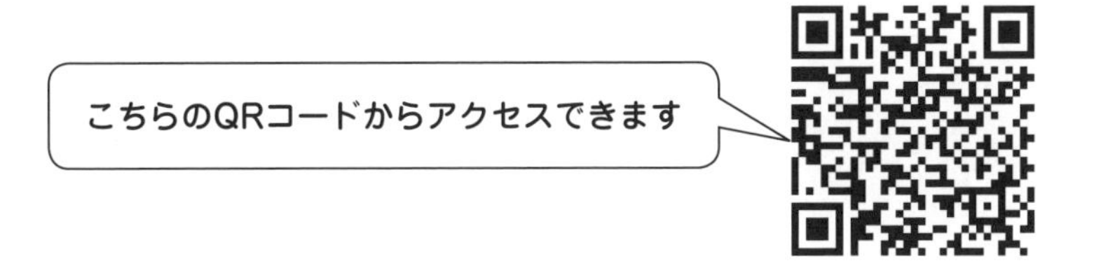

② 「書籍連動ダウンロードサービス」の「公務員 地方上級・国家一般職（大卒程度）」から、該当ページをご利用ください

⇒ この際、次のパスワードをご入力ください

202611428

公務員試験
2026年度版
東京都 科目別・テーマ別過去問題集（Ⅰ類B／行政・一般方式）

（2005年度版　2005年４月25日　初版　第１刷発行）
2024年10月10日　初　版　第１刷発行

編著者　ＴＡＣ出版編集部
発行者　多田敏男
発行所　TAC株式会社　出版事業部
（TAC出版）

〒101-8383
東京都千代田区神田三崎町3-2-18
電 話 03(5276)9492(営業)
FAX 03(5276)9674
https://shuppan.tac-school.co.jp

組　版　株式会社 グラフト
印　刷　今家印刷株式会社
製　本　東京美術紙工協業組合

© TAC 2024　Printed in Japan

ISBN 978-4-300-11428-5
N.D.C. 317

本書は，「著作権法」によって，著作権等の権利が保護されている著作物です。本書の全部または一部につき，無断で転載，複写されると，著作権等の権利侵害となります。上記のような使い方をされる場合，および本書を使用して講義・セミナー等を実施する場合には，小社宛許諾を求めてください。

乱丁・落丁による交換，および正誤のお問合せ対応は，該当書籍の改訂版刊行月末日までといたします。なお，交換につきましては，書籍の在庫状況等により，お受けできない場合もございます。
また，各種本試験の実施の延期，中止を理由とした本書の返品はお受けいたしません。返金もいたしかねますので，あらかじめご了承くださいますようお願い申し上げます。

公務員講座のご案内

大卒レベルの公務員試験に強い!

2023年度 公務員試験

公務員講座生[※1]
最終合格者延べ人数[※2]

5,857名

国家公務員(大卒程度)	計2,897名
地方公務員(大卒程度)	計2,849名
国立大学法人等 大卒レベル試験	69名
独立行政法人 大卒レベル試験	15名
その他公務員	27名

※1 公務員講座生とは公務員試験対策講座において、目標年度に合格するために必要と考えられる、講義、演習、論文対策、面接対策等をパッケージ化したカリキュラムの受講生です。単科講座や公開模試のみの受講生は含まれておりません。
※2 同一の方が複数の試験種に合格している場合は、それぞれの試験種に最終合格者としてカウントしています。(実合格者数は3,093名です。)
＊2024年1月31日時点で、調査にご協力いただいた方の人数です。

TACの2023年度 〉 合格実績 合格の声

詳しくは➡ 

2023年度 国家総合職試験

公務員講座生[※1]

最終合格者数 **233名**

法律区分	42名	経済区分	24名
政治・国際区分	71名	教養区分[※2]	54名
院卒/行政区分	19名	その他区分	23名

※1 公務員講座生とは公務員試験対策講座において、目標年度に合格するために必要と考えられる、講義、演習、論文対策、面接対策等をパッケージ化したカリキュラムの受講生です。単科講座や公開模試のみの受講生は含まれておりません。
※2 上記は2023年度目標の公務員講座最終合格者のほか、2024・2025年度目標公務員講座生の最終合格者54名が含まれています。
＊ 上記は2024年1月31日時点で調査にご協力いただいた方の人数です。

2023年度 外務省専門職試験

最終合格者総数60名のうち
50名がWセミナー講座生[※1]です。

合格者占有率[※2] **83.3%**

外交官を目指すなら、実績のWセミナー

※1 Wセミナー講座生とは、公務員試験対策講座において、目標年度に合格するために必要と考えられる、講義、演習、論文対策、面接対策等をパッケージ化したカリキュラムの受講生です。各種オプション講座や公開模試など、単科講座のみの受講生は含まれておりません。また、Wセミナー講座生はそのボリュームから他校の講座生と掛け持ちすることは困難です。
※2 合格者占有率は「Wセミナー講座生(※1)最終合格者数」を、「外務省専門職員採用試験の最終合格者総数」で除して算出しています。
＊ 上記は2023年10月9日時点で調査にご協力いただいた方の人数です。

Wセミナーは TACのブランドです

資格の学校 TAC

合格実績を支える 6つの強み

豊富な情報・面接対策

ネットでは手に入らない、合格者数が裏付ける圧倒的な攻略ノウハウ

全国のTAC受講生から集めた「面接復元シート」、充実した「模擬面接」など、TACは面接対策に必要なツールが揃っています。

いつでも始められる

「公務員がいいな」と思ったら、TACならいつでも学習が始められる

TACの教室＋Web講座はほぼ毎月開講。Web通信講座もあなたのタイミングでスタートすることができます。

担任講師制度

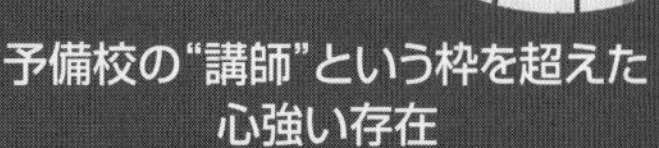

予備校の"講師"という枠を超えた心強い存在

丁寧かつきめ細やかな指導で、一人ひとりに合わせて対面でもオンラインでも最終合格までサポートしています。

選べる学習スタイル

あなたの選んだ場所がTACになる

通学とWeb講義を自由に使い分けられる「ハイブリッド型学習」で、状況にあわせたフレキシブルな学習が可能です。

最新の合格教材

過去問を徹底分析・研究したオリジナル教材

初めて学習する科目でも理解できる「わかりやすさ」を追求したテキストは、合格者も絶賛しています。

オールインワンコース

公務員試験対策はこれだけで安心

教材も模試も面接・学習サポートも全て込み込み。公務員試験の攻略に、TAC以外のものは必要ありません。

その一歩を TAC とともに

合格実績を支える「6つの強み」詳しくは…

ホームページで！

マンガで解説「公務員への道」

パンフレットのご請求は

TAC カスタマーセンター 0120-509-117（ゴウカク イイナ）

受付時間 平日 9:30～19:00 土曜・日曜・祝日 9:30～18:00

※受付時間は、変更させていただく場合がございます。詳細は、TACホームページにてご確認いただきますようお願い申し上げます。

TACホームページ https://www.tac-school.co.jp/

公務員講座のご案内

無料体験入学のご案内

3つの方法でTACの講義が体験できる!

教室で体験 迫力の生講義に出席

予約不要！ 最大3回連続出席OK！

1. 校舎と日時を決めて、当日TACの校舎へ

TACでは各校舎で毎月体験入学の日程を設けています。

2. オリエンテーションに参加（体験入学1回目）

初回講義「オリエンテーション」にご参加ください。体験入学ご参加の際に個別にご相談をお受けいたします。

3. 講義に出席（体験入学2・3回目）

引き続き、各科目の講義をご受講いただけます。参加者には体験用テキストをプレゼントいたします。

- 最大3回連続無料体験講義の日程はTACホームページと公務員講座パンフレットでご覧いただけます。
- 体験入学はお申込み予定の校舎に限らず、お好きな校舎でご利用いただけます。
- 4回目の講義前までにご入会手続きをしていただければ、カリキュラム通りに受講することができます。

※地方上級・国家一般職以外の講座では、最大2回連続体験入学を実施しています。また、心理職・福祉職はTAC動画チャンネルで体験講義を配信しています。
※体験入学1回目や2回目の後でもご入会手続きは可能です。「TACで受講しよう！」と思われたお好きなタイミングで、ご入会いただけます。

ビデオで体験 校舎のビデオブースで体験視聴

全国のTAC校舎のビデオブースで、講義を無料でご視聴いただけます。（要予約）

TAC各校のビデオブースでお好きな講義を体験視聴できます。視聴前日までに視聴する校舎受付までお電話にてご予約をお願い致します。

ビデオブース利用時間 ※日曜日は④の時間帯はありません。

① 9：30 ～ 12：30 ② 12：30 ～ 15：30
③ 15：30 ～ 18：30 ④ 18：30 ～ 21：30

※受講可能な曜日・時間帯は一部校舎により異なります。
※年末年始・夏期休業・その他特別な休業以外は、通常平日・土日祝祭日にご覧いただけます。
※予約時にご希望日とご希望時間帯を合わせてお申込みください。
※基本講義の中からお好きな科目をご視聴いただけます。（視聴できる科目は時期により異なります）
※TAC提携校での体験視聴につきましては、提携校各校へお問合せください。

Webで体験 スマートフォン・パソコンで講義を体験視聴

TACホームページの「TAC動画チャンネル」で無料体験講義を配信しています。時期に応じて多彩な講義がご覧いただけます。

TAC ホームページ **https://www.tac-school.co.jp/**

※体験講義は教室講義の一部を抜粋したものになります。

資格の学校 TAC

2024年度 本試験データリサーチ

参加無料!

10試験種以上実施予定!

スマホ P.C. 対応!

本試験結果がわかります!

本試験データリサーチとは?

Web上でご自身の解答を入力(選択)いただくと、全国の受験者からのデータを集計・分析した試験別の平均点、順位、問題別の正解率が確認できるTAC独自のシステムです。多くの受験生が参加するTACのデータリサーチによる詳細なデータ分析で、公務員試験合格へ近づきましょう。

公務員 データリサーチ

注意事項 / 資料(PDF) / 印刷する / ログアウト

総合診断

総合集計

	得点	偏差値	順位	参加人数	平均点	最高点
合計	18	50.6	3	7	17.9	21

試験別集計

試験	得点	偏差値	順位	参加人数	平均点	最高点
教養択一試験	8	44.6	4	7	9.7	14
専門択一試験	10	59.5	1	7	8.1	10

分布グラフを見る

※データリサーチは択一試験のみ対応しております。論文・専門記述・面接試験等の結果は反映されません。予めご了承ください。
※順位判定・正解率等の結果データは、各本試験の正答公表日の翌日以降に閲覧可能の予定です。 ※上記画面はイメージです。

2023年度
データリサーチ参加者
国家一般職(行政)
1,878名

多彩な試験種で実施予定!

国家総合職/東京都I類B(行政[一般方式])/特別区I類/裁判所一般職(大卒)
国税専門官A/財務専門官/労働基準監督官A/国家一般職(行政・技術職)/外務省専門職
警視庁警察官I類/東京消防庁消防官I類

※実施試験種は諸般の事情により変更となる場合がございます。
※上記の試験種内でもデータリサーチが実施されない区分もございます。

本試験データリサーチの活用法

■ 相対的な結果を知る!

「手応えは悪くないけれど、周りの受験生はどうだったんだろう?」そんなときに本試験データリサーチを活用すれば、自分と他の受験生の結果を一目瞭然で比べることができます。

■ 併願対策に!

問題ごとの正解率が出るため、併願をしている受験生にとっては、本試験結果を模試のように参考にすることができます。自分の弱点を知って、その後の公務員試験対策に活用しましょう。

データリサーチの詳細は、

➡TACホームページ https://www.tac-school.co.jp/

等で各種本試験の1週間前から告知予定です。

TAC出版 書籍のご案内

TAC出版では、資格の学校TAC各講座の定評ある執筆陣による資格試験の参考書をはじめ、資格取得者の開業法や仕事術、実務書、ビジネス書、一般書などを発行しています！

TAC出版の書籍

＊一部書籍は、早稲田経営出版のブランドにて刊行しております。

資格・検定試験の受験対策書籍

- 日商簿記検定
- 建設業経理士
- 全経簿記上級
- 税　理　士
- 公認会計士
- 社会保険労務士
- 中小企業診断士
- 証券アナリスト
- ファイナンシャルプランナー(FP)
- 証券外務員
- 貸金業務取扱主任者
- 不動産鑑定士
- 宅地建物取引士
- 賃貸不動産経営管理士
- マンション管理士
- 管理業務主任者
- 司法書士
- 行政書士
- 司法試験
- 弁理士
- 公務員試験(大卒程度・高卒者)
- 情報処理試験
- 介護福祉士
- ケアマネジャー
- 電験三種　ほか

実務書・ビジネス書

- 会計実務、税法、税務、経理
- 総務、労務、人事
- ビジネススキル、マナー、就職、自己啓発
- 資格取得者の開業法、仕事術、営業術

一般書・エンタメ書

- ファッション
- エッセイ、レシピ
- スポーツ
- 旅行ガイド（おとな旅プレミアム/旅コン）

(2024年2月現在)

書籍のご購入は

1 全国の書店、大学生協、ネット書店で

2 TAC各校の書籍コーナーで

資格の学校TACの校舎は全国に展開!
校舎のご確認はホームページにて

資格の学校TAC ホームページ
https://www.tac-school.co.jp

3 TAC出版書籍販売サイトで

CYBER BOOK STORE TAC出版書籍販売サイト

24時間ご注文受付中

https://bookstore.tac-school.co.jp/

新刊情報をいち早くチェック!

たっぷり読める立ち読み機能

学習お役立ちの特設ページも充実!

TAC出版書籍販売サイト「サイバーブックストア」では、TAC出版および早稲田経営出版から刊行されている、すべての最新書籍をお取り扱いしています。
また、会員登録(無料)をしていただくことで、会員様限定キャンペーンのほか、送料無料サービス、メールマガジン配信サービス、マイページのご利用など、うれしい特典がたくさん受けられます。

サイバーブックストア会員は、特典がいっぱい!(一部抜粋)

通常、1万円(税込)未満のご注文につきましては、送料・手数料として500円(全国一律・税込)頂戴しておりますが、1冊から無料となります。

専用の「マイページ」は、「購入履歴・配送状況の確認」のほか、「ほしいものリスト」や「マイフォルダ」など、便利な機能が満載です。

メールマガジンでは、キャンペーンやおすすめ書籍、新刊情報のほか、「電子ブック版TACNEWS(ダイジェスト版)」をお届けします。

書籍の発売を、販売開始当日にメールにてお知らせします。これなら買い忘れの心配もありません。

公務員試験対策書籍のご案内

TAC出版の公務員試験対策書籍は、独学用、およびスクール学習の副教材として、各商品を取り揃えています。学習の各段階に対応していますので、あなたのステップに応じて、合格に向けてご活用ください!

INPUT

『みんなが欲しかった! 公務員 合格への はじめの一歩』

A5判フルカラー

- 本気でやさしい入門書
- 公務員の"実際"をわかりやすく紹介したオリエンテーション
- 学習内容がざっくりわかる入門講義

・数的処理(数的推理・判断推理・空間把握・資料解釈)
・法律科目(憲法・民法・行政法)
・経済科目(ミクロ経済学・マクロ経済学)

『みんなが欲しかった! 公務員 教科書&問題集』

A5判

- 教科書と問題集が合体!でもセパレートできて学習に便利!
- 「教科書」部分はフルカラー!見やすく、わかりやすく、楽しく学習!

・判断推理
・数的推理
・憲法
・民法
・行政法

『新・まるごと講義生中継』

A5判
TAC公務員講座講師
郷原 豊茂 ほか

- TACのわかりやすい生講義を誌上で!
- 初学者の科目導入に最適!
- 豊富な図表で、理解度アップ!

・郷原豊茂の憲法
・郷原豊茂の民法Ⅰ
・郷原豊茂の民法Ⅱ
・新谷一郎の行政法

『まるごと講義生中継』

A5判
TAC公務員講座講師
渕元 哲 ほか

- TACのわかりやすい生講義を誌上で!
- 初学者の科目導入に最適!

・郷原豊茂の刑法
・渕元哲の政治学
・渕元哲の行政学
・ミクロ経済学
・マクロ経済学
・関野喬のパターンでわかる数的推理
・関野喬のパターンでわかる判断整理
・関野喬のパターンでわかる空間把握・資料解釈

要点まとめ

『一般知識 出るとこチェック』

四六判

- 知識のチェックや直前期の暗記に最適!
- 豊富な図表とチェックテストでスピード学習!

・政治・経済
・思想・文学・芸術
・日本史・世界史
・地理
・数学・物理・化学
・生物・地学

記述式対策

『公務員試験論文答案集 専門記述』

A5判
公務員試験研究会

- 公務員試験(地方上級ほか)の専門記述を攻略するための問題集
- 過去問と新作問題で出題が予想されるテーマを完全網羅!

・憲法〈第2版〉
・行政法

地方上級・国家一般職（大卒程度）・国税専門官 等 対応 TAC出版

過去問学習

『ゼロから合格 基本過去問題集』
A5判
TAC公務員講座
- 「解ける」だから「つづく」／充実の知識まとめでこの1冊で知識「ゼロ」から過去問が解けるようになる、独学で学習を始めて完成させたい人のための問題集です。

全12点
- ・判断推理 ・数的推理 ・空間把握・資料解釈
- ・憲法 ・民法Ⅰ ・民法Ⅱ
- ・行政法 ・ミクロ経済学 ・マクロ経済学
- ・政治学 ・行政学 ・社会学

『一問一答で論点総チェック』
B6判
TAC公務員講座講師 山本 誠
- 過去 20 年の出題論点の 95%以上を網羅
- 学習初期の確認用にも直前期のスピードチェックにも

全4点
- ・憲法 ・民法Ⅰ
- ・民法Ⅱ ・行政法

『出るとこ過去問』 A5判
TAC出版編集部
- 本試験の難問、奇問、レア問を省いた効率的なこの1冊で、合格ラインをゲット! 速習に最適

全16点
- ・憲法 ・民法Ⅰ ・民法Ⅱ
- ・行政法 ・ミクロ経済学 ・マクロ経済学
- ・政治学 ・行政学 ・社会学
- ・国際関係 ・経営学 ・数的処理（上・下）
- ・自然科学 ・社会科学 ・人文科学

直前対策

『小論文の秘伝』
A5判
年度版
TAC公務員講座講師 山下 純一
- 頻出 25 テーマを先生と生徒のブレストで噛み砕くから、解答のツボがバッチリ!
- 誌上「小論文道場」で答案改善のコツがわかる!
- 合格者のアドバイスも掲載!

『面接の秘伝』
A5判
年度版
TAC公務員講座講師 山下 純一
- 面接で使えるコア（自分の強み）を見つけられる「面接相談室」で自己分析が進む!
- 集団討論のシミュレーション、官庁訪問のレポートも掲載!

『公務員試験をあてる! 時事のまとめ』
A5判
年度版
TAC公務員講座
- 知識整理と問題チェックが両方できる!
- 試験種別の頻出テーマが一発でわかる!
- キーワードリストで知識が広がる!

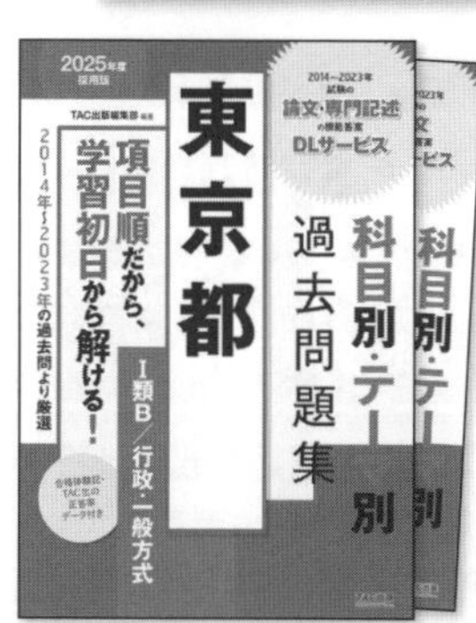

『科目別・テーマ別過去問題集』
B5判 年度版
TAC出版編集部
- 試験ごとの出題傾向の把握と対策に最適
- 科目別、学習テーマ別の問題掲載なので、学習のどの段階からも使えます

- ・東京都Ⅰ類B（行政／一般方式）
- ・特別区Ⅰ類（事務）
- ・裁判所（大卒程度／一般職）
- ・国税専門官（国税専門A）
- ・国家一般職（大卒程度／行政）

TAC出版の書籍はこちらの方法でご購入いただけます

1 全国の書店・大学生協　2 TAC各校 書籍コーナー

3 インターネット　CYBER BOOK STORE TAC出版書籍販売サイト　アドレス https://bookstore.tac-school.co.jp/

（2024年3月現在・刊行内容、刊行月、表紙等は変更になることがあります／年度版 マークのある書籍は、毎年、新年度版が発行される予定です）

書籍の正誤に関するご確認とお問合せについて

書籍の記載内容に誤りではないかと思われる箇所がございましたら、以下の手順にてご確認とお問合せをしてくださいますよう、お願い申し上げます。
なお、正誤のお問合せ以外の**書籍内容に関する解説および受験指導などは、一切行っておりません。**
そのようなお問合せにつきましては、お答えいたしかねますので、あらかじめご了承ください。

1 「Cyber Book Store」にて正誤表を確認する

TAC出版書籍販売サイト「Cyber Book Store」の
トップページ内「正誤表」コーナーにて、正誤表をご確認ください。

CYBER BOOK STORE TAC出版書籍販売サイト

URL:https://bookstore.tac-school.co.jp/

2 1の正誤表がない、あるいは正誤表に該当箇所の記載がない ⇒ 下記①、②のどちらかの方法で文書にて問合せをする

★ご注意ください★

お電話でのお問合せは、お受けいたしません。
①、②のどちらの方法でも、お問合せの際には、「お名前」とともに、
「対象の書籍名(○級・第○回対策も含む)およびその版数(第○版・○○年度版など)」
「お問合せ該当箇所の頁数と行数」
「誤りと思われる記載」
「正しいとお考えになる記載とその根拠」
を明記してください。
なお、回答までに1週間前後を要する場合もございます。あらかじめご了承ください。

① ウェブページ「Cyber Book Store」内の「お問合せフォーム」より問合せをする

【お問合せフォームアドレス】

https://bookstore.tac-school.co.jp/inquiry/

② メールにより問合せをする

【メール宛先 TAC出版】

syuppan-h@tac-school.co.jp

※土日祝日はお問合せ対応をおこなっておりません。
※正誤のお問合せ対応は、該当書籍の改訂版刊行月末日までといたします。

乱丁・落丁による交換は、該当書籍の改訂版刊行月末日までといたします。なお、書籍の在庫状況等により、お受けできない場合もございます。
また、各種本試験の実施の延期、中止を理由とした本書の返品はお受けいたしません。返金もいたしかねますので、あらかじめご了承くださいますようお願い申し上げます。

TACにおける個人情報の取り扱いについて
■お預かりした個人情報は、TAC(株)で管理させていただき、お問合せへの対応、当社の記録保管にのみ利用いたします。お客様の同意なしに業務委託先以外の第三者に開示、提供することはございません(法令等により開示を求められた場合を除く)。その他、個人情報保護管理者、お預かりした個人情報の開示等及びTAC(株)への個人情報の提供の任意性については、当社ホームページ(https://www.tac-school.co.jp)をご覧いただくか、個人情報に関するお問い合わせ窓口(E-mail:privacy@tac-school.co.jp)までお問合せください。

(2022年7月現在)

2024年度　問題

〈冊子ご利用時の注意〉

　この色紙を残したまま、ていねいに抜き取り、ご利用ください。

　また、抜き取りの際の損傷についてのお取替えはご遠慮願います。

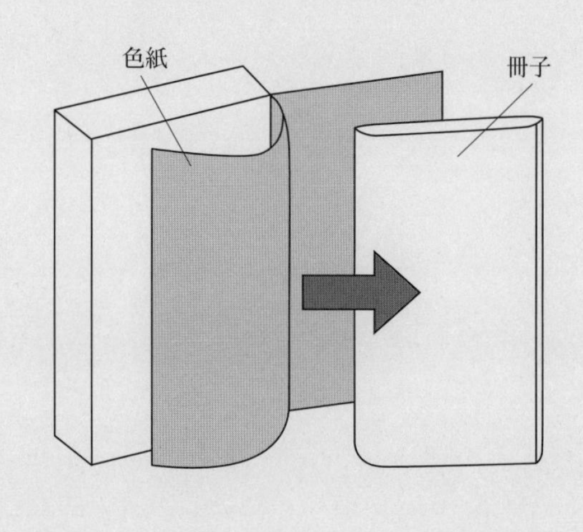

TAC出版

2024年度　教養試験　問題

現代文	内容合致	2024年度 教養 No.1

次の文章で述べられていることとして、最も妥当なのはどれか。

どこの国の言葉をみても、必要にして充分なだけのことを表現しているものはない。百のことを言いたいときにはかならず百五十とか百八十とかのことを言っている。両者の差が言語の冗語性（リダンダンシイ）である。いかなる言語も冗語性をもっていないものはない。この冗語性は、言語の授受における相互の関係で大きく変化する。親しい人同士が小さくて静かな部屋で話し合っているときには、どちらかというと冗語性は小さくてすむ。しゃれた、さらりとした、ときには以心伝心の話でもわかる。ところが、戸外の騒々しいところではそうはいかない。大声で念を押してくりかえさなくてはならなくなる。また、利害の対立している二者のあいだでは理詰めにこまかく表現しなくては、相手を納得させられない。こういう場合には冗語性が高くなるのである。

このように、冗語性の大小は一様ではないが、いずれにしても、言語はかならずムダな部分をもっている。しかも、それがかなり大きなものであるのに、われわれはほとんど気づいていない。クロスワード・パズルが可能なのも、また試験問題で空所に適当な語を入れよというような出題ができるのも、まったく冗語性のおかげである。でなければ、復元できるわけがない。

人間はそういう冗語性の大きな、ムダの多い言葉を毎日使って、言語生活をつづけている。言葉を使っているかぎり、いかなる人もムダから無縁ではあり得ないわけだ。食べるものにこと欠くような人々ですら、言語を使うことによってのムダはすることができる。いいかえると人間らしい営みをすることができるのである。機械にはムダがすくないが、人間のすることが人間らしいのはこのムダがあるからだ。

平面は三点によって定まると物理学は教える。したがって、椅子（いす）には三つ脚があれば必要・充分の条件を満たしていることになる。それで椅子は倒れないはずである。ところが、実際に三脚の椅子はまず人目にふれるところにはない。四脚が普通だが、これだと、どれか一本は“遊んで”いるのである。リダンダンシイである。椅子にもムダがあるわけだ。ムダがあるから実際に椅子として役立つ。

言語も椅子に似て三脚だけでは実際的ではない。ムダが必要なのだが、椅子の脚のように一本くらいの余裕ではまだ充分でない。いわば五脚の椅子である。人間は言語という五脚の椅子に坐（すわ）っている。その二本の脚はムダだから切ってしまえといったら、たちまちひっくりかえってしまう。

（外山滋比古「日本語の個性」による）

1　気のおけない間柄にある人同士が話をする場合には、話が弾み、会話が展開するので、それに伴い多弁になってリダンダンシイが大きくなる傾向がある。

2　理詰めでこまかい表現は、利害の対立している二者のあいだでは必要なものと言えるから、本来リダンダンシイの問題ではない。

3　生きるのに最低限必要な環境が揃わないと、人間らしい営みはできず、そのような状況のもとでは、会話におけるリダンダンシイが存在する余地はない。

4　実際にまず人目に触れるところにはない「三脚の椅子」のような、充分なリダンダンシイのない言語のもとでは、人間らしい営みは期待できない。

5　リダンダンシイにも、物理学から導かれる普遍の法則が存在し、これに照らせば、言語における「五脚の椅子」の五脚目は過剰であり、意思疎通の障害となる。

現代文	内容合致	2024年度 教養 No.2

次の文章で述べられていることとして、最も妥当なのはどれか。

環境は価格のつかない価値物であるが、価格がつかないことと関連してもう一つ重要な特徴は、社会にとっての共通の基盤として共同性を持つことでもある。歴史的には、世界や日本の各地で、森林、漁場、土地などの領域で、それを個別に私的に所有するのとは異なる形でマネージメントする仕組みが作られてきたが、それはしばしばコモンズと呼ばれてきた。

ところが、生物学者のG・ハーディンが雑誌『サイエンス』の誌上でコモンズの悲劇（tragedy of commons）と題する論文（1968年）を発表したことをきっかけに、コモンズのあり方がさかんに議論されるようになった。ハーディンは一つの寓(ぐう)話を用いて、農民が共有地（コモンズ）を自由に利用できる限り、共有地の荒廃は防ぐことができないと主張した。そこで用いられた寓話は要約すれば次のようなものである。すなわち、まず、共有地に農民が牛を放牧するという状況を設定し、農民がそれぞれより多くの利益を求めて一頭でも多くの牛を共有地に放牧しようとすると想定する。その結果として共有地は過放牧となって、結果的にすべての農民が被害を被るというものである。

ハーディンが想定したモデルが歴史的事実に合致しているか否かについては議論の余地があるが、その後のコモンズの悲劇に関する論争は、再生可能な環境資源をはじめとするコモンズの管理組織や管理形態の重要性を気づかせた点で貴重であった。

この問題は、宇沢弘文氏らによって社会的共通資本の理論を基礎においたコモンズ論として展開されている。コモンズとは、さしあたりは私有化されておらず地域社会の共通基盤となっている自然資源や自然環境を指すものと考えられてきたが、注目すべきは、近年環境や資源そのものではなく、その管理のための組織やルールのあり方の問題として議論されるようになってきたことである。

従来コモンズは、「コモンズの悲劇」論を根拠として、私的所有権が明確に規定されていないため必然的に過剰利用されてしまうと評価されがちであった。そこから、コモンズは管理形態として適切ではなく、私有化をすすめなければ環境資源の効率的な利用はできないことが示唆されてきた。ところが、コモンズを解体して私有化した場合にも数多くの問題が生じることが明らかになってきたし、そもそも「コモンズの悲劇」の議論には、コモンズの性格や機能に関する多くの誤謬(びゅう)が含まれていたのである。現在では、コモンズではむしろ、自然資源や自然環境の持続的利用（sustainable use）、管理が可能であった、という点が認められ、コモンズの機能に着目した再評価が行われているのである。

（植田和弘「環境経済学への招待」による）

1　コモンズは、価格のつかない価値物であり、世界や日本の各地で、それを個別にマネージメントする仕組みが作られてきた。

2　コモンズの悲劇と題する論文では、農民がコモンズを自由に利用できる限りその荒廃は免れ得ないとしているが、論文中の想定は現代では成立しない。

3　社会的共通資本の理論を基礎としたコモンズ論では、それらの管理のための組織やルールのあり方の問題として、コモンズを定義した。

4　コモンズの悲劇の解決策としてのコモンズの解体は、環境資源の効率的な利用のために必要であり、コモンズに関する多くの誤謬を修正する契機になった。

5　森林、漁場、土地などをマネージメントする仕組みとしてのコモンズは、自然資源や自然環境の持続的な利用や管理に関するルールとして再評価されている。

現代文	文章整序	2024年度 教養 No.3

次の文につながるようA～Fを並べ替えて一つのまとまった文章にする場合、最も妥当なのはどれか。

行動主義はこう述べる。ある人が「優しい心を持つ」ということは、その人が時に応じて優しい「振舞」をすること以外にはない。「悲しい」とは悲しい振舞をすることにつき、「怒っている」とは怒りの所作をすることそのことである、と。要するに、他人の心について語ることは実はその振舞について語ることに他ならない、と言うのである。

A　こうして、「悲しみ」という言葉の意味は、悲しみの振舞の無限集合をまとめあげる役割を持つ。

B　簡単に言えば、「悲しい振舞」のパターンを知っていることなのである。もしその判別があやふやであれば、それは「悲しみ」の意味の了解があやふやなのであり、「悲しみの振舞」のパターン認識があやふやなのである。

C　しかし、いかなる振舞がこの無限集合に属し、いかなる振舞がそうでないかをどうして判別できるのだろうか。それはまさに「悲しみ」の意味によってである以外にはあるまい。

D　そして振舞という物体運動の他に、非物質的な「悲しみ」というものがあるのではない。他人には心もあれば意識もある。ただし、心ある振舞、意識的振舞をする、というその意味において心があり意識があるのである。

E　「悲しみ」の意味を了解しているということがとりも直さず、この判別ができることに他ならない。この判別ができるということそのことが、「悲しみ」の意味を知っていることなのである。

F　では例えば、悲しみの振舞とはどのような振舞なのだろうか。それは恐らく無数の振舞の無数のバリエーションであろう。悲しげな顔、悲しげな足どり、悲しみの表白等々。そして数限りない悲しみの顔があり、悲しみの足どりがあるはずである。それら悲しみの振舞は、振舞の無限集合を作るだろう。

（大森荘蔵「言語・知覚・世界」による）

1　C－B－A－E－F－D

2　D－B－C－E－F－A

3　D－E－F－B－C－A

4　F－A－C－B－E－D

5　F－C－E－B－A－D

現代文	空欄補充	2024年度 教養 No.4

次の文章の空欄に当てはまる語句の組合せとして、最も妥当なのはどれか。

これからの教養とは無論、インターネットにある雑多な情報の集合体ではありません。情報を論理的に体系化したものが［A］とすると、これからの教養は書斎型の［A］でなく、現実対応型のものでなくてはなりません。現実対応型の［A］とは、屍（しかばね）のごとき［A］ではなく、生を吹き込まれた［A］、情緒や［B］と一体となった［A］です。

ここで言う情緒や［B］とは一体何でしょうか。まず情緒ですが、ほぼ先天的に備わっている喜怒哀楽ではありません。それなら［C］にもあります。より高次元とも言える、後天的に得られるもの、［D］その人が生まれ落ちてからこれまでにどんな経験をしてきたか、によって培われる心です。どんな親に育てられたか、どんな友達や先生と出会ってきたか、どんな美しいものを見たり読んだりして感動してきたか、どんな恋や失恋や片思いをしてきたか、どんな悲しい別れに会ってきたか……などにより形成されるものです。美的感受性やもののあわれなどの美的情緒、宗教によって得られる宗教的情緒なども含まれます。

また［B］とは、日本人としての［B］、［D］弱者に対する涙、卑怯を憎む心、正義感、勇気、忍耐、誠実、などです。論理的とは言えないものの価値基準となりうる、［C］ではない人間のあり方です。こう書いてくると、これからの教養とはプラトンからカントまで、様々な哲学者が語った知情意や真善美に似ています。これらを荒っぽく要約すると、知（真）が［A］、情（美）が情緒、意（善）が意志や道徳ですから、私の言う教養、［D］情緒や［B］と一体になった［A］、とはそれらに近いと言えます。

（藤原正彦「国家と教養」による）

	A	B	C	D
1	知識	形	赤子	例えば
2	知識	形	獣	すなわち
3	知識	癖	獣	例えば
4	知恵	形	獣	例えば
5	知恵	癖	赤子	すなわち

英文	内容合致	2024年度 教養 No.5

次の英文の中で述べられていることと一致するものとして、最も妥当なのはどれか。

In war and policy one should always try to put oneself in the position of what Bismarck called "the Other Man." The more fully and sympathetically a Minister can do this, the better are his chances of being right. The more knowledge he possesses of the opposite point of view, the less puzzling it is to know what to do.

But imagination without deep and full knowledge is a snare*, and very few among our experts could form any true impression of the Japanese mind. It was indeed inscrutable*. The old and new societies, with the chasm* of the ages between them, were intermingled* and reacted upon each other in ways that no foreigner could understand. Indeed, it is doubtful whether Japan knew her own mind, or what forces in her nature would predominate* in the hour of decision.

Silly people — and there were many, not only in enemy countries — might discount the force of the United States. Some said they were soft, others that they would never be united. They would fool around at a distance. They would never come to grips. They would never stand blood-letting. Their democracy and system of recurrent* elections would paralyze* their war effort. They would be just a vague blur on the horizon to friend or foe*. Now we should see the weakness of this numerous but... remote, wealthy, and talkative people.

But I had studied the American Civil War, fought out to the last desperate inch. American blood flowed in my veins. I thought of a remark which Edward Grey had made to me more than thirty years before — that the United States is like "a gigantic boiler. Once the fire is lighted under it there is no limit to the power it can generate." Being saturated* and satiated* with emotion and sensation, I went to bed and slept the sleep of the saved and thankful.

（龍口直太郎「現代随筆論文選　Sir Winston Churchill『The Grand Alliance』」による）

＊snare……罠（わな）　＊inscrutable……不可解な　＊chasm……亀裂
＊intermingle……混ぜる　＊predominate……優位を占める
＊recurrent……周期的に起こる　＊paralyze……麻痺（ひ）させる　＊foe……敵
＊saturate……満たす　＊satiate……十二分に満足させる

1　戦争においても政策においても、人は、ビスマルクが「the Other Man」という言葉で表現したように、俯瞰(ふかん)的に物事を捉えるようにすべきである。

2　自分とは反対の見解を知れば知るほど、人は思い惑うものであり、日本の様々な情報を収集していた我が国の専門家でも日本人の心を言い当てた者はほとんどいなかった。

3　日本が判断を迫られたときに、どのような決断を下すかについては、外国人が判る筈(はず)もなく、日本だけが自らの内心を知っていると、私は考えていた。

4　愚かな人々は、合衆国の力を過小評価し、アメリカ人は戦闘に参加しないし、たとえ彼らが一致団結し自分たちの側についたとしても、敵か味方か判断がつかない存在であると考えていた。

5　私は、南北戦争を研究しアメリカ人が戦い抜くことを知っていたし、同じ血が私に流れていたことなどから、合衆国は心強い味方になると思い、すっかり満足して床に就いた。

英文	内容合致	2024年度 教養 No.6

次の英文の中で述べられていることと一致するものとして、最も妥当なのはどれか。

One lovely afternoon Pippi had invited Tommy and Annika over for afternoon coffee and *pepparkakor**. She had spread the party out on the front steps. It was so sunny and beautiful there, and the air was filled with the fragrance of the flowers in Pippi's garden. Mr. Nilsson climbed around on the porch railing, and every now and then the horse stuck out his head so that he'd be invited to have a cookie.

"Oh, isn't it glorious to be alive?" said Pippi, stretching out her legs as far as she could reach.

Just at that moment two police officers in full uniform came in through the gate.

"Hurray!" said Pippi. "This must be my lucky day too! Policemen are the very best things I know. Next to rhubarb* pudding." And with her face beaming she went to meet them.

"Is this the girl who has moved into Villa Villekulla※?" asked one of the policemen.

"Quite the contrary," said Pippi. "This is a tiny little auntie* who lives on the third floor at the other end of the town."

She said that only because she wanted to have a little fun with the policemen, but they didn't think it was funny at all.

They said she shouldn't be such a smarty*. And then they went on to tell her that some nice people in the town were arranging for her to get into a children's home.

"I already have a place in a children's home," said Pippi.

"What?" asked one of the policemen. "Has it been arranged already then? What children's home?"

"This one," said Pippi haughtily*. "I am a child and this is my home: therefore it is a children's home, and I have room enough here, plenty of room."

"Dear child," said the policeman, smiling, "you don't understand. You must get into a real children's home and have someone look after you."

"Is one allowed to bring horses to your children's home?" asked Pippi.

"No, of course not," said the policeman.

"That's what I thougut," said Pippi sadly. "Well, what about monkeys?"

"Of course not. You ought to realize that."

(Astrid Lindgren「Pippi Longstocking」による)

※Villa Villekulla：ピッピが今住んでいる家の名前

＊*pepparkakor*……（スウェーデン語）ショウガ入りクッキー
＊rhubarb……ルバーブ（ジャムなどにされる野菜）
＊auntie……叔母　＊smarty……出しゃばり屋　＊haughtily……横柄に

1　ピッピが、トミーとアンニカを日当たりが良い庭に通すと、トミーは早速、用意されていたショウガ入りクッキーをおねだりした。

2　ピッピは、家におまわりさんさえ来なければ、今日は素晴らしい一日になるはずだったのにと思った。

3　おまわりさんが、ピッピに、「引っ越してきた女の子というのは君かい？」と尋ねると、ピッピは、「そうです、町の向こうのはずれにあるアパートの３階から引っ越してきて、今はここで若い叔母と暮らしているの。」と答えた。

4　おまわりさんは、ピッピに、「町にいる親切な人たちが、君を『子どもの家』に入れてあげると決めてくださったのだよ。」と説明した。

5　ピッピは、おまわりさんに、「私は、自分を小さい時から知っている人たちに面倒をみてもらいながら今の『子どもの家』に住んでいるの。たくさん部屋もあって気に入っているわ。」と答えた。

次の英文の中で述べられていることと一致するものとして、最も妥当なのはどれか。

In the mid-1990s, Amy Edmondson was analyzing the data to what she thought was a fairly straightforward study when she noticed something peculiar.

She was exploring team dynamics within hospitals, as part of her graduate work in organizational behavior at Harvard University. The question at the heart of Edmondson's research was this: Do nurses with better colleague relationships perform fewer errors?

She expected a fairly open-and-shut* case. It made sense that working in a collaborative environment would allow nurses to better focus on their job. Of course they'd make fewer mistakes. *Duh**!

Except, they didn't. In fact, what Edmondson found was the exact opposite trend. The better the nurses' relationship with their manager and coworkers, the *more* errors they appeared to make.

How could this be?

Edmondson was dumbfounded* at first. But slowly the answer revealed itself. Nurses in tightly knit groups don't actually *perform* more errors — they simply *report* more of them. The reason is simple: When the consequences of reporting failure are too severe, employees avoid acknowledging mistakes altogether. But when a work environment feels psychologically safe and mistakes are viewed as a natural part of the learning process, employees are less prone to covering them up. The fascinating implication is that fearful teams avoid examining the causes of their blunders*, making it all the more likely that their mistakes will be repeated again in the future.

Having a team that's afraid of admitting failure is a dangerous problem, particularly because the symptoms are not immediately visible. What appears on the surface to be a well-functioning unit may, in fact, be a group that's too paralyzed* to admit its own flaws*. In contrast, teams that freely admit their errors are better able to learn from one another's mistakes. They can also take steps to prevent repeating those mistakes by tweaking* their process. Over the long term, encouraging employees to acknowledge mistakes is therefore a vital first step to seeing improvement.

(Ron Friedman「The Best Place to Work」による)

＊open-and-shut……明白な　＊duh……言うまでもない
＊dumbfounded……驚いて　＊blunder……失敗
＊paralyzed……麻痺(ひ)した　＊flaw……欠点　＊tweak……微調整する

1　エドモンドソンは、ハーバード大学を卒業後、医師として病院で勤務する傍ら、より良い治療に向け、病院におけるチーム力学について研究を始めた。

2　エドモンドソンの予想したとおり、上司や同僚との関係が密接であればあるほど、それだけ看護師の失敗は少なくなるという研究結果が出た。

3　職場が安全だと感じられ、失敗が学習の自然な過程と見なされるならば、従業員は失敗を隠さなくなる。

4　失敗を恐れるチームは、失敗の原因を追究し、失敗した個人を厳しく責め立てるため、非常に慎重になり、しばらくの間は失敗を回避する傾向にある。

5　従業員に失敗を認めるよう促すと、失敗を隠されてしまうこともあり、結果的に致命的な第一歩となりかねない。

次の英文の中で述べられていることと一致するものとして、最も妥当なのはどれか。

The Friend's Apartment was inside a townhouse. From the window of its Main Lounge I could see similar townhouses on the opposite side of the street. There were six of them in a row, and the front of each had been painted a slightly different color, to prevent a resident climbing the wrong steps and entering a neighbor's house by mistake.

I made this observation aloud to Josie that day, forty minutes before we set off to see the portrait man, Mr Capaldi. She was lying on the leather sofa behind me, reading a paperback she'd taken down from the black bookshelves. The Sun's pattern was falling across her raised knees, and she was so engrossed* in her reading, she made only a vague noise in reply. I was pleased about this because earlier she'd been getting very tense with the waiting. She'd relaxed noticeably once I'd gone to stand at the triple window, knowing I'd alert her the moment the Father's taxi drew up outside.

The Mother too had been getting tense, though whether on account of the coming meeting with Mr Capaldi or because of the Father's imminent arrival, I couldn't be certain. She'd left the Main Lounge some time before, and I could hear her voice from the next room on the phone. I could have listened to her words by putting my head to the wall, and I even considered doing so, given the possibility she was talking to Mr Capaldi. But I thought this might make Josie even more anxious, and in any case, it occurred to me the Mother was more likely to be speaking to the Father to give street directions.

(Kazuo Ishiguro「Klara and the Sun」による)

＊engross……没頭させる

1 通りの反対側に似たようなタウンハウスが6棟並んでおり、それぞれの色の違いはわずかなので、私は間違えて別の家に入りそうになってしまった。

2 肖像画家のカパルディさんに会いに出かける40分前に、私はジョジーに話しかけたが、彼女は革のソファに座って読書に没頭していたので、返事はなかった。

3 ジョジーは、先程までとても緊張していたが、ジョジーの父親のタクシーが到着したら私がすぐに教えると分かって、目に見えて緊張がほぐれたようだった。

4 ジョジーの母親も緊張していたのは、これからカパルディさんと会うときに、ジョジーの父親も来ることになっていたためだった。

5 ジョジーの母親が隣の部屋でカパルディさんに電話をしていたようだったので、私は壁に耳を押し当てて話の内容を聞いていた。

ある商社のバンコク現地法人の社員100人について、タイ国内の３か所の観光地アユタヤ、チェンマイ、プーケットへの旅行経験を調べたところ、次のことが分かった。

ア　チェンマイへの旅行経験がない社員の人数は56人であった。
イ　２か所以上の観光地への旅行経験がある社員のうち、少なくともアユタヤとチェンマイの２か所の旅行経験がある社員の人数は18人であり、少なくともチェンマイとプーケットの２か所の旅行経験がある社員の人数は17人であった。
ウ　旅行経験がプーケットのみの社員の人数は20人であり、旅行経験がアユタヤのみの社員の人数は旅行経験がアユタヤとプーケットの２か所のみの社員の人数の３倍であった。
エ　アユタヤ、チェンマイ、プーケットの３か所の旅行経験が全てある社員の人数は８人であり、アユタヤ、チェンマイ、プーケットの３か所の旅行経験がいずれもない社員の人数は12人であった。

以上から判断して、旅行経験がアユタヤのみの社員の人数と、旅行経験がチェンマイのみの社員の人数の差として、正しいのはどれか。

1　１人

2　２人

3　３人

4　４人

5　５人

数的推理	魔方陣	2024年度 教養 No.10

下の図のように配置されたマスに、１～16の異なる数字を一つずつ記入して、縦、横、対角線のいずれにおいても、数字の和が同じ値となるようにするとき、マスＡ及びＢに入る数字の和として、正しいのはどれか。

		5	16
14			
A			3
1	B	8	13

1　19

2　21

3　23

4　25

5　27

ある卓球大会の決勝戦でＡチームとＢチームが試合をし、先に３勝したチームが優勝することになっている。１回の試合でＡチームが勝つ確率を$\frac{1}{4}$、Ｂチームが勝つ確率を$\frac{3}{4}$とするとき、Ａチームが優勝する確率として、正しいのはどれか。

1　$\frac{53}{512}$

2　$\frac{7}{64}$

3　$\frac{15}{128}$

4　$\frac{31}{256}$

5　$\frac{1}{8}$

Ａ～Ｄの４人の大学生は、それぞれ、歌舞伎、能、オペラのいずれか一つのみを鑑賞したことがあり、次のア～ウのことが分かっている。

ア　Ａは、一度は歌舞伎を鑑賞してみたいと思い、歌舞伎を鑑賞したことがあるＤに相談した。
イ　Ｂは、来月、初めて能を鑑賞する予定である。
ウ　４人のうち２人だけが同じものを鑑賞したことがあり、その２人が鑑賞したのは歌舞伎又は能のいずれかである。

以上から判断して、確実にいえるのはどれか。

1　Ａが鑑賞したのが能であれば、Ｂが鑑賞したのはオペラである。

2　Ａが鑑賞したのが能であれば、Ｃが鑑賞したのは歌舞伎である。

3　Ｂが鑑賞したのが歌舞伎であれば、Ａが鑑賞したのはオペラである。

4　Ｃが鑑賞したのが能であれば、Ａが鑑賞したのはオペラである。

5　Ｃが鑑賞したのがオペラであれば、Ｂが鑑賞したのは歌舞伎である。

数的推理	ニュートン算	2024年度 教養 No.13

ある遊園地では、開園前から入場ゲートに来園者の行列ができており、その後も毎分決まった人数の来園者が行列に加わっている。開園と同時に一つの入場ゲートで来園者を受け入れた場合、行列がなくなるまで30分かかり、二つの場合、10分かかることが分かっている。開園と同時に三つの入場ゲートで来園者を受け入れた場合、行列がなくなるまでにかかる時間として、正しいのはどれか。ただし、いずれの入場ゲートも毎分の受入可能人数は同じとする。

1　4分

2　5分

3　6分

4　7分

5　8分

下のような数列において、677は第何項となるか、正しいものを選べ。

第１項	第２項	第３項	第４項	第５項	第６項	第７項	・・・
1	2	5	10	17	26	37	・・・

1 第27項

2 第28項

3 第29項

4 第30項

5 第31項

下の図のように、線分AB＝$4\sqrt{3}$、線分BC＝ 8 、∠ABC＝60°の平行四辺形ABCDの外側に、各辺を一辺とする正方形があり、それぞれの正方形の対角線の交点をE、F、G、Hとするとき、四角形EFGHの面積として、正しいのはどれか。

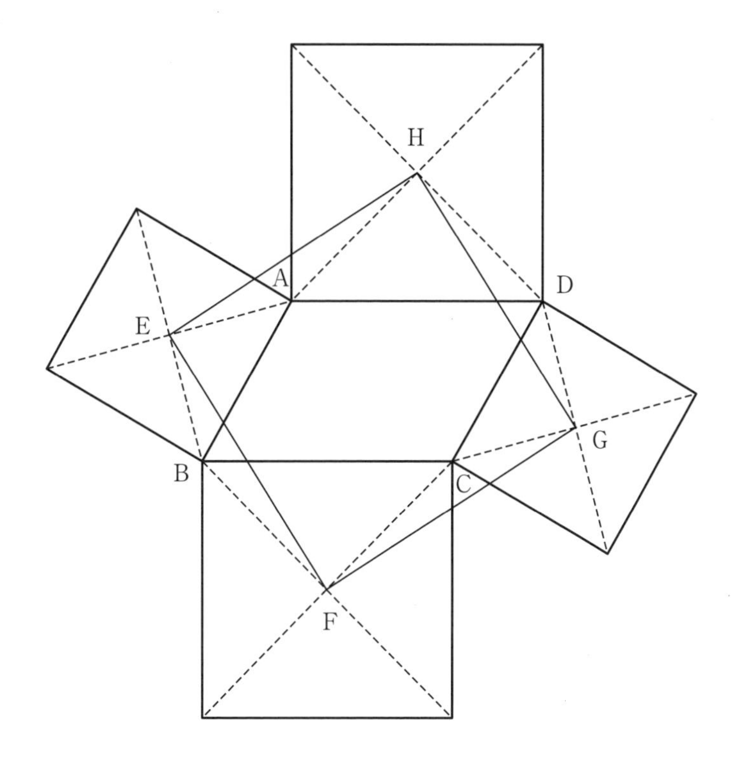

1 54

2 64

3 98

4 104

5 108

下の図のように、ABを直径とする半径6の円があり、円周上の点をC、Dとし、線分BC＝8、線分BD＝4であるとき、△BCDの面積として、正しいのはどれか。

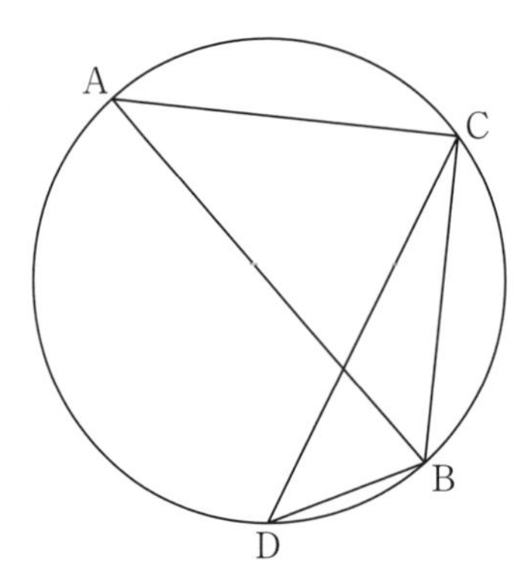

1 $\dfrac{4(4\sqrt{2}+\sqrt{5})}{3}$

2 $\dfrac{16(4\sqrt{2}+\sqrt{5})}{9}$

3 $2(4\sqrt{2}+\sqrt{5})$

4 $\dfrac{8(4\sqrt{2}+\sqrt{5})}{3}$

5 $\dfrac{32(4\sqrt{2}+\sqrt{5})}{9}$

あるレストランのランチの税込価格は、Ａランチ1,800円、Ｂランチ2,200円、Ｃランチ2,600円である。ランチを注文した客20人の合計金額が40,400円だったとき、Ａ、Ｂ、Ｃの注文数の組合せは全部で何通りあるか。ただし、客は１人につき一つのランチを注文し、誰も注文しなかったランチはないものとする。

1　２通り

2　３通り

3　４通り

4　５通り

5　６通り

資料解釈　実数のグラフ　2024年度 教養 No.18

次の図から正しくいえるのはどれか。

日本における在留資格別外国人労働者数の推移

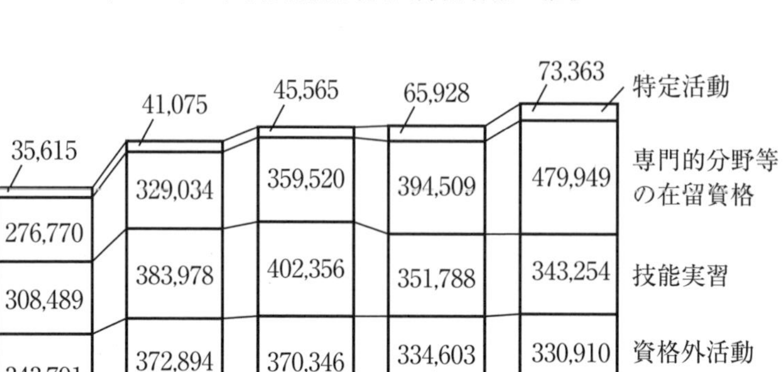

1　平成30年における「技能実習」による外国人労働者数を100としたとき、令和元年から令和４年までの「技能実習」による外国人労働者数の指数は、いずれの年も125を下回っている。

2　平成30年から令和４年までの各年についてみると、５種類の資格の外国人労働者数の合計に占める「資格外活動」による外国人労働者数の割合は、いずれの年も20％を上回っている。

3　平成30年から令和４年までの各年についてみると、「身分に基づく在留資格」による外国人労働者数は、いずれの年も「特定活動」による外国人労働者数を９倍以上、上回っている。

4　平成30年から令和４年までの５か年の「特定活動」と「技能実習」を合わせた外国人労働者数の合計は、平成30年から令和４年までの５か年の「専門的分野等の在留資格」による外国人労働者数の合計を下回っている。

5　令和２年における外国人労働者数の対前年増加率を在留資格別にみると、最も大きいのは「特定活動」による外国人労働者数であり、次に大きいのは「専門的分野等の在留資格」による外国人労働者数である。

次の図から正しくいえるのはどれか。

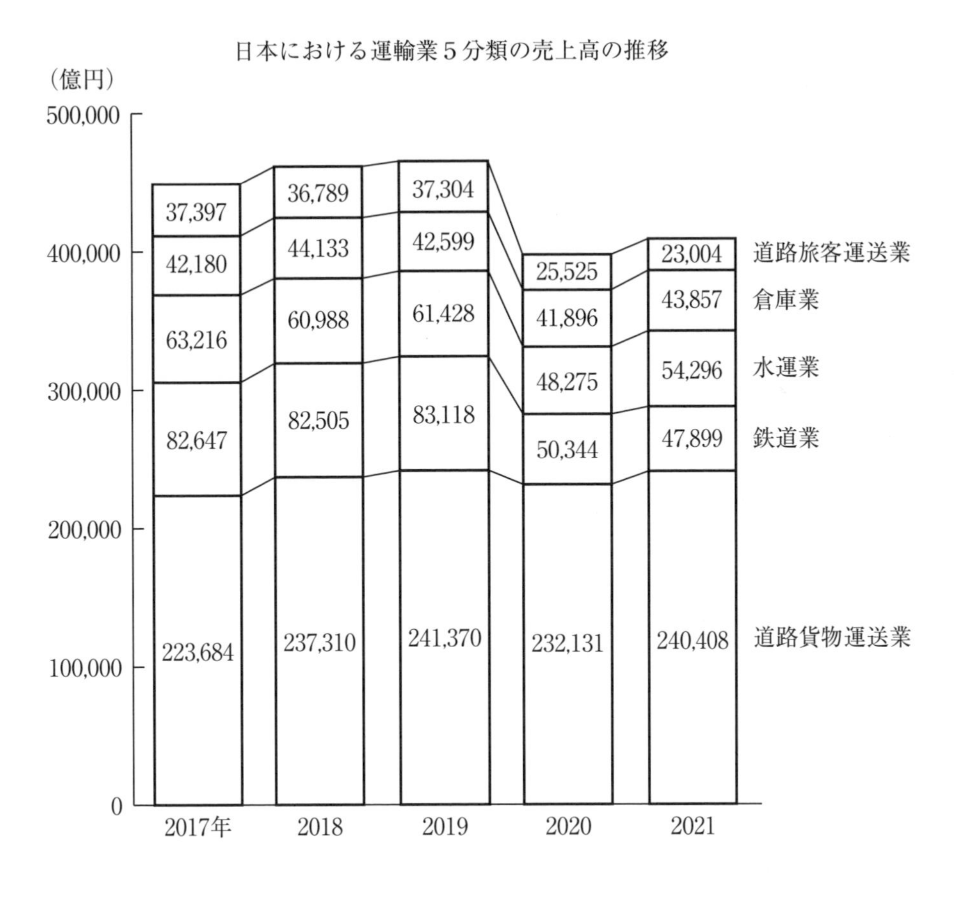

1 2017年の道路貨物運送業の売上高を100としたとき、2018年から2021年までの各年における道路貨物運送業の売上高の指数は、いずれの年も105を上回っている。

2 2018年から2021年までの4か年における鉄道業の売上高の年平均は、65,000億円を下回っている。

3 2019年から2021年までの各年についてみると、5分類の運輸業の売上高の合計に占める鉄道業の売上高の割合は15%を上回っている。

4 2020年と2021年についてみると、倉庫業の売上高に対する道路旅客運送業の売上高の比率は、いずれの年も55%を下回っている。

5 2021年における売上高の対前年増加率を分類別にみると、最も大きいのは水運業であり、最も小さいのは道路旅客運送業である。

資料解釈	増加率のグラフ	2024年度 教養 No.20

次の図から正しくいえるのはどれか。

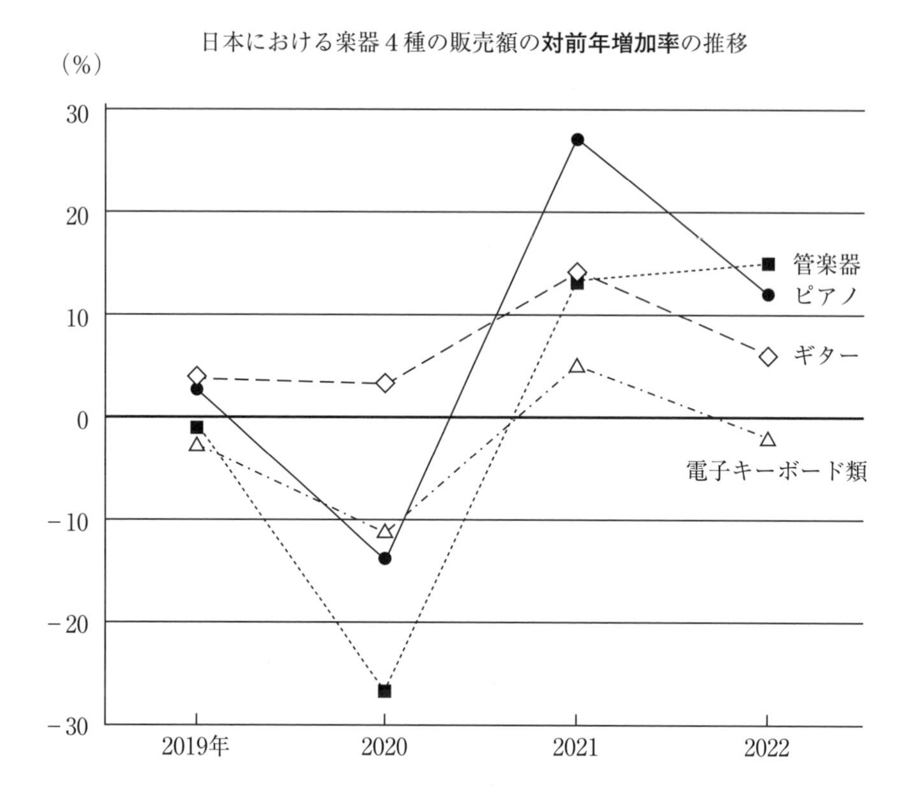

1　2018年におけるピアノの販売額を100としたとき、2021年におけるピアノの販売額の指数は110を下回っている。

2　2019年から2022年までのうち、管楽器の販売額が最も多いのは2019年であり、最も少ないのは2020年である。

3　2020年と2021年の各年についてみると、ギターに対するピアノの販売額の比率は、いずれの年も前年に比べて減少している。

4　2021年における楽器４種についてみると、販売額が2019年に比べて増加しているのは、ギターのみである。

5　2022年における電子キーボード類の販売額は、2019年から2021年までの３か年における電子キーボード類の販売額の年平均を上回っている。

資料解釈　総数と構成比のグラフ

次の図から正しくいえるのはどれか。

日本の放送コンテンツ海外輸出額の権利別構成比の推移

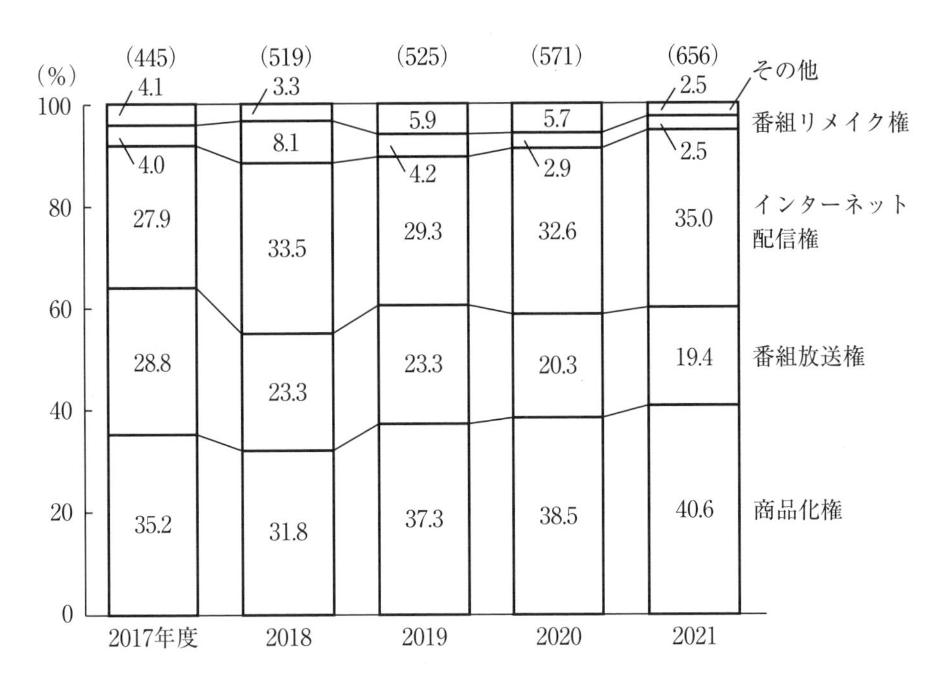

（注）（　）内の数値は、放送コンテンツ海外輸出額の合計（単位：億円）

1　2017年度から2020年度までのうち、番組放送権の輸出額が最も多いのは2017年度であり、最も少ないのは2018年度である。

2　2017年度における番組リメイク権の輸出額を100としたとき、2021年度における番組リメイク権の輸出額の指数は、85を下回っている。

3　2018年度についてみると、番組リメイク権の輸出額の対前年度増加率は、インターネット配信権の輸出額の対前年度増加率を下回っている。

4　2019年度から2021年度までの３か年におけるその他の輸出額の年度平均は、25億円を上回っている。

5　2019年度から2021年度の各年についてみると、商品化権の輸出額はインターネット配信権の輸出額を、いずれの年度も40億円以上、上回っている。

空間把握	正多面体	2024年度 教養 No.22

下の図のような正八面体において、各面に任意にそれぞれ１点を定めたとき、それらの点を相互に結ぶ直線の本数として正しいのはどれか。ただし、いずれの点も辺の上にはないものとする。

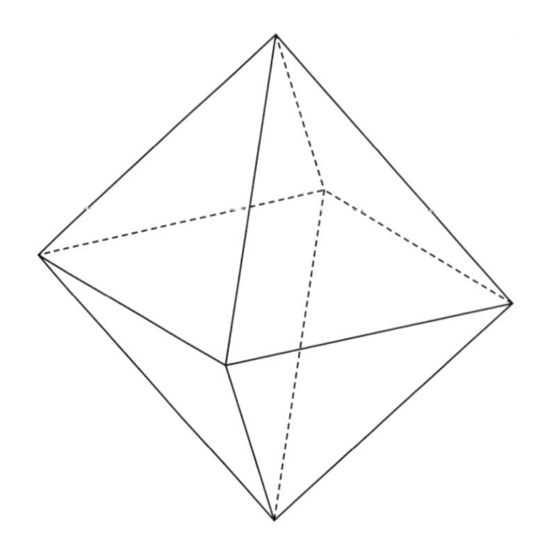

1　20本

2　24本

3　28本

4　32本

5　36本

下の図のように、長さ18cmの線分ABがあり、点Pは線分AB上をAからBまで動く。線分APと線分BPをそれぞれ一辺とする正三角形APC及び正三角形BPDを線分ABに対して同じ側に作り、線分ADと線分BCの交点をQとするとき、点Qの軌跡の長さとして、正しいのはどれか。ただし、円周率はπとする。

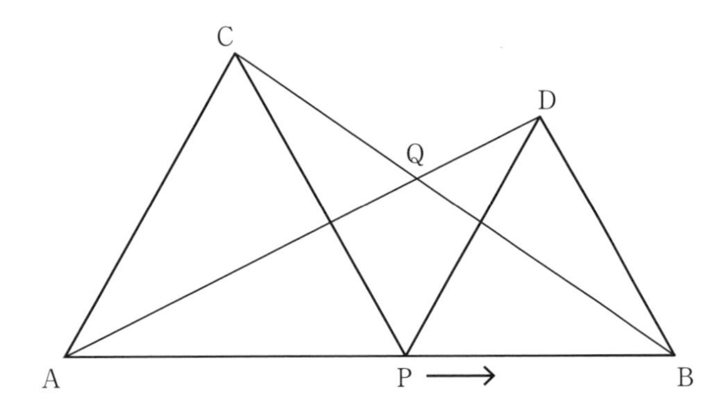

1 3π cm

2 $2\sqrt{3}\pi$ cm

3 $3\sqrt{3}\pi$ cm

4 6π cm

5 $4\sqrt{3}\pi$ cm

空間把握　軌跡　2024年度 教養 No.24

　下の図のように、一辺の長さaの正方形の外側を、同じく一辺の長さaの正三角形が矢印の方向に滑ることなく回転しながら３周して元の位置に戻るとき、正三角形の頂点Ｐの描く軌跡として、正しいのはどれか。

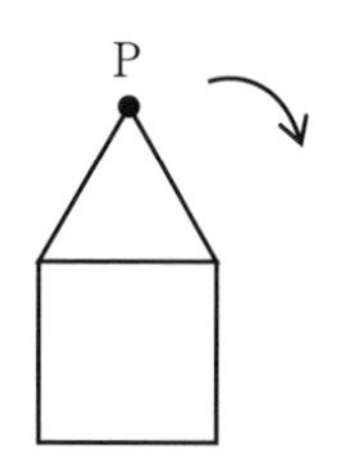

1

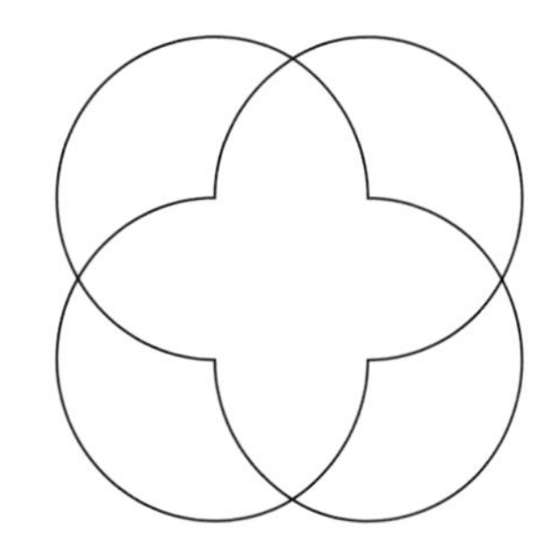

2

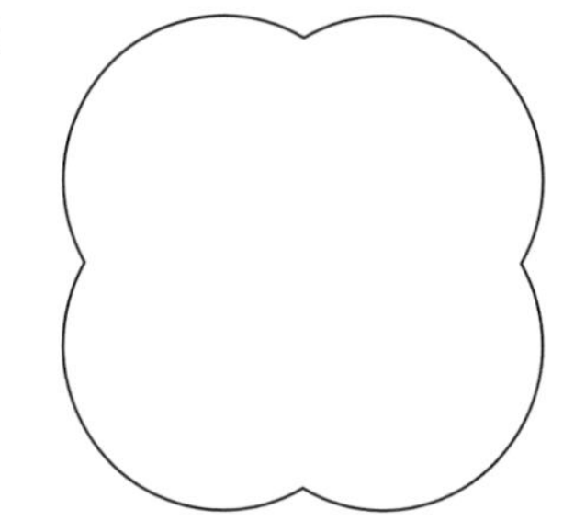

3

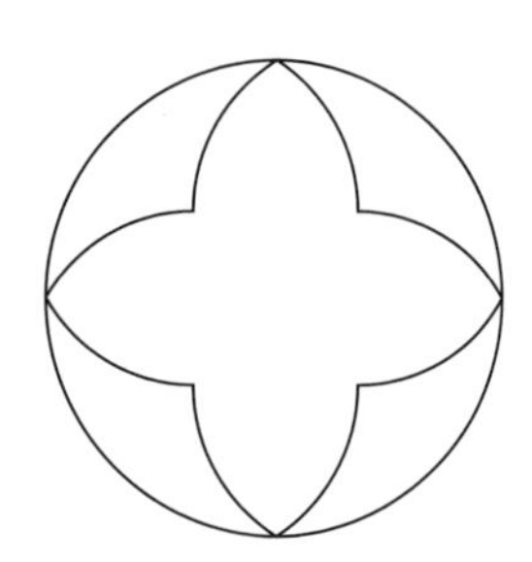

4

5

文芸	建築	2024年度 教養 No.25

東京の文化財建造物に関する記述として、妥当なのはどれか。

1　旧東宮御所（迎賓館赤坂離宮）は、明治時代に片山東熊の設計により建設された、ネオ・バロック様式の宮殿建築物である。

2　国立西洋美術館本館は、スペインの建築家アントニ・ガウディが設計した建築物で、世界遺産である彼の建築作品群のうち日本における唯一のものである。

3　浅草寺は、平安時代後期に創建された都内最古の寺で、江戸時代には徳川家康の庇護を受けて栄え、本堂（観音堂）は権現造の代表的な建築物とされる。

4　東京駅丸の内駅舎は、日本銀行本店等を手掛けたジョサイア・コンドルの設計により建設された、煉瓦造の躯体に瓦屋根を乗せた和洋折衷の建築物である。

5　東京タワーは、完成当時、パリのエッフェル塔に次ぎ世界第二位の高さであった電波塔で、戦後日本の復興の象徴とされる。

日本史　江戸時代

2024年度
教養 No.26

化政文化に関する記述として、妥当なのはどれか。

1　化政文化は、上方を中心として開花した文化であり、田沼意次が幕政の実権を握った田沼時代に最盛期を迎えた。

2　恋愛ものを扱った人情本が庶民に受け入れられたが、「春色梅児誉美」の作者である十返舎一九は、緊縮政策と風紀の刷新を図った寛政の改革で処罰された。

3　文章主体の小説で歴史や伝説を題材にした読本が読まれ、曲亭（滝沢）馬琴は、勧善懲悪・因果応報を盛り込んだ「南総里見八犬伝」を書いて評判を得た。

4　俳諧では、松尾芭蕉が故郷である信濃に生きる民衆の生活を詠み、庶民の主体性を強く打ち出した。

5　錦絵の風景画が流行し、歌川（安藤）広重が制作した「富嶽三十六景」などの作品が町人の間で高額で取引された。

世界史	戦間期の国際社会	2024年度 教養 No.27

世界恐慌又はファシズムの台頭に関する記述として、妥当なのはどれか。

1　アメリカでは、セオドア＝ローズヴェルト大統領が、ニューディールと呼ばれる経済復興政策を行い、業種ごとの価格協定を撤廃した。

2　イギリスでは、恐慌対応としてワグナー法が制定され、イギリス連邦以外の国に高率な保護関税をかけるスターリング＝ブロックを結成した。

3　イタリアでは、ムッソリーニが組織したファシスト党が一党独裁を確立し、軍事力による市場の拡大を目指してエチオピアに侵攻したが、併合には失敗した。

4　スペインでは、人民戦線政府とフランコ将軍の率いる勢力との内戦が始まり、フランコ側が、ドイツ・イタリアからも軍事的支援を得て内戦に勝利した。

5　ドイツでは、ナチ党の党首ヒトラーが、ミュンヘン一揆によりヒンデンブルク大統領を追放して政権を奪取し、大統領と首相を兼ねる総統に就任した。

ヨーロッパに関する記述として、妥当なのはどれか。

1 ヨーロッパ北部には、古期造山帯に属するピレネー山脈やアルプス山脈等の険しい山々が連なり、ヨーロッパ南部には、新期造山帯に属するスカンディナヴィア山脈が連なる。

2 大西洋や北海の沿岸地域は、日本の東北地方よりも低緯度に位置しているが、寒流の北大西洋海流と偏西風の影響により、冬の寒さが厳しい。

3 ヨーロッパの民族は大きく三つに分けられ、イギリスやドイツなど北西部の国々ではスラブ系、スペインやイタリアなど南西部や地中海沿岸の国々ではラテン系、ポーランドやチェコなど東部の国々ではゲルマン系の人々が大半を占める。

4 デンマークでは、ポルダーと呼ばれる高地で野菜や花卉(き)が栽培されるなど、大都市近郊の特性を生かした園芸農業が盛んである。

5 フランスは、農業の大規模化や機械化が進み、単位面積当たりの収穫量が多いのが特徴であり、特に小麦の自給率は100%を超えるなど、世界有数の小麦生産国として有名である。

法律	国会	2024年度 教養 No.29

参議院の緊急集会に関する記述として妥当なのはどれか。

1　緊急集会は、衆議院が解散されて総選挙が施行され、特別会が召集されるまでの間に、国会の開会を要する緊急の事態が生じた場合に、それに応えて国会を代行する参議院の集会である。

2　緊急集会を求める権限は、内閣又は参議院議員がそれぞれ有しており、参議院議員が求める場合には、参議院議員の総議員数のうち４分の１以上の賛成を要する。

3　緊急集会は、特別会や臨時会といった、常会以外の国会の召集と同様に、内閣の助言と承認により、天皇が召集する。

4　緊急集会は、国会を代行する制度であることから、議決事項には制限が設けられていない。

5　緊急集会において採られた措置は、臨時のものとされており、次の国会開会の後20日以内に衆議院の同意が得られない場合には、当該措置は初めから無効であったものとみなされる。

アメリカ合衆国の政治制度に関する記述として、妥当なのはどれか。

1 連邦議会は、各州から人口に比例して選出された議員によって構成される上院と、各州から２名ずつ選出された議員によって構成される下院からなる。

2 下院は、大統領が締結した条約に対する同意権や大統領に対する不信任決議権を有するなど、上院に対する優越が認められている。

3 大統領は、間接選挙によって４年の任期で選出され、行政府の長というだけでなく国家元首でもあり、軍の最高司令官という重い責任を負っている。

4 大統領は、法案提出権は有しないが、連邦議会が可決した法案に対する拒否権を有しており、大統領が拒否権を行使した場合、その法案は自動的に廃案となる。

5 連邦最高裁判所は、連邦議会や行政府に対して強い独立性を有しているが、違憲審査権は認められていない。

経済	会社	2024年度 教養 No.31

日本の会社法における会社に関する記述として、妥当なのはどれか。

1　会社には、株式会社、合名会社、合資会社及び合同会社の４種類があり、このうち、合名会社及び合同会社は、出資者の全員が無限責任社員で構成される。

2　株式会社の出資者は株主と呼ばれ、会社が上げた全ての利益は、全ての株主に均等に分配されなければならない。

3　株式会社が負債を抱えて倒産したとき、株主は、有限責任として、その保有する財産を限度に会社の負債を引き受ける義務を負う。

4　株式会社の設立には、取締役を３人以上置くこと、資本金を1,000万円以上としなければならないことなどの要件がある。

5　株主総会は、株式会社の最高議決機関であり、株主は所有する株式数に応じて株主総会で議決権を行使する権利を持つ。

物理　直流回路　2024年度 教養 No.32

下の図のように電池、電球及びスイッチからなる五つの回路がある。五つの回路のスイッチを同時に入れたとき、最初に電球が消灯する回路はどれか。ただし、各回路とも電池、電球及びスイッチは同一の仕様であり、スイッチ及び導線の抵抗並びに電池の内部抵抗は無視できるものとする。

1

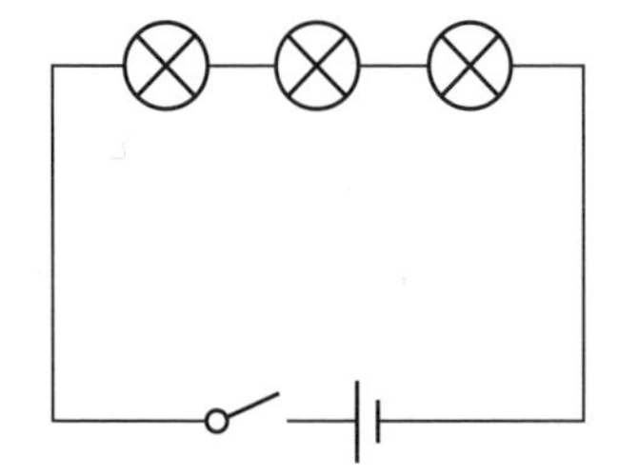

2

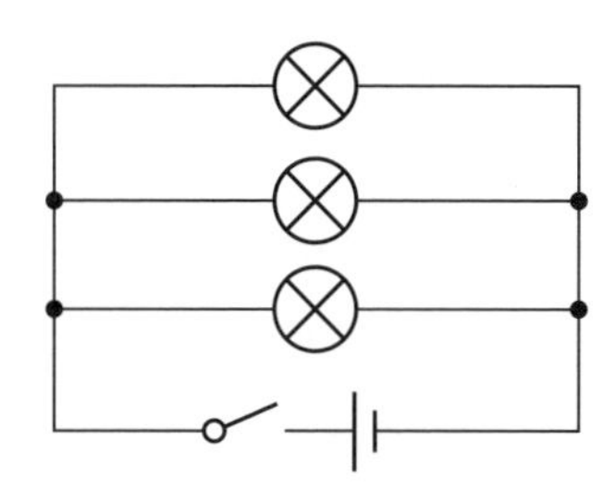

3

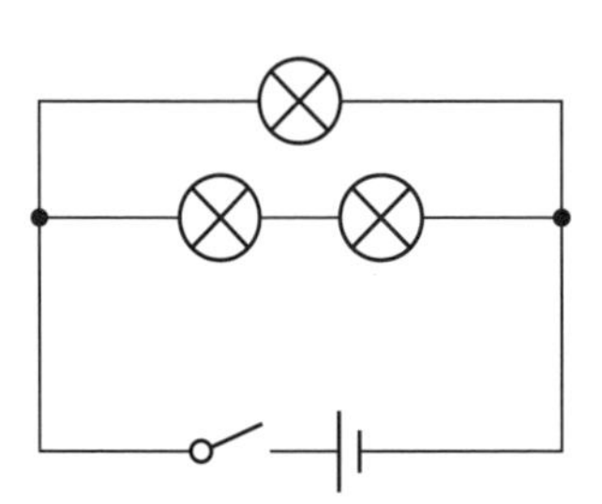

4

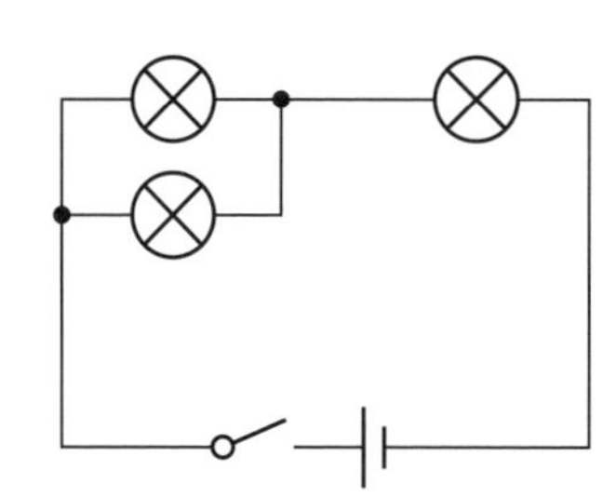

5

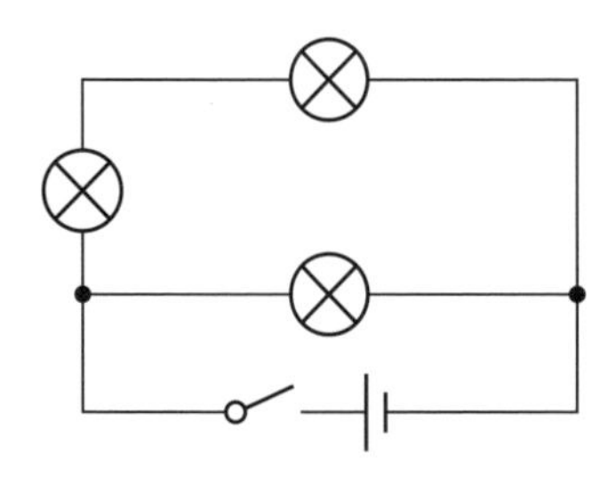

物質を分離する操作に関する記述として、妥当なのはどれか。

1　液体を含む混合物を冷却し、目的の物質を固体に変えてから分離する操作を蒸留という。

2　固体が液体にならずに直接気体になる変化を昇華といい、昇華しやすい物質を含む混合物を加熱し、気体となった物質を冷却して分離する操作を昇華法という。

3　不純物を含む固体を低温の溶媒に溶かし、濃度によって溶解度が異なることを利用して、より純粋な物質を析出させ分離する操作を再結晶という。

4　溶媒に対する溶けやすさの差を利用して、混合物から目的の物質を溶媒に溶かして分離する操作を還元という。

5　ろ紙やシリカゲルのような吸着剤に、物質が吸着される強さの違いを利用して、混合物から物質を分離する操作をろ過という。

生物 | 動物の分類 | 2024年度 教養 No.34

魚類、両生類、は虫類、哺乳類に属する動物の組合せとして、正しいのはどれか。

	魚類	両生類	は虫類	哺乳類
1	サメ	カエル	カモノハシ	クジラ
2	クジラ	イモリ	トカゲ	ウサギ
3	コイ	カメ	トカゲ	コウモリ
4	サメ	イモリ	カメ	ウサギ
5	コイ	ヤモリ	カエル	カモノハシ

地学　地球の資源

2024年度
教養 No.35

地球の資源に関する記述として、最も妥当なのはどれか。

1　地球は、表面の約80％を水で覆われているが、地球上の水の約50％は海水などの塩水で、陸地の水の大部分は氷河の氷であり、淡水で人が利用しやすい場所にある水は湖沼や河川など限られている。

2　世界の鉄鉱床の大部分は、カンブリア紀にストロマトライトとして鉄が酸化し、沈殿してできたものである。

3　中生代にリンボク等のシダ植物が繁栄し、大森林が形成され、それらの遺骸が世界各地の沼地に大量に堆積し、石油のもとになった。

4　メタンハイドレートは、メタンと水でできた氷状の物質で、低温高圧の環境で形成され、シベリアの永久凍土の下や大陸周辺の海底面下に分布し、日本近海にも存在が確認されており、将来のエネルギー資源の一つとして期待されている。

5　地熱発電は、地下のマグマや高温の火成岩体の熱を利用して、その熱で発生した蒸気を用いて発電を行うもので、利用に際して二酸化炭素の排出を伴うため、環境への影響が大きいエネルギー資源である。

社会事情	食料・農業・農村白書	2024年度 教養 No.36

昨年（編者注：2023年）５月に農林水産省が公表した「令和４年度 食料・農業・農村白書」に関する記述として、妥当なのはどれか。

1 世界的な食料情勢の変化に伴う食料安全保障上のリスクが高まる中でも、日本の供給熱量ベースの食料自給率は60％を超え、将来にわたり食料を安定的に供給していくためのターニングポイントを既に通過したとしている。

2 農林水産物・食品の輸出額は、令和４年には過去最高を更新したが、今後は気候変動による生産量の減少への対応に迫られることが想定されるため、政府は自国の食料の安定確保に軸足を移し、輸出の制限に取り組むとしている。

3 「みどりの食料システム戦略」の実現に向けて、化学肥料の使用拡大や遺伝子組換え農作物の栽培の推進等、全国各地で農業生産を増大させる取組が始動しているとしている。

4 農業者の高齢化や労働力不足が進む中、日本の農業を成長産業としていくために、スマート農業や農業のデジタルトランスフォーメーション（DX）の実現に取り組んでいくとしている。

5 過疎地域に特有の問題として、高齢者等を中心に食料品の購入や飲食に不便や苦労を感じる人が増えてきており、「食品ロス問題」として社会的な課題になっていることから、食品へのアクセスの確保に向け対応していくとしている。

社会事情　知的財産　2024年度 教養 No.37

昨年（編者注：2023年）６月に決定された「知的財産推進計画2023」に関する記述として、妥当なのはどれか。

1　本計画は、５年ごとに策定される知的財産に関する総合的な計画で、「急速に発展する生成AI時代における知財の在り方」等を重点施策とし、内閣府総合科学技術・イノベーション会議で決定された。

2　本計画では、最近のAIをめぐる動向として着目すべきものの一つに生成AIの技術の急速な進歩を挙げ、「我が国が諸外国の後塵を拝さないように、大胆な投資を行い、AI技術の進展をリードすべき」との基本認識が示された。

3　AIによる生成物は、利用者が思想感情を創作的に表現するための道具としてAIを使用したものと考えられ、当該AI生成物には著作物性が認められると整理した上で、著作権保護のための必要な法整備を今後検討するとした。

4　AIによりオリジナルに類似した著作物が生成され、著作権侵害事案が大量に発生するといった懸念を指摘し、学習用データとして用いられた元の著作物と類似するAI生成物の著作権侵害に関する考え方の明確化を図ることが望まれるとした。

5　AIが著作権者の許可なしで著作物を自由に学習できる旨規定した著作権法の規定について、著作権保護の観点から、著作権者の利益を不当に害することとなる場合には利用することができない旨を新たに記載するとした。

社会事情　首相所信表明演説　2024年度 教養 No.38

昨年（編者注：2023年）10月に召集された第二百十二回国会（臨時会）における岸田内閣総理大臣所信表明演説に関する記述として、妥当なのはどれか。

1　何よりも経済に重点を置くことを強調し、「コストカット型経済」から「成長型経済」への移行を目指すため、今後３年程度を経済の変革期間と位置付け、半導体や脱炭素への大型投資などを集中的に支援するとした。

2　税収の増収分の一部を還元し、物価高による国民の負担を緩和するため、全世帯を対象とした価格高騰緊急支援給付金を、マイナンバーと紐（ひも）付けた公金受取口座を活用するなどして迅速に支給するとした。

3　物価高対策として、令和５年末に期限を迎えるガソリン価格及び電気・ガス料金の補助を１年間延長するとともに、補助率も引き上げるとした。

4　地域交通の担い手不足などの社会問題に対応するため、個人が自家用車で乗客を運ぶライドシェアを全面的に解禁するとした。

5　国会での憲法改正原案の発議に向け、政府として条文案の具体化に取り組み、自身の首相任期中の改憲を目指すとした。

社会事情 | 刑事訴訟法改正 | 2024年度 教養 No.39

昨年（編者注：2023年）５月に公布された「刑事訴訟法等の一部を改正する法律」に関する記述として、妥当なのはどれか。

1　裁判所は、保釈を許す場合において、被告人が国内で又は国外へ逃亡することを防止するため、その位置等を把握する必要があると認めるときは、被告人に対し、位置測定端末をその身体に装着することを命じなければならない。

2　裁判所は、保釈を許す場合において、被告人の親族等、刑事訴訟法に列挙されている者の中から、被告人の監督者を選任しなければならない。

3　控訴裁判所は、拘禁刑以上の刑に当たる罪で起訴されている被告人であって、保釈等をされているものについては、事由を問わず、判決を宣告する公判期日への出頭を命じなければならない。

4　保釈等された被告人は、あらかじめ裁判所に届け出た期間を超えて住居を離れてはならず、当該期日を超えて当該住居に帰着しないときは、１年以下の拘禁刑に処する。

5　位置測定端末装着命令を受けた者が、裁判所の許可を受けないで、正当な理由がなく所在禁止区域内に所在したときは、１年以下の拘禁刑に処する。

社会事情 | 国際情勢 | 2024年度 教養 No.40

国際情勢に関する記述として、妥当なのはどれか。

1 昨年（編者注：2023年）８月、岸田首相、米国のバイデン大統領及び韓国の尹錫悦（ユンソンニョル）大統領は、米国で会談し、中国や北朝鮮の動向を念頭に日米同盟と米韓同盟の戦略的連携の強化等で合意し、日米韓首脳共同声明「キャンプ・デービッドの精神」を発表した。

2 昨年11月、バイデン大統領は２年ぶりに中国の習近平（シージンピン）国家主席と会談し、AIの安全性を高めるための政府間対話や台湾問題に関する国防当局及び軍高官による対話の枠組みの創設で合意した。

3 昨年11月、岸田首相は米国で習近平国家主席と会談し、日本産食品の輸入規制の撤廃では合意できなかったが、両国間の政治的な懸案事項は棚上げし経済を軸に共通の利益を追求する「戦略的互恵関係」の推進について再確認した。

4 昨年11月に開催されたAPEC首脳会議では、自由で開かれた貿易・投資環境の実現に向けて協働することや、ウクライナや中東情勢に積極的にコミットすることなどを明記した、2023年APEC首脳宣言「ゴールデンゲート宣言」が発表された。

5 昨年12月、日本とASEANの友好50周年を記念した特別首脳会議が東京で開催され、中国による不法な海洋権益に関する主張について、これを後押しする危険かつ攻撃的な行動に強く反対することなどを明記した共同声明が発表された。

2024年度　解答解説

〈冊子ご利用時の注意〉

この色紙を残したまま、ていねいに抜き取り、ご利用ください。

また、抜き取りの際の損傷についてのお取替えはご遠慮願います。

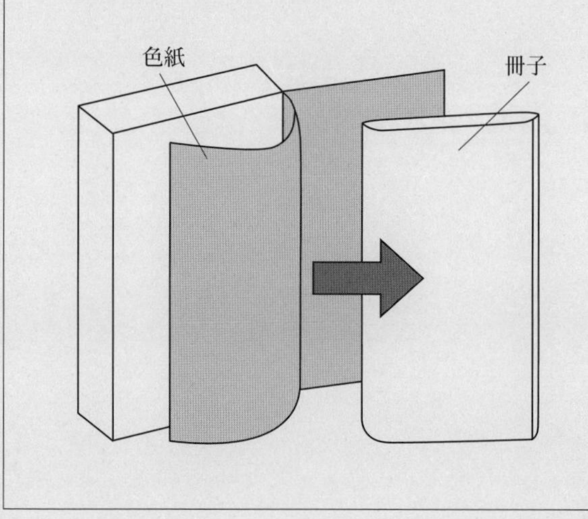

TAC出版

2024年度　教養試験　解答解説

No.1　正解　4　TAC生の正答率 93%

1　×　選択肢後半が本文と反対である。本文第１段落では、親しい人同士の会話ではリダンダンシイが小さくて済むと述べられている。

2　×　本文第１段落では、利害が対立する二者の理詰めの細かい表現について、相手を納得させるために冗語性が高くなることが述べられているが、選択肢後半の「本来リダンダンシイの問題ではない」ということは特に述べられていない。

3　×　選択肢前半は本文にない内容である。また、本文第３段落では、食べるものにこと欠くような人々でも「言語を使うことによってのムダはすることができる」とあり、選択肢後半の説明は本文と反対である。

4　○　本文第３段落～第５段落の内容をまとめた説明になっている。

5　×「物理学から導かれる普遍の法則が存在し」という内容は、本文に述べられていない。また、本文第５段落では、言語における「五脚の椅子」のように余裕がある方がよいと述べられており、選択肢の「意思疎通の障害となる」という説明は、本文と反対である。

No.2　正解　5　TAC生の正答率 59%

1　×「コモンズは、価格のつかない価値物」という箇所が誤りである。本文冒頭にはコモンズではなく「環境は価格のつかない価値物」と述べられている。また、「それを個別にマネージメントする仕組み」という箇所も誤りである。本文第１段落では、コモンズについて「個別に私的に所有するのとは異なる形でマネージメントする仕組み」と述べられている。

2　×「論文中の想定は現代では成立しない」という箇所が誤りである。本文第３段落では、ハーディンが想定したモデルについて、歴史的事実に合致するか否かについて「議論の余地がある」と述べられているだけである。

3　×「コモンズを定義した」という箇所が誤りである。本文第４段落の内容を踏まえると、「それらの管理のための組織やルールのあり方の問題」というのは、「社会的共通資本の理論を基礎においたコモンズ論」において議論の的となることであり、コモンズの定義ではない。

4　×　本文第５段落では、コモンズを解体して私有化した場合にも数多くの問題が生じることが明らかになったと述べられている。選択肢の「必要であり」、「誤謬を修正する契機になった」という説明は、本文と反対である。

5　○　本文第５段落の内容と合致する。

No.3　正解　5　TAC生の正答率 65%

冒頭の文では、「他人の心について語ること」が「振舞について語ること」であるという行動主義の考え方が説明されている。一方、並べ替えるＡからＦの文は、いずれもその具体例である「悲しみ」をめぐる説明になっている。そのため、最初に並ぶ文は、「悲しみ」を例として取り上げる文脈であるＦである。ここで、Ｆから始まる**4**と**5**にしぼり込まれる。

また、BとEの文は、共通して「悲しみの振舞」の判断ができることが、「悲しみ」の意味を知っていることであると述べられている。「…なのである」という文末は、その前に述べた内容を繰り返して説明するときによく使われる文末であり、Bの文はすべてそのような文末になっている。Eの文の1文目は、「悲しみ」の意味を了解していることが、「判断」できることに他ならないと述べた文であり、文末に「…なのである」は使われていない。一方、Eの2文目は1文目の内容を繰り返し述べた内容で、「…なのである」という文末が使われている。これらの内容の共通性や、文末表現の特徴から、E→Bという流れが見えてくる。以上のことから、**5**にしぼられる。

5の流れを確認すると、Fの文で「悲しみ」に関する例について語り起こし、Fの文の「振舞の無限集合」という表現を受けて、Cで「この無限集合」と指示語を付けた形で同じ語句が出てくる流れができる。Cの文では、どのように「振舞」の判別ができるのかという論点が示される。そこから、「判別」することに関するE→Bの流れにつながる。さらに、C→E→Bの流れをまとめるようにAの文が続き、Dの文の「そして」でつないで、「振舞」という物体運動と、非物質的な「悲しみ」が一体となっていることが述べられるという流れが完成する。

以上より、**5**が最も妥当である。

No.4 正解 2 TAC生の正答率 42%

空欄Aには「知識」が入る。本文第1段落では「情報を論理的に体系化」したものがAであると述べられているので、その意味に近い「知識」を入れるのが妥当である。また、第1段落後半では「屍のごとき[A]」、「生を吹き込まれた[A]」という表現がある。ここで、「知識」が知っている情報のことを指すのに対して、「知恵」は知っている上にそれを活かす能力があることを指す言葉だという点に注目するとよい。実際に生かされていることを前提とするのが「知恵」なので、「屍のごとき知恵」、「生を吹き込まれた知恵」という表現は不自然である。その点からも、Aには「知識」を入れるのが妥当である。

空欄Bには「形」が入る。本文第3段落では、「日本人としての[B]」の事例として、「弱者に対する涙」、「卑怯を憎む心」、「正義感」、「勇気」、「忍耐」、「誠実」が列挙されている。これらは日本人を体現したものであり、「癖」ではなく「形」だととらえることができる。そのため、空欄Bには「形」を入れるのが妥当である。

空欄Cには「獣」が入る。本文第3段落では「[C]ではない人間のあり方」という表現があり、「人間」と対比的な内容が空欄Cに入ることがわかる。「赤子」では「人間」という語と対比的にならないので、空欄Cには「獣」を入れるのが妥当である。

空欄Dには「すなわち」が入る。本文第2段落では「後天的に得られるもの」という語句と、「その人が生まれ落ちてからこれまでにどんな経験をしてきたか、によって培われる心」という語句の間に空欄Dがある。「後天的に得られるもの」を言い換えた内容が空欄Dの後に示されている流れなので、空欄Dには「すなわち」を入れるのが妥当である。

以上を踏まえて、**2**が最も妥当である。

No.5 正解 5 TAC生の正答率 28%

1 **×** 本文第1段落後半では、反対の見解を知ることで、思い惑わずにいられることが述べられている。その文脈から、「the Other Man」の立場になるとは、自分以外の別の人の視点に立つということであり、全体を見渡すような「俯瞰的な」物事の捉え方のことを言っているのではないと考えられる。

2　×　「人は思い惑うもの」という箇所が本文と反対である。本文第１段落では、自分とは反対の見解を知れば知るほど、思い惑わずに済むと述べられている。

3　×　「日本だけが自らの内心を知っている」という箇所が誤り。本文第２段落後半では、日本人も自身の心を知っているかどうか疑わしいと述べられている。

4　×　「たとえ彼らが一致団結し自分たちの側についたとしても」という内容は本文に述べられていない。

5　○　本文第４段落の内容と合致する。

［訳　文］

戦争においても政策においても、人はいつでもビスマルクが「the Other Man」と呼んだ立場をとるべきである。大臣が十分に共感的にそれを行えば行うほど、彼は正しくあることができる。彼は反対の見解を知れば知るほど、何をするべきかについて思い惑わなくなる。

しかし、深く十分な知識なしに想像することは罠となる。専門家たちの中でも、日本人の心の本当の姿を言い当てることができる者はほとんどいなかった。日本人の心とは本当に不可解であった。世代間の亀裂を生じながら、新旧の社会が混ざり合っており、外国人には理解できないような方法で、互いに反応し合っていたのである。実際に、日本人が彼ら自身の心を理解していたのかどうか、あるいは、決断するとき、彼らの性質上どのような力が優位を占めるのかについて彼ら自身が理解しているのかどうか、疑わしいものである。

愚かな人々――敵国だけでなく（味方の国にも）そのような人たちは沢山いるのだが――アメリカの力を見くびっていたのかもしれない。アメリカ人は軟弱だと言う人もいれば、アメリカ人は決して一致団結することはないだろうと言う人もいた。アメリカ人は遠くから傍観して、周囲の国々をけむに巻くだろう。アメリカ人は決して真正面から向き合うことはない。アメリカ人は決して殺戮の場に立つことはない。アメリカ人の民主主義と定期的に行われる選挙は、彼らの闘志を麻痺させてしまった。アメリカ人は近い将来、友となるのか敵となるのか判断できない曖昧な存在となるだろう。今や、私たちはアメリカ人という大勢の、しかし、よそよそしくて、裕福で、口先のうまい人々の弱さを知るべきである。

しかし、私はアメリカの南北戦争を研究しアメリカ人が死に物狂いで戦い抜くことを知っていた。そして、アメリカ人の血が私の血管にも流れている。私はエドワード・グレイが30年以上前に私に言った言葉を思い出した――アメリカは「巨大なボイラーのようなものだ。一度その底に火がつけば、際限なくその力を生み出すことができる」。私は感情と感覚を満足させられて、安心感と感謝の気持ちで床に向かい、眠りについた。

［語　句］

sympathetically：共感して・同情して　　in one's nature：本質的に
discount：見くびる　　on the horizon：近い将来　　talkative：口先がうまい

No.6　正解　4　TAC生の正答率　70%

1　×　選択肢後半の内容が誤り。本文第１段落の内容によると、クッキーをおねだりしてきたのは、トミーではなく、馬である。

2 **×** 「家におまわりさんさえ来なければ」という箇所が誤り。本文第４段落で、ピッピは警察官が来たことを幸運だと言って喜んでいる。

3 **×** 「今はここで若い叔母と暮らしている」という箇所が誤りである。本文第６段落では、ピッピが冗談で自分のことを叔母だと言っているのである。

4 **○** 本文第８段落の内容と合致する。

5 **×** 「小さい時から知っている人たちに面倒をみてもらいながら今の『子どもの家』に住んでいる」という内容は、本文に述べられていない。

[訳　文]

ある素晴らしい午後、ピッピはトミーとアンニカを、午後のコーヒーとショウガ入りクッキーでお茶をするのに招待した。彼女は玄関先でパーティーを開いていた。そこはとても天気が良く、美しく、空気はピッピの庭の花々の香りで満たされていた。ニルソンさん（注：ピッピの飼っているサル）はベランダの手すりのあたりから登ってきて、時々は、馬も頭を突き出してきて、クッキーをおねだりするのだった。

「ああ、生きているって素敵じゃない？」とピッピは言って、自分の足を思いきり伸ばした。

ちょうどその時、２人のきちんと制服を着た警察官が門を通ってやってきた。

「まあ！」ピッピは言った。「今日は幸運な日でもあるのね！　おまわりさんは私の知っている中でもまさに最高なものよ。ルバーブプリンの次にね」そして彼女は喜びに満ちた笑顔で彼らのところへ会いに行った。

「Villa Villekulla（ごたごた荘）に引っ越してきた女の子というのは君かい？」と１人の警察官が尋ねた。

「まったく正反対よ」とピッピは言った。「私は、町のはずれの建物の３階に住んでいる、小さな小さな叔母です」

彼女がそう言ったのは、警察官と少しだけ楽しく過ごしたかったためだけなのだが、警察官は楽しいとはまったく思わなかった。

彼らは彼女に、そんなに出しゃばり屋になるべきではないと言った。そして次に、この町には良い人たちがいて、その人たちが彼女を子どもの家（養護施設）に入れてあげると決めてくださったのだと話した。

「私はもう子どもの家に居場所があるの」とピッピは言った。

「何だって？」警察官の１人が尋ねた。「もう入居の手配済みだって？　どこの養護施設だい？」

「ここよ」ピッピは横柄に答えた。「私は子どもで、この家は私のもの。だから、この家は子どもの家よ。そして、ここには十分に部屋があるの。とてもたくさんの部屋があるのよ」

「お嬢ちゃん」警察官は笑顔で言った。「君は何も分かっていないよ。君は本物の子どもの家に行かなければならないんだ。そしてそこでは、誰かに君の世話をしてもらうんだよ」

「あなたの言う子どもの家に馬は連れて行っていいかしら？」ピッピは尋ねた。

「いや、もちろん駄目だよ」と、警察官は答えた。

「そうしようと思ったのに」ピッピは悲しそうに言った。「それでは、サルはどうかしら？」

「もちろん駄目だよ。君はそれを理解しなくてはならない」

[語　句]
front steps：玄関　　porch：ベランダ　　railing：手すり　　beaming：笑顔を表す
go on to：次に…する

No.7　正解　3

TAC生の正答率　83%

1　×　本文第1段落では、「ハーバード大学を卒業後」ではなく、卒業研究の一部として研究・調査が行われたと述べられている。また、「医師として病院で勤務する傍ら」、「より良い治療に向けて」という内容は本文に述べられていない。

2　×　本文と反対の内容である。本文第4段落では、最初にエドモンドソンが予想していたのとは反対の傾向が見られたと述べられている。

3　○　本文第6段落の内容と合致する。

4　×　本文第6段落では、失敗を恐れるチームは、失敗の原因の調査を避けると述べられている。また、選択肢後半の内容は本文に述べられていない。

5　×　本文と反対の内容である。本文第7段落では、従業員に失敗を認めて報告するように促すことが、改善の第一歩になると述べられている。

[訳　文]

1990年代半ば、エミー・エドモンドソンは、かなり単純な研究と彼女が考えていたデータの分析をしていたとき、ある奇妙なことに気がついた。

彼女は、ハーバード大学における組織行動についての卒業研究の一部として、病院内のチームダイナミックス（注：チームや集団が個人に与える影響、または、個人がチームや集団に与える影響のこと）について調査していた。エドモンドソンの調査の中核をなす疑問は、「よりよい同僚との関係性にある看護師は、ミスを減らすことができるのか」というものである。

彼女はかなり明白なケースを期待していた。協力的な環境で働くことで、看護師は自身の仕事に、より集中することができるというのは理にかなっている。もちろん、彼らはミスが少なくなる。言うまでもない！

しかし、そうはならなかった。実際に、エドモンドソンが目の当たりにしたのは、まったく反対の傾向だった。看護師とマネージャーや同僚との関係性が良ければ良いほど、より多くのミスをしているように思われるのである。

これはどういうことだろうか。

最初、エドモンドソンは驚いた。しかし、少しずつ答えが明らかになった。関係性が密なグループの看護師は、実際には、より多くのミスを**する**わけではない――彼らは単純にそれらをより多く**報告する**のである。その理由はシンプルである。失敗を報告することの結果が深刻すぎる場合、従業員たちは失敗を報告するのを完全に避ける。しかし、安心できる労働環境で、失敗が学習の自然な過程だとみなされる場合、従業員はそれを隠そうとはしない傾向がある。興味深い推論は、（失敗することに）不安を感じているチームは、失敗の原因を調査することを避けるということである。だからこそなおさら、彼らの失敗は将来、再び繰り返される可能性がある。

失敗を認めることを恐れるチームがあることは危険な問題であり、特に、失敗の兆候がすぐには顕在化しないという点で危険である。表面的にはよく機能しているように見えるグループは、実際のところ、麻痺しすぎていて自分たちの欠点を認めることができないグループなのかもしれない。それと対照的に、自分たちの失敗を自由に認められるチームは、他者の失敗からより多くを学ぶことができる。彼らは、彼らの（仕事の）プロセスを微調整することで、失敗を繰り返すことを防ぐために一段と進歩することもできる。従って、長期的には、従業員に失敗の報告を奨励することが、改善点を見つけるためにきわめて重要な第一歩となるのである。

［語　句］
fairly：かなり　　prone：…になりやすい・傾向がある　　implication：結果
all the more：なおさら

No.8　正解　3　　TAC生の正答率 41%

1　×　選択肢前半は、本文第１段落の内容と合致するが、選択肢後半の「私は間違えて別の家に入りそうになってしまった」という内容は本文に述べられていない。

2　×「返事はなかった」という箇所が誤り。本文第２段落では、曖昧な返事ではあるものの返事をしていることが描写されている。

3　○　本文第２段落後半の内容と合致する。

4　×　本文第３段落では、母親の緊張している理由について、カパルディさんにこれから会うためなのか、父親が来るためなのか、どちらか分からないと述べられている。

5　×　本文第３段落では、母親が電話をしている相手について、カパルディさんではなく、父親だろうと述べられている。また、電話の相手がカパルディさんだったのなら、壁に耳を押し当てて話を聞きたいところだと仮定した内容が述べられているものの、実際にはジョジーを心配させないために、それを行わなかったことが語られている。

［訳　文］
　フレンズアパートメントはタウンハウスの中にあった。居間の窓からは、通りの反対側にも同じようなタウンハウスが見える。６棟が一列に横並びになっていて、それぞれの前面は少しずつ違う色で塗られていた。居住者が間違った階段を登って、誤って隣の家に入っていくのを防ぐためだろう。
　肖像画家カパルディさんに会いに出かける40分前、私はその日見たこのような風景の観察を、ジョジーに語り伝えていた。彼女は私の背後にある革のソファに寝転がり、黒い本棚からとったペーパーバックを読んでいた。彼女が両ひざを立てているところへ、お日様の模様が降りかかり、彼女は読書に没頭していたので、曖昧な返事しか返してこなかった。私にとってこれは喜ばしいことだ。つい先ほどまで、彼女は待ちながら、とても緊張していたのだから。私が三連窓の前に立ち、父親のタクシーが外に止まったらすぐに教えると伝えると、彼女は明らかに緊張がほぐれたように見えた。
　ジョジーの母親も緊張していた。それがカパルディさんとこれから会うことになっているからなのか、それとも、ジョジーの父親がもうすぐ来るからなのか、私にはよくわからない。さっき母親は居間から出ていって、隣の部屋からは電話する声が聞こえてくる。壁に頭を押し当てれば、彼女の言葉も聞き取れそうで、もしも相手がカパルディさんなら、私はそうしたいところだった。しかし、そのようなことをしたら、ジョジーをいっそう不安がらせることになるかもしれないと私は思った。いずれにしても、母親は父親と話している可能性が高く、道順を教えているのだろうと思われた。

[語　句]
in a row：列になって並んでいる　　make observation：所見を述べる
set off：出かける　　it occurred to me：ふと思い浮かんだ

No.9　正解　1

TAC生の正答率　73%

冒頭の文と条件アより、チェンマイへの旅行経験がある社員の人数は100－56＝44［人］である。条件ウより、アユタヤとプーケットの２か所のみの社員の人数をx［人］とおくと、アユタヤのみの社員の人数は$3x$［人］となる。これらの数値および条件イ、ウをベン図に整理すると図１のようになる。

さらに、条件エの前半より、３か所の旅行経験が全てある社員の人数が８人であるので、アユタヤとチェンマイの２か所のみの社員の人数は18－8＝10［人］、チェンマイとプーケットの２か所のみの社員の人数は17－8＝9［人］である。これらの数値および条件エの後半を図１に加えると図２のようになる。

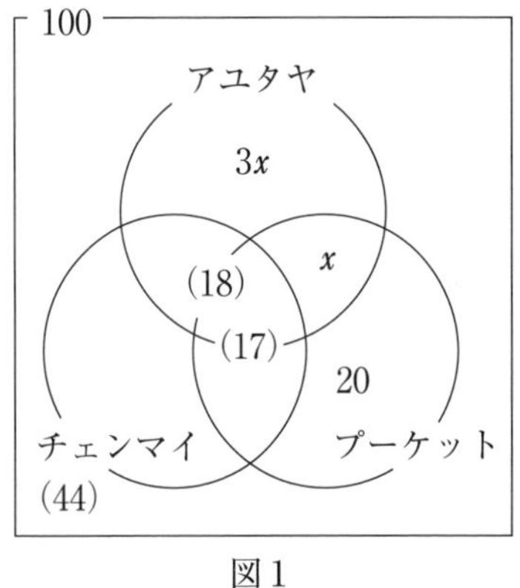

図１

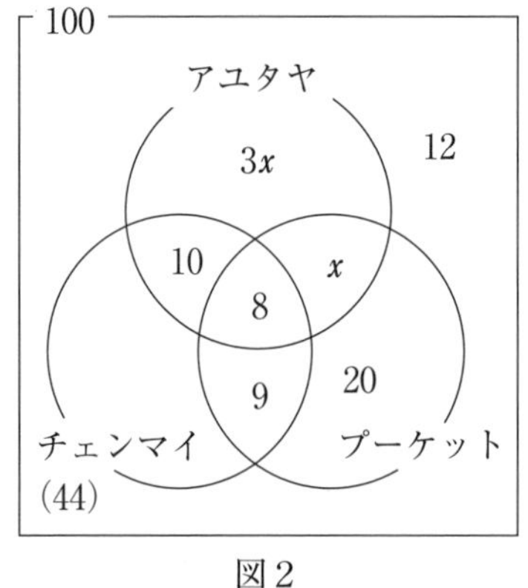

図２

図２より、チェンマイのみの社員の人数は44－(10＋8＋9)＝17［人］である。また、社員全員の人数に着目すると、全体の100人は$44+3x+x+20+12=76+4x$［人］と等しいので、$100=76+4x$が成り立ち、これを解くと、$x=6$［人］となる。よって、図２より、アユタヤのみの社員の人数は3×6＝18［人］となる。

したがって、アユタヤのみの社員の人数とチェンマイのみの社員の人数の差は18－17＝1［人］であるので、正解は**1**である。

No.10　正解　5

TAC生の正答率　82%

条件と中央に対し対称な位置にある２マスに16と１があり、16＋1＝17であるから、この魔方陣は中央に対し対称な２マスの和が17である性質をもつことがわかる。そこで、対称な２マスの一方の数字がわかっているマスに対してもう一方のマスに数字を入れると、次のようになり、B＝12となる。

4	9	5	16
14			
A			3
1	12	8	13

縦、横、対角線の4マスの和は34であるので、マスAを含む縦列に着目すると、4＋14＋A＋1＝34が成り立ち、A＝15となる。

よって、マスA及びBに入る数字の和は15＋12＝27であるので、正解は**5**である。

No.11 正解 1

TAC生の正答率 56%

Aチームの優勝が決まるのは、3勝目を3試合目にした場合、4試合目にした場合、5試合目にした場合の3通りがある。まず、場合分けしてそれぞれの確率を求める。

(i) 3勝目を3試合目にした場合

Aチームは、1試合目、2試合目、3試合目にすべて勝てばよいので、確率は$\frac{1}{4}\times\frac{1}{4}\times\frac{1}{4}=\frac{1}{64}$である。

(ii) 3勝目を4試合目にした場合

3試合目までにAチームが2勝、Bチームが1勝し、4試合目にAチームが勝てばよい。よって、勝ち方として、例えば、1試合目、2試合目にAが、3試合目にBが、そして4試合目にAが勝つとき、その確率は$\frac{1}{4}\times\frac{1}{4}\times\frac{3}{4}\times\frac{1}{4}=\frac{3}{256}$である。これは一例にすぎず、Aチームが3試合目までに2勝する勝ち方は${}_3C_2=3$[通り]あるので、(ii)の確率は$\frac{3}{256}\times3=\frac{9}{256}$である。

(iii) 3勝目を5試合目にした場合

4試合目までにAチームが2勝、Bチームが2勝し、5試合目にAチームが勝てばよい。よって、勝ち方として、例えば、1試合目、2試合目にAが、3試合目、4試合目にBが、そして5試合目にAが勝つとき、その確率は$\frac{1}{4}\times\frac{1}{4}\times\frac{3}{4}\times\frac{3}{4}\times\frac{1}{4}=\frac{9}{1024}$である。これは一例にすぎず、Aチームが4試合目までに2勝する勝ち方は${}_4C_2=6$[通り]あるので、(iii)の確率は$\frac{9}{1024}\times6=\frac{27}{512}$である。

以上より、求める確率は$\frac{1}{64}+\frac{9}{256}+\frac{27}{512}=\frac{53}{512}$となるので、正解は**1**である。

No.12 正解 5

TAC生の正答率 66%

条件アよりAは歌舞伎を鑑賞したことがなく、条件イよりBは能を鑑賞したことがないことがわかる。これらと、条件アのDが歌舞伎を鑑賞したことを○×表に整理すると表1のようになる。

表1	歌	能	オ	
A	×			1
B		×		1
C				1
D	○	×	×	1
				4

条件ウについて、2人だけが鑑賞したものが歌舞伎の場合と能の場合で場合分けして考える。表1より、歌舞伎の場合は、その2人がさらにBとDの場合とCとDの場合に分けて考える。能の場合はAとCの場合だけである。

(i) BとDが歌舞伎を鑑賞したことがある場合（表2）

能およびオペラを鑑賞したことがあるのは1人ずつである。表2より、AとCが鑑賞したものの組合せは、(A，C)=(能，オペラ）または（オペラ，能）のどちらかとなるが、これ以上はわからない。

表2	歌	能	オ	
A	×			1
B	○	×	×	1
C	×			1
D	○	×	×	1
	2	1	1	4

(ii) CとDが歌舞伎を鑑賞したことがある場合（表3）

能およびオペラを鑑賞したことがあるのは1人ずつである。表3より、Bが鑑賞したことがあるものはオペラ、Aが鑑賞したことがあるものは能とわかる（表4）。

表3	歌	能	オ	
A	×			1
B	×	×		1
C	○	×	×	1
D	○	×	×	1
	2	1	1	4

表4	歌	能	オ	
A	×	○	×	1
B	×	×	○	1
C	○	×	×	1
D	○	×	×	1
	2	1	1	4

(iii) AとCが能を鑑賞したことがある場合（表5）

歌舞伎およびオペラを鑑賞したことがあるのは1人ずつである。表5より、Bが鑑賞したことがあるものはオペラとわかる（表6）。

表5	歌	能	オ	
A	×	○	×	1
B	×	×		1
C	×	○	×	1
D	○	×	×	1
	1	2	1	4

表6	歌	能	オ	
A	×	○	×	1
B	×	×	○	1
C	×	○	×	1
D	○	×	×	1
	1	2	1	4

よって、表2、4及び6より、正解は**5**である。

No.13　正解　3　TAC生の正答率 70%

開園前から入場ゲートに並んでいた来園者の人数をa[人]、開園後に1分間に入場ゲートに並んだ来園者の人数をx[人]、1つの入場ゲートで1分間に受け入れた来園者の人数をy[人]とおく。

まず、「一つの入場ゲートで来園者を受け入れた場合、行列がなくなるまで30分かかり」とあるので、次の式が成り立つ。

$a+x\times30-(y\times1)\times30=0 \Leftrightarrow a+30x=30y$…①

次に、「二つの場合、10分かかる」ので、次の式が成り立つ。

$a+x\times10-(y\times2)\times10=0 \Leftrightarrow a+10x=20y$…②

さらに、三つの入場ゲートで来園者を受け入れた場合、行列がなくなるのにかかる時間をt[分]とおくと、次の式が成り立つ。

$a+x\times t-(y\times3)\times t=0 \Leftrightarrow a+xt=3yt$…③

①−②より、$20x=10y \Leftrightarrow y=2x$…④が得られ、④を②に代入すると、$a+10x=20\times2x \Leftrightarrow a=30x$…⑤が得られる。

④と⑤を③に代入すると、$30x+xt=3\times2x\times t$が得られ、$x\neq0$より、両辺をxで割ると、$30+t=6t$が得られる。tについて解くと、$5t=30$より$t=6$[分]となる。

よって、正解は**3**である。

No.14　正解　1　TAC生の正答率 61%

677を第n項とする。

与えられた数列の階差を取ると、+1、+3、+5、+7、+9、+11、…である。この階差を用いて、第2項からを表してみると次のようになる。

第2項：　2=1+1
第3項：　5=1+(1+3)
第4項：　10=1+(1+3+5)
第5項：　17=1+(1+3+5+7)
第6項：　26=1+(1+3+5+7+9)
第7項：　37=1+(1+3+5+7+9+11)
第n項：677=1+(1+3+5+7+9+11+…+[?])

第7項を見ると、(　) 内は、初項1、公差2の等差数列の和であることがわかる。そして、(　) 内の数の個数に着目すると、第3項には2個、第4項には3個、第5項には4個、…であるので、第n項には($n-1$)個あることがわかる。よって、第n項の(　　)内は、階差の初項から第($n-1$)項までの和であることがわかる。

次に、($n-1$)項の数[?]を求める。第n項の(　)の等差数列の第2項以降を、公差2を用いて表すと次のようになる。

第2項：　3=1+2
第3項：　5=1+2+2
第4項：　7=1+2+2+2
第5項：　9=1+2+2+2+2

第6項：$11=1+2+2+2+2+2$

1に足されている「2」の個数に着目すると、第2項には1個、第3項には2個、第4項には3個、…であるので、第（$n-1$）項には「2」が（$n-2$）個足されていることがわかる。よって、第（$n-1$）項の[?]は$1+2\times(n-2)=2n-3$となる。

よって、第n項は$1+\dfrac{\{1+(2n-3)\}\times(n-1)}{2}$となり、これが677であるので、次の式が成り立つ。

$$1+\frac{\{1+(2n-3)\}\times(n-1)}{2}=677$$

上の式を整理すると、$(n-1)^2=676 \Leftrightarrow (n-1)^2=(\pm 26)^2$、$n-1>0$より、$n-1=26 \Leftrightarrow n=27$となる。

よって、677は第27項であるので、正解は**1**である。

No.15　正解　4

TAC生の正答率　38%

BEは一辺の長さが$4\sqrt{3}$の正方形の対角線の長さの半分であり、対角線の長さは（一辺の長さ）×$\sqrt{2}$であるので、BEの長さは$4\sqrt{3}\times\sqrt{2}\div 2=2\sqrt{6}$である。同様に、BFは一辺の長さが8の正方形の対角線の長さの半分であり、対角線の長さは（一辺の長さ）×$\sqrt{2}$であるので、BFの長さは$8\times\sqrt{2}\div 2=4\sqrt{2}$である。

また、BEの延長線に対してFから垂直に引いた線との交点をIとおき、直角三角形BFIに着目する。$\angle ABE=\angle CBF=45°$、$\angle ABC=60°$より、$\angle EBF=150°$であるので、$\angle FBI=180-150=30$[°]である。これより、直角三角形BFIの3つの内角は30°、60°、90°となる（図1）。したがって、$BF=4\sqrt{2}$より、$FI=2\sqrt{2}$、$BI=2\sqrt{6}$となる（図2）。

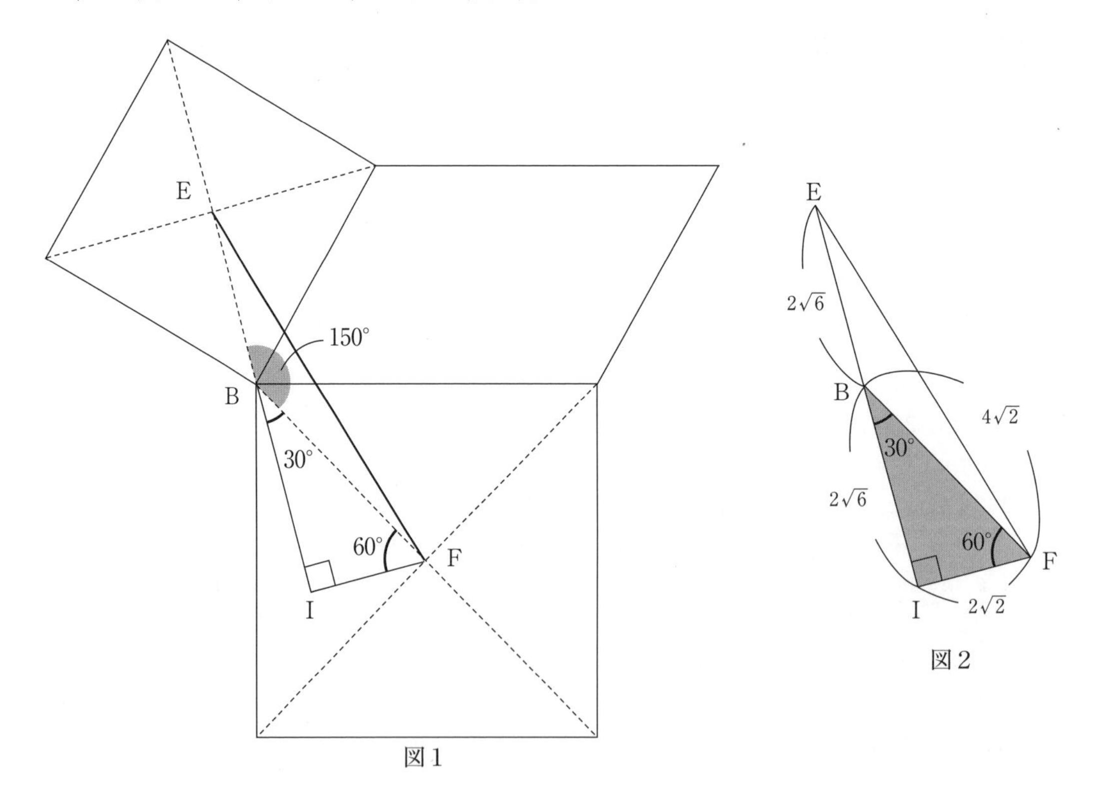

図1

図2

図2の直角三角形EFIに着目すると、三平方の定理より、$EF^2=EI^2+FI^2$が成り立つので、$EF^2=(2\sqrt{6}+2\sqrt{6})^2+(2\sqrt{2})^2=104$となる。

図形の対称性より、四角形EFGHは正方形であるので、面積は$EF^2=104$である。

よって、正解は**4**である。

No.16　正解　2　　TAC生の正答率 28%

ABは直径であるので、∠ACB＝∠ADB＝90°である。よって、図１のように△ABCと△ABDは直角三角形であるので、三平方の定理よりACの長さを求めると、$AC^2=12^2-8^2=80$となり、$AC>0$より$AC=4\sqrt{5}$である。また、ADの長さを求めると、$AD^2=12^2-4^2=128$となり、$AD>0$より$AD=8\sqrt{2}$となる。

よって、△ABCと△ABDの面積は、$\triangle ABC=8\times4\sqrt{5}\times\frac{1}{2}=16\sqrt{5}$、$\triangle ABD=4\times8\sqrt{2}\times\frac{1}{2}=16\sqrt{2}$となる。

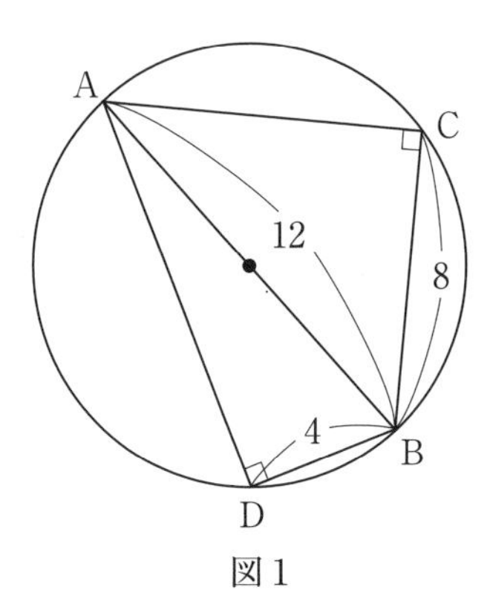

図１

円周角の定理より、∠BAD＝∠BCD、∠BDC＝∠BAC、∠ABC＝∠ADC、∠ACD＝∠ABDが成り立つ。よって、図２のように、△ACPと△DPBは相似な三角形となり、相似比は$4\sqrt{5}:4=\sqrt{5}:1$であるので、$AP:DP=\sqrt{5}:1$（…❶）となる。また、同様にして、△ADPと△CBPも相似な三角形となり、相似比は$8\sqrt{2}:8=\sqrt{2}:1$であるので、$DP:BP=\sqrt{2}:1$（…❷）となる（図３）。❶と❷で連比を作ると、$AP:DP:BP=\sqrt{10}:\sqrt{2}:1$となる（図４）。

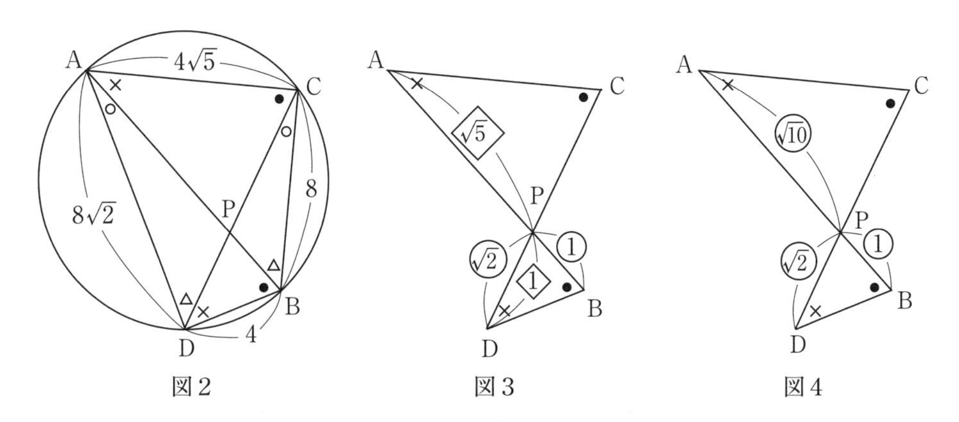

△BCD＝△BCP＋△DBPである（図５）。△ACPと△BCPは高さが等しいので、$\triangle BCP=\triangle ABC\times\frac{1}{\sqrt{10}+1}$、同様に、△ADPと△DBPは高さが等しいので、$\triangle DBP=\triangle ABD\times\frac{1}{\sqrt{10}+1}$となり、計算すると次のようになる。

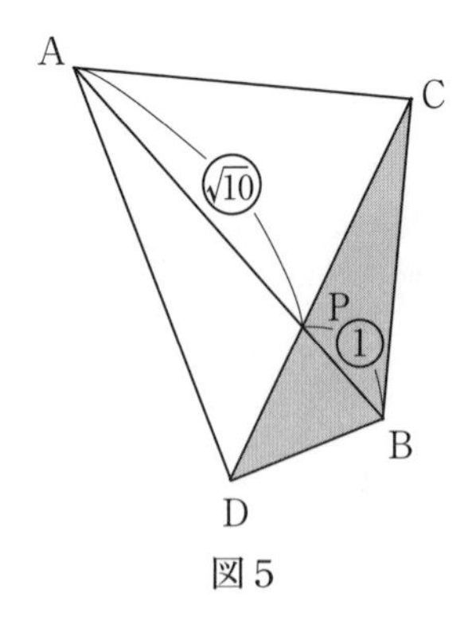

図5

$\triangle BCD = 16\sqrt{5} \times \frac{1}{\sqrt{10}+1} + 16\sqrt{2} \times \frac{1}{\sqrt{10}+1} = 16 \times \frac{1}{\sqrt{10}+1} \times \frac{\sqrt{10}-1}{\sqrt{10}-1} \times (\sqrt{5}+\sqrt{2}) = \frac{16}{9} \times (\sqrt{10}-1)$
$\times (\sqrt{5}+\sqrt{2}) = \frac{16}{9} \times (4\sqrt{2}+\sqrt{5})$

よって、正解は**2**である。

No.17　正解　4　TAC生の正答率 45%

A、B、Cのランチは少なくとも1つは注文されたので、合計金額の40,400円から1800＋2200＋2600＝6600[円]を引いた33,800円の金額で、17人についての注文の組合せを考えることにする。

Aランチを注文した客をa[人]、Bランチを注文した客をb[人]とおくと、Cランチを注文した客は$(17-a-b)$［人]となり、次の式が成り立つ。

$1800 \times a + 2200 \times b + 2600 \times (17-a-b) = 33800 \, (a,\ b \geqq 0)$

両辺を100で割り、整理すると、$2a+b=26 \Leftrightarrow b=2(13-a)$ …①が得られる。①より、bは0および2の倍数であるので、具体的に数値を代入して検討していく。

・$b=0$のとき、①より$a=13$となり、Cランチを注文した客は$17-0-13=4$[人]である。
　※実際の注文は、Aランチが14人、Bランチが1人、Cランチが5人である。
・$b=2$のとき、①より$a=12$となり、Cランチを注文した客は$17-2-12=3$[人]である。
・$b=4$のとき、①より$a=11$となり、Cランチを注文した客は$17-4-11=2$[人]である。
・$b=6$のとき、①より$a=10$となり、Cランチを注文した客は$17-6-10=1$[人]である。
・$b=8$のとき、①より$a=9$となり、Cランチを注文した客は$17-8-9=0$[人]である。
　※実際の注文は、Aランチが10人、Bランチが9人、Cランチが1人である。
・$b=10$のとき、①より$a=8$となり、この時点で17人を上回る。よって、10より大きい値においては、不適となる。

以上より、注文の組合せは5通りであるので、正解は**4**である。

No.18　正解　5　TAC生の正答率 76%

1　×　基準を100としたときの指数が125を下回っているということは、基準の125%を下回っているということと同じである。平成30年の「技能実習」による外国人労働者数は308,489人で、308,489人の125%の値は、約308,000＋308,000÷4＝385,000[人]である。令和2年の「技能実習」による外国人労働者数は402,356人であるから、平成30年の125％を下回っていない。

2 ×　グラフより、令和４年の５種類の資格の外国人労働者数の合計は、約1,800,000人であり、1,800,000の20％の値は、180,000×2＝360,000[人]である。令和４年の「資格外活動」による外国人労働者数は330,910人であるから、令和４年の５種類の資格の外国人労働者数の合計の20％を上回っていない。

3 ×　令和３年に着目すると、「特定活動」による外国人労働者数の９倍の人数は65,928×9≒65,900×9＝593,100[人]である。よって、令和３年の「身分に基づく在留資格」による外国人労働者数は580,328人であるから、「特定活動」による外国人労働者数を９倍以上、上回っていない。

4 ×　各年において「特定活動」と「技能実習」を合わせた外国人労働者数と「専門的分野等の在留資格」による外国人労働者数を比べると、令和４年以外はすべて「特定活動」と「技能実習」を合わせた外国人労働者数の方が多い。そこで令和４年を見ると、「特定活動」と「技能実習」を合わせた外国人労働者数の方が約480,000－(73,400＋343,000)＝63,600[人]少ない。しかし、平成30年を見ると、逆に「特定活動」と「技能実習」を合わせた外国人労働者数の方が約308,000＋35,600－277,000＝66,600[人]多い。この差を相殺したとしても「特定活動」と「技能実習」を合わせた外国人労働者数の方が多い。よって、５か年の「特定活動」と「技能実習」を合わせた外国人労働者数の合計は、「専門的分野等の在留資格」による外国人労働者数の合計を下回っていない。

5 ○　令和２年の在留資格別外国人労働者数のおおよその対前年増加率を求める。「特定活動」は令和元年が約41,100人で、令和２年は約45,600－41,100＝4,500[人]増加し、41,100の10％は4,110であるので、増加率は10％以上である。「専門的分野等の在留資格」は令和元年が約329,000人で、令和２年は約360,000－329,000＝31,000[人]増加し、329,000の10％は32,900であるので、増加率は９％以上10％未満である。「技能実習」は令和元年が約384,000人で、令和２年は約402,000－384,000＝18,000[人]増加し、384,000の１％は3,840であるので、増加率は５％未満である。「資格外活動」は$\frac{370,346}{372,894}<1$であるので、増加率はマイナスである。「身分に基づく在留資格」は令和元年が532,000人で、令和２年は約546,000－532,000＝14,000[人]増加し、532,000の１％は5,320であるので、増加率は３％未満である。よって、対前年増加率が最も大きいのは「特定活動」、次に大きいのは「専門的分野等の在留資格」である。

No.19　正解　5　　TAC生の正答率 67%

1 ×　基準を100としたときの指数が105を上回っているということは、基準の105％を上回っているということと同じである。2017年の道路貨物運送業の売上高は223,684億円で、223,684億円の105％の値は、約224,000＋11,200＝235,200[億円]である。2020年の売上高は232,131億円であるから、2017年の105％を上回っていない。

2 ×　鉄道業の売上高の４か年の年平均が65,000億円を下回っているということは、鉄道業の売上高の４か年の合計が65,000×4＝260,000[億円]を下回っていることと同じである。４か年の鉄道業の売上高の合計は約82,500＋83,100＋50,300＋47,900＝263,800[億円]であり、260,000億円を下回っていない。

3 ×　グラフより、2021年の５分類の運輸業の売上高の合計は、約400,000億円であり、400,000の

15％の値は、40,000＋20,000＝60,000［億円］である。2021年の鉄道業の売上高は47,899億円であるから、2021年の５分類の運輸業の売上高の合計の15％を上回っていない。

4　×　2020年に着目すると、倉庫業の売上高は41,896億円で、41,896億円の55％の値は、約41,900÷2＋4,190÷2＝23,045［億円］である。2020年の道路旅客運送業の売上高は25,525億円であるから、倉庫業の売上高の55％を下回っていない。

5　○　2021年の運輸業５分野の売上高のおおよその対前年増加率を求める。「道路旅客運送業」は2020年が約25,500億円で、2021年は約25,500－23,000＝2,500［億円］減少し、25,500の10％は2,550であるので、減少率は10％程度である。「倉庫業」は2020年が約41,900億円で、2021年は約43,900－41,900＝2,000［億円］増加し、41,900の１％は419であるので、増加率は４％以上５％未満である。「水運業」は2020年が約48,300億円で2021年は約54,300－48,300＝6,000［億円］増加し、48,300の10％は4,830であるので、増加率は10％以上である。「鉄道業」は2020年が約50,300億円で、2021年は約50,300－47,900＝2,400減少し、50,300の10％は5,030であるので、減少率は10％未満である。「道路貨物輸送業」は2020年が約232,000億円で、2021年は約240,000－232,000＝8,000［億円］増加し、232,000の１％は2,320であるので、増加率は４％未満である。よって、対前年増加率が最も大きいのは水運業で、最も小さい（＝減少率が最も大きい）のは道路旅客輸送業である。

No.20　正解　2

TAC生の正答率　62％

1　×　2018年のピアノの販売額が100、対前年増加率は2019年が約＋４％、2020年が約－13％、2021年が約＋27％であるので、2021年の指数は100×1.04×0.87×1.27＝104×0.87×1.27である。104の87％は104－10.4－1.04×3≒90.5であり、90.5の127％は90.5＋9.05×3－0.905×3≒115であり110を下回っていない。

2　○　2019年の管楽器の販売額を100とすると、対前年増加率は2020年が約－28％より倍率は0.72であるので、2020年の値は100×0.72＝72である。2021年が約＋13％より倍率は1.13であるので、2021年の値は72×1.13≒81.4である。2022年が約＋15％より倍率は1.15であるので、2022年の値は81.4×1.15≒93.6である。よって、販売額が最も多いのは2019年であり、最も小さいのは2020年である。

3　×　ギターに対するピアノの販売額の比率は$\frac{\text{ピアノ}}{\text{ギター}}$である。2021年の対前年増加率に着目すると、ギターの販売額は約＋13％、ピアノの販売額は約＋27％である。2020年のピアノ、ギターの販売額をそれぞれ100とすると、ギターに対するピアノの販売額の比率は、2020年は$\frac{100}{100}=1$、2021年は$\frac{100\times1.27}{100\times1.13}=\frac{127}{113}>1$となる。よって、2021年のギターに対するピアノの販売額の比率は前年に比べて減少していない。

4　×　ピアノに着目すると、2019年のピアノの販売額を100とし、対前年増加率は2020年が約－13％、2021年が約＋27％であるので、2020年の値は100×0.87＝87である。2021年の値は87×1.27、つまり、87の127％は87＋8.7×3－0.87×3≒110となる。よって、販売額が2019年に比べて増加したのはギターのみではない。

5　×　2019年の電子キーボードの販売額を100とすると、対前年増加率は2020年が約－11％、2021

年が約＋５％、2022年が約－２％である。近似法計算で求めると、2020年の値は100－11＝89、2021年の値は89＋5＝94、2022年の値は94－2＝92となる。2019年から2021年の３か年の平均は(100＋89＋94)÷3≒94であるので、2022年の値は2019年から2021年の３か年の年平均を上回っていない。

No.21　正解　4

TAC生の正答率 58%

1 × 2018年度の番組放送権の輸出額は519[億円]×23.3％であり、約52×2＋5×3＋0.5×3＝120.5[億円]である。2020年度に着目すると、輸出額は571[億円]×20.3％であり、約57×2＋0.6×3＝115.8[億円]であるので、輸出額は（2018年度）＞(2020年度）である。よって、輸出額が最も少ないのは2018年度ではない。

2 × 基準を100としたときの指数が85を下回っているということは、基準の85％を下回っているということと同じである。2017年度の番組リメイク権の輸出額は445[億円]×4.0％であり、約4.5×4＝18[億円]で、18億円の85％の値は、1.8×8＋1.8÷2≒15.3[億円]である。2021年度は656[億円]×2.5％であり、約6.6×2＋0.7×5＝16.7[億円]であるから、2017年度の85％を下回っていない。

3 × 2018年の対前年度増加率の大小関係は、2017年度に対する2018年度の比率の大小関係と同じであるので、比率で考えることにする。2017年度に対する2018年度の比率は$\frac{(2018年度の放送コンテンツ海外輸出額の合計)\times(ある項目の構成比)}{(2017年度の放送コンテンツ海外輸出額の合計)\times(ある項目の構成比)}$で表すことができ、$\frac{(2018年度の放送コンテンツ海外輸出額の合計)}{(2017年度の放送コンテンツ海外輸出額の合計)}$が共通であるので、$\frac{2018年度のある項目の構成比}{2017年度のある項目の構成比}$の分数だけで大小関係が判断できる。番組リメイク権は$\frac{8.1}{4.0}$、インターネット配信権は$\frac{33.5}{27.9}$となり、$\frac{8.1}{4.0}>2$、$\frac{33.5}{27.9}<2$であるので、番組リメイク権の輸出額の対前年度増加率はインターネット配信権の輸出額の対前年度増加率を下回っていない。

4 ○ ３か年におけるその他の輸出額の年度平均が25億円を上回っているということは、３か年におけるその他の輸出額の合計が25×3＝75[億円]を上回っているということと同じである。2019年度は525[億円]×5.9％≒30.975[億円]、2020年度は571[億円]×5.7％＝32.547[億円]、2021年度は656[億円]×2.5％＝16.4[億円]である。３か年の合計は、約31.0＋32.5＋16.4＝79.9[億円]となり、75億円を上回っている。

5 × 2020年度に着目する。2020年度の商品化権の輸出額とインターネット配信権の輸出額の差は、571×(38.5－32.6)％＝571×5.9％であり、大きく見積もっても6×6＝36[億円]である。よって、2020年度の商品化権の輸出額はインターネット配信権の輸出額を40億円以上、上回っていない。

No.22　正解　3

TAC生の正答率 61%

正八面体の面の数は８つであるので、各面に任意の１点を定める場合、点は８点できる。これらのうち２点を結ぶ直線の本数は、８点から２点を選んだ組合せと同じである。

よって、直線の本数は${}_8C_2=\frac{8\times7}{2\times1}=28$[本]となるので、正解は**3**である。

No.23　正解　5　　TAC生の正答率 13%

△ADPと△CBPに着目する。AP＝CP、DP＝BP、∠APD＝∠BPC＝180－60＝120°より、△ADPと△CBPは合同な三角形であることがわかる。

さらに、DPとBCの交点をEとおき、△EBPと△EDQに着目する。∠EBP＝∠EDQ、対頂角より∠BEP＝∠DEQより、△EBPと△EDQは相似な三角形であることがわかる。よって、∠DQE＝60°より、∠AQB＝180－60＝120°であることがわかる（図１）。

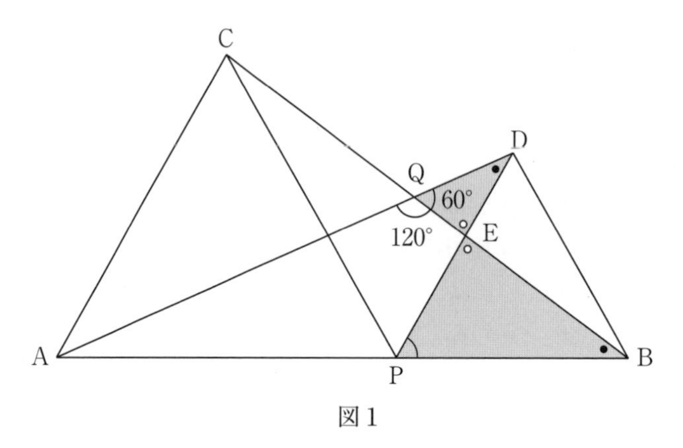

図１

Pが動いている間、AB＝18で一定、かつ、∠AQB＝120°で一定であるので、円周角の定理より、Qは線分ABを弦とし、円周角＝∠AQB＝120°となる円弧AB上を動くことがわかる。

円弧ABの中心角を考えると、円周角120°に対する中心角は120×2＝240°である。よって、360－240より、Qは中心角120°の円弧を動くことがわかる（図２）。

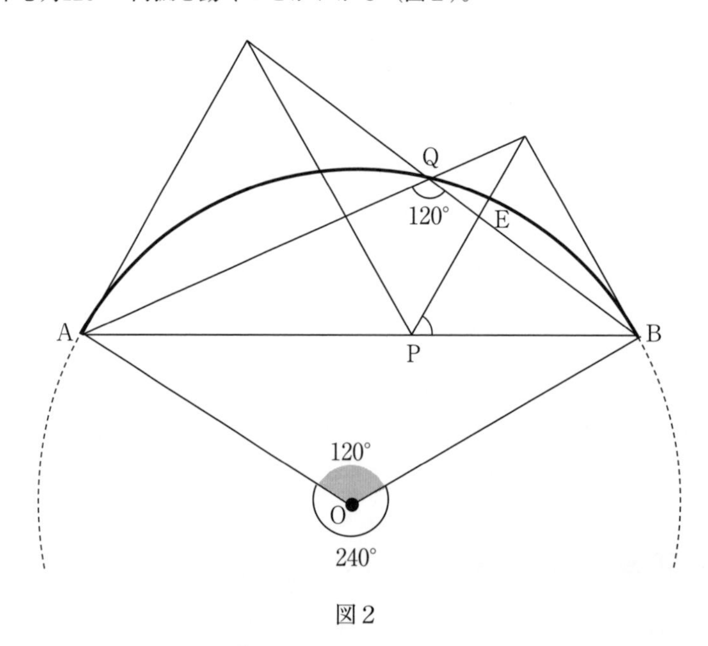

図２

円弧の半径を考える。図２より、△OABは二等辺三角形である。OからABに垂線を引く（足をHとおく）と、△OAHは30°、60°、90°の直角三角形で、AH＝9[cm]より、OA＝$6\sqrt{3}$[cm]となる（図３）。

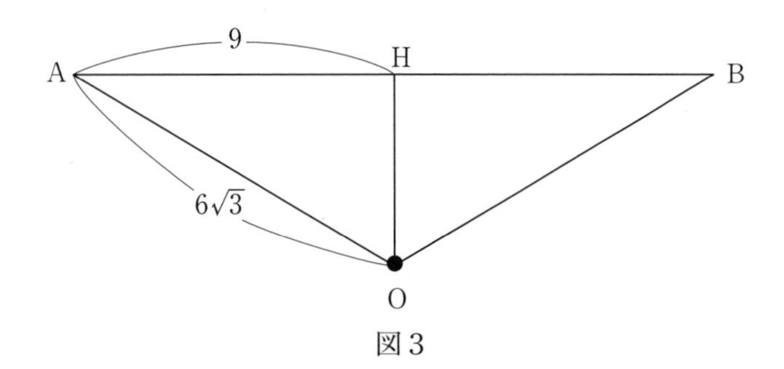

図3

したがって、Qは半径$6\sqrt{3}$ cm、中心角120°の円弧を動くので、軌跡の長さは、$2\pi \times 6\sqrt{3} \times \frac{120}{360} = 4\sqrt{3}\pi$ [cm]である。

よって、正解は**5**である。

No.24　正解　1

TAC生の正答率　79%

正三角形を矢印の方向に滑ることなく回転したときの点Pの1周目の軌跡は図1のようになる。

よって、消去法より、正解は**1**である。

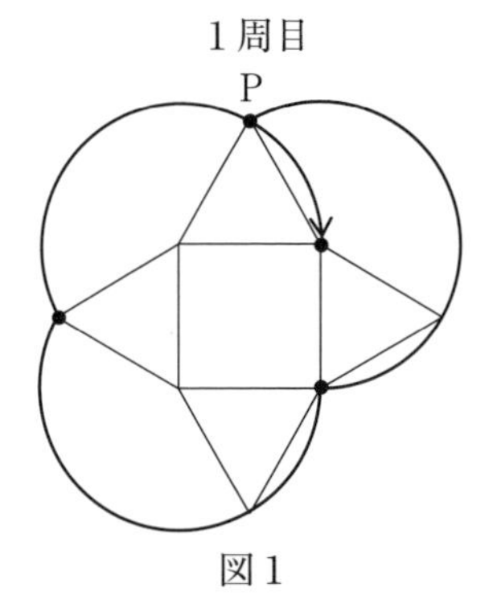

図1

さらに、2周目の場合、3周目の場合に分けて表すと図2、3のようになり、図1～3をまとめると、図4のようになる。

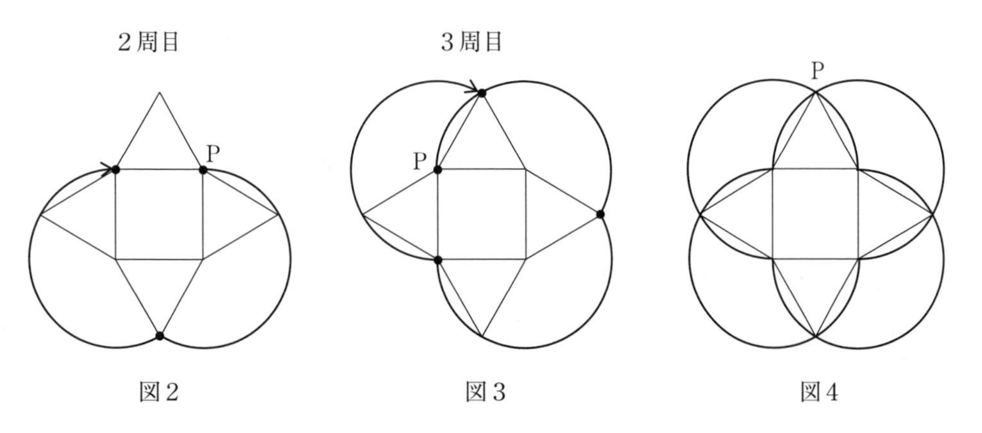

図2　図3　図4

No.25　正解　1　TAC生の正答率 15%

1 ○

2 × 国立西洋美術館本館は、フランスの建築家ル・コルビュジエの設計により建てられた。戦後、日仏間の国交回復・関係改善の象徴として1959年３月に竣工し、2007年には、重要文化財に指定されている。

3 × 「都内最古の寺」という説明は妥当だが、「平安時代後期」という箇所が誤り。浅草寺は飛鳥時代に創設されたとされる。また、浅草寺本堂は入母屋造を特徴とするが、権現造の代表的な建築物ではない。権現造の代表としては、日光東照宮などがある。

4 × 東京駅丸の内駅舎を設計したのは辰野金吾である。また、「瓦屋根」ではなく、セメントを材料とするスレート屋根で作られている。ジョサイア・コンドルは鹿鳴館などを設計したことで知られ、辰野金吾が師事した人物である。

5 × 東京タワーは世界一の高さを目指して作られた塔であり、完成当時はパリのエッフェル塔を抜き、世界で一番高い塔となった。

No.26　正解　3　TAC生の正答率 59%

1 × 化政文化は上方ではなく江戸を中心とした文化である。また田沼時代ではなく11代将軍徳川家斉の時代の文化である。化政文化とは、1804～1830年頃の文化、文政年間に発展した町人文化のことである。

2 × 「春色梅児誉美」は十返舎一九ではなく為永春水の作品である。天保の改革で処罰された。十返舎一九は滑稽本の作者であり「東海道中膝栗毛」がよく知られる。

3 ○ 後期読本についての説明である。

4 × 選択肢の内容は松尾芭蕉ではなく小林一茶についての記述である。「信濃」、「庶民の主体性」で判断するとよい。芭蕉は伊賀生まれであり、活躍した時代は元禄期なので化政期の俳人とはいえない。

5 × 「富嶽三十六景」は歌川広重ではなく、葛飾北斎の作品である。広重の作品でよく知られるのは「東海道五十三次」である。

No.27　正解　4　TAC生の正答率 26%

1 × 「価格協定を撤廃」したのではなく、「価格協定を認めた」が妥当である。ニューディール政策では、需要に対しての供給の調整や業種ごとの価格協定が認められた。

2 × ワグナー法はイギリスではなくアメリカのニューディール政策の一つである。イギリスは金本位制を停止し、本国とその自治領、植民地の間だけで貿易を行うスターリング＝ブロック（ポンド＝ブロック）を結成した。

3 × 「併合には失敗」という点が誤り。イタリアはエチオピアに侵攻（1935）して併合している

(1936)。

4 ○

5 × 「ミュンヘン一揆により…政権を奪取」という点が明らかに誤り。ヴァイマル共和国打倒のためにヒトラーが起こしたミュンヘン一揆は失敗し、この際ヒトラーは捕えられている。その後ヒトラーは首相になり、ヒンデンブルク大統領が亡くなったことで首相と大統領を兼ねた総統に就任した。

No.28 正解 5 TAC生の正答率 41%

1 × 南部と北部の説明が入れ替わっている。ピレネー山脈やアルプス山脈はヨーロッパ南部の新期造山帯である。スカンディナヴィア山脈はヨーロッパ北部の古期造山帯である。

2 × 「低緯度」ではなく「日本の東北地方よりも高緯度」、「寒流」ではなく「暖流」、「冬の寒さが厳しい」ではなく「緯度の割に冬は温暖」とするのが妥当である。東北地方は北緯36～40度であり、青森市とローマがだいたい同じ緯度なので、大西洋や北海の沿岸地域は東北地方より高緯度である。また北大西洋海流は暖流であり、それによって暖められた空気が偏西風によってヨーロッパ西部に流れ込むので、高緯度の割に温暖である。

3 × 「スラブ系」と「ゲルマン系」が入れ替わっている。イギリスやドイツなどはゲルマン系、スペインやイタリアなどはラテン系、ポーランドやチェコなどはスラブ系の人々が多い。

4 × 選択肢の内容はデンマークではなくオランダに関する記述である。デンマークは農地改革によって酪農が盛んになり、乳製品を作っている。また畜産も行われていてベーコンなどの肉加工品の生産、輸出はヨーロッパ有数である。

5 ○

No.29 正解 1 TAC生の正答率 75%

1 ○ 条文により妥当である。衆議院が解散されたときは、参議院は、同時に閉会となる（憲法54条２項本文）。ただし、内閣は、国に緊急の必要があるときは、参議院の緊急集会を求めることができる（憲法54条２項但書）。衆議院の解散により参議院も同時に閉会となるが、この間に国会の議決を必要とする緊急の問題が生じたときに、参議院が国会の権能を暫定的に代行する制度が緊急集会である。

2 × 全体が妥当でない。内閣は、国に緊急の必要があるときは、参議院の緊急集会を求めることができる（憲法54条２項但書）。緊急集会を求めることができるのは内閣であり、参議院議員には緊急集会を求める権限はない。

3 × 全体が妥当でない。緊急集会は、内閣の求めにより参集されるものである（**2**の解説参照）。憲法７条２号の「国会」とは異なるものであり、天皇による召集は行われない。

4 × 「議決事項には制限が設けられていない」という部分が妥当でない。参議院の緊急集会においては、内閣総理大臣から示された案件を審議し、議員は、内閣総理大臣が示した案件に関連のあるものに限り、議案を発議することができる（国会法99条１項、101条）。

5　×　「20日」、「当該措置は初めから無効であったものとみなされる」という部分が妥当でない。参議院の緊急集会で採られた措置は、臨時のものであって、次の国会開会の後10日以内に衆議院の同意がない場合には、当該措置はその効力を失う（憲法54条３項）。また、「効力を失う」とは、初めから無効であったものとみなされる（過去に遡及して効力を失う）のではなく、将来に向かって効力を失うものと解されている。

No.30　正解　3　TAC生の正答率 51%

1　×　上院と下院が逆で、「下院」議員は各州から人口に比例して選出され、「上院」議員は各州から２名ずつ選出される。

2　×　まず、「条約に対する同意権」を有するのは上院である。また、大統領に対する不信任決議権は、上院も下院も有しない。

3　○　アメリカの大統領は、形式的には大統領選挙人を介した間接選挙によって選出されるが、実質的には直接選挙に近い運用になっている。

4　×　「自動的に廃案」が誤り。大統領が拒否権を行使した場合でも、その後に上院と下院それぞれで出席議員の３分の２以上の賛成があれば、大統領の拒否権は覆されて法案が成立する。

5　×　アメリカ合衆国憲法には裁判所の違憲審査権に関する明文規定はないが、判例に基づき、連邦最高裁判所には違憲審査権が認められている。

No.31　正解　5　TAC生の正答率 77%

1　×　無限責任社員のみで構成されるのは合名会社である。合同会社は１名以上の有限責任社員で構成される。

2　×　会社で上げた全ての利益を株主に均等に分配するわけではない。また、株主への利益配分（いわゆる配当）は、持ち株数に応じて配分される。

3　×　株式会社が倒産した場合は、株主は有限責任として、その保有する株式の資産価値がゼロとなることで（株式の財産を限度に）、その責任を負うことになるが、会社の負債を引き受ける義務はない。

4　×　株式会社の設立に必要な資本金は１円以上である。また、記述にあるような取締役に関する規定はない。

5　○

No.32　正解　2　TAC生の正答率 31%

オームの法則より$I=\frac{V}{R}$が成り立つので、抵抗が小さければ電流が大きくなり、その分電力がはやく消費されるので、電球が消灯しやすくなる。よって、各選択肢の合成抵抗を考えればよい。各抵抗の大きさをRとおく。

1の回路は三つとも直列接続であるから$R+R+R=3R$となり、合成抵抗は$3R$となる。

2の回路は三つとも並列接続であるから$\frac{1}{R}+\frac{1}{R}+\frac{1}{R}=\frac{3}{R}$となり、合成抵抗は$\frac{R}{3}$となる。

3の回路は下二つが直列（$R+R=2R$）で、上の一つと並列であるから、$\frac{1}{R}+\frac{1}{2R}=\frac{3}{2R}$となり、合成抵抗は$\frac{2R}{3}$となる。

4の回路は左の二つが並列$\left(\frac{1}{R}+\frac{1}{R}=\frac{2}{R}\text{より、合成抵抗は}\frac{R}{2}\right)$で、右の一つと直列であるから、合成抵抗は$\frac{R}{2}+R=\frac{3R}{2}$となる。

5の回路は**3**と同じ回路であるから、合成抵抗は$\frac{2R}{3}$となる。

以上より、最も抵抗が小さいのは**2**の回路であるから、正解は**2**である。

No.33　正解　2

TAC生の正答率　57%

1　×　蒸留は、物質の沸点の違いを利用し、物質の分離を行う方法である。

2　○

3　×　一般に固体は、温度が高いほど溶解度が大きく、低いほど小さいので、溶かすのは高温の溶媒である。また、溶解度は濃度ではなく温度によって異なるので、利用されるのは温度である。

4　×　溶けやすさの差を利用する方法は再結晶であるが、これは温度差による違いを利用するもので、溶解度の差そのものを使うわけではない。

5　×　クロマトグラフィーに関する記述である。

No.34　正解　4

TAC生の正答率　42%

選択肢に示された動物をすべて何類であるかを示すと、サメ：魚類、カエル：両生類、カモノハシ：哺乳類、クジラ：哺乳類、イモリ：両生類、トカゲ：は虫類、ウサギ：哺乳類、コイ：魚類、カメ：は虫類、コウモリ：哺乳類である。

よって、正解は**4**となる。

No.35　正解　4

TAC生の正答率　63%

1　×　地球の表面は、約70%が海、約30%が陸である。地球上の水分のうち、97%が海水、残りが淡水である。陸地の水の大部分は、氷河が半分、地下水が半分程度である。

2　×　世界の鉄鉱床の大部分は、太古代末から原生代初期（約27～22億年前）に、シアノバクテリアが光合成で発生させた酸素と海水中の鉄イオンが結びついてできた縞状鉄鉱層である。

3　×　石油は、中生代において、大陸棚の浅瀬域の面積が広がったことにより、浅海に生息するプランクトンが増え、これらが大量に遺骸として地層中に埋没したことによりできたと考えられている。なお、古生代石炭紀に形成されたシダ植物の大森林による遺骸は、石炭である。

4　○

5　×　地熱発電は、利用に際して二酸化炭素の排出を伴わないので、その点においては、環境への影響が小さいエネルギー資源である。

No.36　正解　4　　TAC生の正答率　90%

1　×　日本の2021年度の供給熱量ベースの食料自給率は38%であり、将来にわたって食料を安定的に供給していくためのターニングポイントを迎えているとしている。

2　×　政府は、「更なる輸出拡大」に取り組むとしている。

3　×　まず、化学肥料については使用低減の取組みを拡大するとしている。また、遺伝子組換え農作物は、「栽培の推進」ではなく、「栽培用種苗を対象に輸入時のモニタリング検査を行うとともに、特定の生産地及び植物種について、輸入者に対し輸入に先立つ届出や検査を義務付ける『生物検査』を実施」としている。

4　○　白書では、「デジタル技術を活用して、効率的な生産を行いつつ、消費者から評価される価値を生み出していくことが不可欠」としている。

5　×　まず、これは食品ロス問題ではなく食品アクセス問題と呼ばれる。食品ロス問題とは、まだ食べることができる食品が廃棄される問題を指す。また、「過疎地域に特有」も誤り。白書では、「高齢化や地元小売業の廃業、既存商店街の衰退等により、過疎地域のみならず都市部においても、高齢者等を中心に食料品の購入や飲食に不便や苦労を感じる人（いわゆる「買い物困難者」）が増えてきており、『食品アクセス問題』として社会的な課題になっています」としている。

No.37　正解　4　　TAC生の正答率　42%

1　×　知的財産推進計画は毎年策定され、内閣官房に設置されている「知的財産戦略本部」で決定される。

2　×　「知的財産推進計画2023」に、「大胆な投資」という記述はない。一番近い記述は、「我が国に、AIの勃興とともに再び成長の機運が見えており、諸外国の後塵を拝さないよう、今こそ大胆な戦略が必要」、「政府は、広島AIプロセスなどを通じ、議論をリードすべき」という部分である。

3　×　「必要な法整備を今後検討する」が誤り。著作権保護のための法律はすでにある。それに加えて、「生成AIと著作権との関係について、AI技術の進歩の促進とクリエイターの権利保護等の観点に留意しながら、具体的な事例の把握・分析、法的考え方の整理を進め、必要な方策等を検討する」とした。

4　○　「AI 生成物の著作物性やAI 生成物を利用・公表する際の著作権侵害の可能性、学習用データとしての著作物の適切な利用等をめぐる論点について、生成AIの最新の技術動向、現在の利用状況等を踏まえながら…、具体的事例に即して整理し、考え方の明確化を図ることが望まれる」としている。

5　×　「利用することができない」ではなく、「利用が制限される」とした。また、「新たに記載」

も誤り。AIは著作物を自由に学習できるという著作権法の「柔軟な権利制限規定」について、著作権者の利益を不当に害することとなる場合には適用されないという規定は、2018年の著作権法改正で設けられた。

No.38 正解 1 TAC生の正答率 44%

1 ○ 同演説では、「『コストカット型経済』からの完全脱却に向けて、思い切った『供給力の強化』を、三年程度の『変革期間』を視野に入れて、集中的に講じていきます」とした。

2 × まず、価格高騰緊急支援給付金は2023年中の施策であり、この演説では具体的に言及していない。また、「全世帯」も誤り。同給付金の対象となるのは、2022年度分の市町村民税均等割が非課税である世帯と、予期せず2022年１月から12月までの家計が急変し2022年度分の市町村民税均等割が非課税である世帯と同様の事情にあると認められる世帯のみである。

3 × 「１年間延長」と「補助率も引き上げる」が誤り。同演説では、「エネルギー価格の上昇については、九月には、年内の緊急措置として、リッター百七十五円をガソリン価格の実質的な上限とするため補助を拡大しました。この措置を電気・ガス料金の激変緩和措置とあわせて来年春まで継続します」としている。

4 × 「全面的に解禁」が誤り。同演説では、「地域交通の担い手不足や、移動の足の不足といった、深刻な社会問題に対応しつつ、ライドシェアの課題に取り組んでまいります」としているだけである。

5 × 同演説では、「国会の発議に向けた手続を進めるためにも、条文案の具体化など、これまで以上に積極的な議論が行われることを心から期待します」としているだけで、自身の首相任期中の改憲を目指すとはしていない。

No.39 正解 5 TAC生の正答率 22%

1 × まず、「国内で」が誤り。改正法には、国内逃亡に対して位置測定端末を装着する規定はない。同法は、「被告人が国外に逃亡することを防止するため」、位置測定端末を装着することを規定している。また、「命じなければならない」も誤り。同法では、「命じることができるものとする」としている。

2 × 「監督者を選任しなければならない」が誤り。改正法では、「監督者を選任することができる」としており、選任は義務ではない。保釈を許す場合、被告人の親族等に身柄引受人になってもらうことが一般的だが、刑事訴訟法には身柄引受人に関する規定は存在しなかったことから、改正法では保釈に関する監督者制度が創設された。

3 × 「事由を問わず」が誤り。改正法では、「ただし、重い疾病又は傷害その他やむを得ない事由により被告人が当該公判期日に出頭することが困難であると認めるときは、この限りでない」としている。

4 × まず、保釈等された被告人「すべて」が、期間を超えて住居を離れてはならないわけではない。改正法では、保釈等された被告人のうち、「裁判所の許可を受けないで指定された期間を超えて制限された住居を離れてはならない旨の条件を付され」た被告人が帰着しないときは、処罰対象になると規定されている。また、罰則として、２年以下の拘禁刑に処するとしている。

5 ○

No.40　正解　1　TAC生の正答率　37%

1 ○　これにより日本の自衛隊と米韓両軍の合同訓練も行われている。

2 ×　バイデン米大統領と中国の習近平国家主席が会談するのは約１年ぶりのことである。また、台湾問題に関する国防当局及び軍高官による対話の枠組みは以前からあったものの、2022年にペロシ米下院議長（当時）が訪台したことで中断していたが、今回はその再開で合意に至った。AIに関する政府間対話は今回新たに創設されたものである。

3 ×　この日中首脳会談で日本側は東シナ海の情勢や日本周辺での中国の軍事活動の活発化に深刻な懸念を表明しており、さらに中国国内で相次いで拘束された日本人の早期解放を求めてもいるので、両国間の政治的な懸案事項が棚上げされたという事実はない。

4 ×　2023年のAPEC首脳会談の首脳宣言（ゴールデンゲート宣言）においては、一部首脳の反対によってウクライナや中東情勢には言及されなかった。なお、議長宣言においてはウクライナへの侵略のみ言及されている。

5 ×　共同声明（共同ビジョン・ステートメント）では、国連憲章や国連海洋法条約などの国際法の堅持や海洋安全保障協力の強化は謳っているものの、中国には言及していない。